Penser la communication

D1484358

DU MÊME AUTEUR

Le Nouvel Ordre sexuel, Le Seuil, 1974.

Les Dégâts du progrès. Les travailleurs face au changement technique (en collaboration avec la CFDT, J.-P. Faivret et J.-L. Missika), Seuil, 1977.

Les Réseaux pensants. Télécommunications et société (en collaboration avec A. Giraud et J.-L. Missika), Masson, 1978.

L'Information demain. De la presse écrite aux nouveaux médias (avec J.-L. Lepigeon), La Documentation française, 1979.

Le Tertiaire éclaté. Le travail sans modèle (en collaboration avec la CFDT, J.-P. Faivret et J.-L. Missika), Seuil, 1980.

L'Illusion écologique (avec J.-P. Faivret et J.-L. Missika), Seuil, 1980.

Raymond Aron, spectateur engagé. Entretiens avec R. Aron et J.-L. Missika, Julliard, 1981.

Raymond Aron, spectateur engagé. Trois émissions de télévision (3 x 52 min) avec R. Aron et J.-L. Missika, diffusion octobre 1981, Antenne 2.

La Folle du logis, la télévision dans les sociétés démocratiques, avec J.-L. Missika, Gallimard, 1983.

Terrorisme à la une. Médias, terrorisme et démocratie, avec M. Wieviorka, Gallimard, 1987.

Le Choix de Dieu. Entretiens avec Jean-Marie Lustiger et J.-L. Missika, Éd. de Fallois, 1987.

Le Choix de Dieu: la mémoire — l'histoire n'est pas finie. Deux émissions de télévision (2 x 52 min) avec J.-M. Lustiger et J.-L. Missika, diffusion janvier 1988, Antenne 2.

Éloge du grand public. Une théorie critique de la télévision, Flammarion, 1990, coll. «Champs», 1993.

War Game. L'information et la guerre, Flammarion, 1991.

La Dernière Utopie. Naissance de l'Europe démocratique, Flammarion, 1993, coll. «Champs», 1997.

Jacques Delors, L'Unité d'un homme, entretiens avec D. Wolton, Odile Jacob, 1994.

Dominique Wolton

Penser la communication

suivi d'un glossaire et de deux index

Flammarion

© Flammarion, 1997
ISBN : 2-08-081413-3

Pour D., El., Ed.

AVANT-PROPOS

VINGT ANS DE RECHERCHE

Ce livre présente une synthèse de vingt années de recherches consacrées à l'étude des rapports entre la communication et la société. Il a
aussi pour objectif de souligner l'importance théorique de ces questions,
et de préserver l'idéal de la communication, au moment où triomphe
son instrumentalisation. Il permet également de comprendre la continuité des sept ouvrages précédents[1], publiés de 1978 à 1994, qui ont
traité différents aspects des rapports entre la communication et la
société.

La synthèse de ces recherches, sans prétention à l'exhaustivité ni à la
vérité, tente de donner aux lecteurs le moyen de percevoir comment les
sciences sociales, «en direct», sans le recul de l'histoire, essaient d'introduire des connaissances là où dominent – et c'est normal puisqu'il
s'agit de communication – les passions, les intérêts et les idéologies. Le
chercheur n'est pas à l'abri des *a priori* ni des choix subjectifs, mais en
reprenant les principales conclusions de ces vingt années, je tente de
montrer qu'il est possible, à côté de la place grandissante des intérêts, de
conserver un espace pour la connaissance. C'est pourquoi la première
partie expose le cadre théorique et les hypothèses qui guident ce travail,
et les cinq autres parties sont consacrées aux domaines de recherche
empirique liés à ce cadre.

Il faut insister sur cette difficulté de l'analyse. Peu de secteurs sont
confrontés à des mutations aussi rapides depuis un demi-siècle, mais
surtout, peu sont aussi récents. L'école, la ville, les sciences, l'armée…
ont aussi été affectées par d'immenses changements, mais il s'agit de secteurs anciens de nos sociétés où existent des traditions d'analyse; tandis
que la communication n'explose, comme valeur caractéristique de la
modernité, que depuis une cinquantaine d'années. C'est dire si ce phé-

nomène est récent. En même temps la communication est devenue si présente dans l'économie, les techniques, la politique, que le discours des acteurs (entrepreneurs, ingénieurs, hommes politiques et journalistes) a tout envahi. Il n'y a quasiment *plus de place* pour dire *autre chose*. Pourtant comprendre est indispensable, tant la communication colle à la peau des sociétés contemporaines. C'est le statut de la connaissance qui est ici en cause.

Les sciences sociales sont donc, plus encore que de coutume, obligées de faire deux choses à la fois : garder une certaine distance sans laquelle il n'y a pas de connaissance, et prendre parfois position. Par conséquent, il n'est pas contradictoire, de mon point de vue, de revendiquer un statut de chercheur *et* un certain engagement quand des enjeux sont directement liés à des options théoriques, comme c'est d'ailleurs aussi le cas pour les sciences de la nature, de la matière ou de la vie. C'est pourquoi dans ce livre, comme dans la plupart de ceux qui le précèdent, je ne me contente pas d'une analyse critique, j'essaie dans la mesure du possible de proposer des solutions de remplacement. Surtout lorsque l'on adopte, ce qui est mon cas, une position favorable à la communication. Mais cela ne suffit pas, car le chercheur est pris dans la *contradiction* suivante : on lui demande d'être libre, d'explorer, et en même temps, s'il dit quelque chose de différent du discours des acteurs, des hommes politiques ou des journalistes, il perçoit immédiatement une forte résistance. Principalement s'il s'agit de sujets aussi « brûlants » que ceux liés à la télévision, à la culture grand public, à l'information, au journalisme, à la politique, aux nouvelles technologies ou à l'Europe. C'est un peu le double lien « Aidez-nous à mieux comprendre ce qui se passe, mais surtout ne dites pas autre chose que ce que nous voulons entendre »… Tous ceux qui, dans le monde académique et dans celui de la recherche, travaillent comme moi sur ce secteur rêveraient parfois de bénéficier d'un peu de l'attention, si favorable, qui entoure par ailleurs les multiples prophéties de la communication. Ce domaine n'est pas le seul où l'on observe une telle résistance à l'analyse, mais il est sans doute l'un de ceux où cette résistance est la plus visible, du fait du rapport ambigu que chacun entretient avec la communication.

Penser la communication aujourd'hui, c'est penser *le lien* entre les valeurs dont elle est issue, les techniques *et* le modèle démocratique occidental. Mais la marge de manœuvre est étroite, tant la victoire de la communication mélange actuellement, de façon subtile, valeurs et intérêts. Par exemple :

Comment sauver une certaine idée de la communication, liée à l'idée de partage et de compréhension, quand celle-ci est envahie par les intérêts et les idéologies ?

Comment penser les relations entre individus dans une société dominée par une panoplie de techniques dont l'interactivité est prise pour de la communication ?

Comment concilier l'individualisme dominant avec le défi de nos sociétés, qui est au contraire de maintenir les liens de la cohésion sociale et du « être ensemble » ?

Comment préserver le rapport avec l'autre dans une société ouverte, où la circulation est telle qu'autrui, devenu omniprésent, se révèle plus menaçant que désirable ?

Comment expliquer que plus il y a de communication, plus il faut renforcer les identités, qui hier étaient un obstacle à la communication, et qui aujourd'hui en deviennent une condition essentielle ?

En somme, avec la communication, la bonne distance est difficile à trouver. Si autrui est trop près, il devient inquiétant, créant une réaction de rejet. S'il est trop loin, la différence paraît infranchissable. Dans les deux cas, c'est le problème de *l'autre* qui est posé, ou plutôt des conditions à satisfaire pour qu'une communication avec lui soit possible. Plus l'autre est présent, et aujourd'hui omniprésent, par l'intermédiaire des techniques, plus il faut respecter certaines règles, pour éviter que cette proximité soit source de conflits. C'est donc aussi pour cela que les *distances* apportées par les connaissances sont fondamentales, notamment pour résister aux idéologies de la communication, qui nient les contraintes, indispensables à toute communication ou, tout simplement, à toute cohabitation vivable.

*

La production de connaissance n'existant pas sans référence bibliographique, j'ai essayé de citer les ouvrages les plus importants, quelles que soient leurs orientations théoriques, et je les ai regroupés par chapitre, pour respecter la logique thématique. J'ai aussi tenté de distinguer à la fin de l'introduction un certain nombre de titres « classiques » – environ une soixantaine de livres – qui, dans leur diversité, ont marqué l'émergence de ce champ de connaissance. Le choix ne prétend nullement à l'exhaustivité, mais s'efforce d'être équilibré.

Ensuite, pour une bonne compréhension du texte, j'ai établi un *glossaire*, pour les quatorze mots et concepts liés à la perspective théorique développée ici.

Pour donner une vision synthétique des sciences de la communication, j'ai repris quelques extraits du rapport que j'avais fait à la demande de la direction générale du CNRS, en 1985.

Par ailleurs je voudrais remercier bien sincèrement Martine Escoute

11

et Michèle Ballinger, qui m'ont beaucoup aidé pour la réalisation du manuscrit, avec une mention particulière pour la seconde, documentaliste, et son travail sur la bibliographie. Enfin je remercie Jean-Michel Besnier, Éric Dacheux et Yves Winkin pour leur lecture amicale du texte, et pour les remarques qu'ils m'ont faites.

1. *Les Réseaux pensants. Télécommunications et société* (avec A. Giraud et J.-L. Missika), Masson, 1978; *L'Information demain? De la presse écrite aux nouveaux médias* (avec J.-L. Lepigeon), La Documentation française, 1979; *La Folle du logis. La télévision dans les sociétés démocratiques* (avec J.-L. Missika), Gallimard, 1983; *Terrorisme à la une. Médias, terrorisme et démocratie* (avec M. Wieviorka), Gallimard, 1987; *Éloge du grand public. Une théorie critique de la télévision*, Flammarion, 1990; *War Game. L'information et la guerre*, Flammarion, 1991; *La Dernière Utopie. Naissance de l'Europe démocratique*, Flammarion, 1993.

INTRODUCTION GÉNÉRALE

IL EXISTE UNE MARGE DE MANŒUVRE

La communication est l'un des symboles les plus brillants du XXe siècle; son idéal, rapprocher les hommes, les valeurs, les cultures, compense les horreurs et les barbaries de notre époque. Elle est aussi l'un des acquis fragiles du mouvement d'émancipation, ses progrès ayant accompagné les combats pour la liberté, les droits de l'homme et la démocratie.

D'où vient alors ce sentiment de malaise allant de pair avec ce qui devrait constituer une légitime fierté, à l'égard de l'un des avancements les plus tangibles de ce siècle, par ailleurs si douteux? Sans doute du fait qu'il y a tout, et trop de choses, dans la communication. Certes les possibilités d'échanges sont décuplées, à la mesure d'une liberté individuelle sans limites, mais elles se réalisent par le biais d'industries « culturelles » dont la puissance financière et économique est souvent opposée à toute idée de culture et de communication.

Bien sûr, il n'est question que d'échanges, rapides, interactifs, de moins en moins coûteux, et d'un bout à l'autre du monde. Mais cela au prix du renforcement des inégalités entre le Nord et le Sud. Bien sûr, il n'est question que du « droit » à la communication et à l'accès aux réseaux. Mais cela pose de redoutables problèmes de libertés privées et publiques, face auxquels les démocraties sont largement démunies. Et la liste de ces *ambiguïtés* pourrait être poursuivie. Car tel est le mot qui vient immédiatement à l'esprit. Ce siècle voit le triomphe de la communication, mais les ambiguïtés qui l'accompagnent sont au moins aussi fortes que les progrès, expliquant les doutes et les interrogations que l'on devine déjà pour le siècle prochain.

La communication mêle de manière inextricable valeurs et intérêts, idéaux et idéologies. Et rien ne garantit, surtout au moment de son

13

triomphe technique et économique, que les idéaux de la communication d'hier s'inscriront dans les réalités de demain. C'est cette indépassable ambiguïté qui m'intéresse depuis vingt ans, à travers l'étude des rapports entre la communication et la société : comprendre ce décalage constant entre les mots et les actes, les promesses et les réalisations.

Je suis hanté par cette question : à quelle condition sauver la dimension superbe de la communication, l'une des plus belles de l'homme, qui le fait souhaiter entrer en relation avec autrui, échanger avec lui, quand tout va au contraire dans le sens des intérêts ? Comment sauver la dimension *humaniste* de la communication quand triomphe sa dimension *instrumentale* ? Quel rapport y a-t-il entre l'idéal de la communication, qui traverse les âges et les civilisations au point de faire de celle-ci l'un des symboles les plus forts de l'humanité, et les intérêts et les idéologies du même nom ?

Question d'autant plus difficile que chacun bute immédiatement sur deux obstacles. Le premier est lié au mot lui-même. Il est insaisissable, polysémique, immaîtrisable. Il glisse dès qu'on l'aborde, déborde de sens et de références, surtout dans la société contemporaine, dominée par l'ouverture et les échanges incessants. La communication y est omniprésente, valorisée, sans que l'on sache si les références qui l'entourent ont encore un quelconque rapport avec les idéaux au nom desquels on l'instrumentalise. Il n'est pas le seul « mot valise » qui fasse partie de notre entourage conceptuel quotidien. La même polysémie se retrouve avec les mots information, identité, liberté, démocratie…, mais peu sont à ce point au cœur de l'expérience individuelle et collective. Et c'est le second obstacle. Personne n'est extérieur à la communication, personne n'a de distance à son égard. Chacun est partie prenante de la communication ; elle n'est jamais un objet neutre, extérieur à soi. Une réflexion sur la communication requiert donc un effort considérable de distanciation, tant pour celui qui essaie de comprendre que pour celui à qui est destiné la réflexion.

*

I. Les trois sens du mot communication

Que faut-il entendre par communication ? La littérature sur ce sujet est considérable, à la mesure de la diversité des traditions, des pratiques et des doctrines qui, de la théologie à la philosophie, de l'anthropologie à la sociologie, de la linguistique à la psychologie, de la science politique au droit…, ont élaboré des définitions et des théories de la communication[1]. Dans la perspective de mon travail, qui est une réflexion sur les rapports entre communication et société, trois sens principaux peuvent être distingués : la communication directe, la communication technique, la communication sociale.

1) La communication est d'abord une *expérience anthropologique* fondamentale. Intuitivement, communiquer consiste à échanger avec autrui. Il n'y a tout simplement pas de vie individuelle et collective sans communication. Et le propre de toute expérience personnelle, comme de toute société, est de définir les règles de communication. De même qu'il n'y a pas d'hommes sans sociétés, de même n'y a-t-il pas de société sans communication. C'est en cela que la communication est toujours à la fois une réalité et un *modèle culturel*, les anthropologues et les historiens dégageant progressivement les différents modèles de communication, interpersonnels et collectifs, qui se sont succédé dans l'histoire. Il n'y a jamais de communication en soi, elle est toujours liée à un modèle culturel, c'est-à-dire à une représentation de l'autre, puisque communiquer consiste à diffuser, mais aussi à interagir avec un individu ou une collectivité. L'acte banal de communication condense en réalité l'histoire d'une culture et d'une société.

Dans cette perspective, l'originalité du modèle occidental, à travers ses racines judéo-chrétiennes puis l'émergence des valeurs modernes de l'individu libre, est d'avoir mis nettement en avant l'idéal d'émancipation individuelle et collective. Communiquer implique d'une part l'adhésion aux valeurs fondamentales de la liberté et de l'égalité des individus, d'autre part la recherche d'un ordre politique démocratique. Ces deux significations ont pour conséquence de valoriser le concept de communication dans sa dimension la plus normative, celle qui renvoie à l'idéal d'échanges, de compréhension et de partages mutuels.

2) La communication est aussi *l'ensemble des techniques* qui, en un siècle, a brisé les conditions ancestrales de la communication directe, pour lui substituer le règne de la communication à distance. Aujourd'hui, par communication, on entend au moins autant la communication directe entre deux ou plusieurs personnes que l'échange à distance médiatisé par des techniques (téléphone, télévision, radio, informatique, télématique…). Les progrès ont été tellement immenses, les performances si évidentes, qu'aujourd'hui échanger instantanément d'un bout du monde à l'autre, par le son, l'image ou la donnée, est une banalité. Du moins pour les pays riches. C'est le thème du « village global », exact d'un point de vue technique, mais évidemment sans fondements d'un point de vue historique et culturel. Le décalage entre le caractère de plus en plus « naturellement mondial » des techniques et les difficultés de communication, de plus en plus visibles, des sociétés entre elles est l'une des grandes révélations et contradictions du XXe siècle. Même si l'idéologie technique promet toujours pour demain de rap-

procher les performances des procédés et les contenus de la communication.

3) *Enfin, la communication est devenue une nécessité sociale fonctionnelle* pour des économies interdépendantes. A partir du moment où le modèle dominant est celui de l'ouverture – *a fortiori* depuis la chute du communisme –, tant pour le commerce que pour les échanges et la diplomatie, les techniques de communication jouent un rôle objectif indispensable. Si tout est ouvert, et en interaction avec une division internationale du travail, alors les systèmes techniques, des ordinateurs aux réseaux et aux satellites, sont une nécessité fonctionnelle, sans rapport avec le modèle de communication normatif. C'est le même mot, mais il n'a plus le même contenu. La «communication mondiale» n'a évidemment plus grand-chose à voir avec l'horizon et le sens de celle à l'échelle des individus et des petits groupes.

Il demeure cependant un point commun entre ces trois niveaux de communication, directe, technique et fonctionnelle: *l'interaction.* C'est même l'interaction qui définit la communication. Et comme les interactions ne cessent de croître au fur et à mesure que l'on passe de la communication directe à la communication technique, puis à la communication sociale fonctionnelle, on en conclut un peu vite à davantage de «communication». Et ici triomphe l'ambiguïté: les interactions de la communication fonctionnelle ne sont pas synonymes d'intercompréhension.

Toute l'ambiguïté du triomphe de la communication vient de là: le sens idéal, échanger, partager et se comprendre, a été récupéré, et pillé, par la communication technique, puis par la communication fonctionnelle. L'idéal de la communication a servi de label – certains diront de caution – au développement de la communication technique, puis de la communication fonctionnelle. L'idéal d'échange et de compréhension sert donc de toile de fond aussi bien au développement fantastique des techniques de communication qu'à celui de l'économie-monde! Pas étonnant, dans ces conditions, qu'un *malentendu* de plus en plus assourdissant accompagne la problématique de la communication dans ses rapports avec la société...

*

II. Les deux sources: communication normative et communication fonctionnelle

Tout au long du livre j'opposerai ces deux significations de la communication, qui, dans la réalité empirique, se chevauchent et se répondent mais qui, du point de vue des valeurs et des enjeux, ne revêtent pas du tout la même réalité. Les deux significations cohabitent d'ailleurs déjà dans l'étymologie du mot, comme on le verra plus loin, qui distingue deux sens : le sens de partage, proche de l'idée de communication normative ; le sens de transmission et de diffusion, proche de l'idée de communication fonctionnelle.

Par *communication normative* il faut comprendre l'idéal de communication, c'est-à-dire la volonté d'échanger, pour partager quelque chose en commun et se comprendre. Le mot «norme» ne renvoie pas à un impératif, mais plutôt à l'idéal poursuivi par chacun. La volonté de compréhension mutuelle est ici l'horizon de cette communication. Et qui dit compréhension mutuelle suppose l'existence de règles, de codes et de symboles. Personne n'aborde «naturellement» autrui. Le but de l'éducation puis de la socialisation est de fournir à chacun les règles nécessaires à l'entrée en contact avec autrui.

Par *communication fonctionnelle* il faut entendre les besoins de communication des économies et des sociétés ouvertes, tant pour les échanges de biens et de services que pour les flux économiques, financiers ou administratifs. Les règles jouent ici un rôle encore plus important que dans le cadre de la communication interpersonnelle, non dans une perspective d'intercompréhension ou d'intersubjectivité, mais plutôt dans celle d'une efficacité liée aux nécessités ou aux intérêts.

Tout sépare ces deux dimensions de la communication, mais rien ne serait plus faux que de limiter la première au seul niveau de la communication directe interpersonnelle et de réduire la seconde à la communication technique ou sociale. Ce serait trop simple. Toute l'ambiguïté vient du fait que l'opposition entre les deux formes de communication, normative et fonctionnelle, *ne recouvre pas* la distinction entre les trois niveaux de communication, directe, technique et sociale. Autrement dit, les deux formes de la communication se retrouvent dans chacun des trois niveaux de la communication.

Si la communication normative est en principe l'idéal de la communication directe, chacun constate, par expérience, combien de très nombreux rapports interpersonnels sont en réalité régis par une simple communication fonctionnelle ! A l'opposé, dans la communication technique ou sociale, l'une et l'autre dominées par la communication fonctionnelle, l'on constate souvent l'existence d'une communication authentique. C'est ce que chacun recherche dans les groupes, associations, partis, et aussi dans les relations de travail, apparemment réglées par les logiques de la communication fonctionnelle. Celles-ci sont souvent l'occasion de relations plus authentiques que celles existant dans la vie privée et familiale...

Autrement dit, si la communication normative est plus adaptée au

17

premier niveau de l'échange individuel ou de petits groupes, rien ne permet *a priori* de croire que les communications technique et sociale relèvent principalement d'une logique de communication fonctionnelle. Le téléphone et la télévision sont par exemple des moyens de communication qui permettent une communication normative, alors qu'à l'inverse il existe un grand nombre de situations privées, familiales et de groupes où, en dépit des apparences, ne règne que la communication fonctionnelle.

Rien ne serait donc plus faux que d'opposer «l'authenticité de la communication des rapports privés» à «la fonctionnalité de la communication des rapports sociaux». Il est essentiel de conserver à l'esprit la différence de signification entre ces deux formes de communication, tout en sachant qu'elle traverse les situations, individuelles ou collectives, de communication. C'est ici l'ambiguïté et la difficulté de la communication : le mélange constant entre les deux dimensions, et l'embarras à affecter *a priori* le sens normatif ou le sens fonctionnel à telle ou telle situation.

III. L'idée centrale : il existe une marge de manœuvre

Ma position depuis vingt ans, et cela au travers diverses recherches et de multiples ouvrages consacrés aux rapports entre communication et société, n'a pas changé. La communication comporte depuis toujours ces deux dimensions contradictoires, normative et fonctionnelle, mais malgré le succès croissant de la seconde, *il existe toujours une marge de manœuvre*.

Telle est l'hypothèse centrale : la place grandissante de la dimension fonctionnelle ne suffit pas à réifier et à aliéner la dimension normative de la communication, car c'est au nom de cette dimension normative que les industries se développent, laissant une place à partir de laquelle il est toujours possible de dénoncer les décalages entre la promesse des discours et la réalité des intérêts. Et les difficultés de toute communication humaine relativisent les promesses d'une communication fonctionnelle plus efficace. Aucune technique de communication, aussi performante soit-elle, n'arrivera à atteindre le niveau de complexité et de complicité de la communication humaine. En d'autres mots, il existe une *marge de manœuvre*, une *capacité critique* qui ne peut jamais être détruite, puisqu'elle s'origine dans la dimension anthropologique de la communication. Capacité critique qui permet toujours de faire le tri, de distinguer ce qui, dans les promesses, renvoie à l'idéal normatif de ce qui renvoie à une réalité fonctionnelle, de séparer le vrai du faux, les discours des réalités, les valeurs des intérêts. A ce point du raisonnement, il faut souligner combien la communication présente un élément commun avec la démocratie, autre concept central de la modernité : celui de pouvoir rapporter les faits aux valeurs. De même que c'est au nom des idéaux de la démocratie qu'il est possible, quotidiennement, de critiquer les dérives et les erreurs des sociétés démocratiques, de même est-il possible, au nom même des idéaux de la communication, de critiquer les réalisations qui se font en son nom.

C'est pourquoi l'hypothèse de mon travail, à savoir la capacité pour les individus, les groupes, les collectivités, de déjouer les fausses promesses de la communication, est en rapport avec le paradigme démocratique qui suppose la capacité critique du citoyen. Si celui-ci est assez intelligent pour faire le tri dans le discours politique, pourquoi ne pas lui prêter la même intelligence pour faire le tri dans les promesses de la communication ?

Je ne crois donc pas plus à l'avènement de la société de l'information et de la communication, que je ne crains l'installation du pouvoir totalitaire d'une société de communication organisée sur le modèle du Big Brother. Tout simplement parce que les *contradictions* entre l'idéal et la réalité sont suffisamment fortes pour briser les promesses d'une société irénique, ou les stratégies d'un pouvoir totalitaire communicationnel.

Il n'y a jamais eu un éden de la communication qui se serait ensuite dégradé en autant d'intérêts et de mensonges. Il existe au contraire, depuis toujours, une ambivalence entre les deux significations de la communication. Et même si les progrès techniques et les besoins de la communication sociale renforcent aujourd'hui les dimensions de la communication fonctionnelle, par rapport à la communication normative, il n'y a pas recouvrement de la seconde par la première. Ou, pour le dire en d'autres mots, il peut y avoir, avec la communication, de la *domination*, mais pas d'*aliénation*. L'aliénation supposerait la disparition du libre arbitre, donc de cette fameuse capacité critique liée au statut de citoyen. La domination renvoie en revanche à l'expérience de chacun : la communication peut être l'occasion d'un rapport de pouvoir, ou de violence, dans les relations privées ou sociales, mais il est toujours possible de la critiquer.

L'objectif du livre est donc bien autre chose qu'une analyse du rôle des techniques de communication dans la société ouverte. Il est plutôt une réflexion sur la démocratie à l'épreuve de la communication. Il consiste à passer au crible de la communication la plupart des concepts de la société démocratique, puisqu'ils appartiennent au même système de valeurs. L'objectif ne consiste pas non plus à «dénoncer» une dégradation de la communication par rapport à un idéal communicationnel qui aurait existé hier, puisque la proposition de départ pose au contraire le principe d'une ambiguïté fondamentale.

IV. La limite de toute communication: l'autre

Cette hypothèse d'une marge de manœuvre renvoie à l'idée d'une faille, quasi ontologique. Si l'impossibilité d'une communication totalement réussie a l'inconvénient d'empêcher l'utopie d'une communication parfaite, elle a, en revanche, l'avantage de préserver une liberté critique incompressible. Il y a toujours quelque chose de raté, d'approximatif, de frustrant dans la communication, mais ces limites structurelles sont aussi le moyen de comprendre que dans toute communication il y a *l'autre*, et que l'autre reste inatteignable. L'idée de rapport entre deux entités, qui fonde la société, et la communication est aussi le moyen de comprendre la limite de tout rapprochement. La communication permet le rapprochement tout en manifestant la limite, indépassable, de tout rapprochement. Pourquoi? Parce que, avec la communication, le plus compliqué reste *l'autre*! Plus il est facile d'entrer en contact avec lui, d'un bout du monde à l'autre, à tout moment, plus on s'aperçoit rapidement des limites de la compréhension. Les *facilités* de communication ne suffisent pas à améliorer le *contenu* de l'échange.

Pourquoi insister sur cette difficulté? Pour rappeler, alors que jamais nos sociétés n'ont tant parlé d'échanges, ni adhéré aux projets les plus ambitieux de société de l'information, qu'il n'y a pas de communication sans épreuve, sans durée ni échec. Cela est important à dire avant d'entrer dans un livre où il ne sera question que de communication. Les performances techniques ne suffisent pas à rapprocher, mais surtout, en rendant plus visibles les différents points de vue, elles rendent également visible ce qui les distingue. Terrible expérience! *La communication qui devait rapprocher les hommes devient en réalité le révélateur de ce qui les éloigne...*

Pour résumer, ce livre veut rappeler qu'il n'y a pas de communication sans malentendus, sans ambiguïtés, sans traductions et adaptations, sans pertes de sens et apparitions de significations inattendues, bref, sans échec de la communication et sans règles à satisfaire. Le coup de force de ce que l'on appelle les «nouvelles techniques de communication», depuis les années 70 – et qui évidemment ne l'est pas aux yeux des jeunes générations nées avec elles –, est de faire croire, à tort, qu'elles peuvent réduire la polysémie de la communication. Qu'il est possible de rationaliser la communication humaine comme on peut rationaliser la communication technique. Mais si la rationalité des techniques de communication est bien supérieure à la rationalité de la communication humaine, elle est en même temps beaucoup plus pauvre.

Le risque? Vouloir réduire ce fossé, indispensable, entre les deux formes de communication, et souhaiter rationaliser la communication intersubjective pour la rendre «plus efficace». Ou, pour le dire autrement, croire que la communication fonctionnelle, démultipliée par les techniques, la rapprocherait de la communication normative.

V. Nécessité et difficulté de l'analyse

Dans ces conditions, l'on comprend la difficulté d'une logique de la connaissance sur la communication. Pour trois raisons. *D'abord*, chacun, étant praticien de la communication, se sent assez naturellement spécialiste. La communication a un point commun avec la politique : chacun y est compétent. Cela est la conséquence du paradigme démocratique qui reconnaît l'égalité de tous, aussi bien pour s'exprimer, parler et communiquer, que pour avoir une opinion politique et la faire connaître. *Ensuite*, la communication est un secteur neuf, sans tradition, où la multitude des innovations techniques, depuis un siècle, et leurs performances croissantes semblent avoir apporté les solutions aux questions que chacun pouvait se poser. L'idée implicite est que les objections d'aujourd'hui seront balayées par les innovations de demain. *Enfin*, avec la communication il est question au moins autant de passion que de raison. Non seulement personne n'a de distance à l'égard de la communication, mais surtout chacun est ambivalent à l'idée de «savoir», car les difficultés rencontrées dans ce domaine renvoient le plus souvent aux difficultés de chacun. On préfère «utiliser» la communication pour faire passer un message que réfléchir sur elle, car elle se transforme vite en miroir de soi-même. C'est pourquoi tout le monde, y compris dans les milieux culturels et académiques, entretient des rapports ambigus avec la communication. Elle n'est jamais un objet neutre de connaissance.

Résultat? On ne veut pas savoir parce que l'on croit déjà savoir, ou parce que, à l'occasion de la communication, chacun sent qu'il s'agit d'autre chose. Comme de toute façon avec la communication il y a toujours quelque chose «qui passe», nombreux sont ceux qui souhaitent faire l'impasse sur une réflexion la concernant. C'est donc une vision instrumentale qui domine. Des recettes qui sont recherchées plus qu'une réflexion critique. Et ce ne sont pas les multiples gardiens de l'espace public, aujourd'hui sollicités par ceux qui souhaitent y accéder, qui peuvent être actuellement demandeurs d'une réflexion critique.

Ces raisons mises bout à bout expliquent la difficulté d'une logique de connaissance là où domine la séduction vis-à-vis des promesses techniques et le désir de communiquer. *En un mot, il demeure difficile d'être entendu quand l'objet de recherche concerne la communication.*

C'est pourtant en élaborant des connaissances sur la question ontologiquement ambiguë de la communication que l'on arrivera peut-être à créer cette fameuse distance critique indispensable et source de toute liberté. La fonction critique de la connaissance est aujourd'hui indispensable à la hauteur du rôle de la communication dans nos sociétés, à la hauteur de la rapidité des changements, et de la taille des empires financiers qui l'accompagnent.

En prenant au sérieux les valeurs et les références dont se réclame la communication, on peut analyser et sauver ce concept, si essentiel au patrimoine religieux, philosophique, culturel et politique de l'Occident. Quand sera-t-il admis que la communication est pour nos sociétés une question au moins aussi importante que celles de l'éducation, de la recherche, de la ville, de la science, de la santé ?

BIBLIOGRAPHIE

« les classiques »

J'ai essayé de distinguer un certain nombre de « titres classiques », c'est-à-dire une soixantaine de livres qui, dans leur diversité, ont marqué l'émergence de ce champ de connaissance. Le choix ne prétend nullement à l'exhaustivité, mais essaie d'être équilibré.

ADORNO Th., « L'industrie culturelle », *Communications*, n° 4, 1963.

BARNNOUW E., GERBNER G., GROSS L., SCHRAMM W. et WORTH T.L. (sous la dir. de), *International Encyclopedia of Communications*, Oxford University Press, New York, Oxford, vol. 4, 1989.

BARTHES R., *Mythologies*, Seuil, Paris, 1957.

BATESON G., *Écologie de l'esprit*, 2 t., Seuil, Paris, 1980.

BAUDRILLARD J., *Simulacres et simulation*, Galilée, Paris, 1981.

« Signification » BELL D., *Vers la société post-industrielle*, Laffont, Paris, 1976.

BLUMLER J.G. et Mac QUAIL D., *Television in Politics. Its Uses and Influence*, Faber, Londres, 1968.

CAILLOIS R., *Les Jeux et les Hommes. Le Masque et le Vertige*, Gallimard, Paris, 1967.

CANETTI E., *Masse et puissance*, Gallimard (trad.), coll. « Tel », Paris, 1966.

CAREY J.W., *Communication as Culture. Essays on Media and Society*, Unwin Hyniw Hyman, Boston, 1989.

CAZENEUVE J., *La Société de l'ubiquité*, Denoël, Paris, 1972.

Communication, n° 4, Seuil, Paris, 1964.

DAGOGNET F., *Philosophie de l'image*, Vrin, Paris, 1984.

DAYAN D. et KATZ E., *La Télévision cérémonielle*, PUF, Paris, 1996.

DEBORD G., *La Société du spectacle*, Gallimard, coll. « Folio », Paris, 1996.

DUMONT L., *Homo Æqualis. Genèse et épanouissement de l'idéologie économique*, Gallimard, Paris, 1977.

DURAND G., *Les Structures anthropologiques de l'imaginaire*, Bordas, Paris, 1969.

ÉLIADE M., *Images et symboles*, Gallimard, coll. « Tel », Paris, 1952, rééd. 1979.

ELIAS N., *La Société des individus*, Fayard, Paris, 1991.

ELLUL J., *La Technique ou l'Enjeu du siècle*, Economica, Paris, 1980.

ESTABLET R. et FELOUZIS G., *Livre et télévision: concurrence ou interaction?*, PUF, Paris, 1992.

FRIEDMANN G., *Ces merveilleux instruments*, Denoël-Gonthier, Paris, 1979.

GLICK G.Q. et LEVY S.J., *Living with Television*, Aldine, Chicago, 1962.

GRIGNON Cl. et PASSERON J.-C., *Le Savant et le populaire*, Seuil-Gallimard, «Hautes Études», Paris, 1989.

HABERMAS J., *L'Espace public*, Payot, Paris, 1978.

HALL S. *et al.*, *Culture, Medias, Language*, Hutchinson University Library, Londres, 1980.

HOGGART R., *La Culture du pauvre — Étude sur le style de vie des classes populaires en Angleterre*, Éd. de Minuit (trad.), Paris, 1970.

HORKHEIMER M., *Éclipse de la raison*, Payot (trad.), Paris, 1974.

HORKHEIMER M. et ADORNO T.W., *La Dialectique de la raison*, Gallimard, coll. «Tel», Paris, 1994.

ILLICH I., *La Convivialité*, Seuil, Paris, 1975.

KATZ E. et LAZARSFELD P., *Personnal Influence: the Part Played by the People in the Flow of Mass Communication*, The Free Press, Glencoe, 1955.

KLAPPER J.T., *The Effects of Mass Communication*, The Free Press, New York, 1960.

ANG K. et G., *Politics and Television*, Quadrangle, Chicago, 1968.

LAZARSFELD P., BERELSON B. et GAUDET H., *The People's Choice*, Columbia University, New York, 1948.

LÉVI-STRAUSS C., *Anthropologie structurale*, vol. 1, Plon, Paris, 1968. *Anthropologie structurale*, vol. 2, 1973.

LYOTARD J.-F., *La Condition post-moderne*, Éd. de Minuit, Paris, 1979.

Mac BRIDE S. *et al.*, *Voix multiples, un seul monde*. Rapport de la commission internationale d'étude des problèmes de la communication, Unesco/La Documentation française, Paris, 1980.

Mac COMBS M.E. et SHAW D.L., «The agenda setting function of massmedia», *Public Opinion Quarterly*, n° 36, 1972.

Mac LUHAN M., *Pour comprendre les médias. Les prolongements technologiques de l'Histoire*, Seuil (trad.), Paris, 1968.

Mac QUAIL D., *Mass Communication Theory*, Sage, Londres, 1983.

MARCUSE H., *L'Homme unidimensionnel; étude sur l'idéologie de la société industrielle avancée*, Éd. de Minuit, Paris, 1968.

MARIN L., *Éléments de sémiologie*, Klincksieck, Paris, 1971.

MATTELART A., *L'Invention de la communication*, La Découverte, Paris, 1994.

METZ C., *Le Signifiant imaginaire*, UGE, coll. «10/18», Paris, 1977.

MISSIKA J.-L. et WOLTON D., *La Folle du logis. La Télévision dans les sociétés démocratiques*, Gallimard, Paris, 1983.

MORIN E., *L'Esprit du temps, essai sur la culture de masse*, 2 t., Seuil, Paris, 1962.

MUMFORD L., *Le Mythe de la machine*, Fayard, Paris, 1973.

PADIOLEAU J.G. (sous la dir. de), *L'Opinion publique*, Mouton, Paris, 1981.

PACKARD V., *La Persuasion clandestine*, Calmann-Lévy, Paris, 1963.

RIESMAN D., *La Foule solitaire. Anatomie de la société moderne*, Arthaud, Paris, 1964.

SCHAEFFER P., *Machines à communiquer*, 2 t., Seuil, Paris, 1970.

SCHILLER H., *Communication and Cultural Domination*, International Arts and Sciences Press, White Plains, 1976.

SCHLESSINGER P., *Media, State, Nation, Political Violence and Collective Identities*, Sage, Londres, 1991.

SCHRAMM W. (ed.), *Mass Communication*, University of Illinois Press, Urbana, 1960.

SENNETT R., *Les Tyrannies de l'intimité*, Seuil, Paris, 1979.

SHANNON C. et WEAVER W., *Théorie mathématique de la communication*, Retz (trad.), Paris, 1976.

SIMONDON G., *Du mode d'existence des objets techniques*, Aubier, Paris, 1969.

SOUCHON M., *Petit écran, grand public*, La Documentation française/INA, Paris, 1980.

TARDE G., *L'Opinion et la Foule*, PUF, Paris, 1989.

TCHAKHOTINE S., *Le Viol des foules par la propagande politique (1939)*, Gallimard, Paris, 1952.

TOCQUEVILLE A. de, *De la démocratie en Amérique*, Garnier-Flammarion, 2 t., Paris, 1981.

TOURAINE A., *Critique de la modernité*, Fayard, Paris, 1992.

WATZLAWICK P. *et al.*, *Une logique de la communication*, Seuil, Paris, 1979.

WEBER M., *Économie et société*, Plon (trad.), Paris, 1971.

WINKIN Y., *La Nouvelle Communication*, Seuil, Paris, 1981.

WOLTON D., *Éloge du grand public. Une théorie critique de la télévision*, Flammarion, Paris, 1990.

Il existe par ailleurs un certain nombre de manuels, dictionnaires et encyclopédies qui depuis quelques années offrent une synthèse des principales orientations des études et recherches sur la communication. On peut se reporter à :

BALLE F., *Médias et société. Presse, audio-visuel, télévision…*, Montchrestien, Paris, 1992.

BONTE P. et IZARD M. (sous la dir. de), *Dictionnaire de l'ethnologie et de l'anthropologie*, PUF, Paris, 1982.

BOUDON R. et BOURRICAUD F., *Dictionnaire critique de sociologie*, PUF, Paris, 1982.

BOUGNOUX D. (sous la dir. de), *Sciences de l'information et de la communication*. Recueil de textes, Larousse, Paris, 1993.

CAYROL R., *Les Médias. Presse écrite, radio, télévision*, PUF, Paris, 1991.

GRAWITZ M. et LECA J. (sous la dir. de), *Traité de sciences politiques*, 4 t., PUF, Paris, 1985.

JEANNENEY J.-N., *Une histoire des médias*, Seuil, Paris, 1996.

LAZAR J., *Sociologie de la communication de masse*, A. Colin, Paris, 1991.

MOSCOVICI S., *Psychologie sociale*, PUF, Paris, 1984.

RAYNAUD P. et RIALS S. (sous la dir. de), *Dictionnaire de philosophie politique*, PUF, Paris, 1996.

SFEZ L. (sous la dir. de), *Dictionnaire critique de la communication*, 2 t., PUF, Paris, 1993.

SILLS D.L., *International Encyclopedia of the Social Sciences*, Marmittan, New York, 1968.

Par ailleurs, les principales revues étrangères sont :
Journal of Communication (Cary, Pennsylvanie), publié depuis 1951 ;
Media, Culture and Society (Londres), publié depuis 1978 ;
Public Opinion Quaterly (Chicago) ;
European Journal of Communication (Londres), publié depuis 1986 ;
Communication. Revue québécoise des recherches et des pratiques en communication (Québec), publié depuis 1979 ;
Recherches en communication (Louvain) ;
Technologies de l'information et société (Liège, Montréal) ;
Télos (Madrid).

Les revues françaises sont :
Hermès (Éd. du CNRS), publié depuis 1988.
MEI « Média et Information » (Université Paris VIII), publié depuis 1993 ;
Quaderni (AZ Press), publié depuis 1987 ;
Les Dossiers de l'audiovisuel (INA/La Documentation française), publié depuis 1985 ;
Réseaux (CNET), publié depuis 1984 ;
Les Cahiers de médiologie (Gallimard), publié depuis 1996 ;
Communications (Seuil), publié depuis 1964 ;
Études de communication (PUL, Lille), publié depuis 1992.

La revue *Hermès*, «Cognition, communication, politique» (Éd. du CNRS), créée depuis 1988, a publié les numéros suivants :

n° 1, *Théorie politique et communication*
n° 2, *Masses et politique*
n° 3, *Psychologie ordinaire et sciences cognitives*
n° 4, *Le nouvel espace public*
nos 5/6, *Individus et politique*
n° 7, *Bertrand Russell. De la logique à la politique*
nos 8/9, *Frontières en mouvement*
n° 10, *Espaces publics, traditions et communautés*
nos 11/12, *A la recherche du public*
nos 13/14, *Espaces publics en images*
n° 15, *Argumentation et rhétorique* (I)
n° 16, *Argumentation et rhétorique* (II)
nos 17/18, *Communication et politique*
n° 19, *Voies et impasses de la démocratisation*
n° 20, *Toutes les pratiques culturelles se valent-elles ?*

1. Il y aurait un travail synthétique passionnant à faire en ce qui concerne l'étymologie, la sémantique et les débats sur la définition, la perspective, les contextes liés à la définition des

mots information et communication. Déjà un détour par les principaux dictionnaires et encyclopédies est, de ce point de vue, très intéressant. Les territoires sont immenses, à la mesure des racines religieuses et mythologiques de ces deux mots, et surtout du mot communication. On peut se reporter notamment à : S. Auroux, *La Sémiotique des encyclopédistes. Essais d'épistémologie historique des sciences du langage*, Payot, 1979 ; E. Benveniste, *Le Vocabulaire des institutions indo-européennes*, Éd. de Minuit, 1969 ; Y. Bonnefoy, *Dictionnaire des mythologies*, Flammarion, 1991 ; M. Eliade, *Histoire des croyances et des idées religieuses*, 2 t., Payot, 1976 ; A. Rey, *Dictionnaire historique de la langue française*, Le Robert, 1992.

Depuis une quinzaine d'années, le succès même du thème de la communication relance une réflexion théorique et sémantique sur le mot communication. On trouvera une recherche sur ces multiples filiations dans : La revue *MEI*, notamment éditorial n° 1 par B. Darras, 1993, et n°s 4 et 5 (1995-1996), « L'espace sémantique de la communication », Université Paris VIII ; Y. Winkin, *La Nouvelle Communication*, Seuil, 1981.

PREMIÈRE PARTIE

LES CONCEPTS

INTRODUCTION

COMMUNICATION ET MODERNITÉ

Pourquoi la communication a-t-elle aujourd'hui tant de succès? Sans doute parce que les techniques libèrent l'homme des contraintes ancestrales du temps et de l'espace, lui permettent de voir, de parler, d'échanger d'un bout de la planète à l'autre, tous les jours, en permanence. Mais avant tout parce que ces techniques amplifient la communication, besoin anthropologique fondamental, et surtout symbole de la modernité.

C'est de là qu'il faut partir, pour comprendre l'immense engouement qui entoure la communication. Celle-ci ne connaîtrait pas le succès actuel si elle n'était pas directement associée à la modernité. Mais que faut-il entendre par modernité? Sans doute l'une des valeurs les plus fortes de l'époque contemporaine, qui privilégie la liberté, l'individu, le droit à l'expression et l'intérêt pour les techniques qui simplifient la vie : tous éléments présents dans la communication.

Ce que l'on appelle modernité est l'aboutissement du lent processus commencé au XVIIe siècle et caractérisé par l'ouverture progressive des frontières, de toutes les frontières, et d'abord des frontières mentales et culturelles. Ouverture qui sera la condition d'émergence du concept de l'individu, ensuite de l'économie de marché, enfin au XVIIIe siècle des principes de la démocratie. Et la communication a été l'artisan de ce mouvement. C'est par elle que les mondes fermés se sont ouverts les uns aux autres, qu'ils ont commercé, pour échanger des biens et des services, puis des idées, des arts et des lettres. Bref, l'ouverture à l'autre, condition de la communication, a trouvé dans la valeur communicationnelle les outils symboliques puis culturels, enfin techniques, permettant cette mutation. Celle-ci ne s'est pas faite sans violences ni guerres, mais elle n'aurait pu avoir lieu si préalablement, du côté des catégories mentales

31

et des représentations du monde, ne s'était produite cette révolution visant à admettre et à organiser les *rapports à l'autre*. La grande rupture à partir du XVIᵉ siècle demeure l'ouverture à autrui, qui trouve dans les modèles intellectuel et culturel de la communication le moyen théorique de la penser. La poste, la librairie puis la presse, et simultanément le commerce terrestre et maritime, ont été les instruments de cette ouverture, accentuée évidemment par le chemin de fer, le téléphone et toutes les techniques du XXᵉ siècle.

Voilà pourquoi la communication a tant de succès : elle se trouve au cœur de la modernité, qui est elle-même le cœur de la culture occidentale contemporaine. Bien sûr d'autres valeurs ont également joué un rôle dans ce vaste processus, mais l'on ne souligne pas assez en général le rôle de la communication. Celle-ci, d'ailleurs, en assurant ce passage, a eu cette fonction ambiguë qu'on lui retrouve aujourd'hui, détruire le passé, tout en le faisant perdurer, car les processus communicationnels sont aussi des mécanismes de mémoire. Ce lien fort entre communication et modernité permet de comprendre ce que j'appelle *la double hélice de la communication*, c'est-à-dire ce mélange constant entre les valeurs normatives et les valeurs fonctionnelles.

Les deux sources de la dimension normative sont les suivantes.

D'une part la communication est au cœur de la culture occidentale, exprimant la force du lien à *l'autre*, qui est un des éléments centraux de cette culture. On retrouve ici les racines judéo-chrétiennes, européennes, puis occidentales où l'autre est l'égal de soi. C'est pourquoi la culture occidentale, depuis près de deux siècles, valorise l'individu, sa liberté et son droit à la libre parole, conditions d'une communication réellement intersubjective. D'autre part la communication est au cœur de la société démocratique. Elle est indissociable de la société individualiste de masse − dont on verra plus loin les caractéristiques structurelles −, modèle de notre société où sont liées les deux valeurs fondatrices et contradictoires de la démocratie : la *liberté* individuelle, dans le droit fil du XVIIIᵉ siècle, l'*égalité*, dans celui des luttes du siècle suivant. On devine le rôle normatif que joue la communication. Dans les deux cas, pas de liberté ni d'égalité sans communication authentique.

Les deux sources de la dimension fonctionnelle de la communication sont les suivantes.

Dans le cadre du « droit à la communication » lié au modèle occidental de l'individu, on constate une dérive égotiste où le problème est moins le dialogue avec autrui que la simple revendication du droit à l'expression dans une sorte de quête narcissique infinie.

De même, dans le cadre de la « démocratie de masse », où la communication joue un rôle normatif essentiel, on observe une dérive vers des logiques de rentabilité et d'instrumentalisation, adaptées aux contraintes des sociétés complexes mais éloignées de l'idéal communicationnel.

Ce mélange entre dimensions normative et fonctionnelle constitue *la double hélice de la communication*. Il s'agit du processus permanent où les deux références normatives se dédoublent en deux références fonctionnelles.

D'une part la valorisation de l'individu, au nom de la culture occidentale, conduit à l'individualisme roi. D'autre part la valorisation de l'échange, au nom du modèle démocratique, est finalement la condition de fonctionnement des sociétés complexes, dans le cadre d'une économie mondialisée. La communication se généralise au nom des valeurs de l'intercompréhension et de la démocratie, pour satisfaire en réalité soit les besoins narcissiques de la société individualiste, soit les intérêts d'une économie mondialiste qui ne peut survivre qu'à l'aide de systèmes de communication rapides, performants et globaux. C'est cela la double hélice de la communication, avec ce dédoublement constant de deux à quatre positions.

Les techniques de communication sont le médiateur entre ces deux dimensions de la communication. Elles mélangent en permanence les deux dimensions, expliquant pourquoi elles jouent un rôle théorique essentiel, accentué par leur place grandissante dans l'ensemble des situations de la vie privée et publique. Ces techniques se trouvent donc doublement à la croisée des chemins. Elles servent de passage entre les deux dimensions de la communication et, en même temps, incarnent au mieux la modernisation. C'est dire si une réflexion sur leur statut et leur rôle dans la société contemporaine est à la fois nécessaire et difficile.

*

L'objectif de la première partie est de montrer l'intérêt théorique de la communication. Pour cela, j'ai procédé en trois temps.

— Le chapitre premier vise à développer les trois principales *hypothèses* qui guident mon travail depuis près de vingt ans. La première d'entre elles consiste à indiquer le lien structurel, au sein de la culture occidentale, entre la communication et le puissant mouvement de modernisation commencé au XVIe siècle. C'est ce lien qui explique l'importance théorique des problèmes de la communication dans nos sociétés. La deuxième hypothèse concerne le rôle joué par la communication dans la société contemporaine, que j'appelle *société individualiste de masse*, où dominent les deux racines antagonistes de la liberté et de l'égalité, de l'individu et de la masse. Enfin, la troisième hypothèse touche au rôle théorique de la réception. Elle met en parallèle l'importance conférée à l'individu dans le système démocratique *et* celle qui devrait lui être accordée quand il se retrouve en situation de «public». L'hypothèse sur l'intelligence de la réception et du public est le complément du pari fait sur le statut du *citoyen* dans le modèle démocratique.

— Le deuxième chapitre est consacré aux contradictions *culturelles* de la communication, afin de comprendre le décalage entre les enjeux culturels, politiques et sociaux liés à l'explosion de la communication et le peu de place qu'occupent ces problèmes dans l'ordre de la connaissance. Pourquoi y a-t-il aussi peu de demande d'analyse dans ce secteur phare de la modernité?

— Le dernier chapitre s'attache à l'étude de la constitution de ce nouveau domaine de connaissance. Trois aspects sont retenus. Le premier concerne l'histoire de ce champ de recherche en France, où de nombreuses difficultés intellectuelles, culturelles et institutionnelles ont freiné son essor. Le deuxième vise à expliquer, à travers l'itinéraire d'un chercheur, en quoi consiste la politique scientifique dans un domaine neuf, aux frontières fluctuantes, et constamment confronté à l'interdisciplinarité. Le troisième, enfin, met en lumière les quatre positions théoriques qui caractérisent toute réflexion sur les rapports entre communication et société.

En décrivant ces quatre attitudes, dont chacune traduit un rapport à la fois à la technique et à la société, j'espère donner au lecteur la *grille d'analyse* pour comprendre les positions dans le champ académique, mais aussi dans celui des acteurs économiques, institutionnels et politiques.

En un mot, j'espère lui offrir une boussole et des cartes avant qu'il prenne la route.

CHAPITRE I

COMMUNICATION ET SOCIÉTÉ:
TROIS HYPOTHÈSES

Avec la communication il n'y a pas de discours «naturel»; chacun, étant pris dans la communication, doit préciser ce qui l'intéresse, et le lieu d'où il parle.

Je vais résumer les trois hypothèses qui sous-tendent mes recherches. Elles caractérisent la position, «empirique-critique», qui met en avant l'importance théorique de la communication, et son adéquation au modèle de la démocratie de masse, tout en critiquant les décalages constants entre les actes et les références. Par l'usage du mot empirique, on insiste sur la nécessité d'enquêtes concrètes. Cette tradition a été ébauchée aux États-Unis, dans l'entre-deux-guerres, par des chercheurs ayant fui, pour la plupart, le fascisme en Europe. Ils avaient commencé à travailler avec des hypothèses critiques et hostiles à l'égard des médias. Ce sont eux qui ont inauguré les recherches sur la radio puis la télévision. Il s'agit de P. Lazarsfeld, B. Berelson, W. Schramm, E. Katz, T. Adorno...

Cette position empirique-critique reste assez minoritaire. Dans la communauté scientifique qui travaille sur la communication, les positions dominantes sont dans l'ensemble plus critiques, avec par ailleurs une minorité de travaux apologétiques, en phase avec l'idéologie de la communication actuelle. Ensuite, dans les autres milieux culturels, que l'on appelle un peu abusivement les élites, l'attitude n'est guère plus favorable, ces groupes ayant vu dans les médias une *menace* pour leur culture. La place considérable prise depuis par la communication n'a pas modifié cette attitude; au contraire, elle a même accentué chez les élites culturelles un phénomène de rejet. Pendant plus d'une génération, ce ne fut que quolibets et indifférence, accompagnés du stéréotype suivant : les individus sont passifs devant les médias, et manipulés par eux. Cette réaction, finalement identifiable aux travaux de l'école de Francfort, reste courante aujourd'hui.

Une attitude plus instrumentale est apparue par la suite chez les élites, nullement incompatible d'ailleurs avec la première. Puisque la communication est au cœur de la cité, autant s'en servir pour « se faire connaître », sans pour autant du reste valoriser la communication ni la capacité critique du public. Disons que l'attitude majoritaire des élites culturelles est aujourd'hui celle d'une indifférence *théorique* à l'égard de l'information et de la communication, doublée du sentiment croissant qu'il faut *s'en servir*. Revenons aux trois hypothèses.

I. Hypothèse n° I : la communication ; condition de la modernisation

Le succès massif de la communication vient de la conjonction de deux phénomènes : la communication est un besoin fondamental *et* une caractéristique essentielle de la modernité. C'est en effet le *lien* entre les deux qui explique la place prise par elle dans nos sociétés depuis deux siècles.

La communication comme aspiration renvoie au fondement de toute l'expérience humaine. S'exprimer, parler à autrui et partager avec lui, c'est ce qui définit l'être humain. La communication est le moyen d'entrer en contact avec l'autre, qui est l'horizon, ce que chacun à la fois souhaite et redoute, car aborder l'autre n'est jamais aisé. Seule la communication permet de gérer cette relation ambivalente entre soi et autrui. Le langage est au cœur de cette expérience, et cela explique le succès de toutes les techniques qui, au fur et à mesure, ont porté plus loin le son de la voix et l'image du visage, dans cette quête toujours difficile du rapport à l'autre où se mêlent le simple désir d'expression et la volonté de compréhension mutuelle. Pour comprendre la force de ce mot, et déjà son ambivalence, il faut revenir à son étymologie, où l'on trouve les deux sens à l'origine de son succès.

Le premier sens, apparu au XIIᵉ siècle (1160), est issu du latin et renvoie à l'idée de communion, de *partage*. C'est le sens que nous recherchons tous dans la communication. La laïcisation progressive du mot ne changera rien à cette signification profonde. La communication, c'est toujours la recherche de l'autre et d'un partage.

Le deuxième sens se manifeste au XVIᵉ siècle ; il veut dire *transmission, diffusion*. Il est lié au développement des techniques, à commencer par la première d'entre elles, l'imprimerie. Communiquer, c'est diffuser, par l'écrit, le livre et le journal, puis par le téléphone, la radio et le cinéma, enfin par la télévision et l'informatique. Sans oublier le train, la voiture et l'avion, techniques physiques qui ont joué un rôle complémentaire capital. En un siècle, les communications physiques puis médiatiques sont devenues omniprésentes ; et leur référence, leur légitimité et leur idéal étaient le premier sens du mot, à savoir le partage. C'est pour mieux «communiquer», pour mieux se comprendre, que les techniques se sont développées, même si rapidement les intérêts économiques, politiques et idéologiques ont dénaturé cet idéal, qui reste néanmoins la *référence* commune. Il y a aussi une utopie latente au fond de toute technique de communication.

C'est donc en gardant à l'esprit cette *ambivalence indépassable* que j'utiliserai le mot communication dans ce livre. Communication renvoyant simultanément à sa dimension normative (le partage comme valeur et idéal) et à sa dimension fonctionnelle (la diffusion et l'interaction comme faits). Et c'est d'ailleurs cette ambivalence qui permet une critique de la communication.

La deuxième raison du succès de la communication est le lien fort existant entre elle et le modèle culturel occidental de la modernisation. Si les besoins d'échanges existent dans toutes les sociétés, ils n'ont suscité un tel engouement que dans notre culture. C'est au sein de la culture occidentale – européenne à l'époque – et nulle part ailleurs qu'a émergé le modèle de la communication, lié à l'individu. La reconnaissance de la personne, qui est au cœur des valeurs chrétiennes, a nourri la lente et profonde émergence de la modernité à partir du XVIᵉ siècle. Celle-ci, en rompant avec les références transcendantales, posera les principes de la liberté et du respect de l'individu dans une perspective laïque, finalement peu éloignée de la référence chrétienne de la personne. C'est en cela que la modernité, qui se constitue naturellement contre les références chrétiennes, en est finalement son enfant. Avec, en son cœur, la référence à la communication qui fait déjà le lien avec la tradition. La communication, avec l'émergence de l'idée d'être libre, susceptibles de nouer les relations à sa guise, va exprimer et renforcer la modernité, en posant le principe de la séparation entre le spirituel et le temporel. Sécularisation, rationalisation, modernisation, individualisation puis communication iront de pair. L'histoire de ces filiations, à peine faite, mais passionnante, est indispensable pour comprendre pourquoi et comment le mouvement de modernisation a finalement abouti à cette autre vision du monde, la nôtre, dont nous mesurons peu la singularité, et qui consiste à mettre l'individu, la personne, le sujet, l'homme, au centre des systèmes économique, social et politique. Cela ne signifie pas la disparition de toute référence transcendantale, mais l'acceptation de la séparation des ordres. A partir du moment où l'homme est seul face au ciel, à la terre et à la nature pour organiser la cité, les marchés et la politique, le recours à la communication, avec cette ambiguïté fonctionnelle et normative fondamentale, constitue un précieux allié. On retrouve l'importance de ce concept aussi bien à l'échelon de l'individu qu'à celui des relations entre l'individu et la collectivité; en effet, on ne dira jamais assez que la communication n'est pas seulement une valeur individuelle, elle est aussi à l'origine d'un principe d'organisation des rapports sociaux moins hiérarchiques.

Pourquoi ce détour concernant les liens entre communication et modernité? Pour comprendre *l'importance théorique* de la communication. Celle-ci ne vient pas seulement, et pas d'abord, de la performance des outils ni des progrès des industries du même nom, elle résulte d'abord du lien existant entre l'«explosion» de la communication et les valeurs fondamentales de la culture occidentale, dans sa définition de l'individu et d'un certain modèle de relations sociales. D'ailleurs, l'apparition des théories contemporaines de la communication, à partir de la *cybernétique* dans les années 40, liées aux travaux de N. Wiever, et leur succès croissant ne s'expliquent que par la filiation entre ces nouvelles utopies et le statut de la communication dans la culture occidentale.

Telle est sans doute l'hypothèse centrale de ce livre : le lien entre la communication, aspiration humaine fondamentale, et la communication, paradigme central de la culture occidentale. C'est ce qui, de mon point de vue, justifie l'importance théorique de la question de la communication.

Trois conséquences résultent de cette hypothèse.

1) D'abord, on comprend mieux le *succès* proprement fantastique de toutes les techniques de communication qui, du téléphone à la radio, de la télévision à l'informatique, se présentent et sont perçues comme des moyens de se rapprocher de l'idéal de la communication. Les autoroutes de l'information, «stade suprême» actuel du développement de ces techniques, ne sont-elles pas considérées comme l'«authentique» maillage permettant «enfin» une communication directe et interactive entre des millions d'individus?

2) Deuxième conséquence : la dualité structurelle des deux dimensions, normative et fonctionnelle, empêche la victoire de la seconde. De

même que l'information et la communication sont des valeurs du patrimoine culturel européen trop importantes pour être totalement instrumentalisées dans des techniques du même nom, de même est-il peu probable que la dimension fonctionnelle de la communication, nécessaire à la gestion de sociétés complexes, suffise à dévitaliser l'idéal normatif qui existe dans les problématiques de communication.

En un mot, je me sépare de l'hypothèse centrale de l'école de Francfort qui, sans nier la référence idéale de la communication, voit dans la multiplication des techniques, dans la croissance des industries culturelles et dans la montée des grands groupes de communication la preuve d'une réification de celle-ci, et son aliénation dans les catégories de la domination économique et de l'emprise idéologique. Il y a toujours un choix possible, une capacité critique des individus. Avec la communication, comme avec n'importe quelle pratique sociale, il peut y avoir des mécanismes de domination, mais pas d'aliénation. Celle-ci supposerait la disparition de l'autonomie et de la capacité critique de l'individu.

3) Troisième conséquence : la communication est une question aussi importante pour les équilibres sociaux, culturels, politiques et économiques que la Santé, la Défense, la Recherche, l'Éducation. Non seulement pour des raisons financières, mais aussi parce qu'aujourd'hui la vie quotidienne, le travail, l'éducation, la santé… sont organisés, redistribués autour des problématiques de la communication et des techniques qui la portent. Le paradoxe est qu'en dépit de cette omniprésence il n'y a pas encore de prise de conscience de l'importance cardinale des problèmes théoriques de la communication.

Quand reconnaîtra-t-on que plus il y a de téléphones, d'ordinateurs, de télévisions, de médias interactifs, de réseaux…, plus la question est de savoir ce que les sociétés feront de ces techniques, et non pas, comme on l'entend si souvent, de savoir quelle société sera créée par ces techniques ? En un mot, quand reconnaîtra-t-on que le problème est de *socialiser les techniques et non de techniciser la société* ?

II. Hypothèse n° 2 : la communication ; enjeu de la société individualiste de masse

La société individualiste de masse est autant une réalité qu'un modèle, au sens où le problème majeur qu'elle rencontre, la crise du rapport entre l'individu et la collectivité, est en bonne partie le résultat de la victoire de deux mouvements contradictoires : celui en faveur de la liberté individuelle et celui en faveur de l'égalité. La société individualiste de masse est l'héritière de ces deux traditions, *contradictoires* mais non hiérarchisables. C'est d'une part la liberté, dans le prolongement de la tradition libérale – en grande partie anglaise – du XVIIIᵉ siècle, sur le plan aussi bien économique que politique, fondatrice de la tradition individualiste. C'est d'autre part l'héritage de la tradition socialiste du XIXᵉ siècle, qui insiste sur l'*égalité* sociale et sur la légitimité du nombre et des masses, masses au nom desquelles s'est organisée toute la bataille de l'émancipation collective pendant deux siècles. N'oublions pas que le suffrage réellement universel ne se généralise qu'à partir de la fin de la Seconde Guerre mondiale. Le modèle de société européenne valorise donc d'un côté l'individu, dans la tradition libérale hiérarchique, de l'autre côté le nombre et la masse, dans la tradition socialiste égalitaire.

Le succès de la communication est en rapport direct avec ce modèle de société, où elle joue un double rôle. Elle est d'une part *fonctionnelle* pour organiser les relations entre les grandes masses, dans le cadre de l'économie mondiale. Elle est d'autre part *normative* dans le cadre d'un modèle politique de démocratie de masse. Les deux aspects ne sont en effet pas directement liés ; il peut y avoir économie de marché de masse *sans* démocratie de masse. L'originalité du modèle européen est d'assumer les deux : l'individu dans la tradition libérale, et le nombre dans la tradition de la démocratie égalitaire. Et la communication fait le lien entre ces deux références que sont la liberté et l'égalité, avec la double dimension fonctionnelle et normative. En somme, la société individualiste de masse est caractérisée par ce triangle aux trois dimensions essentielles : l'individu, la masse, la communication.

Penser la communication dans ce modèle de société, c'est penser la «massification», perceptible dans les marchés de la télévision, des réseaux, des nouvelles techniques de communication, comme dans la mise en place des grands musées ou des grandes expositions mondiales. Mais c'est aussi penser l'«individualisation», avec les médias électroniques, la fragmentation de l'audiovisuel et les promesses d'Internet, où un individu a le sentiment de pouvoir dialoguer «naturellement» avec n'importe qui d'un bout de la planète à l'autre. En réalité, même cette communication médiatisée individuelle suppose l'existence préalable d'une infrastructure collective. Mais curieusement cette condition n'est pas perçue. Le résultat, en tout cas, est que le triangle de la société individualiste de masse (l'individu, la masse, la communication) se trouve en symétrie avec celui de la modernité (technologie, économie, société).

La conséquence de cette symétrie ? Il n'y a *pas de théorie de la communication sans une théorie de la société*. Toute théorie de la communication qui n'énonce pas formellement la vision de la société qui lui est liée est caduque ; ou plutôt en contient une, implicite : «Dis-moi quelle vision tu te fais du rôle de la communication et je te dirai quel modèle, explicite ou implicite, tu te fais de la société.»

Ce lien entre technique et société explique indéniablement *le succès des deux idéologies* qui aujourd'hui entourent la révolution de la communication : l'idéologie technique et l'idéologie économique.

L'*idéologie technique* confère à la technique le pouvoir de transformer radicalement la société. Avec deux versions : l'une, optimiste, charge chaque nouvelle technologie de résoudre les contradictions antérieures, et de faciliter ainsi l'avènement d'une société libre, ouverte et communicationnelle ; l'autre, pessimiste, prévoit, avec la généralisation de ces outils, la mise en place d'un contrôle social, politique ou policier totalitaire. Dans les deux cas, c'est la technique, comme force autonome, qui modèle la société. On retrouve la puissance de l'idéologie technique[1].

L'*idéologie économique* repose sur les prévisions liées aux performances de ces outils et sur quelques principes : laisser faire le marché ; supprimer les contraintes étatiques d'un autre âge ; faciliter la mise en place d'une économie mondiale de la communication qui assurera plus de paix et de compréhension. Le modèle culturel des négociations du GATT (General Agreement on Tariffs and Trade), puis de l'OMC (Organisation mondiale du commerce), repose depuis de nombreuses années sur cette idéologie parfaitement visible dans le bras de fer que les industries américaines ont engagé avec le reste du monde, et plus particulièrement avec l'Europe.

Inutile de rappeler que ces deux idéologies ont de plus en plus de succès. Mais l'histoire devrait davantage être interrogée, car les mêmes discours optimistes, ou pessimistes, qui accompagnent aujourd'hui les autoroutes de l'information accompagnaient hier l'arrivée du téléphone, de la radio, de la télévision ou de l'informatique ! Pourquoi ne regarde-t-on pas plus souvent dans le rétroviseur ? Et surtout, pourquoi oublie-t-on combien les discours « tournent » ? Les mêmes prophéties qui aujourd'hui ne parlent que des prodiges de l'informatique, des multimédias, d'Internet…, tout à la fois chargés de créer des emplois, un nouveau modèle de croissance, voire de société, dénonçaient il y a à peine vingt ans les effets ravageurs qu'allaient avoir les techniques de communication. Il n'était question que de chômage, de destruction de la division du travail, de disparition des métiers et d'atteinte aux libertés individuelles et collectives. Vingt ans après, ces menaces se sont plutôt confirmées, et ni la télématique ni les réseaux n'ont donné naissance à un nouveau modèle de travail ou de société. Pourtant, les discours ont changé de sens, pour devenir éminemment favorables à toutes ces techniques. Comme si la persistance de la crise économique conduisait à l'idée selon laquelle la « société de l'information » relancerait la croissance.

Deux conséquences résultent de cette hypothèse.

1) *Tout se discute. Les changements ne tombent pas du ciel. Il existe une marge de manœuvre.* Même si le discours des industries techniques, trop souvent hélas repris sans distance par les médias, répète que les techniques de communication vont *tout* changer, dans le travail, le loisir, l'éducation, l'industrie… On retrouve ici l'impact du déterminisme technologique, si familier à l'idéologie moderniste.

Pour échapper à cette tyrannie de l'urgence qui caractérise les discours sur les techniques de communication, il faut prendre de la *distance*. C'est le rôle des *connaissances*. Mais avec le paradoxe suivant : les mêmes connaissances, réclamées par tout le monde, n'intéressent pas si elles ne vont pas dans le sens des modes du moment. Un exemple de cette paresse face à l'analyse ? le discours sur la passivité du public. En dépit des très nombreux travaux qui montrent pourquoi le spectateur n'est pas passif devant la télévision, pourquoi les médias de masse sont probablement moins aliénants que les médias individualisés, pourquoi la communication politique est autre chose que du marketing…, les idées ne progressent pas.

Les connaissances ont dans ce secteur moins d'impact que les discours définitifs d'industriels ou de personnalités qui n'ont jamais travaillé sur ces questions, ne connaissent rien aux bibliographies ni aux travaux, mais *projettent* leur philosophie implicite ou explicite de la vie et de la société sur la communication. Pourtant, cette distance par l'analyse est indispensable pour compenser l'absence de recul théorique et historique. Et pour essayer, par des recherches comparatives, de comprendre comment les *mêmes* techniques et les mêmes services sont accueillis *différemment* dans les sociétés.

2) *La deuxième conséquence concerne la problématique de la communication généraliste.* Celle-ci est essentielle, non pas parce qu'elle correspond à la première forme technique de la radio et de la télévision, mais parce qu'elle traduit une hypothèse sur le rôle des médias dans la société. On a longtemps cru que les médias généralistes, ou médias de masse, étaient trop contraignants, liés à un certain état de la technique, et qu'ils allaient bientôt disparaître au profit de médias thématiques individualisés. Pour résumer, les médias généralistes auraient correspondu au premier stade de l'histoire des techniques de communication, alors que les médias individualisés et interactifs appartiendraient à l'avenir. En réalité, le choix du «généraliste», comme on le verra plus en détail, exprime une certaine vision des rapports entre communication et société, et non un stade des techniques de communication.

Plus la société est fragmentée, fragilisée par l'exclusion ou par d'autres formes de hiérarchie, plus la radio et la télévision généralistes sont une solution, car elles sont un *lien* entre les milieux sociaux. Contrairement aux apparences, le progrès ne vise pas à calquer la communication sur les hiérarchies des communautés, comme le permettent les nouvelles techniques, mais au contraire à offrir, grâce aux médias généralistes, des passerelles entre les goûts et les préoccupations des différents groupes sociaux. Malgré leurs limites, la radio et la télévision généralistes sont plus proches d'une problématique de l'intérêt général que la panoplie des médias thématiques, dont la force et la faiblesse sont de correspondre à l'état de fragmentation de la société.

Rappeler la prééminence d'une problématique sociale et culturelle sur les logiques techniques a un autre avantage, celui d'effacer la dichotomie qui oppose les médias audiovisuels, dominés par l'*offre* de programme, où le public serait en position de «passivité», aux médias de téléinformatique, qui, du micro-ordinateur aux réseaux, placeraient le public dans une position «active», liée à une logique de la *demande*. Cette distinction n'est que partiellement exacte, car dans les deux cas l'usager est actif. Quand l'offre domine, il décode, filtre, accepte ou refuse les messages reçus. Quand la demande domine, il choisit là aussi.

III. Hypothèse n° 3 : l'intelligence du public

La réception joue un rôle capital dans toute problématique de la communication, mais ce rôle est largement sous-évalué. Par réception, il faut entendre *les publics*. Un des stéréotypes les plus constants consiste à dévaloriser la réception. Mais, comme je l'ai dit, ce sont les mêmes individus qui votent, qui écoutent la radio et qui regardent la télévision. Comment d'un côté admettre l'intelligence des citoyens, au point d'en faire la source de la légitimité démocratique à travers le suffrage universel, et de l'autre supposer le public des médias influençable et idiot?

C'est le *même* individu qui est au fondement du système démocratique, avec le suffrage universel, et qui est engagé dans la communication. Il faut donc choisir. Si le citoyen est assez intelligent pour distinguer les messages politiques et l'origine de la légitimité, il l'est également pour distinguer les messages de communication! La communication est ici inséparable du suffrage universel.

Cette capacité critique, caractéristique du citoyen dans ses rapports avec la communication et la politique, explique aussi la problématique de mes recherches : l'objectif n'est pas de dénoncer la tyrannie exercée par la communication sur le modèle démocratique, ni, dans une version irénique, de trouver dans les techniques de communication l'instrument d'une société de communication. Il est plutôt de *penser les rapports* entre les deux.

Les conséquences de cette hypothèse sont au nombre de trois.

1) *Si l'on pense interaction* et non aliénation, la question est de savoir de quelle manière les évolutions qualitatives de la société sont «en résonance» avec l'explosion des techniques de communication. Comment pourrait-il y avoir d'un côté des techniques de communication de plus en plus performantes et, de l'autre, des usagers de plus en plus passifs ou dominés? Cela indique d'ailleurs la difficulté théorique à séparer information et communication. Il n'y a pas d'une part le message «bon», l'information et, d'autre part, la communication «mauvaise» qui la dénature. C'est ce que tentent de faire croire notamment les journalistes, pour répondre aux critiques dont ils sont l'objet. Eux feraient du bon travail, produire de l'information, tandis que par ailleurs le commerce de la communication la pervertirait. Pourtant tous sont assujettis aux mêmes règles économiques. De plus cette distinction n'est pas possible d'un point de vue historique. Que vaut le développement de l'information sans la technique de la presse écrite puis du téléphone, de la radio et de la télévision? Ce n'est pas parce qu'aujourd'hui la logique économique est plus favorable aux industries de la communication qu'à celles de l'information qu'il faut séparer la bonne information et la mauvaise communication. D'autant qu'entre l'information et la communication réside le travail essentiel du journaliste, qui est *l'intermédiaire* entre le spectacle du monde et les citoyens. Aussi frustrante que soit cette unité structurelle entre information et communication, elle est indispensable et va bien au-delà de l'information politique.

2) De même qu'il ne peut y avoir de communication sans capacité critique du public, ni absorption de la dimension normative par la dimension fonctionnelle, de même est-il fondamental de rappeler que *la dimension universelle de la communication ne s'épuise pas dans les logiques actuelles de globalisation et de mondialisation.* Les trois plans sont, et doivent rester, séparés.

La *mondialisation* des techniques existe, mais ne conduit pas au village global, car il n'y a jamais de mondialisation des contenus de communication! La *globalisation* appartient au vocabulaire économique pour désigner une réalité de l'économie, devenue mondiale par l'élargissement des marchés, la production et la standardisation des produits à l'échelle du monde, l'interconnexion des services et le libre échange généralisé.

Le risque? Présenter la globalisation et la mondialisation comme l'instrumentalisation de la référence à *l'universel.* C'est d'ailleurs au nom d'un certain universalisme, lié à l'idée de pacifisme, que se sont développés hier la poste, puis le télégraphe et le téléphone, premières révolutions mondiales de la communication. Tous les hommes devaient

devenir frères. C'était le temps des grandes associations et des expositions universelles. Il y avait certes une ambiguïté bien connue dans ces
références qui étaient principalement celles de l'Europe, mais la terre
n'était pas encore conquise du point de vue géographique. Aujourd'hui,
la situation est différente. Non seulement le monde est conquis, mais
surtout les deux guerres mondiales puis la guerre froide ont montré les
limites d'une telle philosophie universaliste de l'histoire. Les circonstances ne sont guère plus simples depuis l'effondrement du communisme, puisque l'on assiste à un émiettement des systèmes de valeurs en
même temps qu'à une montée des irrédentismes. Simultanément l'économie-monde est devenue la loi, et la communication fonctionnelle,
avec les réseaux bancaires, les flux transfrontières de données, la multiplication des satellites de télécommunications, la seule réalité. En tout
cas l'horizon, presque banal, des pays riches. De là à *confondre* cette
mondialisation et cette globalisation avec une instrumentalisation de
l'Universel, il n'y a qu'un pas, largement franchi par toutes les industries
de la communication. La référence au «mondial» semble avoir absorbé
celle de l'«universalisme» ou, pis, en donner une transcription pratique.
*Comme si mondialisation, globalisation et universalisme étaient devenus
synonymes...*

Rappeler tout ce qui continue de *séparer* la référence universaliste des
deux autres références est donc indispensable. L'universalisme est une
valeur, la globalisation et la mondialisation des réalités. Internet, réseau
mondial et global, n'est pas, contrairement au discours dominant, l'incarnation de la référence universaliste de la communication ! Il est simplement un réseau technique qui s'inscrit dans une économie globale
indifférente aux frontières. De même CNN n'est-elle pas «la première
chaîne d'information mondiale», mais plus simplement une chaîne
d'information américaine dont le point de vue sur l'information mondiale est d'abord un point de vue américain.

3) *Le caractère mondial des techniques ne suffit pas à créer une communication mondiale.* Sauf à succomber à l'idéologie technique qui réduit
un modèle de société à une infrastructure technique.

Le débat a déjà eu lieu avec l'émergence de la société industrielle.
Celle-ci donnait-elle naissance à un seul type de société? L'histoire a
prouvé, notamment à travers l'affrontement entre régimes capitaliste,
communiste et socialiste, que les idéologies sont plus fortes que l'existence d'un modèle technique de société. Celle d'un même modèle
industriel n'a, en effet, pas donné naissance à un modèle identique de
société; la même infrastructure technique ne suffisant pas à créer une
organisation sociale et politique identique. Un phénomène semblable se
produira avec le thème de la «société de l'information». A supposer que

le principe d'accumulation de la richesse de demain soit l'information, comme hier le capital, cela ne donnerait pas pour autant naissance à un modèle identique de société qui serait la société de l'information. Même si toutes les sociétés échangent de l'information, comme elles ont échangé hier des biens et des capitaux. Cette réalité commune sera par ailleurs investie par des idéologies et des systèmes de valeurs différents selon les régions du monde. C'est ainsi que la même infrastructure de la «société de l'information», comme hier de la société industrielle, donnerait finalement naissance à plusieurs modèles politiques et culturels de société. *La technique dominante ne crée pas un modèle dominant de société,* contrairement d'ailleurs aux discours marxistes, pour qui les infrastructures techniques déterminent les rapports sociaux.

Il est capital de conserver à l'esprit cette distinction entre technique dominante et modèle dominant de société. Ne serait-ce que pour éviter la confusion idéologique dont j'ai plusieurs fois évoqué les dangers. *Préserver la différence de nature,* de référence et de logique entre *globalisation, mondialisation* et *universalisme* permet de prendre appui sur la valeur de l'universalisme pour combattre les inévitables dégâts liés à la globalisation et à la mondialisation des techniques de communication.

On retrouve toujours le même défi intellectuel : laisser les distances entre les mots.

BIBLIOGRAPHIE

chapitre I

ADORNO Th. et HORKHEIMER M., *La Dialectique de la raison*, Gallimard, Paris, 1974.

ARON J.-P., *Les Modernes*, Gallimard, Paris, 1984.

ARON R., *Dimensions de la conscience historique*, Plon, Paris, 1961.

BARTHES R., *Le Degré zéro de l'écriture*, Denoël-Gauthier, Paris, 1965.

BERGER P. et LUCKMANN Th., *La Construction sociale de la réalité*, Méridien-Klincksieck (trad.), Paris, 1986.

BIRNBAUM P. et LECA J. (sous la dir. de), *Sur l'individualisme, théories et méthodes*, Presses de la FNSP, Paris, 1986.

BOURETZ P., *Les Promesses du monde. Philosophie de M. Weber*, Gallimard, Paris, 1996.

CALVET L.-J., *Histoire de l'écriture*, Plon, Paris, 1996.

CARRILHO M.M., *Rhétorique de la modernité*, PUF, Paris, 1992.

CASCENDI A.-J., *Subjectivité et modernité*, PUF, Paris, 1995.

DURKHEIM É., *Sociologie et philosophie*, PUF, Paris, 1974.

ELSTER J., *Le Laboureur et ses enfants. Deux essais sur les limites de la rationalité*, Éd. de Minuit, Paris, 1986.

GAUCHET M., *Le Désenchantement du monde. Une histoire politique de la religion*, Gallimard, Paris, 1985.

GIARD L. et CERTEAU M. de, *L'Ordinaire de la communication*, Dalloz, Paris, 1983.

HABERMAS J., *Le Discours philosophique de la modernité*, Douze conférences, Gallimard (trad.), Paris, 1988.

HERVIEU-LÉGER D., *La Religion pour mémoire*, Cerf, Paris, 1993.

HIRSCHMAM A., *Passions et intérêts*, Éd. de Minuit, Paris, 1985.

ISAMBERT F.-A., *Le Sens du sacré. Fêtes et religion populaires*, Éd. de Minuit, Paris, 1982.

JEUDY H.-P., *Les Ruses de la communication*, Plon, Paris, 1989.

LASCARDI A.-J., *Subjectivité et modernité*, PUF, Paris, 1995.

LEGENDRE P., «Droit, communication et politique», *Hermès*, nos 5/6, *Individus et politique*, Éd. du CNRS, Paris, 1989.

LÉVI-STRAUSS C., *Des symboles et leurs doubles*, Plon, Paris, 1989.

MARCUSE H., *L'Homme unidimensionnel; étude sur l'idéologie de la société industrielle avancée*, Éd. de Minuit, Paris, 1968.

MINC A., *La Machine égalitaire*, Grasset, Paris, 1987.

MONDZAIN M.-J., *Image, icône, économie. Les sources byzantines de l'imaginaire contemporain*, Seuil, Paris, 1996.

MUCHEMBLED R., *L'Invention de l'homme moderne. culture et sensibilité en France du XVᵉ au XVIIIᵉ siècle*, Hachette Pluriel, Paris, 1994.

NEUMANN J. von et PIGNON G., *L'Ordinateur et le cerveau*, Flammarion, Paris, 1996.

NOIZET G., BELANGER D., BRESSON F., (sous la dir. de), *La Communication*, PUF, Paris, 1985.

RENAUT A., *L'Individu*, Hatier, Paris, 1995.

SERRES M., *La Communication*, Hermès 1, Éd. de Minuit, Paris, 1968.

SFEZ L., *Critique de la communication*, Seuil, Paris, 1990.

SIMMEL G., *Philosophie de la modernité*, Payot (trad.), Paris, 1989.

1. Les travaux sur l'idéologie de la communication, qu'il faut distinguer de l'idéologie technique, quoiqu'elle en fasse partie, existent sans cependant avoir beaucoup d'impact. Et l'on retrouve une fois de plus le décalage entre le discours des industriels, des hommes publics, des médias et des sciences sociales. Autant les premiers sont éminemment favorables aux nouvelles techniques de communication et véhiculent l'idéologie de la communication, autant les sciences sociales font une analyse critique fondée sur des arguments sociaux, historiques, techniques, sans pour autant être entendus. On peut citer notamment : P. Breton, *L'Utopie de la communication. Le mythe du village planétaire*, La Découverte, 1995 ; P. Flichy, *L'Innovation technique. Récents développements en sciences sociales. Vers une nouvelle théorie de l'information*, La Découverte, 1995 ; A. Mattelart, *L'Invention de la communication*, La Découverte, 1994 ; S. Proulx et Ph. Breton, *L'Explosion de la communication. La naissance d'une nouvelle utopie*, La Découverte, 1996 ; L. Sfez, *Critique de la communication*, Seuil, 1990.

CHAPITRE 2

LES CONTRADICTIONS CULTURELLES

Pourquoi parler de contradictions culturelles et non de contradictions sociales, politiques ou idéologiques? D'abord l'un n'exclut pas l'autre, mais surtout le choix du mot *culturel* traduit l'idée qu'il ne s'agit pas seulement de contradictions sociopolitiques. Certes les faits, les conflits d'intérêts, les stratégies des groupes multimédias permettent de voir le décalage entre les promesses entourant les mots et les réalités; mais en choisissant le mot culture, je souhaite montrer que la problématique de la communication ne s'épuise pas en une critique économique, politique ou idéologique. Notamment parce que toute communication s'inscrit dans un modèle culturel, et surtout parce qu'il existe, comme je l'ai énoncé dès le début, un lien très fort entre la communication et la culture occidentale.

Avec la communication il est presque moins question de rationalité, d'organisation des rapports sociaux, que d'imaginaire, de représentation et de symboles. Que l'on songe par exemple à l'effet de mots magiques tels que «cyberspace», «navigation interactive», «autoroutes de l'information», «réalité virtuelle» ou «réseaux». Autrement dit, les techniques de communication constituent la partie visible de *cette énorme question anthropologique: le rapport à l'autre, à l'échange, au partage.* C'est pour tenter de rendre compte par les mots, maladroitement, de l'immensité des phénomènes à l'œuvre dans la communication que j'ai choisi l'expression «contradictions culturelles». «Culturel» renvoie ici moins au sens des «œuvres» qu'au sens anthropologique qui insiste sur les manières de voir et de penser, sur les symboles et les représentations. C'est d'ailleurs ce *décalage* entre la performance technique des outils et une compréhension mutuelle guère améliorée qui m'intéresse, car dans ce *décalage* résident ces fameuses contradictions culturelles. Comme si le « cœur » de la communication, la compréhension mutuelle, s'échappait au fur et à mesure que les artefacts deviennent de plus en plus performants. Comme si les inévitables incompréhensions, mécompréhensions, ratages de toute communication n'étaient en rien réduits par des communications médiatisées de plus en plus fiables et performantes...

Bref, comme si la non-compréhension augmentait presque aussi vite que la performance des outils chargés de rapprocher les points de vue. Autrement dit, l'accroissement des échanges ne garantit nullement une meilleure communication. C'est ce décalage d'ordre culturel, ou anthropologique, que je voudrais expliciter ici, car chacun d'entre nous est pris dans ces contradictions culturelles.

Je les ai regroupées en trois grands ensembles afin de comprendre leur logique et leur dynamique.

I. La communication triomphante

A. Les distances infranchissables

Si le temps peut être aboli, il n'en est pas de même pour l'espace. Je peux savoir ce qui se passe simultanément à Hong Kong et à Paris, mais je ne peux être *simultanément* aux deux endroits. Il y a donc là une limite structurelle à la disparition de toutes les distances, qui n'est autre que le caractère indépassable de l'*expérience*. L'instantanéité ne vaut finalement que pour *une* des deux dimensions, celle du temps, accentuant d'ailleurs le décalage avec la problématique de l'*espace*. Chacun fait comme si la question des deux distances, spatiale et temporelle, était résolue, alors qu'elles ne peuvent l'être simultanément. Certes, la vitesse de circulation des informations donne l'illusion de pouvoir contourner également la résistance de l'espace, mais l'expérience personnelle constate l'impossibilité à s'affranchir de cette frontière. L'espace et les lieux constituent des contraintes indépassables : je ne peux pas, à distance, éprouver des climats, sentir les odeurs, connaître les habitudes et les modes de vie. Cela requiert à chaque fois déplacement et temps. Ce que l'on a gagné d'un côté se reperd de l'autre. Certes les techniques de communication permettent de « voir », mais pas d'éprouver. Il y a tout simplement une limite à l'« expérience cognitive ». Vieux débat philosophique et théologique...

Apparaît aussi une autre contradiction. Comment retrouver l'altérité, la distance, le rapport à l'autre, quand tout est proximité ? On pensait que la communication, en minorant les distances, réduirait les difficultés de l'accès à l'autre. On s'aperçoit du contraire, tout simplement parce que la communication instantanée, en détruisant les distances, nous met encore plus vite face à autrui. Avec la simultanéité, l'autre s'impose plus vite et agresse davantage, par le simple fait d'être là. A distance, il est moins contraignant. Hier *le temps du déplacement* permettait de se préparer à la rencontre de l'autre; aujourd'hui, cet espace temps ayant disparu, l'autre est presque immédiatement présent, donc plus rapidement « menaçant ». Ce n'est pas simplement pour des raisons liées à la tradition que depuis toujours la *diplomatie*, qui a pour fonction d'établir le lien entre les sociétés différentes, requiert des codes et des rites qui « prennent du temps ». Ce temps est un moyen de conserver ses distances et d'éviter un face-à-face trop rapide. Aujourd'hui où l'accès à l'autre devient direct et sans contraintes, on ferait mieux de méditer cette leçon de la diplomatie.

On retrouve la même problématique dans une tout autre situation sociale, dont l'importance est considérable depuis l'essor des déplacements par le train et surtout par l'avion : celle de l'*hôtellerie internationale*. Pourquoi les hôtels internationaux sont-ils toujours identiques, avec une simple touche de culture locale pour la cuisine ou l'aménagement intérieur ? Pour des raisons économiques bien sûr, mais aussi pour garantir aux clients un minimum de standardisation, de points de repère, pour rassurer ceux qui sont ainsi loin de chez eux. La standardisation de l'hôtellerie internationale, au-delà des coûts, est un moyen *culturel* offert à ceux qui voyagent pour ne pas se sentir trop « dépaysés ». Ils sont dans un cadre rassurant, leur permettant d'aborder plus facilement l'autre quand ils sortent de l'hôtel. Cette standardisation facilite la prévisibilité, qui est, on le sait, une des conditions de la communication ; l'autre est d'autant moins menaçant que l'on a une anticipation possible de son comportement.

Diplomatie et hôtellerie sont deux expériences, très anciennes, qui attestent le besoin fondamental de mettre quelque chose *entre* soi et autrui, pour éviter un rapprochement trop brutal et direct. Expériences à méditer quand la performance des techniques de communication supprime le temps de l'abord de l'autre. Toute l'histoire de la communication a consisté à détruire les distances, l'expérience contemporaine prouve qu'il devient, au contraire, urgent de les retrouver.

Pour l'*espace*, la question est peut-être encore plus complexe. Le réintroduire, c'est réintroduire l'autre physiquement, c'est-à-dire retrouver cette épreuve de l'altérité dont on souhaitait pouvoir se « débarrasser » par une apparente suppression des distances. Un exemple simple : le téléphone portable dans la rue. Celui-ci est pratique et fait « gagner du temps », mais chacun sait que ce type de communication, entrepris de la rue, n'a rien à voir avec les autres situations de communication. On ne parle pas de la même manière dans un bureau, une maison, une cabine téléphonique ou dans la rue, qui est un lieu ouvert, où les autres vous voient, et qui n'est pas fait pour ce type de communication. Même la cabine téléphonique, par sa matérialité, symbolise le caractère particulier de la communication téléphonique. Certes la rue est l'occasion de multiples situations de communication mais pas de celle-là. Et chacun le remarque. Entre ceux qui, en téléphonant, font semblant de parler comme s'ils étaient seuls, sans personne alentour, et ceux qui au contraire sont dans la démonstration ostentatoire, on voit comment les conditions spatiales *rétroagissent* sur le contenu de la communication. On peut « gagner » du temps en téléphonant dans la rue ; on ne peut pas « gagner » de l'espace. Et chacun sait que cette communication apparemment naturelle détermine un ton, voire un contenu différent, tout simplement parce qu'existent des règles spatiales pour chaque type de communication. En outre le gain de temps ne sert le plus souvent à rien. Sauf pour de simples communications de services, qui ne sont pas les plus nombreuses. C'est donc l'expérience comme épreuve du temps et de l'espace qui redevient centrale. Avec un retour inattendu du *territoire*, catégorie ancestrale de l'expérience humaine. Non seulement la maîtrise de l'espace géographique revalorise la problématique du territoire, mais à l'échelon individuel, où chacun vit dans plusieurs espaces simultanément, la recherche d'un « coin à soi » devient centrale. La communication, qui symbolisait la conquête du temps et de l'espace, trébuche à nouveau sur ces deux catégories indépassables.

B. La société transparente

Avec le passage de la modernisation à la modernité, on s'installe dans un présent indéfini, merveilleusement symbolisé par l'interactivité et l'immédiateté des autoroutes de l'information. Tout est dans l'« instantanéité » et la « transparence ». Un phénomène identique se produit sur le plan sociopolitique : on passe de l'idée selon laquelle il n'y a pas de démocratie sans espace public à une autre, plus aventureuse, selon laquelle « tout » doit être sur la place publique, la communication assurant la *transparence* des enjeux. C'est le thème bien connu de la « démocratie électronique » ou de la « télévision comme espace public ». Les citoyens-consommateurs pourraient intervenir régulièrement pour communiquer, s'exprimer, décider dans une sorte de vote instantané et permanent. Un mélange de sondage, de démocratie directe et de référendum continu. Assurer une meilleure visibilité des problèmes et des antagonismes, n'est-ce pas déjà les réduire partiellement ?

Cette utopie d'une politique communicationnelle traduit une contradiction culturelle, à savoir la tentation d'utiliser la performance des techniques pour résoudre la crise du modèle politique et finalement la crise de la représentation sociale. Comme si la visibilité des rapports sociaux – à supposer que cela soit réellement possible – permettait une *vision* plus aiguë des problèmes, et surtout une solution plus efficace. Nos sociétés, malgré tous les « capteurs » – médias, sondages, statistiques –, n'arrivent jamais à éviter les crises. La transparence ne dispense pas plus des conflits, et l'information ne suffit pas à créer de la connaissance. Il y a loin de la visibilité à l'action. Non seulement parce que les crises sont imprévisibles, en dépit de tous les systèmes d'information, mais surtout parce que subsiste une *différence de nature* entre la connaissance de la réalité et la volonté ou la capacité de la changer. Il s'agit de deux dispositions d'esprit bien différentes. Observer n'est pas agir. Sinon il n'y aurait guère de différence entre les journalistes et les hommes politiques.

On retrouve ici l'idéologie moderne évoquée précédemment. Au lieu d'*intégrer* les techniques de communication dans des visions de la société plus vastes, on suppose que ce sont les techniques qui modifieront les visions de la société. Comme si la communication instantanée et interactive d'un bout du monde à l'autre avait une seule fois réduit les problèmes politiques, la violence et le risque de guerre... L'époque contemporaine découvre même avec horreur, de la guerre du Golfe à la Somalie, de la Tchétchénie au Rwanda et à la Yougoslavie, que l'on peut avoir *toutes* les informations sur une situation politique sans pour autant éviter les guerres. On a longtemps cru que les conflits existaient d'autant plus qu'on les ignorait. Et de manière complémentaire, on a supposé que plus il y avait d'images et d'information, moins il serait possible de faire des guerres. Hélas ! En trente ans on vient de découvrir le contraire. Le schéma est plus compliqué. Hier on tuait parce qu'il n'y avait pas de caméras. Aujourd'hui on peut aussi bien tuer avec des caméras toutes proches.

L'idéal de la transparence a une autre conséquence, celle de créer l'idée, fausse, selon laquelle il peut y avoir une société *sans* distances symboliques. Toutes les sociétés jusqu'à aujourd'hui ont été officiellement et légitimement hiérarchisées. Seule la société démocratique prône l'égalité. De là à croire que la communication généralisée augmentera la transparence, et atténuera la hiérarchie, il n'y a qu'un pas, franchi par beaucoup. Or la réduction des distances symboliques rencontre rapidement une limite. D'abord, tout le monde ne peut vivre au même niveau de compréhension des problèmes d'une société. Ensuite, à supposer que cela soit possible, il subsiste cette évidence : toute collectivité a besoin de *distances symboliques* entre les ordres économique, militaire, politique, judiciaire, religieux. Que vaut une société si tous les codes, les vocabulaires, les rites se trouvent d'un seul coup sur un pied d'égalité ? Enfin, cette société sans distance symbolique n'est pas pour autant plus malléable. Pour agir, il faut du relief, des différences. Personne ne peut mener une action en ayant en face de lui, crûment, toutes les données de tous les problèmes. Personne n'est *simultanément* dans la situation sociale, culturelle, psychologique, économique, du haut fonctionnaire, du commerçant ou du militaire. La réduction des distances symboliques, rendue possible *a priori* par l'omniprésence de la communication, construit une société où tout *est à plat, sans relief.*

Ces fameuses distances symboliques sont d'abord la trace de l'histoire et la matérialisation des inégalités, injustices, contradictions du temps présent. Avec la communication, chacun peut, un moment, rêver d'une société transparente et sans hiérarchie, mais qui peut y croire sérieusement ? Il faut sans doute s'y faire : les sociétés, pas plus que les individus, ne peuvent vivre dans une parfaite transparence. D'ailleurs les distances, dont la connaissance et la culture sont des exemples superbes, constituent une des sources de liberté.

C. L'expression identifiée à la communication

Le discours dominant valorise l'*expression* comme condition de la communication. Être libre, c'est d'abord s'exprimer pour communiquer. Cet adage est au cœur du mouvement de libération individuelle, depuis au moins une cinquantaine d'années. Avec cette idée simple : autrui est au bout du chemin qui va de l'expression à la communication. Mais l'autre est en réalité rarement à ce rendez-vous. Car « l'un » et « l'autre » cherchent rarement la même chose. Non seulement il n'y a pas de communication sans malentendus et erreurs d'interprétation, mais surtout les uns et les autres n'en attendent pratiquement jamais la même chose. Dans la revendication du « droit à la communication », c'est moins l'autre que l'on a envie d'entendre que la possibilité de s'exprimer soi-même. Communiquer devient le plus souvent synonyme d'expression, chacun cherchant d'abord non pas l'interlocution, mais la possibilité de parler. *Or deux expressions n'ont jamais fait un dialogue.* Un dialogue suppose une volonté, et du temps pour écouter l'autre, sans d'ailleurs être toujours certain de se comprendre. Un slogan récent d'une publicité dans la rue exprimait bien cette même ambiguïté. Elle disait : « Se faire entendre est essentiel. » C'est tout à fait l'idéologie du moment : on pense à soi, on veut se faire entendre. Mais y a-t-il quelqu'un pour écouter… Et celui qui souhaite se faire entendre, est-il à son tour prêt à entendre ? Rien n'est moins sûr. Le lien n'est nullement naturel entre expression et communication, ou, pour le dire autrement, le droit à l'expression est parfaitement compatible avec les monologues. Si les programmes de radio et de télévision où les individus racontent leurs histoires personnelles ont tant de succès, c'est parce que les uns et les autres peuvent se raconter, s'identifier aux histoires des autres, mais sans avoir à répondre. Ces émissions auraient peut-être moins de succès si ceux qui s'expriment avaient pour devoir d'*écouter* les autres.

Ce dont on a besoin, c'est de parler, et d'avoir le sentiment d'être écouté. *De là à écouter réellement l'autre*, il y a un pas. Et l'interactivité, présentée comme un progrès, se résume souvent à une capacité supplémentaire d'expression donnée à soi ou à autrui, plutôt qu'à une interaction réellement renforcée.

On tombe là sur le deuxième contresens, concernant la communication et les médias de masse. On a longtemps cru que ces médias ne favorisaient pas la communication, car le spectateur ne pouvait pas répondre. On sait aujourd'hui, par les recherches, que le spectateur répond, mais plus tard, ailleurs, autrement. Du point de vue d'une *qualité* de la communication, on réalise l'intérêt qu'il y a à laisser une certaine *durée* entre le moment de la réception et celui de la réponse. Répondre plus vite, instantanément, surtout en communication médiatisée, n'est en rien le signe d'une «meilleure» communication. Car en répondant immédiatement, je suis sous l'emprise de l'émotion, de l'instant, et je n'ai pas encore mobilisé mon intelligence, mon système de valeurs, mes préférences, pour filtrer ce que je viens de recevoir, le nuancer, le relativiser. J'écoute la radio ou je regarde la télévision chez moi, seul et j'en parlerai *plus tard*, le lendemain, ailleurs. Et le plus souvent ce discours sera lui-même le support d'une autre discussion. Autrement dit, ce qui est agréable avec les médias de masse, c'est justement le fait de n'être pas dans l'interactivité immédiate, mais dans une interactivité différée. Contrairement à une idée largement reçue, répondre immédiatement n'est pas forcément un progrès, car on est là *sous l'emprise* des réactions liées à la réception immédiate des images et des sons. *En raccourcissant le temps* entre réception et réponse, la communication technique confond communication fonctionnelle et communication normative. La première est dans une rationalité de l'instant, de l'immédiat, quand la seconde s'inscrit dans un autre espace-temps.

Le *temps* s'avère être une condition structurelle de la *communication normative*. «Il faut du temps pour se comprendre.» D'une manière générale, il n'y a pas de communication sans *tiers*, et plus la communication est omniprésente, tous azimuts, plus ce tiers symbolique joue un rôle essentiel. Voici le contresens: penser que le déficit de communication observé dans nos sociétés sera compensé par des capacités d'expression supplémentaires. Croire que si les publics répondaient directement aux émissions reçues, la société serait plus active. Le besoin de prise de parole, évident dans des sociétés hypermédiatisées, où le public croule sous un flot d'informations de toutes sortes, est réel, mais ce n'est pas en utilisant des claviers interactifs que ce besoin sera réglé. Il peut l'être, mais le plus souvent sur une autre scène, avec d'autres règles.

Un autre problème vient s'ajouter à cela. Certes, il n'y a pas de lien direct entre interactivité et qualité de la communication, mais il n'en existe pas non plus entre l'augmentation du volume de messages, le nombre des médias et la diversité des discours. La multiplication des médias n'a pas accru la diversité des discours et des visions du monde. *Autrement dit, il peut y avoir simultanément hypermédiatisation et conformisme.* Et surtout, les médias généralistes, chargés de tous les maux, s'avèrent de meilleurs garants d'une certaine ouverture que les médias thématiques, plus assujettis, comme tous les marchés segmentés, aux pressions de leurs publics. En définitive il n'y a pas de rapport direct entre l'augmentation du nombre des supports, des programmes et la diversité des programmes. Il fallait faire cette expérience, puisque tout poussait naturellement à penser le contraire.

II. Les limites de la communication

A. L'épreuve de la communication directe

Plus la communication *médiatisée* s'améliore, brisant les échelles de temps et d'espace, plus la communication directe, *physique*, avec autrui paraît davantage contraignante. Il est si facile de dialoguer d'un bout de la planète à l'autre qu'on en oublie les difficultés, indispensables, du «face-à-face». Les techniques n'ont pas résolu les problèmes de la communication humaine, elles les ont simplement *différés*, repoussés au bout des claviers et des écrans. Au-delà de toutes ces techniques de plus en plus simples, bon marché, ludiques, interactives, l'autre est toujours présent, aussi difficile d'accès, aussi difficile à comprendre et à intéresser. Comme si les difficultés de la communication humaine étaient simplement mises entre parenthèses par les prouesses techniques.

Si l'on peut tout «*voir*», que reste-t-il à «*faire*»? Ou plutôt, de quelle nature est ce «faire» par rapport à ce «voir» si facile et omniprésent? Quelle place reste-t-il aussi pour le «dire»? Quel rôle pour les mots quand l'hypertrophie de l'image et des écrans informatiques prend toute la place, et tout le temps? Nul doute que l'écart entre les trois expériences, *du voir, du dire* et *du faire*, s'accroît. Une expérience du monde sans contact avec la nature et la matière, et centrée sur une gestion de signes aseptisés, se généralise. Que vaut alors ce rapport au monde sans l'épreuve du travail, de l'effort physique, des contraintes de la nature ou de la matière? Sans les odeurs et les traces des aléas naturels? Les hommes ont mis des siècles à s'affranchir des contraintes de la nature, à inventer des formes de travail moins fatigantes et plus propres, et tout le sens du progrès a consisté à s'émanciper des tyrannies de la nature et de la matière. A peine ce chemin parcouru, il faut commencer à en comprendre les limites. Le thème du *village global*, sorte d'horizon de ce lent mouvement en faveur d'un monde plus transparent, apparaîtra bientôt comme un contresens justement parce qu'il n'est pas possible d'avoir un rapport au monde sans difficultés. Et l'idéal d'une société de communication immédiate et interactive n'a pas de sens du point de vue anthropologique. On ne dira jamais assez que la *transparence* assurée par la communication n'est pas forcément un facteur de rapprochement, et peut même susciter des mécanismes de rejet. Plus l'autre est facilement visible, sans intermédiaire, plus il faut d'efforts pour le supporter…

L'anthropologie de la communication non verbale montre d'ailleurs les multiples stratagèmes que les individus, et évidemment les collectivités, mettent en avant pour ne pas être *directement* en contact avec autrui[1]. Face à l'émergence de cette «société en direct», on observe déjà deux moyens de mise à distance. D'abord la généralisation du *zapping*, qui est autant un moyen d'accéder à tout que de s'en protéger. Ensuite un intérêt croissant pour l'histoire – et surtout pour l'histoire immédiate, qui fait sans cesse retour avec la mode, les chansons, les styles –, qui est aussi un moyen d'échapper à l'obsédante immédiateté. Comme si la réhabilitation constante d'un passé proche était le moyen de donner un peu d'épaisseur à ce présent indéfini, dont les charmes de l'instantanéité ont pour contrepartie les ambiguïtés inquiétantes du manque de repères.

B. Pas de communication sans incommunication

Cette réalité fondamentale, banale, est aujourd'hui passée sous silence du fait de la performance des outils, aux trois niveaux de la réalité. Sur le plan *personnel*, la communication est le symbole de l'expression, de la liberté et de l'échange. Sur le plan *politique*, elle est l'idéal de la démocratie, matérialisée par le fait que les hommes politiques ne cessent de communiquer, de s'expliquer, de se justifier. Sur le plan *technique*, l'omniprésence des outils, leur performance croissante et leurs interconnexions constituent l'infrastructure évidente de notre société. On ne peut plus ne pas communiquer. De plus en plus facilement, dans tous les sens, de plus en plus vite.

Rappeler les *limites*, oubliées dans le discours actuel encombré des performances, c'est rappeler les conditions d'efficacité de la communication. Celle-ci suppose l'appartenance au même univers socioculturel et le partage des mêmes valeurs, quand il ne s'agit pas de souvenirs, de références, d'expériences, de langues ou de stéréotypes identiques. Elle est autant dans l'échange des messages que dans l'implicite et les connivences d'une culture partagée. Et voilà sans doute le mot essentiel : il faut qu'il y ait déjà eu quelque chose à partager. Or aujourd'hui, la communication, en dépassant les frontières et en touchant toutes les communautés, accrédite l'idée selon laquelle on peut *s'affranchir* de ces innombrables et indispensables conditions qui ont toujours régi toute communication. Au premier rang de ces conditions : l'identité. Sans elle, pas d'échanges possibles. Mais il n'y a pas d'échange non plus sans reconnaissance de l'*altérité*. Rappeler ces trois contraintes : une culture et des valeurs communes ; une reconnaissance mutuelle des identités ; une acceptation des altérités, constitue le meilleur moyen de préciser les limites de l'incommunication.

De ce point de vue, le fantasme d'Internet – communiquer avec n'importe qui, le plus souvent en anglais, de n'importe où, sur n'importe quoi et à n'importe quelle heure – illustre la tentation d'éliminer ces contraintes. Que veut dire le fantasme d'un tel universel de la communication, si ce n'est la disparition de toute conscience de l'altérité, et la croyance en l'existence d'un *seul* univers de communication ? Autrement dit, Internet, présenté comme l'idéal d'une communication universelle, est finalement le symbole d'une communication qui impose le maximum de contraintes : les nôtres. On fait comme si les *facilités* de « branchement » préfiguraient celles de la compréhension, comme si la communication, entre espaces symboliques différents, pouvait se faire sans intermédiaires, sans traducteurs, sans temps. Internet est le contraire d'un modèle de communication universel ; c'est l'idéal de la modernité, aliénant ceux qui n'en font pas partie. Ou plutôt, c'est un modèle de communication fonctionnel qui se présente comme l'idéal de la communication normative. Comme s'il y avait un lien entre la *qualité* d'une communication et le *nombre* de ceux qui y recourent. Le nombre des utilisateurs n'est pas équivalent à la taille d'un *public*. Le fait que des milliers d'individus utilisent une technique de communication ne suffit pas à les transformer en public, et la taille du public n'est pas toujours la norme de la qualité d'une communication. Certes les échanges sont plus faciles, à une échelle plus vaste, mais au prix d'une réduction de la complexité de la communication.

C. Les trois temps de la communication

Au bout de la communication, on retrouve toujours le temps, mais personne ne sait exactement comment il est affecté par cette généralisation du présent indéfini des techniques triomphantes.

Les médias ont un effet fort sur le *court terme*. Il suffit de se souvenir de l'impact de n'importe quel fait dramatique médiatisé pour s'en rendre compte : attentat, catastrophe naturelle, événement politique, guerre, assassinat… C'est le règne du direct, de l'émotion et du *zapping*. La surmédiatisation d'événements graves à l'échelle du monde perturbe les consciences. Cela ne veut pas dire que les citoyens changent leur manière de voir, mais il est évident que leur *rapport* à l'actualité immédiate est fortement perturbé par cette place croissante de l'instantané et de l'émotion. On ne sait toujours pas grand-chose de l'*effet* réel de cette hypermédiatisation sur les populations occidentales, les seules à subir ce bombardement médiatique.

Il existe ensuite une influence sur le *moyen terme*. Là, contrairement à ce que l'on a longtemps cru, les citoyens sont relativement armés. Ils convoquent leurs propres souvenirs, représentations, idéologies, pour situer, dans un cadre spatio-temporel qui est le leur, les informations reçues. La surmédiatisation de l'instant oblige à mobiliser les systèmes de valeurs antérieurs pour mettre en perspective les nouvelles, ne serait-ce que pour échapper à cette tyrannie de l'événement, personne ne pouvant rester sans réagir à autant de messages contradictoires. Le public et, plus largement, les sociétés sélectionnent, filtrent. A condition évidemment que l'«urgence», véritable idéologie des temps modernes, laisse un peu de temps aux citoyens pour que s'opère ce «métabolisme».

En revanche, du *long terme*, qui est un peu le théâtre du conflit des valeurs, on ne sait presque rien! Les cultures de l'urgence et de l'événement ont tendance à réduire l'intérêt, voire l'importance de ce troisième temps, en réalité essentiel, car c'est là que s'organise la cohabitation des valeurs de la modernité et de celles des autres univers symboliques. C'est évidemment cette échelle du long terme qui est essentielle pour savoir *comment* s'intègre la communication dans l'anthropologie contemporaine. Malheureusement les médias n'ont que trente à soixante ans d'existence, ce qui ne permet pas, pour le moment, d'avoir suffisamment de recul pour appréhender cette question.

Distinguer ces *trois temps*, c'est laisser *ouverte* la question de la *place* de la communication par rapport aux autres valeurs. Hier, le modèle de la *tradition* privilégiait la durée et la continuité. Chacun s'inscrivait dans une histoire dont il respectait les codes et les usages, sa trajectoire consistant à conjuguer la singularité de son destin avec la force des traditions. L'individu, comme on dit, «reproduisait» plus qu'il n'innovait. Il respectait. Le modèle culturel moderne actuel est exactement inverse : c'est la liberté individuelle qui prime; le sujet et non la tradition; le présent et non le passé; l'expression et non la règle; moi et non autrui. La discipline, le respect du passé, les traditions, la mémoire, l'obéissance sont des valeurs qui paraissent «d'un autre monde». Il subsiste un présent indéfini, sans règles ni *interdits*, donc presque sans ruptures. Chacun, singulier et libre, est un peu perdu dans la quête de sa singularité. Ce qui explique cette immense cohorte de «monades»: des individus reconnus dans leur être, sans adversaire ni projet. Hier la continuité et la tradition étaient la règle, la séquence, la rupture ou l'individualisme, l'exception. Aujourd'hui «le droit à la différence» est reconnu. Mais il s'agit d'une singularité suspendue dans le temps et dans l'espace. Le présent indéfini des innovations continues se révèle être aussi pesant que le temps antérieur tout organisé autour du calendrier des traditions. Dans les deux cas, et pour des raisons opposées, le surgissement de l'événement reste aussi difficile. Hier parce que l'événement mettait en cause une structure. Aujourd'hui parce qu'*il n'y a plus que* des événements.

Le paradoxe est donc qu'en dépit d'un modèle culturel individualiste et libéral, centré sur la réalisation de soi, la différence et la singularité sont en réalité aussi peu admises aujourd'hui qu'hier. Tout simplement parce que cette idéologie de la liberté, de l'expression et de la recherche de soi-même conduit à des conformismes au moins aussi pesants que ceux d'hier, puisque chacun a maintenant le sentiment d'être libre.

Malheur à celui qui ne pense pas comme la majorité démocratique: *le nombre démocratique, longtemps considéré comme un idéal, peut être aussi tyrannique que le fut l'élite aristocratique.* On retrouve ici la célèbre contradiction entre liberté et égalité soulevée par Alexis de Tocqueville.

III. La communication: une forte résistance à la connaissance

A. La volonté de ne pas savoir

Peu de secteurs offrent une telle résistance à l'analyse, c'est-à-dire une telle *disjonction* entre l'importance des changements techniques, économiques, culturels, *et* le peu d'interrogation sur leurs significations. Hier cette résistance à l'analyse était en grande partie liée à l'ignorance, car les informations concernant les mutations de ce secteur étaient peu nombreuses. Il n'y avait pas de rubrique sur les médias et la communication dans les journaux, et peu de revues spécialisées existaient. Aujourd'hui, c'est exactement l'inverse. Il y a *profusion* d'informations: on sait tout des stratégies des acteurs, de la constitution des groupes multimédias, des nouvelles techniques de communication, des goûts du public, du coût des programmes, sans pour autant qu'une demande d'analyse ne se manifeste. Les médias ont tous créé une rubrique spécialisée et le résultat est paradoxal. Au lieu de voir favoriser une information plus abondante, plus riche de diversité et d'analyses, on constate le phénomène inverse. *Comme si les informations constituaient de l'analyse.* C'est cela la résistance à l'analyse: la volonté de ne pas aller *au-delà* de l'information, des rumeurs, des suppositions, nombreuses dans ce domaine. Bref le «marché» de l'information sur la communication est florissant, à condition de se contenter de ce bruissement d'informations et de demi-secrets identifiés à de l'analyse. La communication est un secteur où, en dépit des discours officiels, on ne veut pas savoir.

Comment est-on arrivé à cette contradiction?

Peut-être parce que la logique de la connaissance est aujourd'hui confrontée à *quatre approches* concurrentes beaucoup plus «efficaces»; celles des journalistes, des hommes politiques, des techniciens, des économistes. L'information journalistique s'auto-érige en connaissance du simple fait de la *vitesse* des événements. Ou, pour le dire autrement, les événements sont si nombreux, contradictoires, techniques, économiques, institutionnels, à l'échelle européenne et mondiale, que suivre l'actualité et la comprendre demandent un réel effort. Beaucoup de bonne foi identifient ce travail de suivi de l'actualité à des connaissances. Le deuxième discours est celui des hommes politiques. S'agissant de la réglementation difficile de ce secteur tiraillé par l'idéologie libérale et les principes du secteur public, la tendance est à la politisation, chacun cherchant dans les repères idéologiques un moyen de se situer. En opposition, le discours des techniciens vante les promesses, toujours plus mirifiques, d'une révolution dont on ne voit plus les limites. Enfin les acteurs économiques, véritables «héros» de la société de l'information et de la communication, tiennent un discours «en flux tendu» sur les marchés à venir. Chacun annonçant pour demain, quand ce n'est pas pour aujourd'hui, cette véritable révolution de la communication. Le résultat est la saturation de discours, tous plus définitifs les uns que les autres. Pourquoi y aurait-il dans ces conditions *une demande de connaissance*? Et surtout, pourquoi introduire des doutes supplémentaires quand il y a tant de plaisir à se laisser porter par les innovations? Pourquoi résister à ce qui est neuf, beau et prometteur? Pourquoi bouder son plaisir? Pourquoi des universitaires seraient-ils plus clairvoyants sur les enjeux, les mutations, que les journalistes, les hommes politiques, les entrepreneurs? Les *élites culturelles* sont évidemment en partie responsables de ce vide, dans la mesure où elles ont largement refusé de réfléchir sur ce secteur, dont la légitimité scientifique reste «moyenne». Aussi n'ont-elles pas contribué à créer ce «matelas de connaissances» sur lequel prendre appui pour relativiser les promesses incessantes. De plus, la manière dont ces élites ont ensuite, pour une bonne partie d'entre elles, décidé d'«utiliser» les médias, tout en continuant à tenir un discours critique sur la communication, n'a pas non plus donné le sentiment aux autres acteurs (journalistes, hommes politiques, techniciens, entrepreneurs) qu'elles étaient les mieux placées pour une analyse distanciée et objective…

Entre la demande de «maîtrise» par les hommes politiques, celle de «valorisation» par les journalistes, de «légitimité» par les ingénieurs et la demande «tout court» pour les entrepreneurs, il ne reste pas beaucoup de place pour une demande de «connaissances». Là aussi, ce seront les faits, dans leur brutalité, c'est-à-dire les conflits, qui ouvriront une réelle demande d'analyse.

B. Les idéologies de la communication: compression et intégration

Les performances techniques, la numérisation et la compression des données, bouleversent les conditions de fonctionnement des grands réseaux. Tout peut s'échanger instantanément d'un bout de la planète à l'autre, tout est consultable et chacun, en naviguant sur le «Web», peut circuler dans un océan de données et d'images. Si l'on peut compresser les données et intégrer les services, pourquoi ne pas espérer pouvoir faire de même avec les problèmes de société? Avec cette idée: plus on compresse les messages, plus ils sont nombreux, plus ils circulent, plus ils informent, plus la société est intégrée. Et comme, d'un point de vue technique, on peut associer les services du travail, du loisir, de l'éducation, l'idée d'une globalisation de la communication s'impose avec en filigrane la perspective d'une réorganisation des tissus sociaux. Compression et intégration deviennent les idéaux de la communication fonctionnelle. Le drame vient simplement du fait que ni les sociétés ni les êtres humains ne communiquent avec un tel modèle de rationalité. Les déformations et les goulots d'étranglement sont omniprésents, à commencer par les décalages, fréquents, entre l'intention et la réception. Ensuite, les pertes et les déformations font partie intégrante de la réception. Enfin, en supposant même que les récepteurs comprennent sans déformation, il reste que, les contextes d'émission et de réception n'étant pas identiques, l'interprétation des messages est nécessairement différente entre l'intention de l'émetteur et la réception par le public. Les cadres spatio-temporels de l'émission et de la réception n'étant jamais semblables, l'hypothèse de la compression consiste à faire une *analogie*, fausse, entre quantité des données et contextes. Un nombre accru de données ne suffit pas à mieux rapprocher des contextes.

En fait, compression et intégration, présentées comme l'un des grands avantages des autoroutes de l'information, renforcent l'idéal de la communication fonctionnelle régi par un seul schéma de rationalité: celui où l'on suppose l'existence d'une logique identique pour les différents acteurs et les différents stades de la communication (de l'intention à la construction du message; du transport à la réception et à la compréhension). Mais l'intégration des services (travail, loisir, éducation…), remarquable performance du point de vue technique, ne veut *rien dire* sur le plan des contenus, car l'homme ne vit *pas* dans un *espace-temps intégré.* Des différences radicales demeurent entre les situations de travail, de loisir, de services, d'éducation. Ce n'est pas le même homme, ou plutôt ce ne sont pas les mêmes attitudes, dispositions, goûts, attentes, qui sont à chaque fois mobilisés.

L'intégration physique des activités ne changera rien au fait que l'utilisateur, lui, n'est pas intégré. Accéder par exemple à *tous* les services sur un *même* terminal ne modifie en rien le fait que ceux-ci sont radicalement *différents* du point de vue essentiel des valeurs, de leur rôle et de leur finalité. Que la même source délivre des informations-services sur les trains, les comptes bancaires, le télé-achat, la formation professionnelle, les banques de données, le journal télévisé, les téléfilms, les jeux…, ne bouleverse pas le fait qu'il s'agit à chaque fois d'activités de communication de natures différentes. Leur *rapprochement physique* sur un même terminal ne change rien à leur *altérité.*

La limite principale à l'idéologie de l'intégration et de la compression tient en un mot : on peut comprimer des données, on ne peut comprimer ni les contextes ni le sens. Et le problème est d'autant plus compliqué que, dans une culture de l'instant, c'est l'*événement* qui intéresse plus que le *sens*, l'information plus que la connaissance. Mais l'événement ne conduit pas forcément au savoir. Il y a donc un renforcement des difficultés : non seulement l'hypervalorisation de l'événement ne favorise pas forcément le savoir, mais l'intégration des activités ne garantit pas non plus une meilleure gestion de celles-ci par l'homme. Autrement dit, ce qui se gagne en vitesse et en intégration d'un côté ne se récupère pas en efficacité de l'autre.

C. Le renversement du rapport identité-communication

Nous assistons, depuis un siècle, au renversement du rapport entre identité et communication. Le XIXe siècle, contrairement aux apparences, fut celui de la communication, tant du point de vue de l'idéal historique que du développement technique, avec la conquête du monde par le train, l'ouverture des grandes routes maritimes, le télégraphe et le téléphone. Le XXe siècle a accentué cette tendance avec l'avion, puis le cinéma, la radio et la télévision. Certes la problématique de l'identité a joué au siècle dernier, notamment avec les identités nationales, un rôle essentiel surtout en Europe, mais à l'échelle du monde, le mouvement est plutôt celui de l'ouverture. L'identité était l'obstacle à la communication, valeur montante et identifiée au progrès. D'ailleurs, aucun empire ne put résister à ce mouvement général d'ouverture. La communication était du côté du progrès, et toutes les luttes pour la démocratie, pour la liberté de la presse, de réunion et d'expression, furent liées à l'idée d'ouverture et de dépassement des frontières. En cette fin de siècle le mouvement s'est renforcé : la communication est devenue davantage la valeur dominante, et la défense de l'identité encore plus assimilée à un combat d'arrière-garde. Les deux guerres mondiales, liées notamment au nationalisme, la montée des conflits identitaires depuis la décolonisation et, plus encore, depuis la chute du communisme semblent confirmer cette évidence : l'ennemi, c'est l'identité, notamment nationale. Et ce d'autant plus que, dans le monde ouvert actuel, toutes les oppositions se manifestent sur un mode identitaire.

Mais c'est là que le contresens opère. Il existe certes, depuis toujours, des passions identitaires, mais celles-ci sont accentuées par le mouvement général d'ouverture et de communication. On ne peut donc pas dire que l'identité est l'obstacle à la communication puisque, la plupart du temps, c'est la généralisation de la communication qui accentue la réaction identitaire. Et condamner les processus identitaires au nom du «progrès» de la communication a d'autant moins de sens que ce sont ces progrès qui accentuent les pressions identitaires. C'est en ce sens qu'il y a renversement du rapport identité-communication. Hier l'identité était un obstacle à la communication, aujourd'hui elle en est la *condition.* Sinon l'identitaire belliqueux surgira encore plus en réaction à un excès d'ouverture et de communication.

Autrement dit, au lieu de prendre appui sur les excès des mouvements identitaires, il faut plutôt les considérer comme les symptômes d'un problème culturel croissant : celui de la difficulté à vivre dans un univers ouvert. La question n'est plus celle de l'ouverture contre les identités, mais celle de la *gestion de l'identité,* véritable double de la communication. On l'observe bien par exemple en Europe, où l'application de la convention de Schengen prouve tous les jours qu'en matière d'ouverture des frontières la prudence s'impose. L'espace de Schengen devait se faire «naturellement» dans la continuité de la liberté de circulation des marchandises et des capitaux, et dans le droit fil de la valeur démocratique commune de la liberté de circulation des hommes. Au pied du mur, chacun découvre la difficulté : l'ouverture croissante des frontières crée en contrepartie un besoin d'identité, et donc de contrôle de ces frontières. Dans un univers largement médiatisé, l'identité collective est menacée par cette même communication qui a tendance à tout dissoudre. Comment éviter la «dissolution» des identités, ou plutôt, comment réfléchir aux moyens pour que cette crainte d'une anomie croissante, liée à l'effondrement des identités, ne crée des dégâts? L'identité est de nos jours beaucoup plus problématique qu'hier, car elle se pense dans un univers ouvert où la valeur dominante est celle de la communication. L'idée est donc simple : le problème est l'inverse de celui posé il y a un siècle. *La difficulté concerne aujourd'hui l'identité et non la communication.* C'est d'ailleurs ce qui se manifeste de manière tragique en Yougoslavie, et de plus en plus en Europe. Au lieu d'y voir la preuve d'un reste du passé, il faut au contraire y voir la trace d'un problème d'avenir pour les pays développés.

Sous prétexte qu'il s'agit du même mot, la paresse consiste à ne pas voir les différences radicales de contexte. L'identitaire se pense toujours en réaction, du moins en relation par rapport à quelque chose. Aujourd'hui cette relation est radicalement différente de celle d'hier. Hier l'identité était une résistance à l'ouverture, aujourd'hui elle est une réaction à trop d'ouverture. Le sens est donc différent. Si, dans les deux cas, c'est l'ouverture qui est en cause, la perspective n'est pas la même : hier, c'était pour la refuser ; aujourd'hui, c'est pour en manifester les limites. D'un côté, les discours officiels ne parlent que de mondialisation, d'ouverture, d'économie à l'échelle planétaire, d'enjeux écologiques mondiaux, de droits de l'homme comme nouveau principe politique démocratique à l'échelle du globe… De l'autre, on observe de plus en plus de résistance discrète, mais réelle, à cette « évidente » mondialisation. Au nom de quoi dire que la « crispation identitaire » est une peur face à l'avenir et à l'ouverture ? Qui détient le sens de l'histoire ? La difficulté à admettre le changement radical du rapport entre identité et communication est probablement l'une des clés de l'avenir, et donc des conflits politiques.

En un mot, la problématique de l'identité n'a pas le même sens dans le contexte des sociétés fermées d'hier et dans celui des sociétés ouvertes d'aujourd'hui.

Le peu de légitimité qui entoure de nos jours la problématique de l'identité collective, la nécessité de se justifier pour tout discours qui l'évoque et l'amalgame qui s'opère entre identité et « réaction » en disent long sur le chemin à parcourir. Disqualifier ce problème ne le fera pas disparaître. D'autant que la question de l'identité en cache une autre au moins aussi importante : celle du pluralisme des modèles culturels dans nos sociétés. A l'heure de la mondialisation des marchés, de la culture et des modes de vie, la revendication identitaire est *aussi* une demande de pluralisme, de cohabitation culturelle, un refus de cet énorme rouleau compresseur économique et culturel qui, décennie après décennie, standardise les modes de vie. Ne pas entendre ce qu'il y a de revendication des différences, de préservation des singularités dans le thème de l'identité, c'est finalement accepter l'unidimensionnalité moderniste. Refuser la problématique de l'identité, ou la délégitimer, c'est refuser de voir les limites de la communication triomphante.

BIBLIOGRAPHIE

chapitre 2

ARENDT H., *La Crise de la culture*, Gallimard, coll. «Idées», Paris, 1972.

ARON R., *Leçons sur l'histoire*, de Fallois, Paris, 1989.

AUGÉ M., *Pour une anthropologie des mondes contemporains*, Aubier, Paris, 1994.

BALANDIER G., *Le Dédale. Pour en finir avec le XXᵉ siècle*, Fayard, Paris, 1994.

BAUDRILLARD J. et GUILLAUME M., *Figures de l'altérité*, Descartes et Cie, Paris, 1994.

BELL D., *Les Contradictions culturelles du capitalisme*, PUF (trad.), Paris, 1979.

BESNARD P., *L'Anomie*, PUF, Paris, 1987.

BESNARD P., *Les Belles Ames de la culture*, Seuil, Paris, 1996.

BOURDIEU P., *La Distinction. Critique sociale du jugement*, Éd. de Minuit, Paris, 1979.

BRETON P. et PROULX S., *L'Explosion de la communication*, La Découverte poche, Paris, 1996.

CASTORIADIS C., *L'Institution imaginaire de la société*, Seuil, Paris, 1975.

Centre Thomas More, *Christianisme et modernité*, Cerf, Paris, 1990.

DAGOGNET F., *Écriture et iconographie*, Vrin, Paris, 1973.

— *Philosophie de l'image*, Vrin, Paris, 1984.

DAYAN D. et KATZ E., *La Télévision, introduction à la sémiotique*, Mercure de France (trad.), Paris, 1972.

DELUMEAU J. (sous la dir. de), *L'Historien et la foi*, Fayard, Paris, 1996.

DUVIGNAUD J., *La Solidarité*, Fayard, Paris, 1986.

ECO U., *La Structure absente: introduction à la sémiotique*, Mercure de France (trad.), Paris, 1972.

EISENSTEIN E., *La Révolution de l'imprimé à l'aube de l'Europe moderne*, La Découverte, Paris, 1991.

FERRO M., *Cinéma et histoire*, Denoël-Gonthier, coll. «Médiation», Paris, 1977.

FISKE J., *Understanding Popular Culture*, Unwin Hyman, Boston, 1989.

GANDILLAC M. de, *Genèses de la modernité. Les douze siècles où se fit notre Europe*, Cerf, Paris, 1992.

GAUCHET M., *Le Désenchantement du monde. Une histoire politique de la religion*, Gallimard, Paris, 1985.

GRUZINSKI S., *La Guerre des images. De Christophe Colomb à Blade Runner (1492-2019)*, Fayard, Paris, 1990.

HORKHEIMER M., *Éclipse de la raison*, Payot (trad.), Paris, 1974.

JAMESON F., *Postmodernism, or the Cultural Logic of Late Capitalism*, Duke University Press, Durham, Verso, 1991.

KERBRAT-ORECCIONI C., *Les Interactions verbales*, tome 3, Colin, Paris, 1994.

LÉVI-STRAUSS C., *L'Identité*, Grasset, Paris, 1977.

LIPIANSKY E.-M., *Identité et Communication*, PUF, Paris, 1992.

MAFFESOLI M., *La Connaissance ordinaire*, Librairie des Méridiens, Paris, 1985.

MALRAUX A., *La Politique, la culture : discours, articles, entretiens (1925-1975)*, Gallimard, Paris, 1996.

MARCUSE H., *Culture et société*, Éd. de Minuit (trad.), Paris, 1970.

MICHEL P., *Politique et religion. La grande mutation*, Albin Michel, Paris, 1994.

MOSCOVICI S., *L'Age des foules*, Fayard, Paris, 1981.

NORA P., *Les Lieux de mémoire. La République, la nation...*, Gallimard, Paris, 1984-1986.

— *Les Frances* (3 vol.), Gallimard, Paris, 1993.

PUTMAN H., *Représentation et réalité*, Gallimard (trad.), Paris, 1990.

RAYNAUD P., *Max Weber et les dilemmes de la raison moderne*, PUF, Paris, 1987.

RENAUT A., *L'Ère de l'individu. Contribution à une histoire de la subjectivité*, Gallimard, Paris, 1989.

ROVIELLO A.-M., « La communication et la question de l'universel », *Hermès*, n° 10, « Espaces publics, traditions et communautés », Éd. du CNRS, Paris, 1992.

SALLENAVE D., *Lettres mortes*, Michalon, Paris, 1995.

SENNETT R., *Les Tyrannies de l'intimité*, Seuil (trad.), Paris, 1974.

SERRES M., *L'Interférence*, Hermès 2, Éd. de Minuit, Paris, 1972.

TOURAINE A., *Production de la société*, Seuil, Paris, 1973.

VATTIMO G., *La Fin de la modernité : nihilisme et herméneutique dans la culture post-moderne*, Seuil, Paris, 1987.

---

1. Cf. les travaux très nombreux d'anthropologie de la communication. On en trouve une bonne présentation dans : Winkin Y., *La Nouvelle Communication*, Seuil, 1981 ; Hall E.-T., *La Dimension cachée*, Seuil, 1971 ; Bateson G. et Ruesch J., *Communication et société*, Seuil, 1988.

CHAPITRE 3

LES RECHERCHES

La communication est, on l'a vu, un domaine particulièrement difficile à analyser, car il s'agit de l'activité humaine par excellence. Celle où chacun se trouvant simultanément acteur et analyste pense n'avoir guère besoin de connaissances, en dehors des siennes. D'autant que le mélange des dimensions fonctionnelle et normative, au sein d'un modèle culturel privilégiant le lien communication-modernité, donne à chacun le sentiment de comprendre l'essentiel. Mais il y a une troisième difficulté, d'ordre théorique cette fois-ci.

La communication est un champ de recherche qui ne mobilise pas moins de *dix disciplines*: anthropologie, linguistique, philosophie, sociologie, droit, science politique, psychologie, histoire, économie, psychosociologie. C'est un *objet interdisciplinaire* et non une discipline. Ce qui pose de redoutables problèmes de traduction des disciplines entre elles, et de chevauchement de problématiques. Établir, par exemple, un dialogue minimal entre l'anthropologie, l'économie, la science politique et le droit relève de l'exploit. La communication, en superposant constamment plusieurs discours, ne rend pas son analyse facile. Pourtant, et l'on retrouve ici la troisième hypothèse du début du livre, il paraît nécessaire de développer des connaissances, c'est-à-dire un discours qui ne soit ni celui de l'information ni celui des acteurs industriels ou politiques. Justement pour introduire un peu de marge de manœuvre et de liberté, au moment où la communication est *écartelée entre les valeurs et les intérêts*. Insister sur le rôle des connaissances est une autre manière d'éviter l'instrumentalisation de la communication.

Mais parler du rôle des connaissances ne signifie pas pour autant créer une discipline nouvelle, qui s'appellerait «science de la communication», ou tout autre nom que l'on pourrait inventer. Parler de connaissances pour la communication, c'est au contraire conserver à l'esprit la nécessité d'une approche pluridisciplinaire. La communication est un objet de connaissance interdisciplinaire, à la mesure de sa dimension anthropologique, et cette dimension de *carrefour* doit être préservée pour éviter une spécialisation, apparemment rassurante, mais en réalité réductrice et appauvrissante.

I. L'histoire des recherches en France

L'histoire des recherches sur la communication en France, n'est pas encore connue, contrairement à ce qui existe dans d'autres pays[1]. Paradoxe d'autant plus étonnant que la France, longtemps à la traîne en matière de communication, a rattrapé ce handicap à partir de 1974, devenant depuis l'un des pays au monde les plus avancés en matière de nouvelles technologies dans ce domaine. Le succès du Minitel, avec plus de six millions d'exemplaires et plus de quatorze millions d'utilisateurs, est un record envié par beaucoup de pays, car il traduit la réussite du passage au grand public d'un média tout à fait nouveau. Nous étions en retard ; nous sommes dans le peloton de tête grâce à la numérisation, la télématique, les réseaux, le nombre de chaînes de télévision. Anciens et nouveaux médias ont connu une croissance forte, faisant de la France et du Canada les deux pays où les expériences en matière de nouveaux services, depuis une vingtaine d'années, sont les plus avancées. On sent d'ailleurs un intérêt réel du pays pour les nouvelles techniques de communication. L'échec concerne la filière électronique et, plus récemment, le « plan câble », mais les nouvelles techniques de satellites vont relancer la question du lien entre audiovisuel et télécommunication. La modernisation technologique, initiée par le président Valéry Giscard d'Estaing entre 1974 et 1981, a été poursuivie par la gauche de 1981 à 1995 en même temps que l'on introduisait la concurrence public-privé dans l'audiovisuel. Simultanément, la France a tenu à l'échelon européen, dans le cadre des négociations du GATT, une position courageuse, en faveur à la fois d'une réglementation de la communication, du maintien d'une spécificité européenne en matière d'industrie de la communication et d'une défense du droit d'auteur.

Bref, en trente ans, les rapports communication-société ont changé en France, illustrant la thèse de la communication comme agent de modernisation. Revirement d'autant plus intéressant que notre pays, tout en ayant joué un rôle actif dans la naissance du téléphone, puis de la radio, enfin de la télévision, avait été plus récalcitrant que la Grande-Bretagne et l'Allemagne par exemple pour le passage du stade de l'innovation scientifique et technique à celui du marché grand public. La communication est probablement, en France, l'une des plus grandes mutations que le pays ait connues, dans ses dimensions aussi bien techniques qu'économiques ou culturelles. Et l'essor des différents marchés, de la vidéo au Minitel et au satellite, prouve l'adhésion des citoyens à ces valeurs. En une génération, la France a plongé dans la communication, symbole de la modernité.

Et la recherche dans tout cela?

Il faut distinguer quatre périodes :

1) *La première va jusqu'aux années 60.* Elle est principalement consacrée à l'étude de la presse écrite, dans le cadre de quelques centres universitaires comme l'Institut français de presse, à Paris – fondé en 1938 par R. Stoetzel, il s'agit du plus vieux centre de recherche universitaire sur la communication –, et le centre de R. Escarpit, à Bordeaux, à la fin des années 50. A l'inverse, la radio ne fera pas l'objet d'une grande curiosité théorique. Il existe aussi une tradition de travaux universitaires de qualité en littérature, en linguistique et en psychologie, mais dans l'ensemble les disciplines des sciences sociales s'intéressent, à l'époque, beaucoup moins à ce domaine qu'à ceux du travail, de l'industrie, de la famille, du début de la consommation et de l'éducation, autres secteurs essentiels de la société moderne de masse. Curieusement, la communication, pourtant composant majeur de la modernité, est absente de cette interrogation sur la forme de la société d'après-guerre, en dehors de quelques travaux sur la publicité naissante. Les sondages sont également peu examinés, et les études politiques privilégient la géographie électorale et les institutions. Le contraste est saisissant entre le petit nombre de travaux pionniers, qui ne seront pas entendus, et le cyclone qui va bientôt ravager cet immense secteur.

2) *La deuxième période va des années 60 à 1975.* C'est le vrai début des études sur les médias, principalement pour la télévision et la publicité, en écho d'ailleurs à leur double succès. L'absence de tradition française dans ces domaines pousse les universitaires à se tourner vers les pays anglo-saxons, où existent de nombreux travaux de recherche. Ces travaux vont jouer un rôle essentiel dans la plupart des pays européens, comme l'atteste le nombre des missions d'études reçues aux États-Unis. Il faut citer ici les noms de G. P. Friedmann, B. Cazeneuve, E. Morin, R. Barthes, O. Burgelin et H. Chombart de Lauwe. Friedmann, qui avait déjà beaucoup œuvré pour développer la sociologie industrielle, introduisit la tradition américaine – de P. Lazarsfeld à E. Katz – des recherches sur les médias. La télévision et surtout la question de la culture de masse, qui inquiète, sont au cœur des débats sur l'émergence de la société de consommation.

La plupart des questions actuelles sur l'influence des médias, le problème du niveau culturel, la violence à la télévision, la culture d'élite, la fin du livre, l'idéologie américaine, le comportement des enfants à l'égard de la télévision, sont *déjà* posées. L'attitude générale est un mélange d'admiration pour ces processus techniques et d'interrogation profonde sur l'émergence de la société et de la culture de masse et sur le rôle que doivent y jouer les médias. On cherche dans une *éducation* aux médias, ou dans les projets de télévision éducative – déjà! –, le moyen de palier l'influence des médias. Mais ceux-ci font trop partie de la modernité, et sont trop liés à l'élévation du niveau de vie, au désir d'ouverture sur le monde, pour être franchement détestés. C'est plutôt de l'adhésion-répulsion.

Mai 68 va mettre fin brutalement à ce début d'étude des médias et de la communication. Le rôle essentiel joué par le CECMAS (créé en 1960) [2], grâce à Friedmann, Morin et Barthes, à l'École des hautes études, est rétrospectivement exceptionnel ; tout ce qui concernait déjà une réflexion sur l'image, son statut et son influence, le média télévision, la culture de masse, était déjà présent. Ces pionniers souhaitaient distinguer ce qu'il y avait de critiquable dans la montée en puissance des industries culturelles – dont la télévision était le symbole –, et ce qu'il y avait là de potentialité, d'émancipation, d'innovation et de création dans ce que l'on appellera plus tard les pratiques culturelles. La culture de masse, qui s'installait, méritait mieux que la condamnation sans appel prononcée alors par les élites culturelles. Cette culture de masse était également moins menaçante que ne le pensaient les analystes marxistes, mais évidemment plus ambiguë que ne le proclamaient les discours un peu trop intéressés des acteurs. Même la problématique de la *réception* et du *public* était déjà présente. Elle disparaîtra curieusement des esprits au cours de la décennie suivante. La demande sociale en matière de recherche sur la communication était faible, à la mesure d'ailleurs de l'ambivalence de la société. Quelques élites modernistes s'y intéressaient, et encore avec prudence. La communication restait un sous-ensemble de la problématique plus générale de la «civilisation des loisirs» ou de la «consommation». Elle était considérée comme le symbole – rarement comme le remède – du thème si angoissant de la «foule solitaire» (D. Riesman).

Les études universitaires intègrent peu ce domaine de recherche, récent, sans tradition intellectuelle, et finalement sans style, sans unité ni légitimité. La période est encore assez conformiste dans le champ intellectuel, et les innovations de Friedmann, de Morin et de Barthes font peur. Elles dérangent quand ils parlent d'un potentiel d'émancipation par la communication de masse, et l'on disqualifie ces innovations comme l'on se méfie du discours naissant sur une nouvelle esthétique de l'image. Si le cinéma provoque de vrais débats théoriques, la télévision est véritablement peu investie. Comme s'il y avait une image noble d'un côté et pas de l'autre. A l'époque, très peu nombreux sont ceux qui, comme M. Ferro, font le lien. La télévision inquiète pour l'influence politique potentielle qu'on lui prête, sans avoir pour autant de légitimité en matière de création esthétique.

En revanche, la radio, dans une quasi-indifférence intellectuelle, vit son apogée. Cette technique simple, souple, peu onéreuse, apparaîtra d'ailleurs, à la fin du millénaire comme la grande révolution du XXᵉ siècle. Mais ayant contre elle d'avoir été utilisée pendant la guerre par les régimes fascistes et de ne pas offrir le caractère fascinant de la télévision, elle est quelque peu délaissée. Plus familière que la télévision, elle est encore moins noble qu'elle…

3) *La décennie suivante (1975-1985) est finalement celle des contresens.* Concernant la question lancinante de l'influence des médias, la cause semble définitivement entendue. Mai 68 étant passé par là, il n'est plus question que de domination, d'aliénation, d'idéologie dominante. L'école de Francfort triomphe avec les figures emblématiques de H. Marcuse et de T. Adorno. Sur le plan économique, les thèses sur l'impérialisme culturel américain confirment définitivement le fait que les médias appartiennent aux «appareils idéologiques d'État». Dans la problématique tiers-mondiste, les industries culturelles constituent — ce qui n'est pas faux — une forme supplémentaire de domination économique et surtout idéologique, même si la plupart des dirigeants de ces pays n'hésitent pas à museler totalement la liberté de communication et à se servir, sans remords, de la radio et de la télévision pour leurs propres fins. Si les libertés sont réelles à l'Ouest, elles sont pourtant considérées comme «formelles», et les élites occidentales ont une tolérance certaine à l'égard de l'Est et du Sud. C'est à cette époque qu'apparaît la première critique systématique de l'impérialisme économique et culturel des industries de l'information et de la communication. Le débat passionné, violent, empreint de mauvaise foi de part et d'autre, autour du nouvel ordre mondial de l'information, a lieu, par Unesco interposée, à partir du rapport Mac Bride (1980). Les atteintes aux libertés élémentaires et à la liberté d'information dans les pays socialistes font tourner l'opinion à l'avantage des Occidentaux. Mais les problèmes posés à juste titre n'ont guère reçu de réponse depuis, et resurgiront demain avec davantage de violence, puisque l'alibi communiste n'est plus là pour permettre au camp occidental de contre-attaquer.

La communication illustre depuis trente ans l'une des formes du nouveau déséquilibre Nord-Sud, et ce n'est pas parce que les pays du Sud n'ont pas eu pour le moment le moyen de réagir que les problèmes posés ne sont pas exacts. Parallèlement, dans les pays occidentaux, la curiosité à l'égard des innovations culturelles, intellectuelles ou esthétiques de la période précédente a disparu. On parle des naïvetés d'hier, des limites de la société des loisirs, de l'aliénation de la société de consommation, de l'illusion de la culture de masse.

Les chemins de la connaissance sont ici indissociables d'une approche critique. Tout autre discours est tenu pour suspect, conformiste et finalement support de l'«idéologie dominante». Toute problématique partant de la *réception*, c'est-à-dire de la manière dont les individus et les groupes reçoivent et utilisent les images, paraît superflue. La réponse est déjà connue: le spectateur est une victime, il subit. Deux solutions s'offrent alors à lui: se révolter ou sombrer dans l'aliénation. L'idée d'une autonomie du récepteur n'est pas dans l'air du temps. La victoire du structuralisme fait ici des ravages. Notamment en psychologie et en linguistique, deux disciplines qui auraient permis de relativiser cette approche déterministe. Toutes deux abandonnent leurs références humanistes et plongent pendant près de quinze ans dans une fièvre structuraliste où la question du *sujet*, si compliquée dans toute situation de communication et *a fortiori* médiatisée, semble définitivement éliminée. Quant à l'histoire, en dehors de quelques pionniers, elle ne s'occupe guère de cet objet «non noble» et trop récent. En philosophie, les ouvertures, réelles, assurées par F. Dagognet et M. Serres, restent minoritaires et hors des courants principaux de recherche.

Simultanément apparaît cependant un *autre discours, lié aux nouvelles techniques de communication*. Déconnecté de cette approche critique dominante, il va, au contraire, développer une vision optimiste. Autant les médias classiques sont liés à une reproduction «idéologique» ou culturelle, autant les nouveaux médias esquissent une société plus libre, interactive. On attend beaucoup des promesses de la télévision par câble au Canada et aux États-Unis, qui doit permettre de corriger les dégâts de la télévision hertzienne! La communication de masse semble dépassée par les ouvertures en matière de télécommunication ou de nouveaux services à domicile. Les perspectives d'individualisation avec le câble, puis l'informatique, confirment l'ouverture d'une autre histoire de la communication. Paradoxalement, ces innovations inséparables de logiques industrielles sont moins condamnées que la télévision de masse. Une sorte de dichotomie s'impose: le neuf est mieux que l'ancien. S'il demeure une tradition de recherche critique, le plus frappant est le surgissement d'une logique d'étude à la tonalité beaucoup plus positive. Une opposition apparaît alors – qui demeure aujourd'hui – entre le monde académique, sceptique à l'égard de cette «révolution» de l'information et de la communication par nouvelles techniques interposées, et le monde des études et de la presse, beaucoup plus favorable.

Les «nouvelles techniques» créent les conditions d'un horizon inédit. On retrouve aujourd'hui, quinze ans plus tard, avec les autoroutes de l'information, Internet, la démocratie électronique, le téléenseignement, les mêmes arguments. Oubliés les intérêts, les logiques économiques, les modèles culturels, l'aliénation. Tout ou presque devient «libre» grâce aux nouvelles techniques, même si les travaux sur leurs usagers sociaux ne confirment pas, loin de là, cet optimisme technologique.

4) *La quatrième phase commence autour de 1985. On peut la qualifier de période de l'ouverture intellectuelle.* Dans le domaine des recherches on assiste à un certain rapprochement entre les positions opposées. Les tenants d'une démarche critique de type marxiste ou «frankfurtienne» reconnaissent progressivement que le public est plus intelligent qu'il n'y paraît, et qu'en dépit des dominations culturelles et idéologiques les médias n'ont pas cette influence tant redoutée. Le public a appris à «jouer» avec les médias. Quant à la «politique-spectacle» proposée par les médias, elle s'épuise d'elle-même. Le renouveau d'intérêt pour les travaux sur la *réception* illustre ce changement. S'il y a une étude spécifique de la réception et du public, c'est bien la preuve que l'on ne connaît pas *a priori* l'usage qui sera fait des messages, donc qu'il existe une *autonomie* et non une détermination de la réception. La curiosité croissante pour une problématique de l'«*espace public*» illustre également les changements d'attitude. Qui dit espace public dit affrontement des points de vue, négociations, rapports de force. Cela ne signifie pas absence de mécanismes de domination, mais simplement existence d'une autonomie relative des acteurs, donc d'une capacité critique de leur part.

Enfin, l'apparition de travaux sur l'histoire de la poste, du téléphone, de la radio et de la télévision conforte l'évolution des jugements, au sens où ces travaux mettent en valeur l'existence, à chaque époque, d'une autonomie relative de ces techniques par rapport à la société. On redécouvre l'importance du contexte socioculturel, symbolisé par les *cultural studies* qui insistent davantage sur l'interaction entre techniques, modèle dominant et identités culturelles.

A l'inverse, les tenants d'une approche empirique critique, auxquels les événements ont plutôt donné raison, sont obligés de reconnaître que l'extraordinaire expansion des industries de la communication rend plus compliquée une vision optimiste des rapports entre communication et société. Plus les techniques de communication deviennent performantes, interactives, omniprésentes, plus la communication fonctionnelle s'installe. Bref, un certain rapprochement des points de vue s'opère, sans pour autant supprimer les différences théoriques. Les démarches sont devenues moins exclusives les unes des autres.

Par ailleurs la philosophie politique, retrouvant enfin un intérêt pour la démocratie pluraliste, redécouvre le concept d'espace public et la problématique de l'argumentation de la communication, et par là même la question de l'intercompréhension. Un conflit oppose «postmodernistes» et «habermassiens», au sein duquel le rapport à la communication est crucial. La communication devient enfin aux yeux des intellectuels une question théorique et pratique essentielle, «digne», ce que tous les chercheurs travaillant dans ce domaine affirmaient depuis une trentaine d'années...

Les deux approches, critique et empirique-critique, ont en commun la volonté de : sauver le modèle démocratique de la tyrannie de la communication, éviter que, sous couvert de «nouveauté», les nouvelles techniques n'arrivent finalement à réduire encore plus l'autonomie individuelle, limiter les dégâts de la déréglementation et l'emprise des grands groupes de communication. Ces deux courants de recherche – ce sont les plus anciens – ont finalement en commun, malgré leur opposition, la volonté de conserver une certaine perspective émancipatrice à la communication.

Par ailleurs, deux autres démarches apparaissent, radicalement antinomiques des précédentes. L'une que l'on pourrait qualifier de *thuriféraire* et qui, reprenant le discours des acteurs, ne parle que de «révolution de la communication». L'autre que l'on pourrait nommer *sceptique*, ou *nihiliste*, et qui, à partir de l'omniprésence de l'image, voit l'émergence d'une sorte de société virtuelle totalement centrée sur la communication narcissique.

En réalité, en trente ans, le champ de la recherche s'est diversifié, passant de *deux* à *quatre courants*. Les deux premiers opposaient les empiristes-critiques aux critiques à propos d'une analyse divergente sur la place de la communication dans la société, et sur la capacité critique des individus. Les deux courants ultérieurs ont, par le caractère systématique de leur démarche, rapproché les «frères ennemis» précédents, dont le point commun est une capacité commune à raisonner à partir d'une observation empirique de la réalité.

Ces deux nouvelles directions de recherche, l'une hypostasiant les techniques de communication inédites, l'autre critiquant les situations de communication par l'image, ont en commun de séduire facilement les élites culturelles. La reconversion de ces dernières à la démocratie n'a pas suscité chez elles un fort intérêt pour la communication. En tout cas, pas à la mesure de l'importance des questions concernant le lien entre communication et démocratie de masse. Comme s'il fallait attendre encore un peu pour passer de la reconnaissance théorique de la démocratie pluraliste à un intérêt réel pour sa *forme actuelle*, la démocratie de masse. Si l'on redécouvre les auteurs du XIXᵉ siècle, ce sont plutôt ceux de sa première moitié, et le chantier du XXᵉ siècle reste encore largement à déchiffrer…

En revanche, un mouvement d'intérêt réel est parti de «la base», c'est-à-dire des étudiants. Cette décennie 1980-1990 voit se multiplier les DEA et les troisièmes cycles en sociologie, anthropologie, histoire, science politique, science de l'information et de la communication. La naissance de ce public académique a incontestablement favorisé les interrogations et les travaux. Une première structuration s'est faite avec la création de l'AFSIC (Association française des sciences de l'information), en 1986. A l'inverse, un paramètre n'a pratiquement pas changé en trente ans : *la demande sociale* à l'égard d'une réflexion critique sur le statut de la communication dans la société reste faible. Le discours commun, conforté, et non nuancé malgré l'essor des études et de la presse, oscille toujours entre méfiance et fascination. La demande, quand elle existe, concerne les modes d'emploi plutôt que des réflexions sur le sens et les enjeux des mutations. Comme si le plus important était, pour le moment, de profiter de ces «merveilleux instruments» (G. P. Friedmann) en repoussant à plus tard une réflexion critique.

Enfin, après une absence d'information dans la presse, jusqu'aux années 80, concernant la communication, on a assisté au contraire, depuis cette période, à une pléthore d'informations ainsi qu'à la création d'émissions de radio et de télévision, plus ou moins narcissiques, prenant les médias comme objet. Résultat ? Le niveau d'information du public s'est élevé, non sans une certaine disproportion. Les multimédias, Internet…, sont l'objet d'une couverture incessante, au point que l'on pourrait croire que l'Europe et les pays développés sont *déjà* dans le cybermonde. L'adhésion idéologique a largement supplanté le devoir d'information de la presse. Elle qui maintient, en général, une distance critique, épouse ici, au contraire, le discours le plus direct parmi tous les prophètes de la société de la communication. Nul doute que la naissance d'un *public* étudiant dans ce domaine s'accompagnera d'une approche plus critique, qui se satisfera moins des informations et des promesses, ou qui, à l'opposé, nuancera les discours catastrophiques au profit d'une demande de connaissance.

Pour résumer cette évocation rapide d'une histoire des sciences de la communication en France, on pourrait distinguer *cinq facteurs*.

A. Un changement radical de contexte en vingt ans

Dans les années 60, il n'y avait pas de milieu intellectuel travaillant sur la communication, et la France était en retard par rapport aux États-Unis, à la Grande-Bretagne et à l'Allemagne. Seules quelques disciplines avaient une tradition d'expertise dans ce domaine, essentiellement la littérature, la psychologie, un peu la philosophie et la linguistique. Mais il s'agissait de compétences et de traditions centrées plutôt sur le texte : communication verbale, théâtre et cinéma, tout cela sans grand rapport avec l'explosion de la communication, des médias et de l'informatique. Trente ans après, une communauté scientifique existe, même si elle est encore faible, nécessitant en permanence un travail interdisciplinaire, toujours difficile. Un indice ? L'histoire des revues. Dans les années 60 n'existaient réellement que *Communications* et *Communication et Langage*. Pendant trente ans il n'y eut quasiment pas de création de revues. Mais depuis les années 90, on assiste au contraire à une véritable explosion éditoriale en France et en Europe, avec notamment *Hermès*, *Réseaux*, *Quaderni*, *MEI*, *European Journal of Communication*, *Les Cahiers de médiologie*…

Par ailleurs, les changements économiques, techniques et culturels, les créations d'emplois et les besoins d'études ont donné naissance à des métiers, à des activités qui, sans être directement demandeurs d'analyse théorique, constituent néanmoins un milieu culturel favorable à une réflexion. Même si, pour le moment, la demande correspond davantage à un besoin d'information, comme l'atteste le succès de la presse spécialisée dans ce secteur, qu'à une soif de connaissance proprement dite. Il faut d'ailleurs ici saluer le travail opiniâtre de quelques rares parlementaires, moins d'une vingtaine, qui, en vingt ou trente ans, contre vents et marées, à l'opposé des modes, ont produit régulièrement analyses et propositions ; celles-ci ont conféré au Parlement une autorité en la matière et lui ont permis de conserver une certaine autonomie. Au sein de ce groupe, la constance du sénateur Jean Cluzel est un bon exemple d'indépendance d'esprit.

La difficulté reste bien la *distinction* entre d'une part les approches technico-économiques, d'autre part la logique d'études et enfin les recherches. Préserver la connaissance, là où fleurissent les conduites d'intérêt et les multiples narcissismes, est à terme indispensable.

B. Un intérêt croissant, mais des difficultés non résolues

La communication n'est ni une discipline ni une théorie, mais un carrefour théorique ; on a vu qu'elle se construit à la croisée d'une dizaine de disciplines, ce qui explique une difficulté intellectuelle certaine…

Deux tâches doivent être simultanément entreprises : développer des travaux sur la communication dans chacune des disciplines concernées ; favoriser la construction d'objets interdisciplinaires. En un mot, travailler d'un point de vue théorique sur la communication, c'est moins reprendre, pour le louer ou le critiquer, le discours des acteurs, que *construire des objets de connaissance*, comme cela se fait, depuis toujours, sur tous les aspects de la réalité. La difficulté est ici d'autant plus réelle qu'il n'y a *aucun* décalage historique entre les bouleversements créés par la communication et leur analyse. Les deux sont synchrones. C'est en construisant l'autonomie intellectuelle de ce champ de recherche, en créant des outils théoriques, des concepts — par exemple autour de l'espace public, la communication politique, l'argumentation, l'opinion publique, la réception, les relais d'opinion, la communication interpersonnelle, les fonctions d'agenda, la spirale du silence, les usages et gratifications, la communication non verbale, les usages sociaux, l'interactionisme, la communication interculturelle… —, que l'on arrivera à échapper à cette «tyrannie de la communication». La production de connaissances interdisciplinaires est sans doute le seul contrepoids à l'emprise croissante, dans la réalité et dans les esprits, des techniques de communication et des intérêts économiques qui les portent.

C. L'approche idéologique a changé de forme en trente ans

Les adversaires de la communication étaient hier, pour l'essentiel, des marxistes qui menaient une double lutte : lutte idéologique contre les mécanismes de domination, à l'œuvre dans la communication internationale audiovisuelle, et lutte économique pour dénoncer le poids des industries culturelles. Aujourd'hui cette approche perdure, renforcée d'ailleurs par les événements qui, avec la mondialisation de la communication, confortent les multiples formes de domination économique, symbolique ou culturelle.

Pourtant le courant dominant est autre : l'idéologie montante est plutôt celle des industries de la communication, c'est-à-dire celle qui vante «la société de l'information et de la communication», qui se dessinerait au bout des téléviseurs et des ordinateurs. Demain tout va changer avec la communication interactive. Même si cela avait déjà été promis il y a vingt ans lors de l'arrivée de la télévision communautaire par câble. La force de l'idéologie est de ne jamais changer, annonçant pour demain ce qu'elle avait déjà promis hier. La faiblesse des hommes est de ne pas assez interroger l'histoire pour relativiser les promesses du futur…

D. L'explosion du marché de la communication

La démesure est partout : avoir trente chaînes à domicile paraît un minimum, cinquante, quelque chose de raisonnable, cent à cent vingt, le signe du progrès... Sans parler des promesses de l'interconnexion avec les réseaux. Sans se demander si un individu a réellement le désir, le besoin, la capacité de regarder autant de chaînes, de passer autant de temps devant son écran. Sans se demander pourquoi l'on regrette le temps trop long passé par le citoyen devant la télévision traditionnelle tout en souhaitant que ce même citoyen devienne au plus vite un parfait cybernaute, interactif et multimédiatisé...

La communication est devenue l'un des symboles les plus forts de la modernité. C'est d'ailleurs le succès de ces techniques qui explique cette substitution d'idéologie : hier marxiste et critique, aujourd'hui libérale et imbibée de nouvelles technologies. La question que l'on se pose est : « Comment ça marche ? », plutôt que « A quoi ça sert ? » Cette dernière interrogation paraissant incongrue tant le progrès semble « évidemment » aller dans le sens des nouvelles techniques.

E. Distinguer études et recherches

Hier les recherches du monde académique étaient le seul mode d'accès à la connaissance d'un secteur vital, mais sur lequel la demande sociale était faible. Aujourd'hui le besoin de connaissance n'est pas plus fort, mais le phénomène est masqué par la surabondance d'informations existant sur les marchés, par les stratégies des acteurs, les changements économiques, les prospectives techniques, les nouveaux services et leur expérimentation. Les études commandées par les acteurs et les pouvoirs publics *semblent* fournir les connaissances souhaitées. Entre l'information des acteurs, celle des bureaux d'études, celle des médias et la vulgarisation, tout semble clair ! Le sentiment de tout savoir est profond, et il s'accompagne de l'idée que les recherches ne servent à rien si elles ne sont pas utilisables. Pourquoi « couper les cheveux en quatre », semble répondre la société au monde de la connaissance, alors que dans un univers dominé par tant de scepticisme, la communication apparaît, au contraire, comme l'un des derniers terrains d'aventure.

II. L'itinéraire d'un chercheur : « Circulez, il n'y a rien à penser ! »

Depuis vingt ans, mes recherches tournent autour de la question des rapports de la communication avec la société. De multiples façons j'ai affronté cet objet fascinant et insaisissable : *qu'est-ce que la communication aujourd'hui ?* Quel en est le modèle culturel ? Comment cette question fort ancienne est-elle actuellement bouleversée par le succès massif, souvent violent, en tout cas rapide, des techniques de communication ? Quels liens existent entre communication et culture de masse d'une part, entre celles-ci et démocratie de masse de l'autre ?

Disons que la difficulté théorique de la communication est inversement proportionnelle à l'omniprésence de celle-ci dans la vie quotidienne. Comme si sa banalisation, dans une panoplie sans cesse plus performante d'outils fascinants et magiques, mettait fin à la réflexion.

Autrement dit : « Circulez, il n'y a rien à penser ! » Le succès de la communication dans les multiples situations de la vie quotidienne semble apporter la réponse *pratique* au manque de légitimité *théorique* qui a toujours entouré cette question. En réalité ce triomphe est trompeur. Il faudra des *conflits sociaux* pour faire comprendre que, au-delà des politiques et des calculs économiques, des performances et des séductions, il existe des enjeux anthropologiques essentiels. Bref, pour admettre enfin que la communication est l'une des questions les plus complexes, dans nos sociétés et entre les cultures.

C'est sans doute l'angoisse liée au décalage entre l'importance des questions et la faiblesse du nombre de travaux existant qui m'a poussé, au CNRS (Centre national de la recherche scientifique), à entamer des recherches d'envergure dans ce domaine. C'est-à-dire *à construire une politique scientifique sur la communication*, seule condition de l'émergence d'une communauté scientifique.

Car l'expérience prouve qu'il n'y a pas de progrès de la connaissance sans l'existence d'une communauté scientifique. Certes le travail de création intellectuelle – surtout en sciences sociales – reste le plus souvent solitaire, mais la réception, la discussion, l'accueil et la circulation des idées dépendent de l'existence d'une communauté. Celle-ci peut être un frein à l'innovation – comme l'histoire des idées le prouve à chaque génération –, mais elle peut aussi jouer un rôle positif et dynamique quand il s'agit d'un champ nouveau comme celui de la communication. La communauté a également une fonction positive de *protection* et de *valorisation*. On ne peut travailler et penser seul. En outre la recherche et, d'une manière générale, la création des connaissances rendent modeste, au sens où chacun a besoin du travail des autres. Bref, c'est cette conscience de l'importance des communautés intellectuelles dans la recherche qui explique le temps que j'ai consacré à ces questions. Car il n'y a pas de communauté sans politique scientifique, c'est-à-dire sans orientation sur une longue période, avec des priorités intellectuelles, des théories, des financements, des évaluations.

A. Le programme Sciences-Technologie-Société du CNRS (1980-1985)

La direction du programme Sciences-Technologie-Société (STS) du CNRS, de 1980 à 1985, m'a été de ce point de vue très utile. Il s'agissait, à l'instar de ce qui existait aux États-Unis, en Allemagne et en Grande-Bretagne, de favoriser des travaux interdisciplinaires analysant l'interaction, dans les deux sens, entre science et société. C'est-à-dire les époques où la logique scientifique et technique s'est imposée à la société, et à l'inverse celles où les demandes sociales et économiques sont remontées et ont stimulé la recherche fondamentale. Comprendre cette interaction pour des secteurs aussi différents que la chimie, l'aéronautique, les télécommunications, la physique, le nucléaire, la défense ou la biologie, aida à admettre l'impossibilité de séparer science et société ; ce fut aussi une leçon de modestie.

Un programme STS est en miniature un lieu de lecture de tous les rapports complexes entre science et société. Au grand dam, d'ailleurs, de toutes les théories *univoques* qui privilégient une vision linéaire du développement des sciences.

Trois dimensions étaient privilégiées : l'étude de la place de la science ; le rôle de l'État ; le développement des politiques de la science et de la technologie et leur impact sur la société. Il s'agissait, à partir des traditions de la philosophie et de l'histoire des sciences, d'élargir la perspective traditionnelle sans tomber dans le travers d'une « sociologisation de la science », qui, à force de montrer l'interdépendance des sciences et de la société, en arrive à nier l'autonomie de la connaissance scientifique et technique. Déjà la faiblesse de la communauté scientifique **française** m'avait frappé.

B. Le programme sur les sciences de la communication du CNRS (1985-1995) [3]

Nous étions quelques-uns – notamment G. Delacôte, à l'époque directeur du département de l'information scientifique et technique du CNRS, A. Mattelart et Y. Stourdzé – à être conscients de l'importance de l'enjeu théorique. Le directeur général du CNRS de l'époque, P. Papon, demanda un rapport scientifique et favorisa la mise sur pied d'un programme de recherche sur les sciences de la communication en 1985, qui fut soutenu par tous ses successeurs.

Pourquoi évoquer, même brièvement, la manière dont s'élabore la politique scientifique ? Pour que le lecteur comprenne comment un organisme de recherche comme le CNRS décide d'une telle politique.

Le programme sur les sciences de la communication avait pour objectif de financer et de développer des travaux fondamentaux dans trois directions : les *neurosciences* et les *sciences cognitives*, autour des processus de compréhension et de production du langage, de la connaissance et de la mémoire ; les *sciences cognitives* et les *sciences physiques pour l'ingénieur*, dans le cadre de la reconnaissance des formes, de la représentation des connaissances en intelligence artificielle, des modèles de perception et de raisonnement pour la communication homme-machine ; les *sciences humaines et sociales*, pour l'image, la communication, la politique et plus généralement l'impact des techniques de communication sur la société. En dix ans, cent soixante projets de recherche ont été financés dont deux tiers pour les sciences sociales. Les résultats les plus importants ont été publiés, en grande partie dans la revue *Hermès*, « Cognition, Communication, Politique » (CNRS Éditions), née en 1988.

Quel bilan scientifique faire d'un programme qui, en dix ans, a contribué à rattraper le retard de la France et qui s'est efforcé de mettre un peu de connaissances là où dominent les études, et souvent les effets de mode ?

Cinq conclusions s'imposent.

1) *La communication n'est pas une discipline*, mais il faut partir des disciplines et se servir de leur capital d'expérience et de connaissance pour étudier cet objet interdisciplinaire. On échappera ainsi à la *mode de l'instant* qui domine, surtout dans ce secteur neuf. On privilégiera les travaux historiques pour retrouver un peu de profondeur. Il est également nécessaire de favoriser une approche comparative pour comprendre comment d'autres pays, d'autres traditions culturelles, appréhendent ces changements techniques et sociaux.

2) On favorisera *les connaissances et non la description*, les interprétations construites plutôt que les jugements à l'emporte-pièce, afin de dépasser la fascination liée à la performance des machines. Après tout, au bout de ces techniques sans cesse plus perfectionnées, on retrouve toujours la très ancienne question du rapport à l'autre, beaucoup moins « dépassée » qu'il n'y paraît. Dans cette perspective, travailler sur les concepts est essentiel pour structurer ce domaine de connaissance emblématique des sociétés contemporaines.

3) Il faut penser la communication dans son *contexte*, c'est-à-dire comprendre qu'il n'y a pas de communication sans sociétés et que ce sont ces contextes sociaux qui le plus souvent donnent leur sens, leur couleur, leur spécificité, à des procédures de communication apparemment standardisées.

4) Il faut entreprendre des travaux sur la *longue durée*, et casser ainsi *la véritable tyrannie de la prospective* qui annonce régulièrement « pour demain » des réformes radicales. La simple énumération, sur vingt ans,

des multiples ruptures qui devaient tout changer permet de relativiser de façon salutaire les prétentions de la prospective.

5) Enfin, il n'y a pas de politique scientifique sans projet de construction d'un *milieu scientifique*, si ce n'est d'une communauté, et sans revues. On retrouve ici le rôle des collections comme «Hermès», mais aussi des revues comme *Quaderni, Réseaux, Communications, Intermédia, Media, culture and Society, Les Cahiers de médiologie*… La multiplication des revues depuis dix ans atteste le renouveau intellectuel de réflexion sur la communication, la culture et la société. Le succès d'une revue n'est jamais que la rencontre entre une offre, ici scientifique et culturelle, et une demande, si ce n'est une appétence.

III. Les quatre positions théoriques

Entre les dix disciplines mobilisées, les natures multiples des travaux sur la radio, la télévision, l'informatique, les nouveaux médias, les domaines d'application (travail, loisirs, éducation, services…), les perspectives techniques, économiques, sociales et culturelles, il y a *tant de diversités* que la synthèse des positions théoriques en présence paraît difficile. D'autant plus que ce domaine de connaissance, bénéficiant certes de traditions anciennes à travers la littérature, la psychologie, la philosophie, l'étude de la presse écrite et de l'édition, a cependant été complètement bouleversé par l'arrivée des télécommunications, de la radio, puis de la télévision et de l'informatique. Tout ordonnancement est donc sujet à caution. Sauf à préciser *par rapport* à quel facteur discriminant il est effectué.

L'angle choisi ici concerne *les rapports entre la communication et la société*. Tels sont les deux *axes* retenus, avec chaque fois deux hypothèses. *Concernant la communication*, l'opposition se situe entre les travaux qui partent d'une hypothèse favorable à la communication et ceux qui partent d'une hypothèse défavorable. *Concernant la société*, l'opposition réside entre les travaux qui reposent sur une vision ouverte de la société et ceux qui insistent plutôt sur le thème du contrôle social ou de la domination. De mon point de vue, c'est d'une part l'attitude favorable ou défavorable à l'égard de la communication, d'autre part la vision plus ou moins fermée de la société et des rapports sociaux, qui forment les *deux axes* autour desquels se distribuent les travaux sur la communication. *C'est donc la manière dont est pensé le rapport communication-société qui est le facteur discriminant.*

Par communication, il faut entendre ici l'ensemble des techniques, de la télévision aux nouveaux médias, et leur implication économique, sociale et culturelle. Mais aussi les valeurs culturelles, les représentations et les symboles liés au fonctionnement de la société ouverte et de la démocratie, comme je l'ai expliqué en introduction. *C'est donc finalement par rapport à une conception anthropologique de la communication* que les courants de pensée sont classés en quatre groupes.

Ces quatre positions structurent ce domaine *bien au-delà* de la recherche et se retrouvent dans la presse, dans le discours des acteurs ou dans celui des hommes politiques. En lisant des articles de presse, ou en écoutant tel ou tel acteur intervenant sur le champ de la communication, on peut retrouver ces quatre positions, et surtout savoir à laquelle d'entre elles l'article ou l'acteur se rattache.

Pourquoi insister sur le fait que ces quatre positions, qui résultent d'un acte de connaissance, vont au-delà de positions strictement théoriques, et discriminent aussi bien les discours de recherche que ceux des acteurs ou de l'information ? Pour rappeler qu'en matière de communication, il y a toujours *superposition* de discours. Le discours savant n'est jamais loin du discours de l'acteur, de celui du journaliste ou du discours commun. C'est le prix, lourd, à payer à l'ambivalence fondamentale de la communication. Tout ce travail sur les différentes *positions théoriques* dans le champ de la communication suppose au préalable cette révolution mentale évoquée en introduction, qui a fait de l'individu le sujet de sa propre histoire. L'émergence de la communication dans sa perspective normative, depuis le XVIIIe siècle, n'aurait pas eu lieu s'il n'y avait eu préalablement cette lente reconnaissance de la liberté et de l'égalité des individus, c'est-à-dire la reconnaissance de la place de l'autre. Bref, pas de « révolution de la communication » sans révolution préalable du sujet.

C'est pourquoi les quatre positions théoriques correspondent à une conception des *rapports* entre communication et société, à travers quatre sous-ensembles : l'individu, la démocratie, l'économie et la technique. Ce qui signifie que chacune d'elles implique un certain rapport à l'individu, à la démocratie, à l'économie et à la technique.

Autrement dit, *chaque vision* des rapports communication-société implique souvent une approche de l'intersubjectivité, du rapport aux techniques, à la politique et à l'économie. C'est en cela qu'une vision de l'information et de la communication recèle une théorie implicite ou explicite de la société et de la place des individus dans celle-ci.

Enfin, et cela découle des deux points précédents : il n'y a pas de position « naturelle » sur la communication, en ce qui concerne aussi bien l'image que la réception, la télévision, les nouvelles techniques de communication…

De ce point de vue, je conseillerais au lecteur de poser à chaque discours académique, politique, technique ou économique, prenant partie sur l'information ou sur la communication, les questions pratiques suivantes: Quels sont les présupposés? *D'où parle* celui qui parle si «naturellement» de la communication? Quelle est sa vision implicite de la société? Comment celle-ci influence-t-elle sa conception de la communication?

Ces remarques étant faites, il est possible de revenir aux quatre positions théoriques.

A. Le premier courant: les thuriféraires

Ce courant, très optimiste sur la société comme sur les techniques, regroupe ceux qui voient dans les ruptures de la communication l'émergence d'une nouvelle société, plus démocratique, plus relationnelle et interactive. Il s'agit presque, ici, d'une «croyance». Cette position est omniprésente dans les médias, les journaux, les travaux de prospective. Ici, tout, ou presque, est «positif». Les «résistances» des sociétés sont identifiées à une «peur du changement» et à des archaïsmes. Et surtout il ne faut pas prendre de retard par rapport aux États-Unis, ni aux dragons du Sud-Est asiatique. Comme si le modèle de la société de demain allait venir de là et conquérir le monde entier. Le thème? L'économie de l'immatériel met au cœur du système productif l'accumulation de l'information et de la communication, dont chacun est producteur, faisant ainsi de cette société la première où les individus se trouvent au cœur du système productif. Le marché, avec la déréglementation, est l'instrument de cette transformation, et le village planétaire, la perspective pour tous.

Si le public n'est pas encore convaincu des vertus de ce bouleversement, c'est par manque d'information, ou peur du changement. La logique économique est le bras armé de cette révolution mondiale, qui permettra de redéfinir les rapports Nord-Sud et de donner une chance aux pays du Sud. L'éducation, qui est l'un des compléments de cette révolution de la communication, permettra à ces nations de sauter une étape, celle de la société industrielle, pour se trouver directement dans la «société postindustrielle».

On retrouve ici le discours dominant des industries de la communication et, plus largement, de tous les partisans de cette «révolution».

B. Le deuxième courant: les critiques

Ce courant dénonce les dérives de la communication, de ses industries, de ses intérêts et de ses idéologies. Peut-on y échapper? Certains le croient, d'autres au contraire, plus pessimistes, considèrent ces multiples services de communication comme les «camisoles de demain». Cette aliénation est plus dangereuse que la domination et la réification menace les sociétés modernes de communication. Les industries de la culture et de la communication sont les principaux artisans de cette domination idéologique. Toutefois, une lutte peut être menée, car il s'agit de «libérer» les individus et les sociétés d'une emprise qui est culturelle et idéologique avant même d'être économique et politique. Les mécanismes de domination changent, pas la domination ni le pouvoir, aujourd'hui presque plus totalitaire qu'hier à travers la gestion, voire la manipulation de l'information. Sur le plan international, les idéologies de la société postindustrielle ne sont que les *alibis* d'une nouvelle division internationale du travail qui renforce la domination du Nord sur le Sud.

La référence aux concepts marxistes est proche de cette vision des rapports entre la communication et la société, conduisant à l'idée que seul un changement radical permettrait d'inverser la logique. Les techniques de communication peuvent être d'un bon usage si elles sont sous-tendues par un autre projet politique. C'est en cela qu'il s'agit d'une perspective ouverte de la société, puisque les changements sont possibles dans une optique égalitaire et émancipatrice.

C. Le troisième courant: les empiristes-critiques

Ici, l'idée d'une *marge de manœuvre* dans les rapports entre communication et société est essentielle. La société ne sera jamais juste ni égalitaire, mais au moins a-t-elle enfanté, à travers la valeur de la communication et grâce aux techniques qui portent son nom, des instruments et des références qui sont en conformité avec l'idéal démocratique.

Si la communication ne peut suffire à construire une société démocratique, au moins ses valeurs permettent-elles de soulever les contradictions entre les idéaux et la réalité. Et donc de mener des combats intellectuels, culturels et politiques pour que ces idéaux, portés par la société et plébiscités par les techniques et les services, soient plus conformes à leurs propres discours. C'est l'ambiguïté fondamentale de la communication, avec ses dimensions *fonctionnelle* et *normative*, qui rend possible cette action critique. Et voici la seconde hypothèse: l'intelligence du public est le gardien de cette *dualité* de la communication, évitant l'engloutissement de celle-ci dans sa dimension fonctionnelle. L'intelligence du public est ici le symétrique de l'intelligence du citoyen dans le modèle démocratique.

Ici, la réglementation est capitale, pour préserver un équilibre d'abord entre secteur public et secteur privé, ensuite entre médias généralistes et médias thématiques, enfin entre les intérêts des industries et les identités culturelles nationales. La communication de masse n'est pas la perversion de la communication, mais la condition normative de la démocratie.

En revanche, le thème de «la société de l'information» est un discours idéologique, lié aux intérêts des industries susceptibles de créer de
nouvelles inégalités, mais surtout ouvrant une brèche à un désastre
anthropologique. Les élites portent une responsabilité dans ces dérapages de l'idéologie de l'information et de la communication, en n'ayant
pas su faire la part des choses, et surtout en n'ayant pas pris au sérieux,
d'un point de vue théorique, cet immense chantier.

D. Le quatrième courant: les nihilistes

Ce courant manifeste, au départ, une double méfiance envers la
société et envers l'homme. La première idée est que la société n'a pas
fondamentalement changé, qu'elle ne changera pas structurellement,
même si la démocratie améliore partiellement certaines situations. La
seconde idée concerne la finalité de la communication, qui n'améliore
pas substantiellement les relations humaines ou collectives, constituant
plutôt un marché de dupes. Les nihilistes, plus ou moins sceptiques,
partagent avec les thuriféraires une croyance forte en la puissance des
techniques, mais de manière opposée. Autant les seconds y voient un
facteur de changement radical – surtout avec les nouvelles
techniques – autant les premiers versent dans une vision pessimiste.
Dans ce schéma, et contrairement au précédent, les individus ne sont
pas doués d'un réel sens critique. En réalité les acteurs sont *dupes*, dupes
de cette «virtualité» d'une communication «émancipatrice». Seule une
minorité, désabusée mais réaliste, est à même, par sa culture, de dénoncer les pièges et les illusions de cette communication. La perspective
méfiante, élitiste, est ici dominante. Toutefois, il existe une approche
moins tragique. Au lieu de voir dans l'image ou dans la communication
aliénation et domination, elle retient au contraire jeux, frivolités et
décadences plus ou moins festives. Ici les individus se perdent dans le
jeu et le simulacre, sans illusion, mais avec joie, échappant ainsi à la
culture rationnelle dominante.

Qu'il soit «pessimiste» ou «optimiste», ce quatrième courant manifeste dans tous les cas une certaine *méfiance* à l'égard de l'image. L'image
ne dit pas la vérité, elle ment ou elle trompe; de toute façon, elle ne se
trouve pas du côté de l'émancipation, mais du pouvoir. On retrouve ici
l'antique réticence de la pensée occidentale à l'égard de l'image. Inutile
d'avoir confiance dans l'esprit critique du public, celui-ci est rempli
d'illusions. Inutile de croire au groupe, il est manipulé. Seule une minorité exerce une véritable critique, sans espoir d'être entendue. C'est le
désespoir de la lucidité pour la minorité éclairée contre les illusions de
la compétence collective. Le scepticisme est à la mesure de l'omnipré-

sence de l'image et des mondes virtuels qui, demain, enfermeront les individus et les collectivités dans des simulations de réalité.

Dans le *premier groupe* on retrouve les thuriféraires de la révolution de l'information et de la communication, dont le nombre croît au fur et à mesure de l'expansion de ces marchés.

Dans le *deuxième groupe*, il y a ceux qui, au nom d'une approche marxiste ou « frankfurtienne », dénoncent la captation de la communication et de ses industries au profit des intérêts économiques et idéologiques des industries de la communication. Ils seraient proches d'une vision structuraliste où la logique des intérêts l'emporte toujours sur la logique des acteurs.

Le *troisième groupe* réunit ceux qui souhaitent utiliser l'ambiguïté de la communication pour préserver ses dimensions d'émancipation et permettre aux individus comme aux collectivités de refuser la réification et l'instrumentalisation complète de la communication. On retrouve ici la vision *idéaliste critique* qui existe souvent dans une certaine philosophie de l'histoire et de la société.

Le *quatrième groupe* rassemble ceux qui n'ont finalement confiance ni dans la société démocratique, ni dans le nombre, ni dans la communication et les industries liées à elle, ni même dans l'individu… La communication et l'image créent une liberté illusoire et n'améliorent pas la perception du monde et sa transformation. La critique radicale est le seul garant. On pourrait les appeler les *post-modernes*.

Telles sont les *quatre positions théoriques* en France concernant l'analyse des rapports entre communication et société. Les connaître permet ainsi au lecteur de mieux se situer face aux analyses présentées. Inutile de préciser que ma position théorique est proche du troisième courant.

BIBLIOGRAPHIE

chapitre 3

ADORNO T., « L'industrie culturelle », *Communications*, n° 3, 1963.

BALANDIER G., *Le Détour, pouvoir et modernité*, Fayard, Paris, 1982.

BEAUD P., *La Société de connivence, médias, médiations et classes sociales*, Aubier, Paris, 1982.

BERGOUNIOUX A. et GRUNBERG G., *L'Utopie à l'épreuve : le socialisme européen au XXe siècle*, Éd. de Fallois, Paris, 1996.

BESNIER J.-M., *Les Théories de la connaissance*, Flammarion, coll. « Dominos », Paris, 1996.

BOLTANSKI L., *La Souffrance à distance*, Métailié, Paris, 1993.

BOURDIEU P., *Choses dites*, Éd. de Minuit, Paris, 1987.

BRETON P., *L'Argumentation de la communication*, La Découverte, Paris, 1996.

CERTEAU M. de, *L'Invention au quotidien*, t. 1, *Arts de faire*, UGE, coll. « 10/18 », 1980.

CHARTIER R., « Le monde comme représentation », *Annales ESC*, n° 6, 1989.

Colloque de Cerisy. Autour d'A. Touraine, *Penser le sujet*, Fayard, Paris, 1995.

Communications, n° 51, « Télévision mutation », Seuil, Paris, 1990.

DEBRAY R., *Cours de médiologie générale*, Gallimard, Paris, 1991.

ESCARPIT R., *L'Information et la communication. Théorie générale*, Hachette, Paris, 1991.

FERRO M., *Analyse de films, analyse de société*, Hachette, Paris, 1976.

FLICHY P., *Histoire de la communication moderne*, La Découverte, Paris, 1991.

GIDDENS A., *The Transformations of Intimacy*, Stanford University Press, Stanford, 1992.

GILLES B., *Histoire des techniques*, La Pléiade, Gallimard, Paris, 1978.

HOVLAND C., JANIS I. et KELLY H., *Communication and Persuasion*, Yale University Press, New Haven, 1953.

JEANNENEY J.-N., *Une histoire des médias*, Seuil, Paris, 1996.

KATZ E., « La recherche en communication depuis Lazarsfeld », in *Hermès*, n° 4, « Le nouvel espace public », Éd. du CNRS, Paris, 1989.

LATOUR B., *Nous n'avons jamais été modernes. Essai d'anthologie symétrique*, La Découverte, Paris, 1991.

LAZARSFELD, P., «Les intellectuels et la culture de masse», *Communications*, n° 5, 1965.

—, *Les Cahiers de la télévision*, Julliard, Paris, de 1963 à 1965.

LÉVI-STRAUSS C., *Le Regard éloigné*, Plon, Paris, 1983.

MARLEY D., *Family Television: Cultural Power and Domestic Leisure*, Comedia Publishing Group, Londres, 1986.

—, *The «Nation Wide» Audience: Structure and Decoding*, British Film Institute, Londres, 1980.

MEUNIER J.-P. et PARAYA D., *Introduction aux théories de la communication*, De Boeck Université, Bruxelles, 1993.

MIÈGE B., *La Société conquise par la communication*, PUG, Grenoble, 1989.

MOLES A., *Théorie structurale de la communication de la société*, Masson, Paris, 1986.

MORIN E., «Les intellectuels et la culture de masse», *Communications*, n° 5, 1965.

NEVEU E., *Une société de communication?*, Montchrestien, coll. «Clefs», Paris, 1994.

PADIOLEAU J.-G., *Sociologie de l'information*, «Textes fondamentaux», Larousse, Paris, 1973.

PASSERON J.-C., *Le Raisonnement sociologique*, Nathan, Paris, 1991.

SAPIR E., *Anthropologie*, Seuil (trad.), Paris, 1967.

SILBERMANN A., *Communication de masse. Éléments de sociologie empirique*, Hachette, Paris, 1981.

STOURDZE Y., *Pour une poignée d'électrons*, Fayard, Paris, 1988.

THIBAULT-LAULAN A.-M., *L'Image de la société contemporaine*, Denoël, Paris, 1971.

VÉRON E., *La Semiosis sociale*, PUF, Paris, 1988.

WINKIN Y., *Anthropologie de la communication: de la théorie au terrain*, De Boeck Université, Bruxelles, 1996.

—, *La Nouvelle Communication*, Seuil, Paris, 1981.

1. L'histoire des *théories* des sciences de la communication n'est pas faite. D'autant que les traditions intellectuelles, et *même* les manières de nommer les phénomènes étudiés, varient d'un pays à l'autre. Il y aurait d'ailleurs une étude critique à faire concernant le découpage du champ, qui, selon les pays et les traditions intellectuelles, privilégient la communication, l'information, les médias, la publicité, la culture, les techniques, l'idéologie, la domination, l'aliénation, la liberté... La tradition anglo-saxonne joue du reste un rôle déterminant dans ce découpage et cette taxinomie. Si pour la France il n'y a pas encore de travaux d'ensemble, on peut citer néanmoins, en lien avec l'analyse contenue dans ce livre, les travaux de: D. Bougnoux, *Sciences de l'information et de la communication*, «Textes essentiels», Larousse; P. Flichy, *Une histoire de la communication moderne*, La Découverte, 1991; A. et M. Mattelart, *Histoire des théories de la communication*, La Découverte, 1995; A. Mattelart et Y. Stourdze, *Technologie, culture, communication*, La Documentation française, 1982; B. Miège, *La Pensée communicationnelle*, PUG, 1995.
Par ailleurs, il existe des manuels et ouvrages d'ensemble qui, s'ils ne traitent pas précisément de l'histoire des recherches en France, offrent néanmoins un tour d'horizon du domaine des connaissances concernant la communication. Par exemple, en français: Balle F., *Médias et société. Presse, audio-visuel, télévision...*, Montchrestien, Paris, 1992; Cayrol R., *Les Médias. Presse écrite, radio, télévision*, PUF, Paris, 1991; Lazar J., *Sociologie de la commu-*

nication de masse, Colin, Paris, 1991 ; Sfez L., *Dictionnaire critique de la communication*, PUF, 1993.
2. En rapport avec la création de la revue *Communications* (Seuil) qui va jouer un rôle essentiel au carrefour de l'esthétique, de la sociologie, de la linguistique et du cinéma. Le «S» du mot renvoie à la fois à l'étendue du champ, et à son ambiguïté.

3· Pour plus de détails sur le projet scientifique, on peut se reporter aux extraits du rapport sur les sciences de la communication, que j'avais rédigé en 1985 et qui est reproduit après la conclusion du livre.

DEUXIÈME PARTIE

TÉLÉVISION; LE LIEN SOCIAL

INTRODUCTION

LE LIEN SOCIAL
DE LA SOCIÉTÉ INDIVIDUALISTE DE MASSE

L'histoire contemporaine a vu se succéder deux ruptures radicales qui, toutes deux, mettent au centre la problématique du lien social. Sur le plan sociologique, l'émergence de la « société de masse » avec la révolution industrielle du XIXᵉ siècle et ses conséquences : la croissance de la classe ouvrière, de la population urbaine, et l'arrivée tardive, après les deux guerres mondiales et de nombreuses luttes, de la société de consommation. Sur le plan politique, l'émergence de la démocratie de masse, par la conquête du suffrage universel.

Le résultat est ce que j'appelle la *société individualiste de masse*, où cohabitent deux données structurelles, toutes deux normatives mais contradictoires, constitutives de notre réalité sociale et politique : la valorisation de l'individu, au nom des valeurs de la philosophie libérale et de la modernité ; la valorisation du grand nombre, au nom de la lutte politique en faveur de l'égalité. L'économie a assuré le passage de l'un à l'autre, en élargissant sans cesse les marchés, jusqu'à l'instauration de la société de consommation de masse, où nous retrouvons les deux dimensions : choix individuel et production en grand nombre. Nous sommes obligés, comme je l'ai expliqué précédemment, de gérer ces deux dimensions antinomiques : l'*individu* et la *masse*, dont la coexistence bouscule les équilibres socioculturels antérieurs.

La crise du lien social résulte de la difficulté à trouver un nouvel équilibre. Les liens primaires, liés à la famille, au village, au métier, ont disparu, et les liens sociaux liés aux solidarités de classes et d'appartenance religieuse et sociale se sont affaissés. Le résultat est qu'il n'y a plus grand-chose entre la masse et l'individu, entre le nombre et les personnes. Peu de liens demeurent. C'est dans ce contexte d'absence de relais socioculturels entre le niveau de l'expérience individuelle et celui de l'échelle collective que se situe l'intérêt de la télévision. Elle offre justement un lien structurant, entre ces échelles et ces espaces.

Mais revenons brièvement sur la crise du lien social liée aux contradictions de la société individuelle de masse. Aucune des références unitaires qui, hier, organisaient l'espace symbolique de nos sociétés n'est aujourd'hui stable. Partout dominent des dualités contradictoires dont la conséquence est une certaine fragilisation des rapports sociaux. Il y a, on l'a vu, le couple individu-masse, aux finalités évidemment contradictoires ; l'opposition égalité-hiérarchie, où l'existence de l'égalité n'exclue nullement la réalité d'une société assez immobile et hiérarchique ; le conflit ouverture-fermeture lié au fait que l'ouverture et la communication deviennent les références d'une société sans grand projet depuis la chute de l'idéal communiste ; le décalage entre l'élévation générale du niveau des connaissances et la réalité massive d'un chômage disqualifiant… Le tout dans un contexte d'éclatement des structures familiales, de déséquilibres liés aux mouvements d'émancipation des femmes, de crise des modèles du travail où les identités paysanne et ouvrière ont disparu au profit d'un tertiaire protéiforme, de difficultés à faire du milieu urbain un cadre de vie acceptable…

Le tribut à la liberté est cher payé, comme est cher payé l'avènement de la société de masse, au nom de l'égalité. Mutations d'autant plus difficiles à intégrer que par ailleurs les citoyens, grâce aux médias, sont projetés vers le monde extérieur. Chacun de sa cuisine, ou de sa salle à manger, fait plusieurs fois par jour le tour du monde, avec la télévision. Et pour parfaire le paysage, n'oublions pas que cette affirmation des droits de l'individu s'accompagne d'un refus des hiérarchies, des codes et des règles imposés par les multiples institutions que sont la famille, l'école, l'armée, l'Église… Chacun est *libre*, même si le résultat est celui d'une discrète mais obsédante solitude, expliquant l'importance croissante de la problématique du lien social.

Mon hypothèse, depuis de nombreuses années, est que l'unité théorique de la télévision se situe par rapport à cet enjeu. Cela se voit d'ailleurs dans l'usage du mot. Quand j'en parlais à propos de la télévision, il y a une quinzaine d'années, on trouvait au mieux l'idée originale, mais on pensait surtout que s'occuper du lien social était moins important que de critiquer la domination imposée par la télévision, au titre de la culture de masse. Nous n'étions pas nombreux à l'époque, dans les sciences sociales, à utiliser le vocabulaire du lien social, venu des premiers travaux de sociologie et d'anthropologie du début du siècle.

Depuis tout a changé. La violence des fractures sociales liées à la crise a remis cette problématique au centre de la société et de la politique. Au point qu'aujourd'hui, à tort, tout le monde parle de lien social à propos de tout. L'abus du mot n'empêche pas l'intérêt crucial de cette question au demeurant fort complexe.

La télévision est actuellement l'un des principaux liens sociaux de la société individuelle de masse. Elle est d'ailleurs également une figure de ce lien social. Comme je l'ai souvent dit, la télévision est la seule activité partagée par toutes les classes sociales et toutes les classes d'âge, faisant ainsi *lien* entre tous les milieux. Cela n'interdit pas, au contraire, une critique empirique de ce *qu'est* la télévision. Mais c'est à l'*aune* de cette ambition et de ce *rôle* anthropologique qu'il est possible de la critiquer. A condition de ne pas mélanger les deux niveaux, théorique et empirique.

Distinguer les deux plans est essentiel, et permet de comprendre ce qui me sépare finalement des travaux de l'école de Francfort. Pour eux, l'instrumentalisation de la communication dans les rapports économiques et de pouvoir du système capitaliste lui ont fait perdre toute valeur normative, faisant finalement passer celle-ci du côté des appareils idéologiques de domination. Sans nier cette dimension, encore plus visible aujourd'hui qu'il y a cinquante ans, avec l'internationalisation des industries de la communication, je reste en désaccord avec cette hypothèse qui vise à instrumentaliser définitivement la communication, et à lui faire perdre toute autre dimension. En revanche cette thèse a beaucoup de succès, parce que radicale et sans ambiguïté. Hélas, le paradoxe des sciences sociales, inévitablement sciences de la complexité et de la nuance, est de n'avoir de succès qu'à condition d'être «radicales», comme si radicalité et vérité étaient synonymes…

Pourtant au nom des radicalités successives, tant d'erreurs tragiques ont été dites et commises au XXᵉ siècle que ce lien, toujours douteux, entre vérité et radicalité devrait être remis en cause. Il séduit néanmoins, jusques et y compris dans les travaux concernant la communication. Le grand progrès épistémologique en sciences sociales aura lieu le jour où il sera admis que l'*exigence critique* n'est pas synonyme de discours violents et catastrophiques, ni de conclusions dichotomiques et radicales. Et qu'en sciences sociales vérité n'est pas synonyme de radicalité. Pourquoi faire ce détour? Car depuis de nombreuses années, cette thèse de la télévision comme lien social est critiquée par ceux qui ne la trouvent pas assez radicale, donc pas assez «juste», comme s'il fallait être le plus hostile possible à la télévision pour être proche de la vérité.

Il me semble au contraire que les événements en Europe, après une quinzaine d'années qui ont vu la télévision saisie par la débauche de l'argent, de l'Audimat et de l'aventure privée, ramènent progressivement à des pratiques qui illustrent cette hypothèse du rôle des médias de masse comme *lien social*.

Naturellement il ne s'agit pas d'affirmer que la télévision «fait» le lien social – ce serait tomber dans un déterminisme technologique que je condamne par ailleurs –, mais plutôt que, dans une période de profondes ruptures sociales et culturelles, elle reste l'un des liens sociaux de la modernité. Elle n'est pas le seul, et d'autres seraient également à développer, mais le fait qu'elle ne soit pas le seul n'interdit pas de rappeler son rôle, rendu d'autant plus important par sa visibilité et sa popularité. Elle contribue à ce «sens», si difficile à établir, des sociétés modernes. D'ailleurs, dire que la télévision contribue au lien social ne renvoie pas d'abord à la technique, comme je l'ai souvent dit, mais au *statut* de la société individualiste de masse, c'est-à-dire à ce mélange d'individualisme, de liberté et d'égalité. C'est par rapport à ce *triangle de la modernité*, sorte de structure anthropologique de la société, que la télévision joue ce rôle. Autrement dit, le social prime, et non la technique.

La force de la télévision est de constituer ce lien social et *de le représenter*. Reprenant l'hypothèse d'É. Durkheim sur la religion, on pourrait presque dire que la télévision est l'une des formes élémentaire du social. Si de nombreuses pratiques sociales contribuent au lien social, mais sans visibilité, l'intérêt de la télévision est de le représenter, de manière visible par tous. Et à ce niveau de visibilité et de représentation, il n'existe pas beaucoup d'autres activités sociales et culturelles aussi transversales que la télévision. Celle-ci n'est-elle pas, avec la *météo*, la seule activité réellement partagée par toutes les classes sociales et les classes d'âge? C'est parce qu'il y a ce rôle social de la télévision que je critique le discours enthousiaste, trop technique, qui entoure la télévision thématique, présentée comme l'avenir de la télévision. Une telle démarche confond justement la dimension sociale et la dimension technique, réduisant la télévision à la seconde.

Le problème n'est pas l'existence de la télévision thématique, un phénomène classique de segmentation des marchés. Le problème se pose quand cette évolution, rendue possible par la technique, est présentée comme un progrès par rapport à la problématique de la télévision généraliste. On tombe là dans l'idéologie technique.

Rappeler le rôle des médias généralistes, par rapport au lien social, c'est donc *replacer l'enjeu de la communication dans le cadre d'une théorie de la société*. La position en faveur des médias généralistes est d'abord la réponse à la question suivante: comment faire lien, par l'intermédiaire des médias généralistes publics ou privés, au sein de sociétés où les fractures et exclusions sociales sont fortes? Et comment faire lien, par l'intermédiaire des médias nationaux, dans des sociétés ouvertes où l'idéologie de la «communication mondiale», directement isomorphe aux intérêts des multinationales, déstabilise encore un peu plus les identités nationales, et fait monter dans les pays du Sud une profonde colère contre les pays riches du Nord? Voilà le *double enjeu* essentiel du rapport entre une théorie des médias généralistes et la problématique du lien social. La question n'est pas l'ouverture au monde, déjà largement assurée en un demi-siècle, et visible aujourd'hui dans l'économie mondialiste des groupes de communication. Elle est dans la recherche des moyens permettant de renforcer la *cohésion sociale* à l'intérieur des sociétés, et de continuer à offrir, conformément au modèle de la démocratie, une possibilité de s'informer, de se cultiver et de se divertir à l'échelle du plus grand nombre. Et à l'échelon mondial, d'assurer une réglementation pour éviter que cette mondialisation de la communication ne conduise, par une nouvelle loi de la jungle, au renforcement des plus puissants et des plus riches.

La connexion entre lien social et médias généralistes reste du côté du normatif, c'est-à-dire de la référence à l'universel, alors que l'adhésion au thématique, apparemment plus adapté aux demandes du public, est en réalité compatible avec une théorie de la société qui accepte fractures, inégalités et segmentations. Le point de bascule entre les différentes conceptions de la télévision et les théories de la société concerne le *statut de public*. Deux théories s'opposent.

L'une dissocie la *réalité* des publics de la question théorique du grand public. Pour l'autre, le public est la *somme* des Audimat. D'un côté la problématique du public, comme celle de la télévision, renvoie à une théorie des rapports entre communication et société. De l'autre elle est d'abord liée aux réalités du marché et se résume à une logique économique et quantitative. Nous sommes face à deux théories : celle qui lie communication et société ; celle qui considère le choix des publics comme la meilleure des théories. Deux philosophies de la communication et finalement deux conceptions de la société. Pourquoi pas? Mais à condition de situer l'antagonisme au *niveau théorique* qui est le sien, et de ne pas se perdre dans des catégories économiques ou des questions de technologie.

C'est en ce sens qu'il n'y a pas de théorie de la communication sans une théorie implicite ou explicite de la société. Et si je voulais être polémique, je dirais qu'il existe une parfaite compatibilité entre une société organisée sur le modèle du «politiquement correct», où cohabitent sagement, démocratiquement et représentativement toutes les communautés, dans l'indifférence générale mutuelle, *et* une société reposant sur une théorie des médias fragmentés, où chaque individu et chaque communauté disposerait de ses médias, pour s'y enfermer douillettement.

C'est en cela que toute organisation de la télévision, comme de la radio d'ailleurs, renvoie à une théorie de la société. C'est en cela aussi que la valorisation des médias généralistes renvoie à une certaine exigence culturelle et démocratique. C'est en cela enfin que toute défense de la télévision généraliste est inséparable d'une défense de la télévision publique et, pour l'avenir, du maintien d'un système mixte *équilibré*, public-privé. Le système reste d'ailleurs la grande originalité de l'Europe, qui devrait en être fière, au lieu d'en douter, au moment où elle est confrontée à l'immense bataille de la déréglementation.

CHAPITRE 4

TÉLÉVISION GÉNÉRALISTE ET THÉORIE DE LA SOCIÉTÉ

Depuis longtemps, je défends la thèse selon laquelle la télévision généraliste est le média le plus adapté à l'hétérogénéité sociale de la société individualiste de masse[1]. Avant de développer cette position, je souhaite rappeler qu'avant elle la radio jouait – et joue encore aujourd'hui très largement – ce même rôle. Elle le joue même d'autant plus qu'elle n'est pas encombrée par l'image, suscite moins la volonté de contrôle par les multiples autorités, et surtout véhicule ce qui est au cœur de toute communication, et pourrait-on dire de toute expérience humaine : le son de la voix. Comme je l'ai souvent dit, la radio est probablement le grand média du XXᵉ siècle, le plus proche de l'homme et de tous ses combats pour la liberté. L'analyse centrée ici sur la télévision ne doit donc pas faire oublier le rôle crucial de la radio dans toute problématique du lien social et, plus largement, dans toute anthropologie de la communication.

Mais revenons à la télévision. Pourquoi est-elle adaptée à la société individualiste de masse ? Parce que cette forme de société est caractérisée par une faible communication entre les strates sociales.

Certes chacun est libre, mais dans son espace. Les rapports sociaux, malgré la visibilité assurée par les médias, restent hiérarchisés, et la cohabitation entre les milieux socioculturels, difficile. Le plus ardu étant l'intégration des communautés étrangères. Seule la télévision généraliste est apte à offrir à la fois cette égalité d'accès, fondement du modèle démocratique, et cette palette de programmes qui peut refléter l'hétérogénéité sociale et culturelle. La grille des programmes permet de retrouver les éléments indispensables à l'« être ensemble ». Elle constitue une école de tolérance au sens où chacun est obligé de reconnaître que les programmes qu'il n'aime pas ont autant de légitimité que ceux qu'il aime, du seul fait que les uns *cohabitent* avec les autres. La force de la télévision généraliste est là : mettre sur un pied d'égalité tous les programmes, et ne pas dire *a priori* ceux qui sont destinés à tel ou tel public. *Elle oblige chacun à reconnaître l'existence de l'autre*, processus indispensable dans les sociétés contemporaines confrontées aux multiculturalismes. Cela est d'ailleurs largement confirmé par les études d'audience. Si la grille est faite en fonction des spectateurs supposés intéressés au fil des heures de la journée, l'étude rétrospective prouve le caractère plus hétérogène du public réel. Certains ont regardé ce que l'on pensait qu'ils regarderaient, mais d'autres, auxquels on n'avait pas songé, en ont fait de même. Et réciproquement. Ce qui justifie le rôle de la télévision généraliste : offrir une large palette de programmes pour satisfaire le plus grand nombre possible de publics, et laisser la place à des « *publics inattendus*». C'est en cela que la télévision est moins un instrument de massification de la culture qu'un moyen de relier les hétérogénéités sociales et culturelles. Et en reflétant celles-ci à travers ses programmes, elle en légitime les différentes composantes en leur donnant la possibilité d'une cohabitation, voire d'une intégration.

Bien sûr, la télévision ne peut à elle seule réussir l'intégration sociale et culturelle qui échoue partiellement par ailleurs !... Mais dans sa forme généraliste, elle limite la dynamique de l'exclusion. Cette exclusion, autant sociale que culturelle, s'accélère quand les milieux socioculturels aux marges de la société ne se retrouvent pas du tout dans les médias. Les études dans plusieurs pays l'ont montré : plus la télévision est un miroir permettant à la plus grande partie des catégories sociales de se retrouver, plus elle limite l'exclusion de populations qui se sentent déjà en marge de la société[2]. Les milieux proches de la marginalité, en y trouvant un écho de leurs préoccupations, peuvent y forger une image de la *solidarité* sociale. On sait aujourd'hui, par les recherches accumulées depuis un demi-siècle, que le miracle de la télévision réside bien dans cette spécificité : *le même message adressé à tout le monde n'est jamais reçu de la même manière.* Justement parce que les spectateurs, indépendamment de leur capacité critique, ne vivent pas de manière identique et égalitaire. Les différences de contexte jouent sur la réception. Et la question classique est alors moins de savoir ce que les médias font aux publics que ce que les publics font des images.

L'homogénéité du message n'interdit pas l'hétérogénéité de la réception. Cela ne signifie pas l'absence d'influence de la télévision, mais cette influence n'est ni directe ni mécanique. Et cela explique également son rôle de lien social : les différents milieux sociaux reçoivent de manière différente les programmes, et y prennent ce qu'ils veulent. A condition évidemment que la grille reflète en partie leurs préoccupations. Plus cette grille est ouverte et généraliste, plus elle est susceptible de recueillir l'intérêt des publics. C'est en cela que l'hétérogénéité des programmes de la télévision généraliste est une *figure* de l'hétérogénéité sociale, offrant ainsi une occasion de «communication» et de «lien», au sens de participation, et non de transmission. En sachant maintenant que le spectateur «négocie» les images reçues, on devine combien la grille des programmes par son hétérogénéité légitime les autres programmes, mais surtout peut illustrer un projet d'intégration. Cette ambition possible de la grille des programmes compense d'ailleurs la polysémie de l'image. Celle-ci peut être tour à tour reproduction de la réalité, création réaliste ou virtuelle, indice de l'invisible comme dans le cas des liens à la religion ou, au contraire, acte de pouvoir; à moins qu'elle ne serve d'information sur la réalité dans le cas du journalisme, ou qu'elle fasse «image» par rapport à d'autres situations de communication. A la polysémie de l'image répondent d'ailleurs la pluralité d'intentions des émetteurs et celle d'interprétation des récepteurs. Bref, les conditions d'une réelle «communauté d'interprétation» sont rarement, facilement, réunies en ce qui concerne l'image, tant les décalages sont irréductibles entre l'intention de l'émetteur, le message et les conditions de la réception. Cela plaide en faveur de l'organisation, toute partielle, assurée par une grille de programmes.

*

Dans la réalité, la télévision généraliste ne peut jamais atteindre complètement cet objectif: offrir à tous les publics les programmes qu'ils souhaitent! Il y a inévitablement au départ des choix et des déterminations des goûts du public. Et c'est d'ailleurs dans cette représentation, plus ou moins explicite, des publics par la télévision que l'on voit comment se construit ce concept essentiel du «grand public». Il s'agit d'un concept et non d'une réalité, de même type par exemple que celui de l'«égalité» des citoyens devant le suffrage universel. Dans la réalité, on sait qu'il n'y a pas d'égalité devant le vote, mais du point de vue d'une théorie de la démocratie cette égalité est indispensable. Pour la télévision, la démarche est identique. Chacun sait bien qu'elle n'est jamais complètement généraliste, et qu'elle ne peut réellement satisfaire tous les publics, mais l'essentiel est dans l'ambition de vouloir toucher tout le monde.

C'est pour cette raison que le suffrage universel, la télévision généraliste et le grand public sont trois groupes de mots de même niveau théorique. Ils renvoient au modèle de la démocratie et, avant de recouvrir des réalités sociologiques, sont d'abord des concepts. Leur dimension théorique est importante pour résister à l'épreuve de la réalité concrète que sont le suffrage universel et le corps électoral ; la télévision généraliste et l'hétérogénéité sociale ; le grand public et les publics. La tension entre un concept et la réalité sociologique est chaque fois considérable. Non seulement l'image n'est pas reçue de manière identique par chacun, mais de plus l'hétérogénéité des programmes offre une ouverture sur l'hétérogénéité sociale et culturelle, sans pour autant enfermer chacun dans ses programmes comme dans le cas de la télévision thématique. La télévision contribue à construire les cadres culturels collectifs, et des passerelles entre les visions du monde des multiples communautés composant une société. Refléter l'hétérogénéité sociale et culturelle ne signifie pas y être aliéné, mais signifie donner au public la possibilité de s'identifier, de se retrouver dans certains de ces programmes, en tout cas de ne pas être exclu ou relégué dans des chaînes populaires bas de gamme. La force de la télévision généraliste est non seulement d'offrir cette cohabitation des programmes, mais aussi, et peut-être surtout, de ne pas hiérarchiser cette cohabitation. Tous les programmes sont là, chacun y accédant librement sans qu'une hiérarchie définisse, *a priori*, la signification plus ou moins culturelle, ou plus ou moins populaire, de certains d'entre eux.

L'égalité d'accès et la gratuité sont des figures de l'égalité du modèle démocratique. La télévision généraliste a d'autant plus ce rôle de reflet, et en même temps de structuration collective, qu'à l'échelon individuel elle laisse chacun libre. Personne n'est jamais obligé de regarder. C'est en cela que la grille des programmes est un élément aussi important du système audiovisuel que la nature juridique de ce système. Il est évident qu'une télévision publique est plus indépendante de la tyrannie de l'audience et peut offrir une grille de programmes plus ouverte. La grille traduit explicitement le niveau d'ambition des dirigeants de la télévision, publique ou privée. Plus elle est large, diversifiée, à la fois traditionnelle et innovante, complète dans les genres et les horaires, pour essayer de toucher tous les publics potentiels, plus elle est conforme à son statut de média de masse. Plus elle est, au contraire, refermée sur les quelques genres de programmes assurés de succès sans innovation, sans ouverture sur d'autres publics ou d'autres préoccupations, plus elle faillit à sa mission essentielle de miroir et de lien social de l'hétérogénéité sociale. En matière de théorie de la communication, le concept de « généraliste » reste de ce point de vue parfaitement *novateur*, même si certains, trop pressés d'adhérer aux derniers mots à la mode (segmentation, interactivité, individualisation…), ont vite fait de reléguer le terme au grenier des vieux outils. C'est comme si aujourd'hui le succès de la presse écrite spécialisée invalidait le concept d'une presse généraliste.

Sur le fond du débat, le succès, dans tous les domaines des médias thématiques, reflète l'atomisation et l'individualisation des relations sociales. *L'individualisation des médias est une réponse fonctionnaliste classique à l'individualisation des rapports sociaux.* Le contresens consiste à voir dans cette rencontre entre un modèle social individualiste et les techniques du même type un progrès, alors qu'il s'agit tout simplement d'une vision fonctionnaliste. Si les médias généralistes hiérarchisent évidemment les programmes, à travers la grille, cette hiérarchie n'est qu'*a priori*, puisque le public *réel* ne correspond pas toujours à celui qui a été anticipé. Les décalages observés montrent le caractère nomade des comportements des spectateurs. Cela est un argument essentiel en faveur d'une grille généraliste, la plus large possible, afin de laisser ouverte cette possibilité de *redistribution* des comportements des publics. C'est ce qu'ont bien montré, depuis longtemps, M. Souchon et d'autres. Il n'y a *pas* concordance entre la prévision *et* le comportement réel du public. Celui-ci ne regarde pas toujours les programmes conçus *a priori* pour lui. Il existe donc une véritable autonomie de son comportement par rapport aux prévisions, justifiant l'intérêt du concept de télévision généraliste.

Le paradoxe ? L'individualisation, considérée comme un progrès, est du point de vue d'une théorie des rapports entre communication et société moins ambitieuse que la problématique du grand public. En effet, la télévision généraliste est la seule qui admette le caractère composite de la société, le mélange des traditions et des nouveautés, des injustices et des innovations. Elle s'adresse à toutes les strates de la société, dans la tradition d'ailleurs de la radio, du music-hall et de la presse populaire. On ne choisit pas, on s'adresse à tous, sans privilégier un public *a priori*. La télévision thématique, au contraire, prend acte de la complexité sociale, s'adresse aux publics identifiés, et le phénomène d'agrégation qu'elle constitue est nécessairement plus limité puisque la palette des programmes l'est aussi. C'est en cela que la *représentation* sociale qui implique un média thématique est plus simple que celle qui sous-tend un média généraliste.

En fait la télévision ressemble un peu à la *météorologie*. Certes on est d'abord intéressé par la météo de sa région, comme on l'est par certains programmes et non par d'autres. Mais on ne se fait pas d'illusions sur l'«autonomie» de la météorologie de sa région ; on ne peut pas l'isoler du reste du contexte même si chacun croit se trouver dans un «microclimat»… Et du reste, on est tout de même curieux de savoir le temps qu'il fait ailleurs, parce que chacun y connaît de la famille ou des amis.

En outre la météorologie est de plus en plus compréhensible au fur et à mesure que l'on prend de la distance. Les mouvements des vents sur l'Europe permettent de mieux comprendre ce qui se passe sur la France ou sur la région que l'on habite. Le même principe s'applique à la télévision généraliste. Plus on prend de *distances* grâce à ses programmes, plus on peut comprendre autre chose. La télévision présente donc des points communs avec la météorologie : chacun voudrait bien s'isoler, tout en comprenant assez vite les risques d'enfermement. Il faut une vue d'ensemble comme il faut une vue d'ensemble des programmes pour vérifier son choix. Cette comparaison avec la météo est d'autant plus éclairante que les programmes la concernant sont parmi les plus regardés dans le monde ! Et l'on constate partout la tendance à les accompagner d'explications sérieuses, dont le public est de plus en plus friand. Peut-on y voir une préfiguration de ce qui est susceptible de se passer avec la télévision généraliste ?

Les représentations inhérentes à la télévision généraliste sont enfin intéressantes pour *deux* autres raisons. D'abord, celle-ci joue un rôle d'*identification individuelle et collective*. La télévision, c'est un peu tout ce qu'il faut savoir pour être membre d'une société et d'un État-nation. D'ailleurs, que faisons-nous en voyage ? Nous regardons la télévision. En effet, elle est un *raccourci* pour avoir une petite idée du pays où l'on se trouve, justement parce qu'elle est le miroir de son identité. Y retrouver en outre les feuilletons américains que l'on aime, mais traduits dans les autres langues, relativise l'affection qu'on leur porte. C'est aussi un moyen de toucher du doigt la réalité de la mondialisation de la communication et des intérêts qui y sont liés. Ensuite, et ceci est particulièrement important dans les moments de fragilité sociale, comme ils existent actuellement, elle demeure évidemment un *outil de stabilisation culturelle*. Une fenêtre ouverte contre l'exclusion. Si on y parle de tout, y compris des exclus, elle évite le phénomène d'auto-élimination de la spirale du silence[3]. Elle contribue à tenir ensemble des milieux sociaux ou culturels en voie de fragilisation sociale et culturelle. C'est ici que l'*étendue* des programmes est essentielle : certains milieux feront lien par l'information, d'autres par le sport, les variétés, les jeux, les fictions… L'importance de la grille est un peu le symbole de la taille du miroir tendu à la société. Plus celui-ci est grand, plus la fonction de cohésion sociale est forte.

En fait, l'idée essentielle dans la défense d'une télévision généraliste est la suivante : *reflet de l'hétérogénéité sociale, elle devient facteur d'intégration*. Et pas seulement d'intégration sociale et culturelle. Mais aussi d'intégration *nationale*. A l'heure de la mondialisation de la communication et de l'internationalisation des images, les télévisions généralistes nationales jouent un rôle capital d'identité nationale — elles sont même parfois, dans certains pays, *parmi les seuls* à le faire. Ce qui explique l'enjeu politique que constitue l'existence de *télévisions nationales* dans toutes les nations, et l'importance des batailles politiques à mener pour éviter de transformer les télévisions, surtout celles des petits pays, en simples distributeurs de programmes étrangers, évidemment américains. Se battre pour une télévision *nationale* est aussi important que se battre pour l'existence d'une école, d'une armée ou d'un système de soins national. Ce sont des facteurs d'identification collective essentiels.

On peut dire que la télévision généraliste assure au mieux cette *triple fonction* : lien social, modernisation, identité nationale. C'est pour cela, enfin, qu'il existe un lien structurel entre télévision et *télévision publique*. Certes le concept central reste celui de la télévision généraliste, mais ses coûts et ses contraintes sont tels que la télévision généraliste privée est toujours menacée de glisser vers le bas. C'est-à-dire de se resserrer autour de quelques programmes assurés de succès... Et de ressembler de ce fait à une télévision thématique ! Surtout dans le contexte de concurrence effrénée actuel. A l'inverse, la télévision publique généraliste, quand elle fait bien son travail, offre une palette plus large. Autrement dit, si l'on veut *réellement* garantir la qualité de la télévision généraliste, il faut préserver le statut et le rôle de la télévision publique, à savoir un système audiovisuel équilibré dans la concurrence entre public et privé.

Demain, la télévision *publique*, dans une économie mondiale de la communication, sera une condition essentielle au maintien de la télévision *généraliste* et un facteur d'*identité nationale*.

BIBLIOGRAPHIE

chapitre 4

ALBERT P. et TUDESQ A.-J., *Histoire de la radio-télévision*, PUF, coll. «Que sais-je?», n° 1904, Paris, 1994.

ALBERT P., *Histoire de la presse*, PUF, coll. «Que sais-je?», n° 368, Paris, 1993.

BARBIER F. et BERTHO-LAVENIR C., *Histoire des médias de Diderot à Internet*, Colin-Masson, Paris, 1996.

BELLANGER C., *Histoire générale de la presse française*, 5 vol., PUF, Paris, 1969-1976.

BERELSON B., *Content Analysis in Communication Research*, The Free Press, Glencoe, 1952.

BERTHO C., *Télégraphes et téléphones, de Valmy au microprocesseur*, Le Livre de poche, Paris, 1981.

BILGER P. et PRÉVOST B., *Le Droit de la presse*, PUF, coll. «Que sais-je?», n° 2469, Paris, 1990.

BLUMLER J.G. (ed.), *Television and the Public Interest. Vulnerable Values in West European Broadcasting*, Sage, Londres, 1991.

BOGART L., *The Age of Television, a Study of Viewing Habits and the Impact of Television on American Life*, Ungar, New York, 1956.

BOUDON R., *L'Art de se persuader des idées douteuses, fragiles ou fausses*, Seuil, coll. «Points», Paris, 1992.

BROCHAND Ch. et MOUSSEAU J., *Histoire de la télévision française*, Nathan, Paris, 1982.

CAMPET P., *L'Avenir de la télévision publique*, rapport au ministre de la Communication, La Documentation française, Paris, 1994.

CAZENEUVE J., *Les Pouvoirs de la télévision*, Gallimard, Paris, 1970.

CHALVON-DEMERSAY S., *Mille scénarios. Une enquête sur l'imagination en temps de crise*, Métailié, Paris, 1994.

Communications, n° 51, «Télévision mutation», 1990.

DEBRAY R., *Vie et mort de l'image*, Gallimard, Paris, 1995.

DIWO J., *Si vous avez manqué le début...*, Albin Michel, Paris, 1976.

DUVAL R., *Histoire de la radio en France*, Moreau, Paris, 1979.

FRIEDMANN G., *Sept études sur la technologie*, Denoël, Paris, 1966.

GAUTHIER A., *Du visible au visuel: anthropologie du regard*, PUF, Paris, 1996.

GRISET P., *Les Révolutions de la communication au XIXe et XXe siècle*, Hachette, Paris, 1991.

JEANNENEY J.-N. et SAUVAGE M., *Télévision, nouvelle mémoire, les magazines de grands reportages, 1958-1968*, Seuil/INA, Paris, 1982.

LAZAR J., *Sociologie de la communication de masse*, Colin, Paris, 1991.

LIEBES T. et KATZ E., «Six interprétations de la série "Dallas"», *Hermès*, n°s 11-12, Éd. du CNRS, Paris, 1992.

—, *The Expert of Meaning. Cross-Cultural Readings of Dallas*, Polity Press, Cambridge, 1993.

MATTELART A. et M., *Penser les médias*, La Découverte, Paris, 1986.

MEHL D., *La Fenêtre et le miroir*, Payot, Paris, 1992.

MICHEL H., *Les Grandes Dates de la télévision française*, PUF, coll. «Que sais-je?», n° 3055, Paris, 1995.

MOINOT P., *Pour une réforme de l'audiovisuel, Rapport au Premier ministre*, La Documentation française, Paris, 1981.

MOLINER P., *Images et représentations sociales. De la théorie des représentations à l'étude des images sociales*, PUG, Grenoble, 1996.

PASQUIER D., *Les Scénaristes et la télévision, approche sociologique*, Nathan Université, Paris, 1995.

PERCHERON G., *L'Univers politique des enfants*, Colin, Paris, 1974.

QEVAL J. et THEVENOT J., *T.V.*, Gallimard, Paris, 1957.

QUERE L., *Des miroirs équivoques. Aux origines de la communication moderne*, Aubier, Montaigne, Paris, 1982.

Rapport du gouvernement au Parlement, *L'Avenir du secteur audiovisuel public*, La Documentation française, Paris, 1989.

REMONTÉ J.-F. et DEPOUX S., *Les Années radio, 1949-1989*, L'Arpenteur, Gallimard, Paris, 1989.

ROUSSEAU J. et BROCHAIN Ch., *Histoire de la télévision française*, Nathan, Paris, 1982.

SINGLY F. de, *Le Soi, le Couple et la Famille*, Nathan, coll. «Essais et recherches», Paris, 1996.

THIBAU J., *Une télévision pour tous les Français*, Seuil, Paris, 1970.

WOLTON D., «Values and normative choices in french television», *Television and the Public Interest. Vulnerable Values in West European Broadcastin*, J.-G. Blumler (éd.), Sage, Londres, 1991.

1. Pour plus de détails sur la théorie de la télévision, on peut se reporter à *Éloge du grand public, une théorie critique de la télévision*, Flammarion, 1990.

2. Le problème se pose de manière criante pour les immigrés, dont la représentation dans les programmes des télévisions européennes a tendance à diminuer, toutes catégories de programmes confondues. Comme si les difficultés d'intégration depuis une vingtaine d'années, avec la crise, se manifestaient par encore moins de présence sur les écrans... (Cf. enquête *Le Monde*, 18 sept. 1996.)

3. Spirale du silence: concept introduit par E. Neuman pour rendre compte du phénomène selon lequel celui qui ne se sent pas représenté dans les médias, et dans la vie publique en général, a tendance à s'exclure, à s'enfermer dans une spirale du silence, et donc à avoir encore moins de chance d'être entendu.

CHAPITRE 5

LA CULTURE ET LA TÉLÉVISION

I. Le grand public; l'équivalent du suffrage universel

La question du public, donc de la réception, est l'une des plus importantes, mais elle est restée longtemps peu analysée, car elle suscitait moins de curiosité que l'étude des dirigeants, des stratégies de pouvoir, des stars ou des programmes.

Pourquoi ce désintérêt? Parce que la communication, activité séduisante par excellence, trouve *toujours* un public, donc une réception. Mais le public, dans cette «chaîne» de la communication, reste l'élément le moins visible. Ensuite, le public se confond souvent avec la vente. Si le public achète, c'est qu'il accepte! C'est le cas pour la presse écrite et même pour les médias audiovisuels où la taille des publics suffit à vendre la publicité. Dès lors que les industries de la communication ont trouvé des publics, la question *du* public a semblé réglée. Autrement dit, les questions compliquées et un peu mystérieuses de savoir qui reçoit, pourquoi, comment, avec quel effet, semblent résolues par le simple fait que les individus payent pour acheter ou regardent ce qu'on leur offre. S'il y a un public, pourquoi ajouter des analyses? D'autant que les mesures d'audience permettent aujourd'hui de quantifier le public, donc d'en avoir une certaine représentation.

Le passage d'une réflexion, déjà difficile, sur le public à une théorie du grand public paraît encore plus hasardeux, car se mêlent alors données quantitatives et qualitatives. On sait par la mesure d'audience isoler les publics, mais on ignore ce qu'est le grand public, bien différent d'une simple addition des publics. On retrouve ici l'une des difficultés majeures de la démocratie: quelle *représentation* peut-on avoir du public en dehors des élections? Bien sûr, les sondages en offrent une, et les journalistes en proposent également une autre, plus qualitative. Mais jusqu'où ces deux concepts de l'espace public et du public sont-ils complémentaires ou contradictoires? Pour la politique, le vote permet de trancher, mais pour la communication la question est plus délicate, puisqu'il n'existe pas de vote. Dans la logique commerciale la question se simplifie: le public est celui qui achète. Mais en matière de communication non commerciale, le public ne peut se réduire au marché. Comment atténuer cette *distance* entre une logique de marché et une logique normative?

C'est ici que la problématique du *grand public* rejoint celle de la *télévision généraliste*. On a vu que celle-ci est un concept et non une simple organisation technique de la télévision, puisque dans le terme «généraliste» se trouvent l'idée du lien social et la volonté de relier plusieurs publics. Il en est de même pour le grand public. Dans la réalité, celui-ci n'existe jamais; il n'y a que des publics... *Le grand public est un concept, une représentation, un choix, une orientation, une valeur, une volonté. Il est la traduction, dans le domaine de la communication, du concept du suffrage universel dans celui de la politique.* De même qu'il n'y a aucune égalité sociologique entre les multiples électeurs, de même n'y a-t-il pas d'égalité entre les multiples publics de la communication, écrite et audiovisuelle. Mais dans les deux cas il s'agit d'un objectif normatif: réunir des individus qui partagent quelque chose, au-delà de ce qui les sépare. C'est en cela que le public, et *a fortiori* le grand public, est toujours une *conquête*. Il est un concept qualitatif, sans rapport avec les données quantitatives de l'audience, ou plutôt la question du grand public ne se réduit pas à celle de l'audience.

L'observation *quantitative* de l'audience a remplacé la problématique *qualitative* du grand public. Ou plutôt elle a semblé, à tort, lui apporter une réponse pratique, alors même qu'il s'agit de deux rapports radicalement différents au public. Qu'est-ce que l'audience? Principalement la *réaction à l'offre* de programmes, et non pas la *demande* du public. Elle *reflète* la représentation des publics que se font les programmateurs davantage qu'elle n'exprime une orientation sur ce qu'est le grand public. Elle correspond à une sorte de *panélisation*. Mais comme le grand public est une donnée insaisissable et que les chiffres d'audiences sont en revanche tangibles, la tentation est grande, en toute bonne foi, de trouver dans les «grandes audiences» la trace du «grand public». *L'Audimat par son efficacité quantitative a tué la problématique qualitative du grand public.* Un peu comme les sondages ont décimé toute problématique qualitative de l'opinion publique. Les deux sont d'ailleurs apparus quand il a fallu comprendre et compter le grand nombre. Le grand public reste une ambition, l'audience une réalité contingente.

Quel est le problème aujourd'hui pour la communication? La distinction difficile entre grand public et audience. Hier l'absence de mesure quantitative de l'audience risquait de creuser un écart entre les attentes du public et la représentation de ce même public par les dirigeants. De nos jours, la précision des mesures d'audience risque inversement de faire croire à l'adéquation entre l'idée du grand public et la réalité sociologique des publics. Le décalage entre une demande potentielle qui ne peut s'exprimer, faute d'une offre susceptible de la faire apparaître, et la connaissance quantitative des publics par les audiences croît, sans que personne s'en aperçoive. Et comme l'offre augmente en volume, sans se diversifier, la tendance à établir une continuité entre accroissement de l'offre, connaissance meilleure des audiences et grand public comme somme de ces publics se renforce.

Seule une *crise* permettra de faire apparaître le décalage entre une problématique théorique du grand public et la réalité de l'audience.

L'élévation du niveau de vie et des connaissances favorise à juste titre une *diversification* de la demande. Les industries culturelles, à commencer par la presse magazine puis spécialisée, l'explosion des radios, enfin l'arrivée des télévisions thématiques, ont illustré cette variété, saluée par tous. Qui peut, en effet, critiquer la relative diversification de l'offre à laquelle on a assisté? Le contresens consiste à croire que cette diversification signifie la fin du grand public. *Il y a dans l'idée de grand public une exigence qui résiste à la découverte de la variété des publics.* Non seulement les médias thématiques ne remettent pas en cause la problématique du grand public, mais surtout ils ne constituent pas un « progrès » par rapport à lui.

Pourtant le repérage des publics thématiques est apparu comme un degré supplémentaire de complexité dans la réflexion sur le public, comme une amélioration par rapport au problème du grand public. La télévision de masse généraliste correspondait au stade « primitif » de la télévision, comme d'ailleurs la problématique du grand public. Avec cette idée, implicite et fausse, selon laquelle il est « plus facile » de réussir une communication de masse qu'une communication thématique. Pourtant ceux qui travaillent dans la communication savent au contraire que la vraie difficulté est d'« accrocher » et de conserver le grand public, et non pas de trouver les publics thématiques.

La crise de l'ambition du grand public ne résulte ni de la diversité des goûts du public – elle a toujours existé – ni de la multiplication des supports, mais d'une crise de la représentation de la société, et du *rôle* de la télévision dans cette société.

Puisque l'on ne sait plus très bien ce qui constitue le « être ensemble » d'une société, on a tendance, depuis plus d'une vingtaine d'années, à délaisser cette problématique du grand public. D'autant qu'elle renvoie *d'abord à une prééminence de l'offre*, où la responsabilité première ne vient pas du public, mais de la manière dont les dirigeants se représentent leur rôle. Faute de savoir quelle offre proposer, et quelle conception de la télévision faire prévaloir, on se cale sur le comportement du téléspectateur, et on en appelle à sa « liberté » comme preuve suprême de « maturité ».

Le paradoxe de l'évolution observée depuis près de trente ans est ainsi d'avoir présenté comme un *progrès* le simple déplacement de la problématique de l'offre vers celle de la demande. Dans la mesure où l'étude de la consommation pour la publicité était nécessaire, on a confondu la prise en compte des comportements du public dans une logique de la concurrence avec une « philosophie » de la télévision, voire de l'offre. On a abandonné toute ambition autonome, sous prétexte que le consommateur est souverain. La maturité d'une démocratie ne se voit-elle pas dans le règne du public ? C'est ainsi qu'aujourd'hui la demande, identifiée à la consommation, est considérée comme une preuve de maturité, alors que chacun sait qu'en matière d'activité culturelle l'offre est primordiale. En somme la télévision de l'offre aurait été celle des pionniers, tandis que la télévision de la demande serait au contraire celle de l'âge adulte.

Si l'on veut une comparaison, *il existe autant de différences entre les sondages et le suffrage universel qu'il y en a entre l'audience et le grand public*. Les sondages, comme l'audience, sont une représentation quantitative, mais ne comportent aucune interprétation qualitative. C'est le rôle du suffrage universel, en politique, que de transcender l'addition des comportements individuels ; c'est le rôle du grand public, dans la communication, que de transcender la connaissance empirique du comportement des publics.

C'est en cela que la *problématique* du grand public n'est jamais acquise. Elle est un choix, toujours fragile, résultat d'une certaine ambition concernant le rôle de la télévision. Et l'on peut même prévoir le retour d'une *problématique* du grand public, comme le *symptôme* du retour d'une ambition pour la télévision. Le grand public, à l'instar du suffrage universel, est un concept central de toute réflexion théorique sur la démocratie de masse.

II. Le défi de la culture grand public

Valoriser la problématique de la culture du grand public n'est pas plus aisé que de mettre en valeur le grand public, les deux étant d'ailleurs liés. En me fondant sur des travaux antérieurs, je voudrais souligner l'importance d'une réflexion sur les rapports entre communication et culture. Et cela au moment où l'expansion de la communication renforce l'idée, fausse, selon laquelle la communication de masse tuerait la culture. La télévision de masse est considérée comme un facteur d'«abrutissement», pour ne pas dire d'aliénation, en comparaison des médias individualisés. Évolution paradoxale car les pionniers, dans les années 50, avaient souhaité faire de la télévision un outil de démocratisation de la culture[1]. C'était l'époque où l'on débattait de la culture populaire et de la démocratisation par la culture. Mais cet objectif a semblé disparaître avec la société de consommation, l'élévation du niveau de vie et le développement de la télévision, au point d'arriver à la situation actuelle, presque caricaturale, où le niveau culturel des programmes, et la place faite à la culture dans ceux-ci sont inversement proportionnels à la multiplication des chaînes. Comme si un plus grand nombre de télévisions, la concurrence public-privé et l'élévation du niveau culturel des populations arrivaient au résultat paradoxal d'éliminer un peu plus la culture de la télévision.

Les rapports télévision-culture n'ont jamais été bons, mais ils sont aujourd'hui au plus mal. Si les élites ne sont pas responsables de la baisse de qualité des programmes, elles n'ont pas opposé de résistance forte à ce mouvement en vingt ans, comme elles sont capables de le faire dans d'autres domaines culturels dans lesquels elles se sentent engagées. Elles ont trouvé, *à bon compte*, dans cette évolution la confirmation de leurs préjugés. Persuadées que la télévision était néfaste à la culture, elles ont vu dans cette tendance la confirmation non pas de leur analyse, mais de leurs *a priori*.

Ce sont pourtant ces mêmes élites qui, dans l'ensemble, sont favorables à la démocratisation de la culture et auraient dû trouver dans la télévision l'*outil* de leur combat. Mais elles y ont surtout vu – à tort – une menace contre leur propre place dans la société. Méfiantes à l'égard d'une culture de masse ressentie comme une menace, elles ont évidemment été hostiles à la radio puis, surtout, à la télévision, qui en était l'un des principaux instruments. Elles n'y ont donc pas consacré beaucoup d'efforts. Le stade suivant était donc prévisible. Quand l'évolution technique a permis la multiplication des chaînes, elles ont trouvé tout naturellement dans l'idée de télévision culturelle la solution à ce double problème : leur exclusion de la culture de masse et la non-présence de leur culture à la télévision. Et les mêmes qui condamnaient l'emprise de la télévision sur la culture ont été les premiers à présenter la télévision culturelle comme le moyen de sauver la culture ! Les élites qui s'opposaient à la manière de traiter la culture à la télévision se sont converties à l'idée de télévision culturelle pour l'élite, tout en prônant simultanément une démocratisation de la culture.

La question, avec ce média bien particulier qu'est la télévision, est de savoir à *quel type de culture* elle est la mieux adaptée. Doit-elle d'abord fournir un outil culturel de plus à une minorité cultivée qui possède déjà d'autres moyens de se cultiver, ou doit-elle sensibiliser le plus grand nombre aux diverses formes de culture? Est-elle adaptée à *toutes* les formes de culture? Tel est le fond du débat, et non pas de savoir si les médias de masse font une place à la culture d'élite. La question centrale est de comprendre à quelle forme de culture la télévision est la mieux adaptée, et non de savoir si la télévision généraliste laisse sa place à la culture d'élite! On l'aura compris, le problème n'est pas l'existence d'une chaîne culturelle thématique – tout à fait possible si le marché existe – mais plutôt le *statut* que l'on veut lui donner. S'il s'agit d'une chaîne thématique parmi d'autres, il n'y a aucun problème. Mais la situation est toute différente si l'on considère la chaîne culturelle comme le moyen de sauver l'«honneur perdu» de la télévision. Le plus important dans une perspective démocratique n'est pas de savoir si la télévision est utile, ou non, à la culture d'élite, laquelle dispose de bien d'autres outils et relais, *mais* plutôt d'estimer ce que peut apporter la télévision à la culture du *plus grand nombre*.

La question devient alors autrement plus compliquée, et intéressante. De plus, la télévision culturelle sert d'alibi aux télévisions généralistes pour fuir leurs responsabilités dans ce domaine; elle constitue un ghetto pour la minorité cultivée, sans avoir de fonction de mobilisation à l'égard d'autres couches sociales; et surtout elle renforce l'emprise de la télévision sur la culture. Emprise que les élites trouvaient trop forte dans le cas de la télévision généraliste mais qu'elles estiment justifiée dans celui de leur télévision thématique... Il suffit de constater l'attitude favorable de la presse «cultivée» à l'égard d'Arte depuis sa création, en dépit de résultats d'audience restés toujours très confidentiels, pour comprendre la puissance de ce lobby. Si les élites culturelles ne se sont jamais beaucoup intéressées à la télévision, sauf pour la critiquer, elles ont su en revanche trouver les relais d'expression, en jouant souvent sur les complexes culturels des technocrates et des politiques, pour justifier la nécessité absolue de la création et du maintien d'une chaîne culturelle sans public. En face, les tenants de la culture «grand public» étaient facilement considérés comme de simples épiciers... La critique la plus radicale contre le concept de télévision culturelle tient dans l'expression, c'est-à-dire dans le *lien structurel* qui s'établit entre télévision et culture[2]. Au lieu de réfléchir aux conditions dans lesquelles la télévision, outil de communication bien particulier, peut servir à certaines formes culturelles, mais être inadaptée à d'autres, on en arrive à l'idée dangereuse d'une *adéquation* possible entre culture et télévision. Le meilleur service à rendre à la culture, et à la télévision, est au contraire de préciser les conditions de leur relation et surtout d'admettre une *discontinuité* entre culture et télévision. Autrement dit, il faut reconnaître que pour certaines formes de culture, la télévision n'est pas le meilleur instrument de communication.

Tel est enfin le fond du débat : dégager le type de relations possibles entre culture et communication de masse. La force, mais aussi la limite de la communication de masse, est la simplification. Ne passent à la télévision que des idées, des sentiments, des émotions simplifiés. C'est pour cela que le plus grand nombre peut accéder à tout par la télévision. C'est aussi pour cela que l'on ne peut pas tout trouver à la télévision. Ou plutôt que l'on peut y trouver de tout, mais sur un certain mode, à certaines conditions. Le traitement du fait culturel par la télévision est donc contraignant.

Voilà le point d'où il faut partir. Avant de condamner la télévision, et auparavant la radio, pour les « trahisons » de la culture qu'elles auraient perpétrées, certains auraient mieux fait de comprendre comment ces caractéristiques en font un outil adapté à certaines formes culturelles, et inadapté à d'autres. Admettre que la communication, notamment audiovisuelle, requiert des règles particulières, appropriées ou non selon les expressions culturelles, déplace la question. Celle-ci n'est plus : la télévision est-elle favorable à la culture ou la trahit-elle ? Mais, compte tenu de ses contraintes : *à quelle forme de création et d'expression culturelle la télévision est-elle adaptée ou non ?* Et cette manière, plus réaliste, de poser le problème rend subalterne la question de la télévision culturelle. Celle-ci peut exister, s'il y a une demande, mais *sans le statut normatif* que lui donnent ceux qui l'encensent.

En un siècle la question de la place de la culture a changé. Hier le débat résidait dans l'opposition entre *culture d'élite* et *culture populaire.* Quand on parlait de culture, il était question de la première, dans les œuvres, dans les goûts, dans l'éducation ou dans la communication. Quant à la culture populaire, il s'agissait de celle du plus grand nombre mais sans réelle « valeur culturelle ». Il faudra attendre le XIXᵉ siècle et la lutte des classes pour valoriser cette culture populaire et démocratiser l'accès à la culture d'élite. Aujourd'hui il n'y a plus *deux* cultures, élitiste et populaire, mais *quatre* : culture d'élite, grand public, populaire et particularisante (minorités ethniques ou religieuses…).

Le grand changement est l'apparition de cette culture moyenne, grand public, majoritaire, générale[3], celle qui est la plus répandue dans nos sociétés, celle à laquelle chacun appartient *de toute façon*, même s'il adhère *par ailleurs* à une autre forme culturelle.

La cause du surgissement de cette culture moyenne grand public résulte de la conjonction de trois facteurs. D'abord la démocratisation qui a élargi le cercle des publics cultivés, et favorisé cette culture grand public, avec notamment la mise sur pied de politiques culturelles dont les grands musées de masse sont le plus beau symbole (le Louvre, le centre Pompidou, la Villette). Ensuite l'élévation du niveau culturel par l'éducation. Enfin la société de consommation et l'entrée de la culture dans l'ère de l'industrie. Ainsi s'est créée cette culture grand public, que les médias, à leur tour, ont favorisée et distribuée.

Il en résulte une *contradiction typique de la société individualiste de masse* où existent simultanément une culture qui valorise l'individu et une culture du grand nombre. Conséquence? On assiste à une diversification réelle des cultures et à leur légitimation, en même temps qu'à un désintérêt à l'égard de la culture de masse, un acquis pourtant récent et fragile de très nombreuses décennies de luttes.

III. De deux à quatre formes de culture

La *culture «d'élite»*. Elle était hier naturellement en position dominante et se sent donc dépossédée de cette place hégémonique par le surgissement de cette culture moyenne liée à la consommation, au développement des loisirs, des voyages et de l'«industrie culturelle». Nullement menacée en qualité, elle se sent écrasée par le nombre, et souffre d'une perte de prestige.

La *culture moyenne*. Elle a ses propres normes, valeurs et barrières, et se situe moins en position d'infériorité à l'égard de la culture d'élite que la culture populaire d'autrefois. La nouveauté résulte du fait que cette culture du grand nombre traduit tous les mouvements d'émancipation politique, économique, sociale, survenus depuis plus d'un demi-siècle. Elle occupe en volume la place de la culture populaire d'hier, la légitimité en plus. C'est à la fois la musique, le cinéma, la publicité, les médias, les voyages, la télévision, la mode, les styles de vie et de consommation. C'est la culture moderne, l'air du temps, qui suscite le sentiment d'appartenir à son époque, d'être «dans le coup». De ne pas être exclu. Elle est l'une des forces essentielles du lien social.

La *culture populaire*. Elle se trouve décalée, partagée par beaucoup moins d'individus qu'il y a cinquante ans, du fait de mutations sociales, de la diminution de la population paysanne et ouvrière, de l'urbanisation massive et de la croissance de la culture moyenne. Liée hier à un projet politique, souvent de gauche, elle subit aujourd'hui, dans ses formes idéologiques, les conséquences du reflux de la classe ouvrière et de la dévalorisation des milieux populaires.

Les *cultures particulières*. Hier incluses dans la culture populaire, elles ont tendance à se distinguer au nom du droit à la différence (femmes, régions, minorités…). Sans atteindre des volumes considérables, elles mettent cependant en cause la culture *populaire* au sens où celle-ci n'a plus le monopole de la légitimité populaire ni le pouvoir d'intégration symbolique qui étaient auparavant les siens.

Les cultures particulières, au nom du «droit à la différence», n'ont plus la fonction d'unification assumée auparavant par la culture populaire. Hier, celle-ci unifiait les milieux. Aujourd'hui, non seulement les distances sociales sont plus grandes, non seulement la classe moyenne et la culture moyenne ont pris la place et la légitimité de la culture populaire, mais en outre celle-ci est quelque peu cantonnée dans la gestion et la valorisation des patrimoines populaires. En effet, les cultures particulières, fières de leur différence, souhaitent se *distinguer* autant de la culture moyenne que de la culture populaire. En ce sens, il y a un réel éclatement des cultures.

Ces quatre formes de culture cohabitent et s'interpénètrent, grâce notamment au rôle essentiel des médias. On peut même dire qu'une bonne partie de la population est « *multiculturelle*», au sens où chacun appartient successivement, parfois même simultanément, à plusieurs de ces formes de culture. Ainsi la culture d'élite, quoi qu'elle dise, s'est beaucoup ouverte à la communication ; quant à la culture de masse, elle se différencie elle-même tout autant que la culture populaire. Enfin, beaucoup sont concernés par la montée de ces cultures particulières, liées au mouvement d'affirmation des communautés. Le paradoxe vient de ce que le rapport de force entre ces quatre formes de culture est certes visible grâce aux médias, mais cette visibilité rend simultanément leur cohabitation plus aisée… On fait comme si la «lutte des cultures» était pour demain au sein des démocraties, alors qu'en réalité il n'y a jamais eu autant de *tolérance* à l'égard des différentes formes de culture, ni de *visibilité* d'ailleurs, ni, probablement, de *cohabitation*, voire parfois *d'interpénétration*… En revanche, ce formidable changement ne crée, hélas, aucune valorisation des médias généralistes, qui, de la radio à la télévision, ont pourtant beaucoup fait en un demi-siècle pour valoriser les différentes formes de culture, en les exposant et en les faisant cohabiter.

La référence à la notion de *citoyen multiculturel* ne signifie pas l'instauration d'un multiculturalisme, impossible dans les faits, mais traduit l'idée que, dans la réalité, un individu accède, notamment par les médias, à plusieurs formes de culture ou, en tout cas, sait qu'elles existent. Ce qui constitue la grande différence par rapport à hier, quand chacun restait dans son milieu culturel. Si les barrières culturelles demeurent, elles sont néanmoins plus visibles, ce qui est déjà un progrès.

Autrement dit, quand l'élite, gardienne à juste titre du patrimoine, dénonce la fin de la culture académique du fait de l'emprise des médias, elle oublie la moitié de la problématique. Certes, la culture véhiculée par les médias est beaucoup plus adaptée à la culture grand public qu'à la culture d'élite, mais l'origine de cette culture moyenne n'est pas d'abord audiovisuelle. Elle résulte du lent mouvement de démocratisation et d'enrichissement qui s'est produit en un siècle. La télévision ne vient *qu'après*. C'est la même erreur de raisonnement que lorsque l'on rend responsable la télévision de l'isolement des individus. Ce n'est pas elle qui a fait l'exode rural, entassé les populations dans les banlieues, dispersé les familles élargies. Disons que, dans un cas comme dans l'autre, la télévision rend visible un phénomène qui s'est produit antérieurement.

Faire de la culture de masse le *produit* des médias est un contresens, car elle est en grande partie le résultat d'une démocratisation et d'une élévation du niveau de vie, même s'il est exact que les médias de masse y ont joué un rôle. Mais là aussi, les choses sont plus complexes qu'il n'y paraît, car cette culture grand public, vilipendée par l'élite, a *aussi* une dimension de progrès pour tous ceux qui y accèdent. Elle est le premier étage de l'édifice culturel. D'ailleurs, cette culture ne revendique pas la destruction de la culture d'élite, elle la *respecte* plutôt, même si dans les faits elle lui « fait de l'ombre ». S'il existe aujourd'hui un problème réel pour garantir l'accès à la culture minoritaire, son existence ou son rôle ne sont pas pour autant *menacés*. C'est même le contraire. Plus il y a de démocratisation, y compris de la culture, plus un *besoin de distinction*, de différence, de promotion, se manifeste, qui à son tour est favorable à la culture d'élite !

On peut ainsi faire l'hypothèse inverse. Plus il y a de formes culturelles, moins les cultures académique et patrimoniale sont menacées, et plus elles prennent de l'importance. A condition qu'elles assument leur place, sans ostentation ni mépris pour les autres cultures, et qu'elles ne se sentent pas menacées par les autres formes culturelles, ni obsédées par ce statut de culture d'élite.

IV. Les cinq relations entre culture et télévision

Les relations entre culture et société sont tributaires de la communication et de la télévision mais à des degrés différents. Et ce sont ces *différences* qui jouent un rôle essentiel.

1) La *culture d'élite* n'a guère besoin de la télévision puisque le livre,

le théâtre, la musique, la peinture, l'opéra, les arts plastiques… sont des activités culturelles existant en soi et qui «passent mal» au petit écran. L'erreur du concept de télévision culturelle est de croire qu'une télévision *centrée* sur cette culture d'élite, académique, serait possible. Elle l'est mais ne peut trouver un «grand public» pour la bonne raison que le nombre de spectateurs susceptibles d'y accéder est limité, et que la plupart *des formes* de cette culture se prêtent mal à la tyrannie de l'image. Ne peuvent supporter les restrictions apportées par l'image à ces formes de culture (à l'exception sans doute de la musique) que les publics qui ont déjà intégré les modèles culturels de l'opéra, de la sculpture, de la peinture… Pour les autres, le propos est le plus souvent trop aride, peu compréhensible, provoquant même un phénomène de rejet, accompagné d'une bonne dose de complexes culturels, même s'ils ne sont pas avoués. La culture, quand elle n'est pas communiquée *dans les formes susceptibles d'être reçues*, suscite rejets et complexes. Sauf évidemment pour ceux qui ont déjà franchi les barrières de la «sélection culturelle».

Il peut cependant y avoir une télévision culturelle s'il existe un public suffisamment nombreux pour faire vivre cette chaîne. A condition, comme je l'ai souvent dit, de ne pas présenter cette télévision thématique, une parmi d'autres, comme celle qui donne le *sens* de toute la télévision, ou celle qui *sauve* la culture. Quant à la télévision généraliste, elle peut très bien, si ses dirigeants le souhaitent, comme ce fut le cas dans le passé, offrir une *sensibilisation*, une introduction, à cette culture minoritaire. A charge ensuite pour le public de faire l'effort d'aller plus loin *sans* télévision, car de toute façon, qu'il s'agisse de télévision culturelle ou généraliste, la question du *passage à l'acte* reste essentielle. C'est-à-dire que toute pratique culturelle – à l'exception de la télévision, pour elle-même – requiert de «*sortir*» de la télévision. Pour lire un livre, voir un musée, une exposition, écouter un concert…, il faut sortir de chez soi.

La sensibilisation par la télévision ne supprime pas l'expérience. De ce point de vue, la télévision généraliste est moins pernicieuse, dans ses rapports avec la culture d'élite, que la télévision culturelle, car elle admet d'emblée les *limites* de son rôle. Modeste, elle accepte cette fonction de sensibilisation mais ne prétend pas aller au fond des choses.

2) La *culture grand public* trouve naturellement dans la télévision son principal allié, tant pour la création que pour la diffusion. On ignore trop souvent que la télévision contribue directement à *créer* cette culture commune par le style, les images, les références. C'est vrai pour l'information, les jeux, les variétés, le sport, les documentaires, les téléfilms, la musique. Traitant de *toutes* les activités humaines et pour le plus grand nombre, il est évident que la télévision aide à l'élaboration des cadres

culturels de la société contemporaine. Elle est créatrice de cette culture grand public qu'elle diffuse simultanément. C'est pour cela que le concept de télévision généraliste est essentiel : la qualité de cette *création* culturelle, commune à tous, dépend évidemment de l'ambition de la télévision généraliste. La télévision grand public est non seulement un des lieux de création de cette culture contemporaine, à laquelle *chacun* appartient, mais elle est aussi le lieu de sensibilisation aux *autres* formes de culture. Essentiellement celle du patrimoine, à laquelle l'élite est si sensible. C'est donc cette *double fonction* qui fait de la télévision grand public l'un des outils majeurs de toute problématique authentiquement démocratique.

3) Elle est aussi un facteur d'*identité culturelle nationale*, indispensable face à l'internationalisation de la culture. Que serait la bataille pour l'identité culturelle, essentielle dans chaque pays, si ce média de masse, respecté et utilisé par tous, n'existait pas ? A travers les films, les documentaires, l'information, les variétés, les jeux, la publicité, la langue, les styles d'images, les allusions à un patrimoine commun, il contribue directement à la fabrication de l'identité culturelle nationale et à l'accès aux autres formes de culture. La *publicité* est un bon exemple du mariage, possible et fructueux, entre création, industrie et identité nationale. Chacun connaît aujourd'hui par exemple les différences et l'importance des modèles culturels au sein de la publicité américaine, anglaise, française ou italienne. C'est bien l'existence de médias généralistes nationaux forts qui permet ce double mouvement indispensable de la culture contemporaine : l'ouverture sur le monde et la préservation d'une identité. Largement implantés et respectés dans la population, les médias généralistes peuvent alors assumer cette double fonction, et n'être pas, par exemple, les chevaux de Troie de la culture étrangère ou « mondiale ».

4) La *culture populaire*. La télévision généraliste joue également ici un rôle essentiel, à la mesure de la place qu'occupe cette culture, liée à l'existence des trois grandes classes sociales. Celles-ci, avec de fortes identités, valeurs et symboles, ont représenté pendant plusieurs siècles la culture du grand nombre. C'est simplement depuis un demi-siècle que cette culture populaire a été déstabilisée par l'émergence de la culture moyenne grand public, avec la consommation, l'image, le tourisme, la société tertiaire, la liberté individuelle, la fin du monde paysan et du monde ouvrier. Mais cette culture populaire ouvrière, paysanne, de commerçants, constitue encore l'*infrastructure* de nos cultures européennes nationales. Si elle disparaissait du « triangle de la modernité », la modernité elle-même en serait déséquilibrée. Prenons le seul exemple du *sport* pour comprendre l'importance du lien entre ces deux cultures. La télévision a contribué à relancer les pratiques sportives, à démocrati-

ser certains jeux, mais elle n'aurait pu jouer ce rôle si elle n'avait intégré toute la tradition populaire du football, du rugby, du basket... Autrement dit, *la culture populaire n'est jamais loin derrière la culture moderne*. La culture grand public d'aujourd'hui ne serait rien sans les racines de la culture populaire. Et si la télévision n'était que le *lien* de la culture moderne grand public, il y aurait un risque de déstabilisation. En réalité, pour la culture comme pour les autres types de programme, la télévision a une fonction de «continuité», qui est d'autant mieux assurée que *toutes* les formes de culture sont présentes.

5) Quant aux *cultures particulières* qui émergent, soit comme revendication extrême de la modernité (minorités culturelles, sexuelles, religieuses...), soit comme volonté de maintenir la tradition dans le contexte moderne (mouvements régionalistes, écologiques...), il faut qu'elles puissent se manifester dans l'espace public médiatique. Si l'on dit que la télévision est à la fois le miroir et le lien de la société, toutes les formes de culture doivent pouvoir s'y retrouver. Non pas s'y incarner, mais y être «visibles».

C'est peut-être à l'égard de la culture que se dessine le mieux le rôle positif de la télévision, alors même que le discours dominant y voit, au contraire, sa critique principale. Non seulement la télévision ne tue pas la culture, mais elle peut contribuer à réduire les inégalités culturelles d'une société qui, tout en promouvant un modèle de liberté, d'ouverture, d'émancipation et de culture, demeure très hiérarchisée. En montrant et en offrant une passerelle aux différentes cultures, la télévision reste fidèle à un certain idéal démocratique. A condition bien sûr que ses dirigeants partagent cette ambition.

V. De la communication à l'incommunication

En résumé, les relations entre la télévision et la culture sont de *cinq ordres*.

Je prends ici le mot culture au sens français de création et d'œuvre et au sens britannique de savoir-vivre et de mode de vie. Pour le troisième sens du mot, proche de la définition allemande, qui insiste sur l'idée de civilisation, il s'agit d'une approche qui n'est en général pas adaptée aux médias audiovisuels. Par culture, j'entends donc l'ensemble constitué par les œuvres et le style de vie, et qui concerne de la même façon la culture moyenne, populaire ou celle de l'élite.

1) D'abord la télévision est à la fois *créatrice et diffuseur* de la culture grand public, transversale à tous les milieux sociaux, et qui constitue un peu l'identité de la modernité.

2) Elle est ensuite lieu d'*exposition* et de sensibilisation à la culture populaire et aux cultures particulières qui émergent ou réapparaissent.

3) Elle est lieu de *sensibilisation* à la culture patrimoniale, qui n'interdit pas l'existence de chaînes culturelles si le marché existe.

4) Elle doit poser nettement, y compris pour une chaîne thématique culturelle, le principe selon lequel demeure une *incompatibilité*, une *incommunication* entre télévision et culture. *La télévision n'est pas toujours adaptée à la culture.* Souligner cette discontinuité, c'est éviter une emprise trop forte de l'image sur les pratiques culturelles. C'est enfin rappeler au spectateur que la culture relève, au bout d'un moment, de logiques qui, la plupart du temps, n'ont rien à voir avec l'image.

Il est essentiel de *redire* cette position théorique en faveur de la *discontinuité* entre image et culture pour préserver la spécificité de l'une et de l'autre. Rien ne serait plus préjudiciable au monde de la culture, ou à celui de la communication, que de croire résolu le problème de leur relation.

Cette discontinuité, nécessaire et bénéfique aux deux mondes, est hélas niée quand une télévision culturelle existe. Le simple fait d'accoler ces deux mots donne l'illusion d'une *bonne* communication possible. Plus vite les limites de la télévision, pour certaines formes de culture, seront reconnues, plus vite pourront être valorisées d'autres formes de communication, plus propices à ces expressions culturelles. J'insiste aussi sur les *discontinuités* entre culture et médias pour deux autres raisons, essentielles. A l'heure de la communication, il est indispensable d'utiliser les médias pour favoriser une certaine sensibilisation à la culture. A l'inverse, il ne faut pas sous-estimer le rapport de force *violent* entre culture et communication. Plus la seconde accroît son empire, plus la première doit préserver sa spécificité. C'est pour cela que je suis favorable à la culture *au sein* des médias généralistes, et peu favorable aux chaînes culturelles. Dans le premier cas, on sait tout de suite que la télévision et, plus largement, la communication ne peuvent être *le tout* de la culture, alors que, dans le second, l'illusion d'une « communication » entre les deux est possible.

Pourquoi terminer en évoquant le rapport de force entre culture et communication ? Parce qu'à l'avenir le monde intellectuel et culturel devra conserver ses distances par rapport à la tyrannie communicationnelle. Elle devra notamment montrer ce qui, dans l'ordre de la culture, *échappe* à la logique de la communication. Les médias thématiques culturels ne font, en réalité, que repousser à plus tard l'inévitable épreuve de force entre le monde de la culture et celui de la communication.

5) Il reste une dernière relation, essentielle, entre télévision et culture : il s'agit du rôle de *la télévision comme facteur d'identité culturelle.* Dans un monde ouvert, où les industries culturelles élargissent les marchés à l'échelle mondiale, la télévision est indispensable comme facteur d'identité culturelle nationale. Cela concerne non seulement les œuvres,

mais aussi, et peut-être surtout, les styles, les modes, les attitudes. En voyageant, on remarque immédiatement ces deux caractéristiques de la télévision : elle diffuse des programmes internationaux, le plus souvent américains, doublés dans toutes les langues, mais aussi des programmes nationaux. L'information, les jeux, le sport, les documentaires, la fiction permettent également de traduire et de refléter une identité de langue et de culture. Et c'est cette dualité qu'il faut préserver. La télévision, facteur d'identité nationale, est la condition indispensable pour lutter contre l'impéralisme culturel.

On mentionnera ici l'*exemple brésilien*, qui illustre remarquablement ce lien culture-télévision. Voici un pays où la télévision privée, Globo, est largement dominante, et où néanmoins le souci de préserver une identité culturelle et la capacité de création de ce peuple jeune ont abouti à l'invention des *Télénovelas*. Les Télénovelas sont des séries au succès considérable, dont le contenu évolue en fonction des réactions et des propositions du public, qui, toutes, reflètent la réalité sociale et culturelle brésilienne. Et surtout, ils sont vus par *toutes* les classes sociales. De trois à cinq Télénovelas sont diffusés quotidiennement. Ceux-ci ont sans doute plus fait pour préserver une certaine fierté culturelle, valoriser la création et maintenir une certaine cohésion que de très nombreuses autres politiques publiques. Les Brésiliens, quelle que soit leur situation dans une hiérarchie sociale qui reste impitoyable, sont partie prenante à la fois dans les épisodes et comme spectateurs. Preuve du rôle d'une télévision généraliste dans un pays immense et contrasté. Plus le marché de la communication s'internationalise, plus les télévisions nationales jouent un rôle essentiel. C'est l'enjeu majeur des négociations du GATT et de l'OMC, où la violence des positions américaines suffit à comprendre en quoi la préservation de cette identité culturelle est, pour eux, contradictoire avec les intérêts économiques des multinationales de la culture…

En conclusion, on peut dire qu'en dépit des discours dominants condamnant le rôle de la télévision dans la culture, on observe *quatre* phénomènes.

1) Il existe une *réelle marge de manœuvre*. A condition que les élites sortent de leur position hostile *a priori* à l'égard de la télévision, qu'elles fassent enfin l'effort d'investissement intellectuel et théorique qu'elles n'ont *jamais* fait pour réfléchir à ce problème complexe des rapports entre culture et communication.

2) Une seconde condition est que *les pouvoirs publics*, comme les dirigeants publics et privés des médias, exercent leur *responsabilité* et définissent une politique ambitieuse de défense de l'identité culturelle

nationale, et de revalorisation du statut de la télévision généraliste, publique et privée.

Ici tout est à réaffirmer, non pas par une fuite en avant dans les nouvelles techniques – elles ne changent rien au problème compliqué des rapports entre culture, communication et société –, mais dans une *volonté* de garantir le rôle essentiel de la télévision comme lien social. Le domaine de la culture n'est pas le seul où se pose cette question d'une redéfinition du rôle de la télévision, mais il est sans doute l'un des domaines tests.

3) Enfin une réflexion *urgente* doit s'engager sur le «hors communication». La tendance depuis un demi-siècle est de *tout penser* par rapport à la communication. *Mais tout néanmoins ne passe pas par une problématique de la communication.* Cela est vrai de la culture comme de la science, de la religion comme de la politique. Et s'il est nécessaire de réfléchir aux conditions des rapports culture-communication, communication-science ou communication-politique, il est tout aussi urgent de réfléchir à ce qui de toute façon, dans la politique, la science, la religion ou la culture, ne se pense pas par rapport à la communication.

Il est en effet vital aujourd'hui de souligner *à partir de quand « le ticket de la communication n'est plus valable».* Ce qui évitera de mettre en procès, à tort, la communication pour expliquer certaines déviations dans la politique, la science, la religion, la culture… A l'inverse, cela évitera peut-être que ces grands domaines ne succombent, les uns à la suite des autres, aux délices ambigus de la communication. Non seulement trop de communication tue la communication, mais surtout les «bavures» liées à l'hypertrophie de la communication sont autant d'occasions de la prendre comme bouc émissaire.

4) La culture, la politique, l'éducation, la santé, le travail… *ne s'épuisent pas* dans la communication. Ou ne s'y résument pas. Ou ne s'y fondent pas. Il demeure un avant et un après communication, sur lesquels on peut réfléchir pour rééquilibrer le rapport de force avec la communication.

Car toute communication est un rapport de force, et plus encore aujourd'hui, alors que se mélangent dimensions fonctionnelle et normative, intérêts économiques et financiers. Il est donc indispensable, pour la culture aussi bien que pour la politique, de penser ces pratiques, ces valeurs, *hors* de la communication. J'ai suffisamment argumenté en faveur de la problématique de la communication pour souligner ici, pour la culture, mais aussi pour la politique et d'autres activités sociales, la nécessité de réflexions théoriques afin de *sortir* de la problématique de la communication.

BIBLIOGRAPHIE

chapitre 5

ANG I., *Watching Dallas. Soap Opera and the Melodramatic Imagination*, Routledge, Londres, 1989.

—, « Culture et communication. Pour une critique ethnographique de la consommation des médias », *Hermès*, nos 11-12, « A la recherche du public », Éd. du CNRS, Paris, 1993.

BALLE F., *La Politique audiovisuelle extérieure de la France*. Rapport au ministre des Affaires étrangères, La Documentation française, Paris, 1996.

BIAGI S., *Media Impact. An Introduction to Mass Media*, Belmont, 3e éd., Wadsworth, 1995.

BOMBARDIER D., *La Voix de la France*, Laffont, Paris, 1975.

CAREY J.-W., *Communication as Culture. Essays on Media and Society*, Unwin Hymano, Boston, 1989.

CAUNE J., *Culture et communication. Convergences théoriques et lieux de médiations*, PUG, Grenoble, 1995.

CERTEAU M. de, *La Culture au pluriel*, Seuil, coll. « Points essais », Paris, 1993.

CHEVEIGNÉ S. de et VÉRON E., « La science sous la plume des journalistes », *La Recherche*, n° 5, 1994.

CHOMBART DE LAUWE M.-J. et BELLAN C., *Enfants de l'image*, Payot, Paris, 1979.

CLOSETS F. de, *Le Système E.P.M.*, Grasset, Paris, 1980.

CLUZEL J., *La Télévision*, Flammarion, coll. « Dominos », Paris, 1996.

CORBIN A., *L'Avènement des loisirs (1850-1960)*, Aubier, Paris, 1996.

DAYAN D. et KATZ E., « Télévision d'intervention et spectacle politique : agir par le rituel », *Hermès*, nos 17-18, « Communication et politique », Éd. du CNRS, Paris, 1995.

DELACOTE G., *Savoir apprendre : les nouvelles méthodes*, Odile Jacob, Paris, 1996.

ECO U., *De superman au superhomme*, Grasset, Paris, 1993.

FISKE J., « British cultural studies and television », *Allen*, Robert (ed.), *Channels of Discourse*, Chapell Hill, University of North Carolina Press, Londres, 1987.

FUCCHIGNONI E., *La Civilisation de l'image*, Payot, Paris, 1972.

GITLIN T., *Inside Prime Time*, Pantheon Books, New York, 1985.

HOLLORAN J.D., *The Effects of Television*, Panther, Londres, 1970.

JACOBS N., *Culture for the Millions?*, D. Van Nostrand, Princeton, 1959.

LÉVI-STRAUSS C., *Regarder, écouter, lire*, Plon, Paris, 1993.

LIEBES T. et KATZ E., *Watching Dallas, the Export of Meaning*, Oxford University Press, New York, 1990.

LIVINGSTON S. et LUNT P., « Un public actif, un téléspectateur critique », *Hermès*, nos 11-12, « A la recherche du public », Éd. du CNRS, Paris, 1993.

—, *Making Sense of Television: the Psychology of Audience Interpretation*, Pergamon, Oxford, 1990.

LOCHARD G. et BOYER H., *Notre écran quotidien; une radiographie de l'audiovisuel*, Dunod, Paris, 1995.

MEHL D., *La Télévision de l'intimité*, Seuil, Paris, 1996.

MOUNIER V. (sous la dir. de), *Comment vivre avec l'image*, PUF, Paris, 1989.

POMONTI J.-L., *Éducation et télévision*, rapport au ministre d'État, ministre de l'Éducation, de la Jeunesse et des Sports, La Documentation française, Paris, 1989.

RIGAUD J., *L'Exception culturelle; culture et pouvoirs sous la Ve République*, Grasset, Paris, 1995.

SOUCHON M., *Petit écran, grand public*, La Documentation française/INA, Paris, 1980.

TANON F. et VERMES G., *L'Individu et ses cultures*, L'Harmattan, Paris, 1993.

1. Cf. les travaux d'E. Morin, G. Friedmann, O. Burgelin, G. Balandier, M.-J. Chombart de Lauwe, J. Dumazedier, qui tous se posaient la question de la culture de masse, et du rôle de la télévision au sein de celle-ci. Réflexion en rapport avec l'idée d'émancipation culturelle que l'on trouve dans le théâtre populaire (cf. le TNP), les ciné-clubs, les maisons de la culture d'André Malraux, et le début des grandes expositions culturelles.

2. Pour plus de détails, cf. *Éloge du grand public. Une théorie critique de la télévision*, quatrième partie : « L'illusion de la télévision culturelle, ou l'espace public fragmenté », Flammarion, coll. « Champs », 1993.

3. La bibliographie sur cette question essentielle de la *culture grand public* est faible, en tout cas inversement proportionnelle à l'importance du problème. Il y a eu des travaux dans les années 60-70, mais peu ensuite du fait de la domination de l'approche critique qui n'était pas loin de voir dans cette culture la forme la plus sophistiquée de l'aliénation… Et, depuis, l'éclatement de cette culture grand public en autant de cultures spécifiques a, là aussi, été considéré comme un progrès…

CHAPITRE 6

FORCES ET LIMITES DU THÉMATIQUE

Nous sommes confrontés au paradoxe suivant : avec la crise le thème du lien social est devenu central. Pourtant, simultanément, l'éclatement des médias généralistes et leur remplacement par une myriade de médias thématiques sont annoncés comme le symbole du progrès. D'un côté on cherche la cohésion sociale et des facteurs d'intégration, dont les médias de masse sont une des composantes essentielles ; de l'autre, on présente comme facteur de progrès tout ce qui, au contraire, va dans le sens d'une individualisation…

Au moment où les élites, les Églises, les pouvoirs publics et les autorités morales de toutes sortes cherchent des occasions de réduire les divisions, les médias thématiques, liés à l'individualisation de la communication, sont présentés comme l'avenir. Cette contradiction est ignorée, car la plupart des analystes ne font pas « le lien » entre la fascination pour l'individualisation de la communication et la prise de conscience de la fragilité des liens sociaux. Pourtant, en ces périodes de déstabilisation générale, chacun remarque le rôle essentiel de rituel et de cérémonie collective que joue la télévision en cas d'événement important ou grave : guerre, accident, attentat, catastrophe naturelle, grande manifestation sportive, commémoration, jeux Olympiques… Dans ces occasions, instinctivement, les médias généralistes retrouvent leur rôle d'agent de la cohésion sociale, ce que les médias thématiques sont incapables de faire. Les grands événements médiatiques sont devenus constitutifs de l'univers symbolique de toute société. Autrement dit, dès qu'un événement concerne tout le monde, tout le monde se tourne vers la télévision généraliste, comme hier vers la radio.

Je voudrais résumer les arguments qui plaident en faveur des médias thématiques et les objections que je leur porte par une série de dix questions-réponses. Rappelons, une fois encore, que le problème n'est pas l'existence des médias thématiques dans l'audiovisuel, comme ils existent dans la presse écrite et la radio, à la suite d'un phénomène *classique* de segmentation d'un marché. Non, il tient dans le fait de présenter cette évolution comme un «*progrès*» par rapport à la télévision généraliste, dans le fait de percevoir le «thématique» comme un degré de raffinement supplémentaire dans l'histoire de la communication.

En un mot, oui aux médias thématiques quand ils sont présentés pour ce qu'ils sont – une «déclinaison» de la communication dans un marché en expansion –, non quand ils sont présentés comme un «progrès» de la communication.

I. Les médias thématiques permettent enfin l'individualisation de la communication

C'est l'argument le plus ancien contre les médias de masse. Si l'on admet enfin que le même message adressé à tout le monde n'est pas reçu de la même manière, l'objection du manque d'individualisation subsiste néanmoins. Comment défendre un programme unique adressé à tous alors que toutes les industries favorisent l'individualisation des choix? La télévision généraliste n'est-elle pas «en retard»? Ne renforce-t-elle pas les effets négatifs dénoncés de la société de masse? Défendre la télévision généraliste, c'est ignorer l'évolution technique, mais aussi les dégâts de la culture de masse. Les médias thématiques sont à la fois l'avenir et l'incarnation de l'idéal individualiste.

En fait, le problème aujourd'hui n'est pas tant l'*individualisation* que la difficulté à préserver le «*être ensemble*». Contrairement aux apparences, l'obstacle n'est pas la massification, mais la question des liens individus-sociétés. Certes la société de masse existe mais, parallèlement, le mouvement d'individualisation est plus puissant, avec l'éclatement de la famille, des classes sociales, avec la société de consommation. C'est du côté de la cohésion sociale et de la solidarité collective que les difficultés sont les plus nombreuses. Et c'est contre l'«amélioration» factice de la communication des médias thématiques que je m'inscris en faux. Non seulement ils n'améliorent pas la communication, mais ils renforcent le mouvement d'individualisation qui prend les valeurs émancipatrices de l'individu comme caution, pour simplement gérer «*la société des solitudes organisées*». Comme je l'ai déjà dit, on observe derrière le thème de l'individualisation de la communication une régression par rapport à une problématique générale du lien social. Et surtout circule cette idée fausse, et finalement dangereuse, qu'avec les thématiques il y aurait «enfin» une «bonne» communication.

A quoi ressemblerait un pays avec quarante ou cent chaînes, selon les promesses les moins hardies ? Qu'auraient *en commun* les individus à échanger ? Quelle expérience collective ? Quel lien entre les milieux socioculturels que tout sépare ? Quels types de conversation ? Chacun sait par expérience que la télévision est l'un des meilleurs supports de la conversation. Sa grande force est de « faire se causer », d'être l'occasion d'un échange. A condition que les uns et les autres aient vu à peu près les mêmes programmes.

II. Les médias thématiques sont adaptés à la communication des communautés

Le point de départ du raisonnement est le suivant : « Le grand public n'existe plus, en revanche, les multiples communautés sont à la recherche de communications adaptées à leurs échelles et à leurs valeurs. Les médias thématiques sont un facteur à la fois d'identité et d'échanges entre communautés électives. Ils correspondent au passage de la "communauté des citoyens" à la "communauté des destins". »

Cela est exact à la condition de rappeler que le risque est l'enfermement de chaque communauté dans son système de valeurs et de représentation. Pourquoi communiquer avec d'autres communautés si l'on a tout chez soi ? La montée du mouvement communautaire est une réponse à deux contradictions actuelles. D'une part, elle exprime la recherche de nouvelles solidarités face à l'effondrement de nombreuses structures sociales de la société de masse en un demi-siècle. D'autre part, la communauté est un horizon au profond mouvement de libération individuelle. Les individus libres et égaux éprouvent le besoin de « communiquer » à l'échelle du groupe. La communauté élective résout alors la double question du « être ensemble » et de la « liberté individuelle ». Dans les deux cas, la question non résolue est celle du passage à la société. Résoudre la question de la communication au niveau des communautés laisse entière celle de la communication au niveau de la société ! Et l'on retrouve ici la limite des médias thématiques. Le « *small is beautiful* » ne suffit pas. Il explique peut-être l'effet magique du mot *réseau*. Tout ce qui est communication en réseau est aujourd'hui valorisé. Choisir ses destinataires, construire une « communauté » qu'on appelle « *réseau* » est perçu comme un progrès. Mais passé l'effet de mode lié au mot, on découvrira que la communication « en réseau » peut être très fermée, alors qu'elle semble au contraire plus ouverte. Il y a là d'ailleurs un contresens : l'idée d'ouverture, liée à la communication, ne se retrouve pas forcément dans celle de réseau qui lui est actuellement associée. Jusqu'à une époque très récente, les mots de réseau, de maillage ou de toile d'araignée n'étaient pas des symboles de liberté... Ce n'est qu'avec les réseaux informatiques et la communication audiovisuelle que le sens a changé, sans que l'on sache ce qui, de la performance technique ou de la liberté supposée plus grande des utilisateurs, suscite le plus d'admiration... Et quand la délinquance par réseaux interposés aura inventé de nouvelles formes de vol et d'exploitation, parlera-t-on encore des réseaux comme d'une nouvelle forme de liberté?

Les médias interactifs et thématiques, évidemment favorables au mouvement actuel d'individualisation, ne sont-ils pas devenus en fin de compte des facteurs de rigidification, accentuant les solitudes qu'ils devaient au contraire réduire? Quoi de plus triste qu'un cybercafé si personne ne parle, chacun étant «branché» sur une communication à distance, avec un être sans chair ni présence, assurément moins contraignant que cet autre être physique présent à côté de soi, avec qui, en dehors des sujets du cyberspace, il est vraiment difficile d'avoir un échange?

Depuis toujours le problème n'est pas tant de communiquer entre communautés homogènes qu'entre communautés hétérogènes, pour ne pas dire indifférentes les unes aux autres. Seuls les médias généralistes permettent de *traverser* plusieurs communautés. Le défi aujourd'hui n'est pas d'offrir des médias thématiques aux catholiques, aux protestants, aux musulmans, aux juifs..., mais de trouver le moyen de relier ces différentes communautés à une communauté plus large...

III. Les médias thématiques sont l'avenir, comme les médias généralistes sont le passé

L'argument est ici tout simple: «Les deux médias correspondent à deux *étapes* de l'innovation scientifique et technique. La communication moderne renvoie à la communication individualisée et interactive, par opposition à celle, unilatérale et massive, de la première étape de la communication.»

Ce raisonnement illustre parfaitement l'idéologie technique qui confère une valeur *normative* au type de communication assuré par une *technique*, en l'occurrence ici les médias individualisés. Aujourd'hui, avec l'éclatement des structures sociales, il est plus facile de satisfaire les goûts particuliers que de créer un intérêt pour des problématiques généralistes. Présenter comme un progrès technique le fait de s'occuper de soi et peu des autres est une tartuferie, au moment où l'individualisme dominant correspond à l'air du temps et aux intérêts industriels et commerciaux qui l'accompagnent! L'individualisation était une valeur progressiste dans une société fermée, ignorante de l'égalité des individus et des communautés; elle n'a plus le même sens dans une société qui, du point de vue économique et social, valorise l'individu. La thématique n'est pas une rupture par rapport à l'ordre ambiant, elle l'épouse.

Les «combattants» de la télévision individualiste savent-ils qu'ils sont dupes d'un discours qui n'a pas grand-chose à voir avec l'idéal affiché? Mais il y a plus: la plupart des médias thématiques seront demain payants. Jusqu'où la télévision doit-elle être payante? Jusqu'où la logique du marché doit-elle s'imposer? Autrement dit, à partir de quand la problématique de l'*intérêt général* doit-elle être mise en avant? On parle bien maintenant d'un service universel pour le téléphone, pourquoi l'idée ne pourrait-elle convenir à la télévision, qui est réellement l'activité de la communication la plus démocratique? Jusqu'où la loi de la jungle du marché doit-elle s'appliquer à la télévision? Personne n'admettrait que l'école, la santé, les transports, la recherche, autres fonctions collectives, essentielles, soient uniquement régies, en fonction des niches de rentabilité, par une logique de l'argent. Pourquoi l'admettre pour la télévision, la seule activité transversale de nos sociétés?

C'est au moment où l'Union européenne veut introduire dans ses textes, à juste titre, la problématique de l'*intérêt général* que l'on regarde avec admiration le développement de chaînes thématiques payantes en Europe…

IV. Les médias thématiques ouvrent une nouvelle ère de la communication

Oui, à condition de rappeler que du point de vue théorique les médias thématiques sont un sous-ensemble des médias généralistes, et non un dépassement. A condition aussi de se souvenir que le grand public n'est pas l'addition des publics thématiques, mais le rassemblement temporaire de différents publics, dans ce qu'ils ont de commun, d'humain, par-delà les irrémédiables différences qui les distinguent.

L'enjeu pour demain n'est pas la disparition de cette référence au grand public, mais la fin d'une certaine ambition dans la manière de le concevoir. Il peut autant y avoir un grand public de mauvaise qualité qu'un grand public de bonne qualité! Les médias généralistes restent susceptibles d'offrir demain des programmes de mauvaise qualité au grand public, tandis que les programmes intéressants deviendraient l'apanage des médias thématiques. On arriverait ainsi à une communication à *deux vitesses*, opposée à l'objectif poursuivi par les médias de masse, mais parfaitement adaptée à une société individualiste de masse.

L'idée de grille généraliste est moins une référence du passé qu'une idée d'avenir. En réalité, il existe deux représentations différentes de la société, et deux manières de répondre à la question de l'hétérogénéité sociale. Dans un cas on essaie de la transcender, dans l'autre on la prend pour un fait. L'enjeu n'est pas la disparition du grand public, compte tenu des intérêts liés à une économie de masse, mais plutôt le lent et inéluctable grignotage de l'ambition que porte ce mot depuis un siècle.

V. Demain, en zappant, le spectateur se fera sa propre chaîne généraliste

Zapper au sein de chaînes thématiques ne conduit pas à construire un programme généraliste, car le rapport à l'image est différent. L'attente n'est pas la même. Face à des chaînes généralistes, l'éventail est évidemment plus large, donc la possibilité de *surprise*, une des causes du succès des médias, plus étendue. Mais surtout l'attitude est différente : on aime regarder la même chose que les autres, de chez soi. On aime participer à ce que font les autres, mais à distance. Le génie des médias généralistes est de *permettre cette participation individuelle à une activité de masse*. Phénomène que l'on ne retrouve évidemment pas dans le média thématique, où l'on sait *à l'avance* à travers quels segments de programmes on circule.

Le rapport à l'*offre* est également différent. Dans un cas, avec la grille généraliste le spectateur retrouve cette volonté de concerner tout le monde, et n'importe qui. En revanche, face à l'offre thématique, la sélection du public a eu lieu *a priori*. Dans un cas le *hasard* joue un grand rôle, dans l'autre, non. De toute façon on ne se situe pas de la même manière face à un média thématique ou généraliste. Dans un cas on prend l'initiative, dans l'autre on sélectionne. L'un n'est pas mieux que l'autre, mais l'expérience prouve que le choix final est plus vaste en sélectionnant au sein d'une offre élargie qu'en partant d'une demande explicite. Tout simplement parce qu'il y a toujours cet accès « par hasard » aux images. Y a-t-il beaucoup de situations sociales où des publics peuvent *partager* des expériences, malgré leurs différences sociales et culturelles ? Comme je l'ai souvent dit, heureusement que la télévision et la météo sont là pour alimenter les conversations, car il n'y a souvent pas d'autres expériences partagées entre des individus appelés à se côtoyer...

Il existe un autre argument en faveur du média généraliste. On dit d'habitude que les médias thématiques ont l'avantage de faire de chacun d'entre nous son propre *programmateur* : au lieu de « subir » les programmes non désirés, on les « choisit » soi-même. Mais le spectateur veut-il se transformer en « programmateur » ? Chacun son métier. Le spectateur aime faire son choix, mais à travers une offre organisée. Il n'est pas certain qu'il ait envie de *faire* l'offre. C'est un peu la différence entre les meubles que l'on achète tout montés et ceux qu'il faut monter soi-même. Qui préfère les meubles en kit ? Le plus souvent on les préfère quand même montés ! Même si de temps en temps, par goût du bricolage ou par économie, on peut le faire soi-même. En un mot, les chaînes thématiques ont un rôle évident de complémentarité, mais non de substitution, par rapport aux médias généralistes.

VI. Les médias thématiques permettent enfin au public d'être actif

L'idée, fausse, du spectateur «passif» devant une télévision généraliste et «actif» devant un média thématique a la vie dure, même si depuis longtemps les recherches prouvent que dans *tous les cas* le spectateur est actif, car il filtre et sélectionne les messages. Personne ne reçoit passivement un message écrit, audio ou audiovisuel. Les attentes ne sont simplement pas les mêmes. Une autre idée fausse voudrait qu'avec le média thématique le public sélectionnerait, alors que dans le cas inverse il *subirait*. Dans tous les cas il sélectionne ; simplement, le type de sélection n'est pas le même puisque l'offre et l'attente sont différentes.

On oublie que de toute façon le public regarde ce qu'on lui offre, avec le fait d'être dépourvu de critique. C'est toujours la même hypothèse implicite sur la bêtise des spectateurs… En trente ans de télévision, les publics ont acquis une culture critique de l'audiovisuel, et même sans faire de grands discours, ils savent très bien distinguer entre programmes généralistes et thématiques. A l'avenir ils voudront probablement conserver les deux approches, avec sans doute une prime à l'offre généraliste. Et cela en dépit des discours qui, depuis l'apparition du thématique, il y a plus de vingt ans, prédisent la fin du généraliste. Aux États-Unis, par exemple, pays qui ne s'embarrasse pas de théorie, les prospectivistes, toujours certains que «tout va changer demain», annoncent depuis deux décennies la disparition des grands réseaux généralistes (ABC, CBS, NBC). C'est ce que j'entendais dire, lors de mon premier voyage de recherche sur la télévision, en 1976, aux États-Unis… Et depuis, malgré les énormes progrès des chaînes thématiques, les médias généralistes demeurent en tête des audiences, pour plus de 60 %. Probablement en raison du désir d'«être ensemble» et de maintenir le «lien social».

VII. La télévision thématique culturelle permet de sauver la culture à la télévision

J'ai déjà largement pris position sur cette question théorique essentielle. Oui à la télévision culturelle si elle se présente comme une chaîne thématique parmi d'autres, si elle trouve un public et si elle est financée soit par ce public, soit par du mécénat ou des abonnements. Non à la télévision culturelle présentée comme le «cœur de la télévision», comme le lieu des «vrais» programmes culturels, financée sur fonds publics, alors qu'il s'agit de programmes très spécifiques qui ne peuvent plaire qu'à une «élite». Pourquoi l'argent public ne va-t-il pas aux chaînes généralistes qui en manquent cruellement, pour leur mission qui est d'offrir une sensibilisation à la culture? Pourquoi ne pas reconnaître qu'il y a une véritable aspiration culturelle des publics qui n'appartiennent pas à l'élite, et qu'il faut satisfaire? Autrement dit une chaîne culturelle financée sur fonds publics est la mauvaise solution au vrai problème qui est celui de l'insuffisance de programmes à caractère culturel, offerts par les médias généralistes notamment publics. L'idée d'une télévision spécialisée dans «la culture» et financée sur fonds publics est antinomique avec l'idée même de promotion culturelle qui est à l'origine des médias de masse, car elle ne véhicule que la culture d'une minorité, renforçant «les barrières et les niveaux» qu'il s'agirait plutôt de réduire.

Je n'évoque pas ici les *télévisions de connaissance*, comme l'expérience de la 5 en France, car le problème est un peu différent. Certes il n'existe pas de culture sans connaissances, mais les maquettes de telles télévisions ne se sont pas d'abord situées dans une perspective de hiérarchie culturelle. Les connaissances sont certes un système de hiérarchie, mais pour le moment les chaînes thématiques sur la connaissance n'ont pas eu cette volonté de «distinction», à tous les sens du terme, que l'on retrouve dans les chaînes culturelles et Arte. C'est même le contraire: elles sont officiellement faites pour *élargir* les connaissances de tout le monde. Pour vulgariser. Elles appartiennent ainsi au paradigme des télévisions généralistes, et dépendent le plus souvent de statuts publics. On est là dans la veine de la télévision du service public et de son objectif d'*émancipation*. Autant les chaînes thématiques culturelles posent le problème de l'élitisme et de la ségrégation, autant à l'opposé le concept de chaîne du savoir et des connaissances se situe dans la tradition de la culture grand public de la télévision.

La télévision est faite pour élargir et non pour enfermer. D'ailleurs l'audience, en France, de Arte est toujours restée en moyenne inférieure à 2 %, et ce en dépit d'une attitude très favorable de la presse écrite et des élites. Critiquer l'idée d'une chaîne culturelle est très mal reçu, tant le conformisme dans ce domaine est fort. Tout juste si l'on n'est pas soupçonné d'être un adversaire de la culture et de l'émancipation des peuples! La gauche, qui, en France, aurait dû critiquer le projet au nom d'une certaine idée de la démocratisation culturelle, non seulement l'a conçu, mais l'a toujours défendu. La droite, dans l'alternance du pouvoir, sera-t-elle plus courageuse? Mais il y a tellement de tartuferie dès qu'il est question de culture que tout est possible. Le pire est sans doute la bonne conscience avec laquelle les élites qui n'ont jamais pensé ni soutenu la télévision généraliste, pourtant indispensable outil de culture, se sont précipitées sur l'idée de télévision culturelle, confondant *leur* culture avec *la* culture. Exposer une culture minoritaire sur une chaîne spécialisée n'a jamais constitué un projet culturel! Cela traduit aussi un manque de réflexion sur la *spécificité* de la télévision comme technique de communication.

Mais il y a plus, et tel est sûrement l'argument décisif du point de vue théorique. Ce *type* de chaîne culturelle entretient *l'illusion d'une continuité* possible entre culture et télévision. Non seulement il n'y a guère d'ouverture aux autres formes de culture, mais dans la manière de consacrer cette forme *très* particulière de culture d'élite, on renforce l'illusion que la télévision pourrait assurer la continuité avec toutes les formes de culture. Or, comme je l'ai expliqué précédemment, il faut au contraire préserver, pour le bien de la communication comme pour celui de la culture, une certaine *discontinuité* entre les deux. Surtout si l'on a en tête que l'un des problèmes du monde culturel et intellectuel sera demain de se tenir *à une certaine distance* de la communication triomphante, pour préserver la spécificité et la visibilité des différents systèmes de valeurs. Le rapprochement entre Arte et la 5 en France ne fait que reposer le problème. Lequel des deux modèles l'emportera? S'agira-t-il d'une «super» Arte – et l'on retrouvera alors tous les problèmes théoriques précédents? Ou bien de l'extension du modèle d'une chaîne éducative? Ou bien assisterons-nous à l'installation d'une fausse chaîne généraliste qui additionne les deux légitimités et qui se voudra télévision «haut de gamme» avec tous les risques, déjà évoqués, d'une télévision à deux vitesses? Dans tous les cas la question de l'identité, du style, des objectifs, est essentielle, et mérite débat. Les créations de chaînes de télévision, surtout dans le secteur public, sont trop rares pour qu'il n'y ait pas une réflexion d'ensemble.

VIII. La télévision thématique correspond à un nouveau rapport à la communication

On peut affirmer que la télévision thématique correspond à un nouveau rapport à la communication, car le thématique est en phase avec le mouvement de différenciation des offres et des demandes culturelles des sociétés avancées. A condition de rappeler qu'il est *toujours plus facile* de réussir un média thématique qu'un média généraliste. L'essor de la presse spécialisée, puis des médias thématiques, depuis une trentaine d'années, prouve l'existence d'une demande dans ce sens. Mais l'expérience historique montre *aussi* que les meilleurs groupes de la communication spécialisée ne souhaitent qu'une chose : se confronter à la communication grand public qui reste l'horizon de cette communication. Même si elle est moins rentable. On le voit avec les radios thématiques qui ont réussi : elles espèrent devenir généralistes. Tel est également le cas des grands groupes de presse spécialisés, qui rêvent de fonder ou de racheter des journaux quotidiens généralistes.

Pourquoi cette tentation du grand public ? Tout simplement parce que le défi, la grandeur, le sens de toute situation de communication reste évidemment la conquête de ce grand public, de ce « n'importe qui » de la société qui d'une certaine manière est le vrai destinataire de la communication. C'est dans cette capacité à avoir pu toucher ce « n'importe qui » qu'a résidé le succès du cirque, puis du music-hall, de la radio, du cinéma et enfin de la télévision. *L'épreuve du grand public reste l'horizon de la communication.* Surtout dans une société démocratique, où la culture commune à toutes les classes sociales a pris la place qu'on lui connaît.

Il demeure en revanche une demande de communication non satisfaite dans la communication grand public, mais qui ne l'est pas davantage par les médias thématiques : il s'agit de la *communication directe, immédiate.* On suppose que ce besoin pourra être satisfait par l'intermédiaire du courrier électronique, d'Internet et des multiples promesses des autoroutes de l'information. Nous verrons dans la cinquième partie les avantages et les limites de ces services. L'idée que je défends est simple : ces techniques ne seront probablement *pas plus* à même de résoudre ces besoins que les médias généralistes ou thématiques actuels, car elles amplifient la *circulation* alors que le problème est celui d'une demande de *partage.*

IX. Avec le thématique, l'offre est plus vaste

Oui apparemment, mais en trente ans de diversification, on s'aperçoit qu'il n'y a pas de rapport entre l'augmentation du nombre des supports et celle du nombre des programmes. Pourquoi ? Parce que, la concurrence étant de plus en plus vive, c'est autour de *quelques* genres de programmes que la différence se fait. *Il y a davantage de tuyaux, mais ce sont les mêmes genres de programmes qu'on y trouve.* Ce constat est vrai autant pour les chaînes généralistes que pour les chaînes thématiques. Il l'est encore plus pour les secondes, qui dépendent encore *plus* de leur public. Les médias thématiques contribuent finalement peu à la diversification de l'offre. Certes le niveau des programmes des médias thématiques peut être meilleur, mais rien ne dit que les médias généralistes ne réagiront pas demain. Après tout, une quinzaine d'années dans l'existence de la télévision, qui n'a pas plus de cinquante ans, ne suffit pas à tirer de conclusion définitive. De toute façon, au-delà de ce qui les sépare, les médias généralistes et thématiques sont confrontés aux mêmes contraintes : *admettre les limites de la communication médiatique.*

Deux exemples : la science et la culture à la télévision. Parler publiquement de grandes questions scientifiques est un acquis de la démocratie, mais la limite est évidemment la compétence du public et la technicité des données. Vaut-il mieux une chaîne spécialisée où le public scientifique pourra accéder, dans tous les cas de manière incomplète, à certaines informations et débats scientifiques, ou au contraire s'efforcer, chaque fois, de définir le niveau où les questions scientifiques sont susceptibles d'être traitées dans les grands médias – en d'autres termes, proposer une vulgarisation de qualité, complétée par le recours à des spécialistes expliquant certains problèmes dans un dialogue avec des journalistes, et à l'organisation de débats sur la science et la société ? Dans un cas nous avons un accès à la connaissance plus précis, mais limité pour le public, sans d'ailleurs pouvoir dépasser les contraintes imposées par le média images. Dans l'autre cas nous avons une plus grande simplification, mais un public plus large.

Même chose pour la culture. Vaut-il mieux une chaîne spécialisée, mais limitée en audience, ou une utilisation de la télévision généraliste pour *sensibiliser* aux différentes formes culturelles ? Les deux démarches ont leurs avantages et leurs inconvénients, mais il semble, du point de vue du rapport entre communication et démocratie, que la télévision généraliste présente un avantage : s'adresser au public le plus large et ne pas donner l'illusion que la télévision, dans le cas de la science comme dans celui de la culture, puisse aller au fond des choses. Laisser apparaître les *limites* de la communication audiovisuelle est moins « aliénant » que de donner l'illusion d'une « communication » complète. Il faut tirer les conséquences de la *simplification* imposée pour toute communication audiovisuelle, et abandonner l'idée que la communication thématique supprimerait cette contrainte. La simplification inhérente au média télévision, généraliste ou thématique, est compatible avec quelques genres de programmes, *et* laisse la place à d'autres formes de communication non audiovisuelle. Autrement dit, il s'agit moins de pointer l'*échec* de la communication grand public, qui serait compensé par la communication thématique, que de situer *le niveau où la communication médiatique* est possible, qu'elle soit thématique ou généraliste.

Finalement le thématique et le généraliste traduisent deux *rapports* à l'incommunication *et* à l'hétérogénéité sociale. La première espère réduire l'incommunication, mais sans pouvoir dépasser l'hétérogénéité sociale. La seconde admet l'incommunication, mais essaie de s'attaquer à l'hétérogénéité sociale, en offrant des passerelles entre des publics n'appartenant pas aux mêmes univers socioculturels.

X. Pourquoi s'opposer à la télévision thématique ?

Il ne s'agit pas de s'opposer, mais de situer le *niveau* où le thématique est *complémentaire* du généraliste, en évitant de trouver dans le thématique la solution aux contradictions des médias de masse. Les évolutions sont trop récentes pour soutenir des analyses définitives, et la modestie s'impose. Le thématique comme segmentation d'un marché ne pose aucun problème ; il en présente davantage comme nouvelle théorie des rapports entre communication et société. Par rapport à la contradiction centrale de la société individualiste de masse, chargée de gérer en permanence deux niveaux, celui de l'individu et celui de la communauté, l'intérêt du média généraliste est en revanche d'essayer de tenir *ensemble* ces deux dimensions. Le média thématique y renonce, et tente surtout de satisfaire le niveau individuel.

En outre, le thématique n'est pas non plus la solution à un autre problème essentiel : celui de savoir comment réduire l'*omniprésence* de la télévision et de l'image dans notre société. De ce point de vue, les limites du média généraliste permettent de voir encore plus vite celles de la télévision et donc l'intérêt à s'en échapper pour faire autre chose… A l'inverse, le thématique *amplifie la mainmise de l'image* sur l'ensemble des situations sociales, sans admettre *a priori* de limite.

BIBLIOGRAPHIE

chapitre 6

BLOOM A., *L'Ame désarmée, Essai sur le déclin de la culture générale*, Julliard (trad.), Paris, 1987.

CAZENEUVE J., *L'Homme téléspectateur*, Denoël-Gonthier, Paris, 1974.

CHABERON M., CONNET P. et SOUCHON M., *L'Enfant devant la TV*, Casterman, Paris, 1979.

CLUZEL J., *La Télévision après six réformes*, Lattès, Paris, 1988.

DENIS M., *Image et Cognition*, PUF, Paris, 1989.

DIDI-UBERMAN G., *Devant l'image*, Éd. de Minuit, coll. «Critique», Paris, 1990.

DUNS SCOT J., *L'Image*, Vrin, Paris, 1993.

FAYARD P.-M., *La Communication scientifique publique, de la vulgarisation à la médiatisation*, La Chronique sociale, Lyon, 1988.

GAUTHIER A., *L'Impact de l'image*, L'Harmattan, Paris, 1993.

GHIGLIONE R., «La réception des messages. Approches psychosociologiques», «A la recherche du public. Réception télévision, médias», Éd. du CNRS, *Hermès*, nos 11-12, Paris, 1993.

JEANNERET Y., *Écrire la science. Formes et enjeux de la vulgarisation*, PUF, Paris, 1994.

LEGENDRE P., *Dieu au miroir*, Fayard, Paris, 1994.

LURÇAT L., *Violence à la télé: l'enfant fasciné*, Syros, Paris, 1989.

MARIN L., *Des pouvoirs de l'image*, Seuil, Paris, 1993.

MEHL D., *La Télévision de l'intimité*, Seuil, Paris, 1996.

MOLES A., *L'Image, communication fonctionnelle*, Casterman, Paris, 1981.

MORLEY D., *Family Television Cultural Power and Domestic Leisure*, Comedia, Londres, 1986.

MORLEY D. (sous la dir. de), *Dernières questions aux intellectuels*, Olivier Orban, Paris, 1990.

PASQUIER D. (en coll. avec CHALVON S.), *Les Scénaristes et la Télévision, approche sociologique*, Nathan, Paris, 1996.

PERRIAULT J., *La Logique de l'image*, Flammarion, Paris, 1989.

ROQUEPLO P., *Le Partage du savoir, science, culture, vulgarisation*, Seuil, Paris, 1974.

SAID E.W., *Des intellectuels et du pouvoir*, Seuil (trad.), Paris, 1996.

TROISIÈME PARTIE

COMMUNICATION ET DÉMOCRATIE

INTRODUCTION

PAS DE DÉMOCRATIE SANS COMMUNICATION

Autant le dire tout de suite: la communication n'est pas la perversion de la démocratie, elle en est plutôt la condition de fonctionnement. Pas de démocratie de masse sans communication, et par communication, il faut entendre certes les médias et les sondages, mais aussi le modèle culturel favorable à l'échange entre les élites, les dirigeants et les citoyens. Dans cette perspective, les médias et les sondages sont à la fois le moyen donné aux citoyens de comprendre le monde et la concrétisation des valeurs de la communication, indissociables de la démocratie de masse.

Mais il faut aller plus loin: que seraient nos sociétés complexes, où le citoyen est loin des centres de décision politiques et économiques, dont certains sont dans des pays lointains, s'il n'avait pas les moyens, par la communication, de s'informer sur le monde? Et l'on retrouve toujours cette double dimension de la communication. A la fois normative, comme indissociable du paradigme démocratique, et fonctionnelle, comme seul moyen de gérer les sociétés complexes. Aujourd'hui tout est compliqué et lointain, et l'on ne réalise pas toujours comment le modèle normatif de la communication et les multiples outils qui l'instrumentalisent sont aussi le moyen de réduire les distances entre dirigeants et dirigés.

Autrement dit, si la simplification de la réalité et la personnalisation, qui sont les lois d'airain de la communication, suscitent les inconvénients bien connus, elles sont *aussi* le moyen donné aux citoyens d'accéder à la compréhension d'une réalité sociale, culturelle, économique et politique compliquée. La communication de masse, avec ses avantages et ses inconvénients, est inséparable du modèle de la démocratie de masse mêlant dimensions fonctionnelles et normatives. Dans le

143

même esprit, les critiques justifiées concernant la *rationalisation* opérée par les médias, les sondages, la communication politique, le marketing, doivent-elles être aussi nuancées par cette donnée de fait : elles sont le prix à payer pour établir un lien entre des réalités et des milieux, sans aucun rapport les uns avec les autres ? Seule la communication permet aujourd'hui une certaine visibilité entre la base et le sommet. Être compris par tout le monde a un prix : simplification et rationalisation.

Et l'on retrouve ici le *lien fort* existant entre la communication et la valorisation du citoyen. Ce lien structurel entre communication et démocratie joue également un rôle à l'égard de *deux grandes questions* de nos sociétés individualistes de masse.

La première question concerne la crise du *modèle d'échange intersubjectif.* J'ai assez dit les limites de la communication médiatisée, par rapport à l'ensemble d'une problématique de la communication, pour rappeler que, dans le contexte des « solitudes organisées » de nos sociétés, si les médias n'apportent pas de solution suffisante, ils constituent néanmoins une solution partielle. Si la communication médiatisée ne résout pas le manque de communication intersubjective, au moins évite-t-elle un éloignement encore plus grand entre l'échelle individuelle et celle de la société. Il en est de même pour l'autre contradiction : le décalage entre la connaissance et l'action. Le citoyen occidental est, comme je l'ai souvent dit, « *un nain en matière d'action et un géant en matière d'information* », au sens où en un demi-siècle il a élargi considérablement sa perception du monde, sans pouvoir élargir proportionnellement sa capacité d'action. Mais au moins cette surinformation a-t-elle l'avantage de donner le sentiment au citoyen occidental – le seul qui accède librement à toutes les informations – qu'il est à peu près au courant des problèmes essentiels. La situation serait pire si ce citoyen non seulement ne pouvait pas beaucoup agir, mais était, en plus, coupé du monde. J'ai tendance à retourner la critique souvent faite, à juste titre, contre la place de la communication dans nos sociétés. Non, elle ne résout pas ces deux contradictions, dont les causes sont d'ailleurs largement extérieures à elle, mais au moins évite-t-elle au citoyen d'être encore plus perdu et dominé.

La deuxième question concerne la double crise que traversent les démocraties de masse : celle de la *représentation* et celle de la *souveraineté.* Dans les deux cas, la communication en relativise les effets négatifs. Quelle représentation des forces sociales, idéologiques, culturelles, assurer dès lors que les mutations économiques et sociales ont, en un demi-siècle, détruit les critères de représentation sociale ? D'autant que par ailleurs la fin du clivage Ouest-Est a supprimé l'axe principal par rapport auquel se faisait la représentativité politique. Résultat ? On ne distingue plus très bien les critères qui structurent les représentations sociales de nos sociétés, ni les critères idéologiques sur lesquels asseoir la représentativité politique, toutes les forces politiques étant favorables au changement et à la modernité... La crise de la souveraineté concerne à l'inverse le rapport des sociétés avec l'extérieur. Que reste-t-il de la souveraineté nationale dans des économies interdépendantes où domine un modèle de société ouverte ? Cette crise de la souveraineté est directement liée à la crise de l'identité nationale, notamment en Europe.

Dans les deux cas, la communication, sans offrir de solution de remplacement, tempère les aspects négatifs. Aussi imparfaits que soient ces modèles de communication normatifs, ils constituent un moyen de faire le lien entre l'échelle individuelle et celle du monde extérieur. Mais souligner le rôle normatif de la communication dans la société individualiste de masse suppose que l'on aille plus loin, car le phénomène est trop protéiforme pour n'être pas, à son tour, perverti par sa propre ambivalence. Si l'on veut éviter que la dimension, finalement favorable, des médias et des sondages ne se transforme à son tour en une tyrannie, il faut construire des *concepts* qui permettent d'en limiter l'effet négatif. Car rien ne garantit *a priori* que médias et sondages resteront, dans une économie de la communication en pleine expansion, les messagers de l'information et de l'opinion qu'ils ont été par ailleurs dans la théorie démocratique... Les dérives observées depuis une vingtaine d'années avec l'hypermédiatisation de la réalité et l'emprise des sondages obligent à un travail de « resserrement théorique ».

Le premier concept à réexaminer est celui d'*espace public*, dont j'ai plusieurs fois dit le rôle essentiel pour la démocratie de masse. En assurant le passage entre la société civile et la société politique, son rôle croît au fur et à mesure que la plupart des problèmes de société passent sur la place publique et se trouvent débattus contradictoirement. Si l'on veut éviter un élargissement infini de cet espace public, il faut le limiter. Pour être clair, le risque est de voir le vocabulaire et les dichotomies politiques envahir tout l'espace public et devenir le seul mode d'appréhension de la réalité. Pour conjurer cette unidimensionalisation, il est nécessaire de *maintenir les distances* entre les multiples références nécessaires, culturelles, symboliques, religieuses, esthétiques, sans lesquelles il n'y a pas de fonctionnement de société, *a fortiori* démocratique.

Il en est de même avec l'autre concept central, celui de la *communication politique*, où l'on observe le même phénomène. L'extension de la logique politique à toutes les sphères de la société accroît mécaniquement le rôle de la communication politique, mais avec le risque d'en faire un phénomène totalement protéiforme, sans aucune capacité discriminatoire et sans effet structurant. Là aussi, un travail théorique de fermeture et de définition des critères de validité est nécessaire si l'on veut conserver la fonction normative de la communication.

Quel est le risque? Il est double. C'est d'abord celui d'une «*économie générale de l'expression*», sans rapport avec les contraintes de toute communication authentique. Le déséquilibre en faveur de l'expression risquerait alors de favoriser, par réaction, la *logique de l'expert*, qui, au nom des compétences et des savoirs, se place au-dessus des lois de la politique, et presque de toutes les lois. D'autre part le triomphe d'une logique de l'expression et de l'égalité des opinions peut renforcer l'idée d'une «nouvelle» forme de démocratie, appelée la *démocratie d'opinion* ou *démocratie du public*. Celle-ci, en prenant appui sur l'effondrement des idéologies et l'égalisation des points de vue, en arriverait à promouvoir un modèle de démocratie politique principalement centré sur l'expression des opinions.

Si, fidèle aux hypothèses de départ, je pose un lien normatif entre communication et démocratie, c'est à la condition de définir de manière plus rigoureuse les rôles de l'espace public et de la communication politique, qui sont les outils théoriques indispensables pour penser et gérer la démocratie de masse. C'est aussi la condition pour rappeler que, si la communication permet peut-être de gérer plus pacifiquement les rapports de force, elle ne les supprime pas.

CHAPITRE 7

LE TRIANGLE INFERNAL: JOURNALISTES, HOMMES POLITIQUES, OPINION PUBLIQUE

Le triomphe de la communication a déstabilisé le rapport de force existant entre les logiques de l'information, de l'opinion publique et de l'action, ou plutôt il en a changé la forme. Hier c'était la logique du pouvoir qui résistait au contrepoids de l'information et du public. Aujourd'hui c'est l'omniprésence de la communication et de l'opinion publique qui déstabilise une logique politique moins arrogante.

I. Les éléments du déséquilibre

1) S'il n'y a pas de politique sans communication, on arrive aujourd'hui au *renversement du rapport*: la communication l'emporte sur la politique au détriment des hommes politiques, ainsi fragilisés. Quelle est leur situation?

Les hommes politiques des pays occidentaux sont élus pour une durée courte, avec une marge de manœuvre faible, dans des sociétés bureaucratisées, où la souveraineté nationale est fortement écornée par l'Europe et la mondialisation. Ils doivent néanmoins donner le sentiment qu'ils savent où ils vont et qu'ils voient le long terme. Sans grande capacité d'action, ils sont cependant contraints de donner l'impression inverse, de maîtriser le futur, alors que la plupart d'entre eux savent que dans cinq ans ils ne seront plus au pouvoir (en tout cas, pas aux mêmes postes)... La radio et la télévision, en les forçant à répondre rapidement, sans trop de langue de bois, accélèrent leur relatif discrédit, le public voyant, dans la durée, qu'ils n'ont pas toujours grand-chose à proposer. Ils sont confrontés à la contradiction suivante: les médias sont nécessaires pour valoriser leur action, mais ils soulignent en même temps la faiblesse de leur marge de manœuvre… De plus l'homme politique subit la pression de l'événement et celle du cortège de journalistes. Ceux-ci commentent au jour le jour, trouvent des significations cachées à des stratégies improbables, mettent facilement en cause la capacité d'action des hommes politiques, qui sont alors obligés de courir d'émissions de radio en plateaux de télévision pour répondre aux rumeurs, en confirmer certaines, en démentir d'autres, se démarquer des concurrents, construire leur propre image, engager l'avenir et ne pas donner le sentiment d'être incapables de faire face au présent. Difficile, dans ces conditions, de ne pas voir que le roi est souvent nu… Après une élection présidentielle par exemple, «on» considère que tout se joue dans la première année, et «on» accorde six mois à un Premier ministre pour faire ses preuves! Quant aux ministres, combien d'entre eux arrivent à ne pas se faire oublier et à susciter un certain respect? Les maires des grandes villes ou les présidents de conseils régionaux ne sont pas dans une meilleure situation: ils n'existent que localement, et il leur faut entreprendre un épuisant parcours du combattant pour sortir de leur région et des médias locaux, et se faire remarquer à l'échelon national. La situation est comparable dans tous les pays démocratiques. C'est une véritable sociologie de l'homme politique broyé par la communication triomphante qu'il faudrait faire aujourd'hui. Mais il ne faut pas compter pour cela sur l'aide des responsables politiques: ils n'osent pas dire la vérité, de même que les journalistes d'ailleurs, qui ne sont pas près de reconnaître que, le plus souvent, la situation s'est inversée en leur faveur.

La pression de l'information et de l'événement est telle que l'*acteur* est déstabilisé. L'image et l'information ont finalement traversé ce dernier. Certes l'homme politique ne se juge pas seulement à sa capacité d'action, car la politique est aussi la gestion d'un espace symbolique et un mélange savant et compliqué de symboles et d'action. *Mais à partir de quand la prédominance du symbolique est-elle préjudiciable à la capacité d'action de l'homme politique?* D'autant que le décalage entre la rapidité de l'information et la lenteur de l'action crée un malaise, parfaitement perçu par le citoyen. Autant celui-ci souhaite ne pas être dupe du personnel politique, autant voir en direct sa fragilité n'est pas forcément souhaité. Pourquoi? Parce que la faible capacité d'action de l'homme public et sa fragilité déstabilisent aussi le citoyen. Et c'est ici que la ribambelle des sondages poursuit l'œuvre de déstabilisation de l'information. A partir d'une image, positive ou négative, dont la différence tient souvent à peu de chose et beaucoup au rôle des élites, qui ne manquent jamais d'avoir un avis définitif et autorisé sur tout, les hommes politiques sont assaillis de «baromètres» et de cotes de popularité. En yo-yo. Et comme les sondages sont continuellement commentés par les

médias – ce sont eux d'ailleurs qui, le plus souvent. les comman-
dent –, les hommes politiques sont sous perfusion de chiffres. Résultat ?
Ils abusent de la langue de bois, selon laquelle les sondages n'ont pas
d'influence sur eux, et confirment que leur seul souci est de mener une
action de longue haleine… Discours auxquels personne ne croie, et qui
accentuent le sentiment de malaise. D'autant qu'en réalité une part
croissante de l'emploi du temps des hommes politiques, par médias
interposés, vise justement à essayer de conjurer le sort de ces baromètres
défavorables… Ici, les acteurs portent une responsabilité, en acceptant
finalement que les médias et la communication soient des arbitres de
leurs relations avec les citoyens. Que font en effet toujours davantage les
hommes politiques ? Non seulement ils accordent une confiance de plus
en plus aveugle à des spécialistes en communication qui, tout en se présentant comme modestes, se comportent en réalité en véritables
Raspoutine ; mais encore, ils multiplient les opérations de communication médiatique tous les trois à six mois, en inventant chaque fois un
style nouveau, qui ravit les médias et les place de façon croissante dans
une logique communicationnelle. Pourtant on ne reconquiert jamais un
capital politique par des opérations de communication ! Et d'ailleurs ces
émissions, aux effets sans cesse renouvelés, se transforment en *shows*,
jugés comme tels par les médias. A force de se situer sur un territoire qui
n'est pas le leur, les hommes politiques perdent l'altérité qui leur est
indispensable.

On est loin du schéma idéal de l'homme politique qui se nourrit de
l'information et de l'opinion publique, évalue l'action menée et fait
connaître la hiérarchie des problèmes qui lui paraissent importants pour
l'avenir. Si seulement la réalité ressemblait à cette image d'Épinal… Les
acteurs politiques, malgré leur fanfaronnade, sont donc en réalité les
perdants de cette hypermédiatisation ; et en trente ans, seulement un très
petit nombre d'entre eux a su résister à cette situation inédite. Peu ont
su en profiter, car dans la durée le public démasque assez vite les
hommes politiques devenus spécialistes de la communication spectacle.
Et ne leur accorde pas sa confiance longtemps.

2) *La pression exercée par les médias* est considérable, mais les journalistes reconnaissent difficilement cette inversion du rapport de force en
leur faveur. Ils reporteront sans cesse les « difficultés » de relation avec les
dix ou vingt personnalités qui sont au sommet de l'État – et qui
arrivent à peu près à gérer leur rapport à la communication –, mais ils
taisent les cas les plus fréquents, qui les voient au contraire en position
favorable avec les autres hommes politiques. D'ailleurs il faut distinguer
ici, au sein des journalistes, la petite minorité qui, par éditorial, rédac-
tion en chef, contacts réguliers avec les sondeurs et les cabinets de

conseil, joue un rôle essentiel dans la propagation des rumeurs, et la grande majorité de la corporation, plus modeste, qui n'a pas accès à ce premier cercle, celui-ci ne vivant que dans les jugements rapides et définitifs. Même les échecs considérables – ainsi, en France, les prévisions unanimes en faveur de É. Balladur contre J. Chirac, «l'éternel perdant» – n'ont laissé aucune trace! Six mois plus tard, tout est oublié, et l'élite médiatique recommence la même ronde, forte des mêmes certitudes. Le pouvoir du journalisme, qui consiste à passer d'un événement à l'autre sans jamais s'arrêter, devient ici un défaut. Et dans ce rapport de force avec les hommes politiques, les journalistes ont l'énorme avantage de n'être confrontés à *aucune sanction*. Il existe certes la perception critique du public, mais elle paraît si lointaine…

Tout cela devrait faire l'objet d'une sociologie précise. Ce qui frappe, dans le contexte actuel, c'est la manière dont, à quelques exceptions près, les hommes politiques sont devenus modestes. Conscients de leur faible marge de manœuvre, et constamment «éclairés» par les médias, ils sont contraints à davantage de prudence, alors qu'à l'inverse le monde de la communication est beaucoup plus sûr de lui. Par journaux, radios et télévisions interposés, voire superposés, le citoyen ne peut rester longtemps ignorant des rumeurs qui circulent dans «les milieux bien intentionnés» de la communication. Le résultat est, en tout cas, que les hommes politiques sont terriblement dépendants des commentaires de cette *nomenklatura* journalistique, qui a sur l'opinion beaucoup moins d'influence qu'elle ne le croit, mais qui en revanche en a beaucoup sur les dirigeants politiques, fatigués et anxieux, et sur le reste de ce que l'on appelle les «élites». En définitive, il n'y a qu'une toute petite partie de la population qui vit à ce point sous la pression de la communication, mais comme il s'agit du milieu proche du pouvoir et toujours certain d'être «en avance» sur le reste du pays, on comprend l'effet de redoublement d'un tel processus. Face au harcèlement médiatique, les hommes politiques sont en réalité impuissants, d'autant qu'ils restent exposés à la sanction de l'élection, dont le monde de la communication ne connaît pas la rigueur. Celui-ci voit, décrit, analyse, mais n'est pas responsable. Et comme le «risque» des journalistes s'appelle l'Audimat et la perte de lectorat, cela les pousse au contraire à en «rajouter» dans le «harcèlement».

Pour résumer, il est certain que les journalistes, grands bénéficiaires du mouvement actuel, devraient desserrer l'étau sur la classe politique, car les deux camps ne sont plus à armes égales. Il ne s'agit pas de réduire la fonction critique indispensable de la presse, mais d'admettre la différence radicale de réalités. Un *aggiornamento* est à faire, comme on le verra dans la quatrième partie, car le rôle de *contre-pouvoir* de la presse est capital, à condition de ne pas dépasser certaines limites. Et à condition aussi que la presse accepte d'être critiquée, et de ne pas crier à «l'atteinte à la liberté de la presse» dès que quelques-uns osent remettre en cause certains de ses comportements. Du reste, l'autocritique n'est pas une pratique courante dans la presse.

3) *L'influence des sondages* n'est pas moins déstabilisante. Certes la France est un cas original, car elle est le premier producteur et consommateur de sondages, mais cette tendance se retrouve ailleurs. Le problème est simple. Cet instrument complémentaire de perception de la réalité est devenu omniprésent, diminuant d'autant toute autre approche, surtout qualitative, considérée comme «moins rigoureuse». Et surtout son omniprésence fait oublier la limite principale du sondage: il n'est jamais l'expression naturelle de l'opinion publique, mais la réponse de celle-ci, dans des conditions bien particulières, à une question posée par un commanditaire; de ce fait, cette réponse ne s'inscrit pas d'abord dans une logique d'information publique.

Autrement dit, on considère les sondages comme des mesures de l'opinion, alors qu'il s'agit de réponses biaisées à des questions orientées, dans une direction qui n'est pas véritablement informationnelle. Mais comme ils sont répercutés et commentés par les journalistes, on en oublie leur origine. L'information des sondages a toujours besoin d'être complétée par d'autres éléments et restituée par rapport à la commande. Mais cette mise en contexte disparaît dès que les résultats sont rendus publics. Il ne reste plus que les pourcentages. Ces chiffres synthétiques, répétés sans cesse un, deux ou trois jours par les médias en concurrence, donnent à un *même* sondage autant d'écho que s'il s'agissait d'une batterie de sondages. De plus les médias sont eux-mêmes de gros commanditaires, et se groupent souvent pour les acheter. Le résultat est un effet amplifié du sondage: en effet, chaque média ayant participé à son financement veut se *valoriser*, et en assure une diffusion très large, augmentant d'autant l'impact de ces quelques chiffres.

Si le public reste finalement distant et critique à l'égard de ces messages – comme il l'est à l'égard de l'information en général –, les élite et les hommes politiques, y sont, eux, très sensibles. *Ce sont les élites qui sont finalement le plus sous influence des sondages*, alors même qu'elles disposent d'autres systèmes d'information et qu'elles feignent, par un souci constant de distinction, de s'en désintéresser... Ce sont elles qui, en dépit de leurs affirmations – et peut-être parce qu'elles sont coupées des réalités –, y voient au contraire un «bon miroir». Les sondages influencent les élites qui exercent à leur tour leur emprise sur les hommes politiques qui, pressés et fatigués, y trouvent un «raccourci de la réalité».

Ce n'est pas, ici, le lieu d'une réflexion d'ensemble sur la question, difficile, des rapports entre opinion publique, sondage, fonctionnement de l'espace public et communication politique ; il ne s'agit pas non plus de critiquer l'existence des sondages, qui, par leur caractère public, contribuent à une certaine ouverture de la société. Le problème vient du *déséquilibre* actuel né de leur omniprésence, qui véhicule une représentation bien particulière de la réalité, bruyamment relayée par les médias, et qui accentue cette pression dont il est difficile de voir les conséquences sur les hommes politiques. Simplement à force de réagir aux sondages, ceux-ci en reproduisent la logique, et accentuent ainsi le rôle de ce miroir bien particulier de la réalité. Le déséquilibre créé par les sondages est d'autant plus net que par ailleurs l'effritement des grands choix idéologiques, l'affaiblissement des institutions intermédiaires, la fin des différences entre monde rural, monde ouvrier et monde tertiaire, et la lente homogénéisation des modes de vie font disparaître les *autres* points de repère. Hier, les différentes structures sociales, culturelles et idéologiques étaient autant de *filtres* à travers lesquels passaient les chiffres et les interprétations. Aujourd'hui, avec la diminution du rôle de ces autres infrastructures, il ne reste plus, *face à face*, que les hommes politiques et « l'opinion ». Celle-ci devient un corps immense et lisse, encore plus angoissant et insaisissable, qui donne toujours plus de prestige aux sondages. Plus que jamais, ceux-ci semblent la voie d'accès à cette « pythie mystérieuse ».

Aussi utiles soient-ils, ils ne mesurent que le premier des *trois niveaux de* l'opinion publique, celui lié à l'actualité et aux événements. Le *deuxième*, déjà plus profond, correspond aux choix idéologiques et aux représentations, et ne peut être saisi que partiellement par ce mode de recueil de l'information. Le lien entre ces niveaux est complexe et provoque toujours des surprises non pas dans les sondages, mais dans le jeu social concret. Enfin, il existe un *troisième* niveau, qui est celui des infrastructures culturelles, religieuses, sociales, dont on ne sait pas grand-chose, notamment comment il s'articule aux niveaux précédents. La force et la limite des sondages sont de donner forme au premier niveau de l'opinion, celui qui est « activé » par les événements et les informations. D'autant que, en dépit des précautions rappelées par les sondeurs, chacun confond dans le sondage photographie et prévision. Le sondage, qui est surtout un rétroviseur ou un instantané, mais pratiquement jamais un élément prospectif, est évidemment prisé et recherché pour cette dernière dimension. C'est un moyen de garantir un peu l'incertitude du futur.

L'omniprésence des sondages accentue alors la *culture de l'instantané*, où se succèdent à un rythme effréné événements, sondages, informations, comme dans une sorte de gigantesque jeu de questions-réponses. La conséquence est une réduction de toute distance critique. Tout est immédiat, créant cette illusion de transparence ou, à tout le moins, de rationalité possible de l'histoire instantanée... Une sorte de «culture tampon», à base de surinformation, de sondages, se crée entre soi et le monde. Au lieu de fournir des boussoles supplémentaires aux hommes politiques, les seuls confrontés à la question capitale de l'action, cette scansion du temps, par sondages interposés, les désoriente un peu plus, et les conduit à un pilotage à vue. *Une année paraît l'éternité.* De ce point de vue, l'influence conjointe des médias et des sondages est néfaste; elle amplifie le court terme et obscurcit d'autant une perspective de moyen ou long terme. Or la politique, surtout lorsque la marge de manœuvre est étroite, a besoin de *perspectives* pour mobiliser des citoyens désabusés et lucides.

Le paradoxe est donc que l'information et les sondages, qui devraient permettre aux hommes politiques de mieux saisir la réalité, et aux citoyens de relativiser le discours des dirigeants, arrivent au résultat inverse, en brouillant les visions et en provoquant une surexposition au court terme.

II. Trois conséquences de ce déséquilibre

1) En dépit de l'hypermédiatisation de la réalité et de l'omniprésence de toutes sortes d'indicateurs, les *crises* sociales sont toujours aussi inattendues et violentes. Les «élites médiatiques», qui semblent tout savoir sur tout quand on les écoute, n'ont pas plus de capacités anticipatrices que les élites technocratiques, elles aussi sûres d'elles... En réalité le *décrochage* s'opère entre les catégories dirigeantes et la société. Cette technocratisation de la perception de la société par médias, sondages, indicateurs, rumeurs interposés pose un problème redoutable à la démocratie: en effet, les élites et les hommes politiques voudraient bien voir la réalité, mais ils n'y sont confrontés qu'au travers d'un tel maillage de chiffres, baromètres, statistiques, habitudes mentales, visions du monde..., qu'ils en oublient l'existence d'*une autre* réalité sociale. Tout leur paraît tellement cohérent, complet et rationnel qu'ils identifient les capteurs et la réalité. Quant aux citoyens, sans se faire trop d'illusions, ils ont néanmoins besoin de croire que les dirigeants savent ce qu'ils veulent. Rien de pire d'ailleurs que ce décrochage: il conduit aux mouvements sociaux, aux grèves et aux conflits, qui coûtent finalement plus cher à la collectivité qu'un minimum de dialogue social. Car l'effet pervers de tous ces systèmes d'information est de faire croire, à tort, que la réalité est bien connue. La communication tous azimuts fonctionne comme un système d'auto-intoxication au sein des milieux dirigeants.

2) Quand la crise sociale éclate, la *logique de l'événement* prend trop de place dans une économie de la communication où les effets de concurrence sont aussi forts que la logique événementielle. Tout est déséquilibré et se joue dans l'*instant*. La plupart du temps personne n'a prévu la crise qui pourtant vient souvent de loin, et en quelques jours il faudrait dans une sorte de catharsis que tout se règle. Les médias et les sondages se trouvent encore plus «sur le pont», amplifiant la crise sociale par le simple effet mécanique de leur concurrence et de leur répétition. Au point que, au bout de quelques jours, une crise sociale ou politique ressemble à une situation insurrectionnelle. Non seulement les médias posent alors le problème de la «capacité du pouvoir» à résoudre la crise, mais bientôt c'est l'«autorité» et même la «légitimité» politique qui sont mises en cause. Comme s'il s'agissait de régimes dictatoriaux déstabilisés par la pression populaire, évidemment démocratique! Et si la crise dure, chacun attend la chute, voire la défaite, la fuite à Varennes… La rue contre les institutions! Dans une telle situation, les médias accentuent l'affolement par l'impatience, la dramatisation des informations et des commentaires. Et dans ce jeu de bascule, finalement orchestré par personne, et qui tend à retomber ensuite après les quelques jours cruciaux, le rôle de la communication, du fait de l'hypermédiatisation des tensions, n'est pas secondaire. On a l'impression qu'il n'y a *plus que* la crise. Celle-ci envahit, déstabilise tout. Après chaque phase critique, les médias concluent que les dirigeants sont affaiblis, déstabilisés, voire délégitimés. Sans jamais se poser la question de savoir si par leur manière de faire ils n'ont pas eux-mêmes contribué à la déstabilisation, qu'ils analysent ensuite doctement! Et ces observateurs, qui n'ont pourtant pas la redoutable responsabilité du pouvoir, soufflent sur les braises, en soulignant la fragilité de nos démocraties.

3) Enfin, et ceci est le troisième temps d'une sorte de montée en puissance du rôle des médias, ceux-ci ont tendance, dans une situation tendue, à jouer les médiateurs, pour «débloquer» la crise et «faire avancer le dialogue», en arguant que les choses iraient plus vite si les protagonistes étaient mieux informés. Ils réduisent ainsi les crises à un problème d'«information», alors que la plupart du temps le problème n'est pas là, mais dans la gestion d'un rapport de force politique où l'information n'est qu'un élément.

Cette tendance des acteurs de la communication à vouloir, par le biais de la radio et surtout de la télévision, «faire avancer» le débat en temps de crise est de plus en plus préoccupante. On l'a même vu sur le plan international pendant la crise qui précéda la guerre du Golfe, en janvier et février 1991. Au cours de l'automne 1990, après l'invasion du Koweït, en août, les médias occidentaux déployés en Arabie inaugurèrent une sorte de «média diplomatie», par CNN interposé. Ils cherchaient à «rapprocher» les points de vue, comme pour «accélérer» la diplomatie. L'idée très forte à l'époque fut qu'il fallait remédier à «l'absence de communication» en direct entre les acteurs. Par le biais des médias, sans intermédiaires, une solution évitant la guerre pouvait être trouvée. Il y eut même ainsi un échange de cassettes entre MM. Busch et Hussein. Outre qu'une telle démarche fit fi de toute l'expérience des relations internationales et des projets réels des acteurs, elle véhicule une idée naïve. Celle qui consiste à croire que si l'on fait communiquer en direct des acteurs, on aboutit à une solution…

A une échelle plus réduite, et avec des risques moindres, c'est ce à quoi on assiste dans les démocraties médiatisées. Puisque les studios de radio et de télévision sont les lieux d'affrontement des points de vue, pourquoi ne pas les utiliser à cette fin en temps de crise? Le rêve de la plupart des journalistes est ainsi de *transformer les plateaux en lieux de négociations*. Obliger, en direct, les acteurs à négocier sous l'œil des citoyens devient le fantasme journalistique, et une *figure de l'idéal* démocratique. Mais une telle dérive oublie qu'il n'y a de vie sociale et politique que médiatisée par des rites, des temps, des codes, des institutions, et que la logique de la société n'est pas celle du *direct*. En réalité, il y a dans une société plusieurs scènes et rien n'est pire que de vouloir tout ramener sur une seule. Il y a un temps et une scène pour chaque situation sociale.

Autant la communication a été *incontestablement* un facteur d'ouverture par rapport aux scènes traditionnelles fermées du début du siècle, autant aujourd'hui le problème est autre, et ne peut être réduit à cette idée simple, et fausse, selon laquelle plus les médias assurent de transparence, plus ils contribuent à la démocratisation. Si de nos jours les acteurs ne négocient pas plus vite, ou mieux, ce n'est pas parce que les uns ne savent pas «réellement» ce que veulent les autres, c'est parce qu'il s'organise là un jeu de rapports de force où l'enjeu n'est pas l'information sur les projets respectifs, mais la capacité à influencer par tous les moyens (silence, retrait, menace) le rapport des forces. *L'histoire, la politique et la société n'existent pas dans le même espace-temps que l'information.*

En situation de crise, le problème n'est pas d'abord communicationnel, mais politique, et c'est sur la scène politique que les choses doivent se jouer. Il y a dans la «média-diplomatie» et la «média-négociation» une idée élémentaire mais erronée selon laquelle on se comprendrait mieux si on se parlait directement. Si cela est vrai pour de nombreuses situations humaines et sociales, cela l'est beaucoup moins dans le cadre des conflits au sein des démocraties, où règnent déjà en permanence l'information et la communication et où les blocages sociopolitiques ne relèvent pas d'abord d'une problématique de communication. Cela l'est encore moins sur le plan international, où toute l'expérience de la diplomatie depuis la nuit des temps consiste à *gérer les temps*, à distinguer les moments où il faut des intermédiaires de ceux où les relations directes sont possibles. La logique des pouvoirs et des rapports de force, dans certaines situations, est supérieure à celle de la communication. On l'a encore bien vu à l'automne 1995, quand, de bonne foi et rapidement, les médias ont souhaité «organiser» des débats pour «y voir clair et informer le public». Celui-ci, la plupart du temps, n'a pas joué son rôle, car les différents acteurs refusaient de se retrouver face à face, de parler ou de négocier en public. Les syndicats y étaient prêts, mais le gouvernement beaucoup moins. Et les acteurs économiques attendaient de savoir comment évoluerait la situation. Quand, vers la fin du conflit, en décembre 1995, les différentes forces en présence acceptèrent ces débats publics, ce furent de véritables foires d'empoigne, tant le nombre et l'hétérogénéité des positions en présence créaient une véritable cacophonie. Un tel résultat a peut-être eu un effet négatif en donnant au public le sentiment que «les uns et les autres n'arriveront jamais à s'entendre».

Pourquoi ai-je insisté sur ces dérapages? Pour montrer l'étroite marge de manœuvre existant dans les relations entre communication et politique dans nos sociétés.

III. Les portes de sortie

1) Pour les hommes politiques, il s'agit d'abord de *desserrer «l'étau de l'événement»* qui pèse sur eux par le biais des médias et des sondages, et de revaloriser leur rôle, qui n'est pas de gérer de la communication politique mais d'agir sur la réalité. A la décharge des journalistes, dont on peut regretter qu'ils exercent une pression trop forte sur les hommes politiques, il faut rappeler que ce sont souvent ces mêmes hommes politiques qui sollicitent les médias et les sondages, dont ils se plaignent en privé… Desserrer l'étau et prendre de la distance, cela signifie évidemment refuser de rebondir d'émission en émission pour répéter sans cesse la même chose, avec une fade langue de bois dont le public, qui ne dit rien mais n'en pense pas moins, n'est guère dupe. C'est aussi, pour les acteurs, refuser d'entrer dans la logique perverse du commentaire constant des sondages, et avoir parfois le courage de contester publiquement la problématique de certains sondages, les sujets, la manière de les poser, les questions, leurs rythmes… Une telle prise de distance serait sûrement bien reçue par un public qui les subit de la même façon, et qui apprécierait chez les hommes politiques ce trait de caractère. Il y trou-

verait également la confirmation qu'il n'y a pas forcément de collusion entre le monde de la politique et celui de la communication...

Après tout, si les hommes politiques souffrent de cette situation d'hypercommunication, ils n'ont qu'à le dire en public. Et non pas seulement en privé, comme ils le font tous. Tant qu'ils ne réagissent pas publiquement, les médias et les sondeurs sont fondés à penser qu'ils y sont favorables. Et pour être honnête, il faut reconnaître que cette hypermédiatisation constitue encore aux yeux des acteurs politiques un facteur déterminant dans la concurrence qui les oppose les uns aux autres.

Je dis cela pour éviter une vision erronée, opposant les bons et faibles hommes politiques aux méchants et irresponsables journalistes. En réalité, il s'agit le plus souvent d'un *couple satanique*, chacun renvoyant sur l'autre la responsabilité de ses propres lacunes. Les hommes politiques doivent aussi essayer de trouver «des mots» pour expliquer la difficulté de l'action politique et souligner sa spécificité par rapport à tout autre type d'action humaine. Du côté du public, qui dans l'ensemble n'est guère favorable à ce harcèlement médiatique, voir les hommes politiques se distinguer des journalistes et des sondages serait sans doute bien reçu, et constituerait un pas vers une reconquête de leur confiance. Ce qui gêne probablement l'ensemble des citoyens est moins la faible capacité d'action des hommes politiques que leur *difficulté* à afficher ce qui les *distingue* d'une logique de communication et d'opinion. Beaucoup ne voient plus d'ailleurs tellement de différence entre les hommes politiques et le monde de la communication...

2) Revaloriser le couple homme politique-citoyen.

Dans une période favorable aux médias et aux sondages, ce n'est pas en demandant à ceux-ci de s'autodiscipliner – qui accepte de le faire? – que la situation changera. C'est plutôt en favorisant le rapprochement entre hommes politiques et citoyens que les chances d'un rééquilibrage entre la politique et la communication peuvent se concrétiser. Sinon les phénomènes de rejet de la communication, médias et sondages inclus, dont les conséquences seraient catastrophiques pour la démocratie de masse, pourraient bien se produire. La revalorisation du couple homme politique-citoyen passe par celle du *métier* d'homme politique: c'est justement en montrant sa faible marge de manœuvre que l'on contribue à valoriser cette fonction. M. Crozier proposa un jour la formule de l'«État modeste». On devrait parler d'«homme politique modeste». D'autant que le public *voit* la faible capacité des hommes politiques.

Parier sur l'intelligence critique du public serait ainsi pour ces derniers un bon moyen de se libérer de la pression de la communication, et de retrouver les racines de leur engagement. C'est notamment la question des militantismes qui est ici posée. Aujourd'hui les médias font un *court-circuit* entre les dirigeants et les militants — ceux-ci, apprenant tout par les médias, ont le sentiment juste que tout se joue en haut, et que leur action ne sert à rien. C'est aux dirigeants d'inverser ce schéma, et de montrer qu'en réalité leur «vie au sommet» ne vaut que parce qu'il y a en bas, ailleurs, des milliers d'initiatives. Et ce n'est pas parce que les médias n'en parlent pas que cette vie militante locale n'a pas d'importance. C'est d'abord aux hommes politiques de montrer aux médias que l'essentiel de la vie politique démocratique ne se joue pas seulement dans la capitale. Il faut casser cette impression désastreuse selon laquelle l'engagement n'a plus de sens, et que tout se négocie ailleurs. D'autant qu'à la première crise sociale, on s'aperçoit que l'État et la société politique sont rapidement bloqués et désemparés. Les acteurs des conflits, superbement ignorés hier, se trouvent alors propulsés de la base aux velours des salons dorés des palais de la République pour devenir des «partenaires sérieux». Revaloriser la politique par rapport à la communication, c'est d'abord, de la part des dirigeants politiques, donner le sentiment aux militants et sympathisants que le *sens* de la politique n'est pas dans les palais nationaux où internationaux.

3) Élargir le cercle de ceux qui parlent.

Cela relève d'abord de la responsabilité des médias. Qu'observe-t-on dans la plupart des pays ? La tendance à voir *toujours* la *même* cinquantaine, voire centaine de personnalités (politiques, économiques, culturelles, diplomatiques, académiques…) dans les médias. Comme s'il n'y avait qu'une centaine de personnes à faire parler ! Pourquoi les journalistes font-ils toujours appel aux mêmes personnalités bien identifiées ? Pourquoi n'arrivent-ils pas à élargir leur carnet d'adresses ? Parce que ce jeu de miroir les valorise en retour : interroger quelqu'un de «connu» vous élève autant que la personne interrogée. Le résultat est une évidente *starisation* de ce milieu médiatisé, qui se met à parler à son tour la langue de bois. A force de parler *dans* les médias, on «parle *médias*», par phrases courtes, nuancées, équilibrées. L'eau tiède. Pour le public, une évidente saturation : on voit toujours les mêmes, on sait ce qu'ils vont dire. Pour ce milieu médiatisé, une confusion entre être connu, être médiatisé et avoir de la valeur. L'intérêt de la communication, qui est de *surprendre*, est ici fortement atténué ; le jeu de rôle s'installe rodé, avec les indignés, les sérieux, les doux, les méchants, les rieurs, les ennuyeux, les révoltés… Les journalistes devraient briser ce cercle vicieux. Non pas en faisant appel, comme cela se fait de plus en plus, à des «*gens ordinaires*» à qui l'on donne la parole dans des émissions plus ou moins scénarisées, dans une perspective où se mélangent le voyeurisme et une sorte d'attitude de base douteuse. Non, ils devraient *élargir le cercle de parole*, tout simplement en cherchant un peu plus loin des individus capables d'intervenir. Et il y en a! Il suffit de vouloir les trouver : aujourd'hui tout le monde sait parler à la radio et à la télévision, même sans l'avoir jamais fait, car chacun en écoutant et en regardant depuis son enfance sait presque instinctivement le faire. Ce qui n'était pas le cas il y a vingt ans. Élargir le cercle, élargir les mots, les références, les vocabulaires, susciterait de la curiosité, créerait des surprises et conforterait les journalistes dans leur rôle de «découvreurs de talents». Ce faisant, ils justifient leur fonction et donnent *aussi* le sentiment à un public de moins en moins enclin à croire n'importe quoi qu'ils sont bien là «pour tout le monde».

Le problème de la politique moderne est qu'elle est passée d'un jeu à deux à un jeu à trois. Hier il s'agissait surtout du face-à-face homme politique journaliste. Aujourd'hui ce face-à-face se fait devant le public, qui voit tout ou presque tout, mais ni les hommes politiques ni les journalistes, en dépit de ce qu'ils disent, n'en ont tiré les conséquences. La première difficulté est paradoxalement pour le public. Assailli d'informations sur le monde, il voit tout, sans pouvoir faire grand-chose. Cela crée une frustration qui oscille entre le sentiment d'impuissance et celui de révolte. La deuxième difficulté est pour les hommes politiques. Ils n'ont pas encore tout à fait réalisé combien le regard du public sur eux a changé. Le cynisme et le double langage passent de moins en moins, du fait notamment du niveau culturel du public qui ne cesse de monter, et de la culture critique apportée par les médias. Mais la troisième difficulté, concernant les relations entre le public et les journalistes, n'est pas moins réelle, même si elle est moins visible. Ceux-ci se transforment en chevaliers blancs de la vérité, mais le public n'est pas dupe. Simplement il ne le manifeste pas. De ce point de vue, la collusion, dommageable pour la démocratie, entre certains journalistes et des magistrats doit être interrogée. Les magistrats, pas plus que les journalistes, ne sont au-dessus des lois. Et la tentation de se présenter comme les derniers remparts de la vérité et de la justice, contre des hommes politiques nécessairement suspects – à l'instar d'ailleurs des dirigeants des grands groupes industriels –, pose de redoutables problèmes. D'abord de dévalorisation de ceux qui sont confrontés à l'action et à la responsabilité. Ensuite de suspicion à l'égard de toute autorité. Enfin de glissements progressifs vers deux idées apparemment séduisantes, mais finalement dangereuses : la presse comme quatrième pouvoir, et le gouvernement des juges.

Les trois difficultés de la politique moderne sont donc : un accroissement de la sphère politique, mais qui s'accompagne d'une plus grande difficulté d'action; une visibilité accrue de la politique, mais qui conduit à une sorte de renversement du rapport de force au profit des médias; un public de plus en plus aguerri, mais dépourvu de moyens d'action, voire de moyens pour exprimer sa rancœur. Attention au public quand il sortira de sa spirale du silence...

BIBLIOGRAPHIE

chapitre 7

AKOUN A., *La Communication démocratique et son destin*, PUF, Paris, 19?? i.

BOUDON R., «Petite sociologie de l'incommunication», *Hermès*, n° 4, «Le Nouvel Espace public», Éd. du CNRS, Paris, 1989.

BOURRICAUD F., *L'Individualisme institutionnel. Essai sur T. Parsons*, PUF, Paris, 1977.

BOUVIER A., *L'Argumentation philosophique. Étude de sociologie cognitive*, PUF, Paris, 1995.

COLLIOT-THÉLÈNE C., *Le Désenchantement de l'État. De Hegel à Max Weber*, Éd. de Minuit, Paris, 1992.

DESROSIERES A., «Masses, individus, moyennes : la statistique sociale au XIXe siècle», *Masses et politique*, Hermès, n° 2, Éd. du CNRS, Paris, 1988.

DUMONT L., *Essais sur l'individualisme. Une perspective anthropologique sur l'idéologie moderne*, Seuil, Paris, 1983.

DUPRÉEL E., «Y a-t-il une foule diffuse?», *Masses et politique*, Hermès, n° 2, Éd. du CNRS, Paris, 1988.

EHRENBERG A., *L'Individu incertain*, Calmann-Lévy, Paris, 1995.

GALLINI C., «Scipio Sighele et la foule délinquante», *Masses et politique*, *Hermès*, n° 2, Éd. du CNRS, Paris, 1988.

GINGRAS A.-M., «L'impact des communications sur les pratiques politiques», *Communication et politique*, Hermès, n°s 17-18, Éd. du CNRS, Paris, 1995.

GINNEKEN J. van, «Les grandes lignes d'une histoire culturelle de la psychologie politique», *Individus et Politique*, Hermès, n°s 5-6, Éd. du CNRS, Paris, 1989.

GUILLEBAUD J.-C., *La Trahison des lumières. Enquête sur le désarroi contemporain*, Seuil, coll. «Fiction et Cie», Paris, 1995.

KELSEN H., «La notion d'État et la psychologie sociale», *Masses et politique*, *Hermès*, n° 2, Éd. du CNRS, Paris, 1988.

KORNHAUSER W., «Société de masse et ordre démocratique», *Masses et politique*, Hermès, n° 2, Éd. du CNRS, Paris, 1988.

LEFORT C., *L'Invention démocratique*, Fayard, Paris, 1981.

MACHEREY P., «Figures de l'Homme d'en bas», *Masses et politique*, Hermès, n° 2, Éd. du CNRS, Paris, 1988.

MEYER M., *Questions de rhétorique*, Le Livre de poche, coll. «Essais», Paris, 1993.

PARODI J.-L., «Ce que tu es parle si fort qu'on n'entend plus ce que tu dis», *Hermès*, n° 4, «Le Nouvel Espace public», Éd. du CNRS, Paris, 1989.

PEYREFITTE A., *La Société de confiance*, Odile Jacob, Paris, 1995.

REYNIE D., «Le nombre dans la politique moderne», *Hermès*, n° 4, «Le Nouvel Espace public», Éd. du CNRS, Paris, 1989.

ROSANVALLON P. (sous la dir. de), *La Pensée politique*, t. 1 «Situations de la démocratie», Hautes Études/Gallimard/Seuil, Paris, 1993.

SLAMA A.-G., *L'Angélisme exterminateur. Essai sur l'ordre moral contemporain*, Grasset, coll. «Pluriel», Paris, 1995.

STOETZEL J., «Les comportements dans les foules», *Masses et politique*, *Hermès*, n° 2, Éd. du CNRS, Paris, 1988.

TCHAKHOTINE S., «Le symbolisme et la propagande politique», *Masses et politique*, *Hermès*, n° 2, Éd. du CNRS, Paris, 1988.

WATZLAWICK P., *La Réalité de la réalité. Confusion, désinformation, communication*, Seuil, Paris, 1978.

WOLTON D., «Les médias, maillon faible de la communication politique», *Hermès*, n° 4, «Le Nouvel Espace public», Éd. du CNRS, Paris, 1989.

ZYBERBERG J. (sous la dir. de), *Masses et Post-Modernité*, Méridien-Klincksieck, Paris, 1986.

CHAPITRE 8

L'ESPACE PUBLIC

Élargir l'espace public[1] (dont on trouvera la définition dans le glossaire) fut un objectif constant, mais jusqu'où peut-il y avoir publicisation, et discussion contradictoire des affaires de la cité ? Jusqu'où les contraintes de rationalisation, et nécessairement de politisation, indispensables à une discussion collective de problèmes de natures différentes, sont-elles compatibles avec la complexité sociale et culturelle ? Jusqu'où l'idéal démocratique, qui est de favoriser le dialogue, est-il possible sans conduire à une sorte de cohabitation bureaucratisée d'intérêts contradictoires ? La question des *limites* de l'espace public est nouvelle puisque, jusqu'à une date récente, le processus consistait au contraire à souhaiter élargir cette sphère publique, à repousser le secret et à favoriser l'information. L'idée est de réintroduire de l'hétérogène, des différences, et non d'étendre la transparence. Autrement dit, de penser les limites de l'espace public pour sauver ce concept essentiel.

I. La frontière public-privé

C'est un problème considérable qui a été l'objet d'affrontements culturels et politiques d'une violence inouïe depuis le XVIIe siècle. Lentement la philosophie, l'anthropologie et la sociologie mettent au jour les conflits et les rapports de force qui ont traversé cette bataille violente.

Il n'est pas question ici de reprendre les termes du débat, mais simplement de poser la question dans la perspective synchronique. La victoire de la catégorie du *public* mêle trois facteurs. *D'abord* le facteur politique lié au mouvement en faveur de la démocratie, qui, depuis plus d'un siècle, identifie l'émancipation à la lutte contre un espace privé dominé par les valeurs morales et religieuses. *Ensuite* le facteur social : les formidables mouvements sociaux qui se sont produits en un siècle avec l'exode rural, l'urbanisation et la transformation des modes de vie ont modifié les frontières entre ces deux catégories. *Enfin* le facteur culturel, où se mêlent l'idée d'émancipation et la généralisation de la communication, et qui favorise un certain décloisonnement. La socialisation croissante de la vie publique, la multiplication des politiques de la famille puis sanitaires, enfin le profond mouvement de libération de la femme, accompagné par l'évolution des médias, qui ont contribué à ce que l'on puisse « parler de tout », ont bousculé les frontières public-privé, repoussé les territoires du secret, favorisé la prise de parole et facilité cette réalité aujourd'hui banale, mais impensable il y a cinquante ans : *on parle de tout sur la place publique.* Tout peut se dire et se discuter, sans tabous, y compris la sexualité et la religion, qui furent longtemps les deux derniers bastions du territoire privé. Jusqu'où le public peut-il l'emporter sur le privé ? Si la prise de parole publique sur des questions privées a été liée au mouvement d'émancipation, le prix à payer en a été le *mode* sur lequel celle-ci s'organise. Un mode rationnel, laïc et politique. La reconnaissance, après de nombreuses luttes, de « la personne » est passée par une bataille acharnée pour les droits de l'individu qui mêlaient vie privée et vie publique (durée du travail, école, santé, éducation, retraite…). La condition et le prix à payer de cette bataille furent la laïcisation et la politisation des vocabulaires. Résultat ? Aujourd'hui, toute défense de la sphère publique renvoie à l'idée d'émancipation, et toute défense de la vie privée à une conception « conservatrice ». Cette distinction ne tient plus dès lors que les catégories « publiques » ont gagné et qu'apparaissent de nouveaux problèmes liés à la procréation médicale assistée, au statut de l'embryon. Tout ce qui se joue par exemple aux confins du vivant ne peut plus être d'abord évoqué à travers ces catégories politiques. Le changement consistera à abandonner ce vocabulaire dichotomique pour aborder autrement la problématique fort compliquée du rapport public-privé, dans des sociétés où domine la publicité, au sens étymologique. Le vocabulaire public social et politique ne peut plus être le seul mode de qualification et de description des réalités « privées », au risque de susciter un réel appauvrissement. Tel est le risque majeur.

Défendre la frontière public-privé consiste, au-delà des questions anthropologiques et ontologiques, à affirmer le droit à la *coexistence*, sans hiérarchie de références différentes. Préserver cette distinction, c'est d'abord admettre la multiplicité des discours, sans crainte que davantage de tolérance à l'égard des discours moraux, spiritualistes et religieux ne provoque un « retour au Moyen Age »… Autrement dit, préserver la fonction de débat, inhérente à l'espace public, oblige aujourd'hui à réintroduire *au sein* de celui-ci des vocabulaires et des références qui en ont été exclus du fait des affrontements idéologiques d'hier, et à admettre, à côté de lui, la présence d'autres codes langagiers et symboliques. Les autres systèmes d'interprétation et les anciennes valeurs ne sont pas « de trop » pour aborder les nouveaux problèmes de société, dont beaucoup ont à voir avec la définition de la vie, de la mort et de la liberté individuelle. Les sociétés laïques, égalitaires, individualistes et de masse sont confrontées à des contradictions pour lesquelles nous manquons dramatiquement d'outils conceptuels. Et si l'on veut sauver un des acquis du modèle démocratique qui est la capacité de délibération, cela passe par la coexistence avec d'autres systèmes de références et de valeurs.

Pour résumer, l'espace public n'est peut-être plus le seul lieu où penser la légitimité de la société démocratique. Celle-ci avait réussi à circonscrire *dans* l'espace public les principales catégories de vocabulaire et de références pour penser la société moderne ; la survie du modèle requiert une réouverture de cet espace à d'autres systèmes de valeurs. Un exemple : le débat sur la définition de la vie et de la personne. Ce sont évidemment d'une part les concepts essentiels de liberté, de personne, d'éthique, de règle, de convention, et d'autre part les progrès de la connaissance du génome et de la cellule en neurobiologie qui vont obliger à une redéfinition de la vie et de la conscience. La complexité de ces problèmes, où se télescopent les catégories philosophiques, religieuses et sociales, va, par ricochet, entraîner une réflexion plus générale sur les rapports public-privé et sur la catégorie du privé. Les réactions perceptibles contre les excès de la socialisation sont les facteurs favorables à un réexamen de la manière de penser le rapport public-privé. Comme les progrès de la biologie et de la médecine le sont du côté des sciences. C'est peut-être la conjonction de ces deux mouvements, de natures différentes, qui permettra une reprise du débat théorique et normatif sur les rapports public-privé, qui sont à la base de toute problématique de l'espace public.

II. Recréer les distances

Le prix à payer au modèle de la démocratie fut une certaine rationalisation des manières de penser et de nommer les problèmes de la société. Et cela à travers l'affirmation progressive et conflictuelle de deux valeurs essentielles, la liberté et l'égalité. Pas d'espace public sans liberté et égalité des individus. Les deux batailles ont été d'autant plus difficiles qu'elles opposèrent, et opposent encore, des systèmes de pensée et des visions du monde que l'on peut appeler, pour aller plus vite, la droite et la gauche. Si la droite défend la liberté, la gauche, depuis un siècle, lui répond : pas de liberté sans égalité. Progressivement, c'est ce concept d'égalité qui s'est imposé comme la perspective, si ce n'est la réalité, des sociétés individualistes de masse, au point que le modèle social-démocrate, qui en est sa traduction, est devenu le modèle culturel dominant en Europe. Y compris dans les régimes politiques conservateurs. *« J'ai le droit »* est aujourd'hui *le concept central de nos sociétés*, au point d'avoir éclipsé la problématique de la liberté, considérée comme acquise, et celle des devoirs, considérée comme beaucoup moins importante. Quant au concept d'égalité, il est passé dans le vocabulaire commun et appartient à toutes les familles politiques. Le résultat est évidemment une *immense socialisation des vocabulaires*. Dès lors que les sociétés étaient coupées d'une référence transcendante, il fallait bien un vocabulaire susceptible de rendre compte des faits sociaux, pour ce qu'ils sont. Et dans cette bataille, où la lutte pour les connaissances était contemporaine de celle de la démocratie, voire du socialisme, le vocabulaire des sciences sociales, marqué par la laïcité, la rationalité et l'égalité, a joué un rôle essentiel. Il y a donc eu une sorte d'*adéquation* entre la pensée des sciences sociales et le vocabulaire politique. Le lien est d'autant plus visible que pendant longtemps les forces politiques conservatrices étaient peu favorables et même hostiles aux sciences sociales, alors qu'en revanche les « forces de progrès » souhaitaient les promouvoir. S'il y a donc un mot qui caractérise le fonctionnement de l'espace public démocratique, c'est bien celui d'*égalité*.

Pourquoi ce détour sur l'égalité pour comprendre la nécessité des distances à introduire dans le fonctionnement de l'espace public ? Parce que ce superbe mouvement en faveur de l'égalité réduit dangereusement finalement la légitimité et la place des « distances ». Les distances sont suspectes. Or, il n'y a pas de société sans distance. Mais aujourd'hui, dans un contexte dominé par le paradigme de l'égalité, revendiquer les distances est une manière détournée de justifier, voire de réhabiliter la hiérarchie, donc de combattre l'idéal d'égalité. D'ailleurs les travaux en philosophie politique et en sociologie politique et anthropologique sur la question sont peu nombreux. C'est cette suite logique, mais diabolique, qui devrait être interrogée. Admettre que le concept de démocratie de masse ne peut subsister qu'à la condition de préserver les distances entre les expériences, les vocabulaires, les symboles. Mais cela suppose une vraie révolution mentale, la même que celle visant à interroger les effets de nivellement opérés par la société égalitaire. C'est l'équation revendication des *distances* comme synonyme de vision conservatrice et hiérarchique de la société qu'il faut arriver à critiquer. De même qu'il faut admettre que revendiquer le droit aux différences ne conduit pas non plus forcément au différentialisme, à la mise en cause de l'universalisme ou à l'installation d'un modèle de société «politiquement correct».

Le choix pour l'espace public? Rester le lieu des débats, des valeurs contradictoires, *ou* devenir progressivement l'espace de réification des valeurs égalitaires, rationalistes, démocratiques. Comme c'est déjà au nom de l'égalité des points de vue que l'espace public a pu se constituer, le risque est évidemment que cette condition normative de départ devienne tout simplement la norme idéologique, voire la loi et l'ordre. C'est un peu ce qui se passe déjà. Gare à celui qui, dans nos sociétés, ne pense pas de manière laïque, scientifique, rationnelle, égalitaire. Cela explique le besoin impératif de réintroduire d'autres systèmes de valeurs, donc plus de tolérance envers les catégories religieuses, mais aussi scientifiques, médicales, esthétiques. Non que ces catégories soient fermement opposées aux valeurs dominantes dans le système démocratique, mais elles ne s'y *réduisent* pas. Leur logique est plus complexe que celle de l'espace public démocratique. Les prêtres sont capables de s'exprimer publiquement et de débattre, les scientifiques d'exposer les grands choix, les médecins de poser les problèmes sociaux et humains de la santé... Mais simultanément chacun sait bien que l'essentiel du discours religieux, scientifique, médical ou esthétique ne s'épuise pas dans cette dimension publique. Il y a d'autres origines, valeurs, références et objectifs à chacun de ces quatre discours. Et sauf à avoir une vision étroitement sociologisante de la réalité, personne ne peut sérieusement réduire le prêtre, le scientifique, le médecin, l'artiste, et d'autres, au discours qu'ils tiennent *dans* l'espace public. Mais la tolérance à cette «autre dimension de leur discours» n'est pas forte dans nos sociétés démocratiques.

On trouve normal que les prêtres s'occupent des pauvres, cela correspond à la définition «sociologique» de leur rôle, on tolère mal qu'ils émettent des dogmes qui contredisent le dogme laïc, rationnel et démocratique dominant concernant la vie, la famille, la personne. Et même l'Église est tentée, pour mieux se faire comprendre, de rendre son discours plus sociologique, au risque d'être totalement absorbée dans cette logique, et de ne plus pouvoir défendre le reste de son système de valeurs et d'interprétations, extérieur au paradigme sociologique dominant. On ne supporte pas davantage que des scientifiques, quel que soit leur domaine, viennent, à propos de l'atmosphère, de la terre, de l'océan, de l'environnement, de la société..., tenir des raisonnements à l'opposé des valeurs dominantes. De même le médecin n'est pas entendu s'il déplace la problématique actuelle de la manière de voir la vie et la mort.

Il ne s'agit pas du conflit classique qui existe dans toute société entre les connaissances du moment et la résistance à l'innovation. Non, il s'agit d'un rejet plus violent, qui exclue les discours et les visions du monde qui ne correspondent pas aux discours dominants de l'espace public laïc et démocratique. Celui-ci, en triomphant, est menacé par la même dérive que celle observée dans la première partie du livre à propos du passage de la modernisation à la modernité. De même qu'en triomphant la modernisation risque de se crisper en modernité, de même l'espace public démocratique risque de supporter encore moins les discours qui ne relèvent pas du système de valeurs dominant. Ou, pour le dire autrement : le prix à payer pour la constitution de cet immense espace discursif accessible à tous, et surtout compréhensible par tous, a évidemment été la rationalisation et la réduction du nombre de discours et de références. Et c'est ainsi que l'objectif démocratique, réduire les distances et les hiérarchies, conduit à un espace public où le *nombre* de systèmes de valeurs et de références en cohabitation est trop étroit. *De l'égalité au conformisme puis à la standardisation, il n'y a qu'un pas.* C'est ce qui menace aujourd'hui l'espace public démocratique, avec le handicap supplémentaire d'avoir le sentiment de le faire au nom de la référence démocratique. *Le nombre n'a pas toujours raison, fût-il issu d'un choix démocratique.* Et la grande difficulté, pour la société actuelle, est de trouver le juste équilibre. Comment éviter que la légitimité accordée au titre du nombre ne se transforme en conformisme, voire en dogmatisme ? Vieux problème, déjà posé par Tocqueville au XIXe siècle, mais qui, avec l'extension de la démocratie, prend encore plus d'importance.

En fait, il y a aujourd'hui *confusion entre l'espace public, lieu d'expression et lieu de médiation, et lieu de hiérarchisation normative.* Cet espace, qui a vocation à recevoir tous les discours émis publiquement et à en assurer la médiation, n'a pas – en théorie – vocation à se transformer en un *système normatif* de hiérarchisation des bons et des mauvais discours. La question est de savoir si l'espace public doit rester un espace d'expression et de médiation, et donc de conflits, entre des représentations et des symboles contradictoires, *ou* si la légitimité croissante du paradigme démocratique renforce le thème de l'espace public lieu de normativité. L'espace public démocratique ne peut pas être le *juge*, et le mot est choisi à dessein, de l'ensemble des situations sociales et culturelles. *Séparer les ordres symboliques* et accepter l'existence de hiérarchies entre les différentes fonctions ne sont pas contradictoires avec le modèle démocratique.

III. Espace public contre communautés partielles

L'histoire de l'espace public est celle du passage d'un modèle de société où cohabitaient de manière hiérarchique plusieurs communautés à un modèle de société où les communautés partielles ont perdu de leur importance au profit de cet espace plus universel.

Par *communauté partielle*, ou *restreinte*, il faut entendre les communautés religieuses aussi bien que scientifiques, médicales, militaires, artistiques… Bref, tous les milieux structurés par des règles et des normes. Celles-ci sont liées à l'adhésion à un même corpus de connaissances pour la religion ; aux règles définissant le vrai et le faux pour la communauté scientifique ; à la définition de la vie, de la mort, à l'obligation de soin, pour la médecine… C'est-à-dire des communautés définies à la fois par des règles strictes de fonctionnement, par un système d'autocontrôle et d'autolégitimation ainsi que par des règles de reconnaissance mutuelle. Ces communautés partielles sont évidemment très anciennes. Si certaines ont perdu leur pouvoir social, comme les communautés religieuses, d'autres ont, au contraire, acquis en deux siècles une légitimité bien réelle, comme la communauté scientifique. Elles traduisent de fort anciens, et parfois mutuellement antagoniques, rapports à la réalité.

Toute l'histoire de la société moderne a consisté à *réduire* le poids et la légitimité de ces communautés partielles *au profit* de la naissance d'un espace public universel. Ce fut le cas, au nom de la lutte contre l'emprise politique des religions, pour la séparation des pouvoirs temporel et spirituel et la laïcisation de l'État, et finalement du pouvoir. Puis, à partir du XVIIIᵉ siècle, cette bataille s'est transformée, au nom des idéaux de la Révolution, en faveur de la constitution, lente et difficile, d'un espace public comme espace d'expression et de délibération des citoyens libres et égaux en droit. Il s'est agi par la suite d'y intégrer l'idée de justice économique ; enfin, à partir de la seconde moitié du XIXᵉ siècle, la bataille a consisté à vouloir réduire les inégalités sociales. L'idée même d'espace public est donc une conquête *contre* les pouvoirs de ces communautés restreintes, dont l'autorité allait hier bien au-delà de leurs règles professionnelles, puisqu'elles définissaient des morales, des valeurs et des hiérarchies pour la société dans son ensemble. D'ailleurs la perte progressive d'autonomie et de pouvoir de ces communautés s'est faite au profit de l'affermissement et de l'élargissement de l'espace public. On peut même dire que les deux mouvements ont été simultanés, mais de sens contraire. Il y a donc toujours eu un *rapport de force* entre ces deux concepts, celui d'espace public et celui de communauté partielle. Quel est aujourd'hui le problème ? Le rapport de force s'est tellement inversé que les communautés restreintes n'ont plus guère d'autonomie dans la gestion de leur système de références et de symboles, et elles sont de plus en plus *soumises* aux règles régissant l'espace public. Mais une société ne peut reposer sur la légitimité et l'autorité *d'un seul* système de valeurs, fût-il le système de valeurs démocratique ; et cette problématique n'épuise pas le sens de toutes les activités humaines, qu'il s'agisse de la religion, de la science, de l'art militaire, de la médecine, des arts... Le problème n'est pas le droit à l'expression de chacune de ces communautés, mais la *place* accordée à ces systèmes symboliques hétérogènes *par rapport* aux règles démocratiques dominantes de l'espace public.

Deux problèmes théoriques différents, mais complémentaires, résultent de cette situation d'hégémonie de l'espace public démocratique.

1) D'abord les risques d'une société sans médiation, c'est-à-dire d'une « *société en direct* ». La société d'hier était celle des *intermédiaires*, mais la bataille démocratique a consisté à lutter contre eux, au nom de l'égalité. Il en résulte une société sans intermédiaires, où les seuls principes de hiérarchie sont ceux liés au savoir et à l'élection. A l'exclusion de tout autre. On voit l'acquis démocratique, on en devine également les excès ! Si on supprime les intermédiaires d'un côté, au nom de l'égalité, les risques de les voir faire un retour en s'appuyant sur des valeurs beaucoup plus « hiérarchiques » sont réels. Ensuite les sociétés ont besoin de médiations de toutes sortes. *Aujourd'hui, nos sociétés manquent de médiation davantage que de médiatisation.* La médiatisation ne remplace pas la médiation humaine, c'est-à-dire l'ensemble des contrats, rites et codes indispensables à la communication sociale et à la vie quotidienne. Plus il y a d'information et de communication, de transparence et d'immédiateté, plus il faut réintroduire des médiations. Des *filtres cognitifs*. C'est en cela que la rencontre des deux mouvements d'extension de la logique de l'espace public et de l'information et de la communication est « diabolique ». Ils renforcent le mouvement de rationalisation alors qu'il faudrait au contraire contrebalancer ce modèle d'une « société en direct » par davantage d'intermédiaires. D'un côté on dévalorise les intermédiaires, de l'autre on valorise le « *do it yourself* » avec la mise en avant des techniques qui permettent *de tout faire soi-même de chez soi*, par ordinateur, aussi bien pour le travail que pour la formation professionnelle, les relations avec sa banque, l'éducation et les loisirs... La conséquence est que l'individu est libre, débarrassé des intermédiaires inutiles, mais seul face au monde, et dans le cadre de réseaux dont personne ne pose la question des rigidités qu'ils créent...

Du coup, l'on glisse facilement de l'idée de liberté due à l'absence d'intermédiaires à l'idéologie de l'immédiateté. Tout est public et immédiat. Mais peut-il y avoir une société qui laisse l'individu, le citoyen, le travailleur, le consommateur, seul, sans intermédiaires, face au marché, à l'État et à la politique ? Et donc beaucoup plus fragile.

On retrouve ici la question des distances : il n'y a plus de distance entre le proche et le lointain, tout est « légal et démocratique », dans un présent immédiat. Le risque est évidemment la montée d'un double problème, celui d'une *homogénéisation* excessive, liée à l'affaissement des communautés partielles, et celui, complémentaire, d'une anomie des sujets, reliés à la société par les seuls fils du tissu démocratique. Voilà sans doute l'un des problèmes anthropologiques les plus compliqués, issu du triomphe du modèle de la société démocratique, dominé par l'espace public.

L'un des effets paradoxaux du modèle culturel de société sans hiérarchie, sans intermédiaires et en direct qui émerge, est la valorisation extrême du pouvoir de l'*expert*. Il s'agit là d'un principe de hiérarchie beaucoup plus difficile à contester que les autres, car il repose sur la légitimité démocratique du savoir. Voilà le paradoxe, dont je reparlerai dans la partie suivante. La société égalitariste, individualiste et sans intermédiaires renforce le pouvoir de l'*expert*, peut-être l'un des plus hiérarchiques et des moins contestés d'aujourd'hui.

2) Le deuxième problème théorique lié à l'hégémonie de l'espace public démocratique est celui du statut du rôle et de la valeur des *communautés restreintes*. Non seulement les communautés partielles (art, religion, science, médecine, armée) sont porteuses par leur existence d'histoires plus anciennes que celles de la démocratie, mais leurs systèmes de valeurs et de références n'ont, la plupart du temps, pas de rapport direct avec le modèle dominant de l'espace public laïc et démocratique. Ce faisant, elles constituent autant de *chicanes* permettant d'éviter les dégâts de cette société en direct. Elles ont deux autres rôles essentiels. Préserver un principe de *hiérarchie*, non lié au système électif, et maintenir des principes de *compétence* indépendants du modèle démocratique. Bref, elles préservent des sources d'altérité vis-à-vis des valeurs démocratiques. Elles sont sans doute le meilleur rempart contre le surgissement d'autres principes de mobilisation : les sectes, les parasciences ou les médecines parallèles, dont le prestige croît proportionnellement aux difficultés des Églises, de la science et de la médecine. Autrement dit, la valorisation des communautés partielles liées au patrimoine culturel de nos sociétés est probablement le meilleur moyen d'éviter que le besoin croissant de médiation, et de lieux pour la réaliser, favorise la montée de mouvements communautaires plus ou moins hostiles à l'espace public démocratique. Le besoin pour l'individu d'échapper aux « solitudes interactives » renforce le désir d'adhérer à des communautés. Si on ne valorise pas les communautés partielles traditionnelles, de nouvelles s'imposeront, autrement plus radicales et beaucoup plus proches d'une contestation de l'espace public démocratique. Reconnaître le rôle central des communautés restreintes dans l'espace public démocratique évite de réduire la science, la religion, la médecine, les mœurs, l'armée,

la culture, l'école, à des problèmes d'*opinion*. Oui à la démocratisation de la société ; non à l'égalité des savoirs, des opinions, des symboles et des représentations, en dehors de ceux liés à l'exercice de la légitimité politique. Et non au sondage comme moyen «universel» d'accès aux représentations, symboles, croyances, qui relèvent d'autres systèmes cognitifs. D'ailleurs la généralisation des sondages à *l'ensemble* des pratiques sociales, sur le même modèle que le sondage politique, contribue à cette idéologie de l'égalité et du paradigme unique. Au nom de l'«égalité» de l'opinion publique, on fait des sondages sur le Premier ministre, le pape, la contraception, la «vache folle», la conquête de l'espace, l'homosexualité, le mariage des prêtres, les manipulations génétiques... On retrouve le problème auquel est confrontée la démocratie de masse : *la confusion des plans en matière d'égalité*. L'égalité politique et la référence égalitaire, visibles dans la plupart des sphères sociales, ne fondent pas pour autant un concept d'égalité valable pour toutes les pratiques sociales et tous les espaces cognitifs. Poser ce problème ne signifie pas adhérer à un modèle ancien, hiérarchique, ni être nostalgique du passé. C'est tout simplement souligner une des contradictions majeures de l'espace public triomphant.

En d'autres mots, il est essentiel de valoriser le rôle et la légitimité des communautés partielles ; elles sont un complément *normatif* indispensable. Quant à croire que ces communautés pourraient mettre en péril les valeurs démocratiques, c'est faire peu confiance au triomphe de ces valeurs... Autrement dit, c'est le triomphe même de l'espace public élargi et médiatisé qui commande de revaloriser la place et la valeur des autres espaces symboliques et culturels des communautés partielles. C'est le moyen pour la démocratie de masse de marcher sur ses deux jambes.

Si le rapport de force devenait trop défavorable aux communautés restreintes, certains abandonneraient peut-être leurs références universelles pour se refermer et rejoindre alors la logique de l'irrédentisme communautaire. Il y a un risque réel d'appauvrissement symbolique de l'espace public démocratique médiatisé ; et si l'on veut sauver ce concept essentiel à la démocratie, il faut en limiter l'extension qui se fait sur le mode politique, rationnel et laïc. En limiter l'extension, c'est aussi redonner leur place et leur légitimité aux autres systèmes de valeurs pour éviter un certain appauvrissement de la sphère publique. Bref, *recréer des distances*, alors que le mouvement démocratique depuis deux siècles s'est efforcé de les réduire.

BIBLIOGRAPHIE

chapitre 8

ARCY F. d'(sous la dir. de), *La Représentation*, Economica, Paris, 1985.

BADIE B., *Culture et politique*, Economica, Paris, 1990.

BALANDIER G., *Le Pouvoir sur scènes*, Balland, Paris, 1992.

BERGER P. et LUCKMANN Th., *La Construction sociale de la réalité*, Méridien-Klincksieck (trad.), Paris, 1986.

BERGOUNIOUX A. et GRUNBERG G., *L'Utopie à l'épreuve: le socialisme européen au XXᵉ siècle*, Éd. de Fallois, Paris, 1996.

BESNIER J.-M., *Tocqueville et la démocratie: égalité et liberté*, Hatier, Paris, 1995.

BOUDON R., *La Logique du social*, Hachette, coll. « Pluriel », Paris, 1979.

C.U.R.A.P.P., *La Société civile*, PUF, Paris, 1986.

CANETTI E., *Masse et puissance*, Gallimard (trad.), coll. « Tel », Paris, 1966.

DACHEUX E. et ROSSO R., *La Communication entre associations et élus en Ile-de-France. Étude de cas*, L'Harmattan, Paris, 1996.

DAHLGREN P., « L'espace public et les médias: une nouvelle ère? », *Hermès*, nᵒˢ 13-14, « Espaces publics en images », Éd. du CNRS, Paris, 1994.

DEBRAY R., *L'État séducteur: les révolutions médiologiques du pouvoir*, Gallimard, Paris, 1993.

DELMAS-MARTY M., *Vers un droit commun de l'humanité. Entretien avec P. Petit*, Seuil, Paris, 1996.

ELIAS N., *La Société des individus*, Fayard, Paris, 1991.

FINKIELKRAUT A., *L'Humanité perdue*, Seuil, Paris, 1996.

FOUCAULT J.-B. de, *La Société privée de sens*, Seuil, Paris, 1995.

FRIEDBERG E., *Le Pouvoir et la règle*, Seuil, Paris, 1993.

GAUCHET M., *La Révolution des pouvoirs. La souveraineté, le peuple et les représentations 1789-1799*, Gallimard, Paris, 1995.

GAUTHIER G., « L'argumentation périphérique dans la communication politique: le cas de l'argument "ad hominem" », *Hermès*, nᵒ 16, « Argumentation et rhétorique », Éd. du CNRS, Paris, 1995.

HABERMAS J., *L'Espace public: archéologie de la publicité comme dimension constitutive de la société bourgeoise*, Payot, Paris, 1986.

HAMMOND P., *The Sacred in Secular Age*, University of California Press, Berkeley, 1985.

Hermès, nos 13-14, « Espaces publics en images. L'espace public et les médias », Éd. du CNRS, Paris, 1994.

Hermès, nos 15-16, « Argumentation et rhétorique », Éd. du CNRS, Paris, 1995.

MAFFESOLI M., *Le Temps des tribus : le déclin de l'individualisme dans les sociétés de masse*, Méridien-Klincksieck, Paris, 1988.

MANIN B., *Principes du gouvernement représentatif*, Calmann-Lévy, Paris, 1995.

MARCUSE H., *L'Homme unidimensionnel ; étude sur l'idéologie de la société industrielle avancée*, Éd. de Minuit, Paris, 1968.

MERMET G., *Démocrature, comment les médias transforment la démocratie*, Aubier-Montaigne, Paris, 1987.

MEYER-BISCH P. (sous la dir. de), *Les Droits culturels. Une catégorie sous-développée des droits de l'homme*, Éd. de l'université de Fribourg, Fribourg, 1993.

MIÈGE B., « L'espace public : au-delà de la sphère politique », *Hermès*, nos 17-18, Communication et politique, Éd. du CNRS, Paris, 1995.

NOËLLE-NEUMANN E., « La spirale du silence », *Hermès*, n° 4, « Le Nouvel Espace public », Éd. du CNRS, Paris, 1989.

PAILLART I. (sous la dir. de), *L'Espace public et l'emprise de la communication*, ELLUG, Grenoble, 1995.

ROSANVALLON P., *La Nouvelle Question sociale*, Seuil, Paris, 1995.

SLAMA A.G., *La Régression démocratique*, Fayard, Paris, 1995.

TASSIN E., « Espace commun ou espace public ? L'antagonisme de la communauté et de la publicité », *Hermès*, n° 10, « Espaces publics, traditions et communautés », Éd. du CNRS, Paris, 1992.

TÉTU J.-F., « L'espace public local et ses médiations », *Hermès*, nos 17-18, « Communication et politique », Éd. du CNRS, Paris, 1995.

VÉRON E., « Interfaces », *Hermès*, n° 4, « Le nouvel espace public », Éd. du CNRS, Paris, 1989.

—, « Médiatisation du politique : stratégies, acteurs et construction des collectifs », *Hermès*, nos 17-18, « Communication et politique », Éd. du CNRS, Paris, 1995.

WOLTON D., « Les contradictions de l'espace public médiatisé », *Hermès*, n° 10, « Espaces publics, traditions et communautés », Éd. du CNRS, Paris, 1992.

1. A propos de la définition et des caractéristiques de l'espace public contemporain, voir le glossaire. Ainsi que J. Habermas, *L'Espace public*, Payot, 1986 ; *Hermès*, n° 4, « Le nouvel espace public », 1989 ; *Hermès*, nos 5-6, « Individus et politique », 1990 ; *Hermès*, n° 10, « Espaces publics, traditions et communautés », 1992 ; *Hermès*, nos 11-12, « A la recherche du public, réception, télévision, médias », 1993 ; *Hermès*, nos 13-14, « Espaces publics en images », 1994.

CHAPITRE 9

LA COMMUNICATION POLITIQUE

I. Les rapports difficiles entre expression, communication et action

Historiquement, la longue bataille pour la démocratie a consisté à faire reconnaître le lien entre expression, communication et action. Pas de politique démocratique sans capacité d'expression des opinions, et sans communication entre les acteurs[1]. Aujourd'hui la communication politique triomphe, mais elle est ambiguë à la mesure de la définition que l'on trouvera dans le glossaire.

1) La légalisation de la liberté d'expression facilite certes la circulation d'un nombre incroyable d'opinions de toutes sortes, mais celles-ci ne répondent pas toutes aux critères de l'opinion éclairée du citoyen. «Exprime-toi», «Sois toi-même», que l'on entend si souvent dans notre culture de la liberté, n'ont pas grand-chose à voir avec l'opinion élaborée de la théorie démocratique. L'expression n'est pas l'opinion construite et réfléchie. De plus, ce sont toujours les mêmes milieux qui s'expriment, tandis que d'autres sont «frustrés d'expression»; les inégalités en cette matière restent donc relativement fortes. On est alors confronté au problème suivant: la liberté favorise davantage l'*expression* que l'opinion *raisonnée* du citoyen du XVIIIe siècle, obligeant de plus en plus la communication politique à gérer des flux d'opinions de *valeurs* différentes. Il n'existe pas de solution simple à la question de la confusion entre expression et opinions, ni à la nécessaire régulation de ces deux mouvements. C'est la découverte du besoin inassouvi d'expression et de communication, perceptible à l'occasion des crises, qui permet de réaliser la difficulté qu'il y a à légiférer dans ce domaine. De plus, les uns

et les autres n'entendent pas la même chose par opinion. Pour les journalistes, elle est avant tout liée à la logique de l'événement; pour le public il s'agit plutôt d'exprimer des opinions; et pour les hommes politiques, elle est un élément dans leur jeu stratégique. Autrement dit, *aucun* des acteurs ne met le même sens ni la même attente dans cette «expression des opinions», condition fondamentale du fonctionnement de la communication politique.

2) Si l'on se place maintenant du côté de ce qui est *rendu* public, deux autres limites apparaissent. La première concerne la *qualité* des opinions émises. Ce qui est rendu public n'est pas toujours ce qui est le plus intéressant. La *publicité*, principe essentiel de la théorie démocratique, n'est pas synonyme de qualité: ce qui est connu n'est pas forcément important et, à l'inverse, ce qui est important n'est pas toujours connu. La seconde limite vient du fait qu'il n'y a *pas de lien* direct entre liberté d'opinion et diversité des opinions émises. Dans la réalité on assiste, par une sorte d'effet pervers, à une *réduction* du *nombre* des points de vue en débat. Autrement dit, le nombre croissant de médias ne conduit pas forcément à un plus grand nombre d'opinions débattues. Il s'opère une sorte de *sélection*, visant à éliminer les opinions «déviantes» et conduisant à un processus d'appauvrissement, nullement contrôlé, mais qui se traduit par le renforcement de certaines opinions au détriment d'autres. C'est évidemment toute la communication politique qui est déséquilibrée.

3) Le troisième problème concerne la montée en puissance de la logique de l'*expert*, phénomène en partie contradictoire avec le paradigme de la liberté et de l'égalité des opinions, mais qui s'explique par le besoin de *hiérarchiser* des opinions qui, par ailleurs, s'expriment librement et égalitairement. L'essor de la fonction d'expert est une des réponses à la question suivante: à qui donner la parole puisque les paroles sont toutes égales? Les journalistes sont aussi confrontés à ce redoutable problème de choix, auquel ils répondent en général de *trois* manières. En donnant la parole à ceux qui sont «représentatifs», parce qu'élus ou désignés par leur organisme, en la donnant à ceux qui sont compétents dans leur domaine, enfin à ceux qui «représentent» bien le point de vue de «M. Tout-le-Monde». La parole octroyée au citoyen ordinaire du troisième groupe est une tradition ancienne qui prend sans doute de plus en plus de place, surtout en temps de crise, quand les médias veulent «donner la parole» et permettre à chacun de s'exprimer. Mais on en voit très rapidement les limites.

Cette généralisation de l'expression dans la société de communication pose donc deux problèmes. *Si tout le monde s'exprime, qui écoute?* La société d'expression n'est pas la société de communication: il peut y avoir autant de schizophrènes qu'il y a de gens qui s'expriment. D'autre part, le besoin d'une *parole compétente* et autorisée augmente au fur et à mesure que le nombre de ceux qui s'expriment s'accroît à son tour. Autrement dit, plus il y a d'expression, plus on a besoin d'experts. La communication politique est alors confrontée à la contradiction suivante : construite sur un modèle d'égalité de l'expression, elle favorise finalement les experts et les spécialistes. Le recours à l'expert présente trois « avantages ». D'abord, une *réaction à l'égalitarisme* ambiant. L'expert offre relief et compétence quand la parole publique nivelle. C'est ensuite un processus en phase avec la logique de « *juridicisation* » de la société. La société démocratique, où tout le monde a des droits, se transforme lentement, hélas, en un immense prétoire où chacun, par avocat interposé, se défend des attaques qui mettent en cause son identité, ses intérêts. Il suffit, pour se rendre compte de cette déviation juridique, d'observer l'évolution de la société américaine. La « guerre du droit » est-elle le prix à payer pour le passage de la lutte des classes à la lutte des places ? En tout cas, face à la « juridicisation » de la société, l'expert présente toutes les garanties, car il est partout l'un des pivots de cette logique juridique. Enfin l'expert est un moyen de *résoudre le rapport compétence-pouvoir*, car en principe il n'est pas un décideur. En réalité les éléments de décision sont la plupart du temps si complexes que l'analyse des experts devient souvent *la décision*, mais un tel procédé ménage la fiction d'une indépendance de l'autorité de décision. La place de l'expert dans la communication politique résout donc plusieurs problèmes : le savoir et la compétence, la hiérarchie et l'égalité, l'autorité et le pouvoir. Et pourtant, la croissance de son rôle est le symptôme d'une crise de la politique. Cette montée en puissance symbolise la question de la *technicité*, que l'on retrouve aussi avec les hauts fonctionnaires, la technocratie, et qui pourrait demain concerner de la même façon les scientifiques quand on leur demandera de s'engager davantage dans les affaires publiques. En cinquante ans, la technicisation du pouvoir a conduit au renversement du rapport de force. C'est évidemment la fonction d'*arbitrage* du politique qui est en cause, ainsi d'ailleurs que l'obligation, pour toutes les fonctions liées à une expertise, de savoir rester à sa place.

4) Il reste un dernier problème, peut-être le plus difficile à résoudre : celui de *la distance entre l'information et l'action*. Le modèle démocratique, depuis deux siècles, est construit en fonction de ce lien structurel : l'information *est* la condition de l'action, elle permet au citoyen de comprendre le monde, de s'en faire une opinion, pour ensuite agir par le vote. C'est au nom de ce lien normatif que les batailles pour la liberté de l'information ont été menées et sont encore menées dans le monde.

La liberté d'information est la condition du statut de citoyen. *Aujourd'hui la disproportion s'établit entre les deux : le citoyen sait tout sur tout.* Comme je le dis souvent, *le citoyen occidental est un géant en matière d'information et un nain en matière d'action.* L'élargissement de la communication politique à un nombre croissant de sujets rend plus visible cette contradiction : à quoi bon savoir tout sur tout si je ne peux rien faire ? D'autant qu'en un demi-siècle se sont effondrées les structures militantes, associatives, syndicales, politiques, qui donnaient, à juste titre, au citoyen le sentiment de pouvoir agir. Celui-ci est littéralement envahi par la communication et démuni face à l'action. La fin des solidarités collectives, avec la disparition des classes sociales puis des milieux professionnels et des structures familiales élargies, accentue ce sentiment d'isolement. L'individu se retrouve seul face à la société. Son seul terrain d'action est celui de la consommation. Gageons qu'en une ou deux générations, on en aura fait le tour...

Le problème central, pour l'avenir de la démocratie de masse, reste celui de l'*action politique.* Dans le couple communication-politique, c'est aujourd'hui la politique qui est la plus fragile, comme on l'a vu pour les hommes politiques et comme on le retrouve ici, plus encore, pour l'ensemble des citoyens.

II. La démocratie d'opinion : le triomphe ambigu des sondages et des médias

La logique de l'*expertise* n'est qu'un des moyens de résoudre la question de la hiérarchie et du sens à donner aux flots innombrables de communication. L'autre solution consiste, à l'*opposé* si je puis dire, à pousser jusqu'à son terme la logique de l'opinion, et à chercher à structurer sur cette base la communication politique et l'espace public. On a vu que la première, plus encore que le second, est confrontée au difficile problème du choix de *qui* faire parler. Cela pose la question de la *représentation*, dont j'ai évoqué les avantages et surtout les inconvénients, liés à la technique des sondages : simplification des opinions exprimées, qui ne correspondent qu'au premier niveau de l'opinion ; simplicité des sondages par rapport à la complexité des événements ; biais structurel introduit par le fait que le sondage est souvent une commande commerciale avant d'être un élément d'information ; difficulté à cerner le contenu et l'importance des opinions non exprimées ; hypothèse de continuité entre sondage et vote...

Mais je voudrais reprendre la question du *poids trop grand de la logique de l'opinion* dans le modèle de la communication politique, non pas du point de vue d'une critique des sondages – elle commence à être faite –, mais de la tentation d'organiser un **modèle politique** sous la loi de l'opinion. C'est la référence au thème de la **démocratie de l'opinion**, ou démocratie de délibération. Celle-ci est présentée comme une étape dans l'*approfondissement* du modèle démocratique. D'une part elle prend pour acquis la logique de l'opinion publique, d'autre part elle intègre le rôle normatif des médias et des sondages, les deux outils privilégiés de l'opinion publique, pour en faire le moteur d'une nouvelle communication politique. Puisque l'idéal de la démocratie est le régime de l'opinion, et que les moyens d'information permettent à celle-ci de se structurer et de s'exprimer par les sondages, pourquoi ne pas résoudre les contradictions précédentes en allant au bout du schéma démocratique ? C'est-à-dire en construisant une véritable démocratie d'opinion, modèle achevé de la démocratie représentative.

D'où vient le thème récent de la démocratie du public et de la démocratie d'opinion ? Il est apparu, il y a une vingtaine d'années, par *opposition* aux modèles politiques centrés sur le caractère primordial des facteurs idéologiques. Parler de démocratie d'opinion, c'était se démarquer des théories, influencées par le marxisme, qui insistaient sur la domination et l'aliénation, et pour lesquelles le changement était souvent synonyme de «révolution». En valorisant la délibération, on marquait son choix en faveur d'une vision pluraliste, démocratique, de la politique. Et c'est d'ailleurs dans ce mouvement qu'a été revalorisé le concept d'*espace public. L'opinion ou les opinions, contre la lutte des classes et l'idéologie.* Parler de «démocratie du citoyen», c'était rappeler l'importance des idées, des arguments, de la discussion, par opposition à la dichotomie domination-subversion. Dans la démocratie d'opinion il y a place pour des opinions qui changent et qui peuvent entrer en délibération. Avec les opinions, on discute, on s'oppose, on ne prépare pas la guerre civile. Du reste, à partir de la fin des années 80, l'idée de démocratie pluraliste étant définitivement acquise, un renversement se produisit. Pour insister sur le caractère ouvert de cette démocratie pluraliste, certains parlèrent de *démocratie d'opinion.* Et le glissement s'opéra : la démocratie d'opinion devint une autre manière de mettre l'accent sur les choix individuels, par opposition aux choix collectifs. C'était valoriser l'individu rationnel qui, par sa capacité de jugement, est capable de relativiser le carcan des idéologies, mais peut, dossier après dossier, se faire sa propre opinion. Le lien avec les sondages, qui sont justement le moyen de connaître les opinions, apparaît dans ce schéma.

Le sondage est à l'opinion ce que l'idéologie collective fut à un certain visage du socialisme. Parler de démocratie d'opinion donnait de la valeur à la capacité critique de l'individu et à sa capacité à résister aux déterminismes. Cela allait de pair avec la découverte du «vote volatil», c'est-

179

à-dire ce comportement électoral non défini à l'avance par le choix idéologique. Concrètement, des électeurs peuvent voter en fonction des sujets, des moments, et pas seulement en fonction de leur choix idéologique habituel. Tout semblait alors aller dans le même sens : la fin des grandes idéologies, l'individualisation des comportements électoraux, l'indépendance à l'égard du groupe, la capacité à se faire sa propre opinion en fonction du contexte et des problèmes. On glissa de l'individu autonome, maître de son opinion, à l'électeur stratège et rationnel.

C'est la conjonction de ces facteurs qui créa le succès du thème de la *démocratie d'opinion, ou démocratie délibérative, ou démocratie du public* selon que l'on insiste sur l'opinion, sur la capacité de discussion ou sur le public, par opposition à l'idéologie. Cette évolution est même souvent présentée comme une rupture qualitative. Certains, comme P. Rosanvallon, parlent de trois modèles politiques. Avant-hier, la démocratie représentative, dont le Parlement était le centre ; hier, la démocratie de participation, avec les mouvements sociaux et les syndicats ; aujourd'hui et demain, la démocratie d'opinion, avec les médias et les sondages. On passe du choix collectif centré sur l'idéologie à un choix individuel centré sur l'information. Après les partis de masse et les grands engagements, on a la démocratie rationnelle, où l'intelligence du public oblige les hommes politiques à un autre discours et à une autre action. Et l'on retrouve la valorisation de l'individu, l'intelligence du public, le rôle de la communication. Bref, trois facteurs auxquels j'adhère moi-même. Cependant, je n'en tire pas forcément les mêmes conclusions.

Certes, il y a incontestablement du vrai dans cette description, mais il est *trop tôt* pour la considérer comme définitive. Surtout, il faut se méfier de la séduction offerte par ce modèle qui résout presque par miracle le conflit entre deux logiques antinomiques. D'abord celle de l'opinion publique, *décalquée* sur le suffrage universel. Si le vote est un acte qui permet de passer du sondage à la réalité, le sondage, lui, reste un concept, avec cette éternelle question : jusqu'où est-il le porte-parole de l'opinion publique ? Ensuite celle du citoyen rationnel, qui ressemble tellement à l'acteur économique rationnel que la ressemblance en est troublante. L'objection principale porte sur l'hypothèse de continuité entre les différentes formes de rationalité et de comportement. Par exemple, on sait depuis toujours que l'économie est radicalement différente de la politique. Dans un cas, il s'agit d'intérêt, dans l'autre de valeurs, et de toute façon *même* dans la logique économique, où règne l'intérêt, on repère très difficilement le caractère rationnel de l'agent économique… La logique de l'intérêt ne suffit même pas à le faire agir rationnellement, sauf dans les manuels et les théories. Où a-t-on vu un acteur décider rationnellement en maximisant ses intérêts et en mini-misant ses risques? *A fortiori* pour la politique, où les valeurs et les pas-sions l'emportent sur les intérêts. Il y a donc dans cette « translation » de la rationalité supposée de l'agent économique à une rationalité nouvelle de l'agent politique plus que du « *wishfull thinking* ».

Le problème est donc le suivant: quelque chose change lentement dans le modèle politique, mais il est trop tôt pour savoir s'il s'agit de la disparition des grandes fractures ou d'un simple réaménagement idéo-logique conjoncturel sur une vingtaine d'années. Ce qui est long pour une biographie est fort bref pour l'histoire. En tout cas, le constat est là d'un comportement plus *distancié* du citoyen. Toute la question porte sur l'évaluation de ce changement et sur son sens. Seule une minorité d'analystes adhère au thème de la démocratie d'opinion, mais comme cette minorité, à travers les sondages, commentaires, journaux, travaux de sciences politiques et de bureaux d'étude, est en contact avec les hommes politiques, relativement désorientés par la perte des repères tra-ditionnels, on constate une influence de ce discours. De plus il donne le sentiment que quelque chose change: il y a enfin du neuf en poli-tique, du neuf qui combine de manière positive les données actuelles: beaucoup de communication, des sondages, l'importance du choix individuel, l'indépendance du choix. Tout ce qui est en phase avec les idées du moment. En un mot, l'idée de démocratie d'opinion est « moderne » et synchrone avec les mutations du moment. Inutile de dire aussi qu'elle plaît aux médias et aux instituts de sondages, car elle les ins-talle *au centre* de ce nouveau modèle politique.

En outre ce modèle se *distingue* des deux autres tendances venues d'outre-Atlantique, et qui s'accordent mal à la tradition de l'Ancien Continent. La première tendance est celle du « *politiquement correct* », qui tend à établir une corrélation et une certaine transparence entre structures socioculturelles et comportement politique. La seconde ten-dance est le mouvement *communautariste*, qui respecte lui aussi le choix individuel, mais qui est combiné avec la logique du groupe. Il est plus en résonance avec les caractéristiques de la société nord-américaine qu'il ne l'est avec celles des sociétés fort anciennes et complexes de l'Europe. Ces deux traditions ne prennent pas assez en compte l'*interaction* entre le choix individuel, la permanence des structures idéologiques et sociales au sein de l'espace public, comme on le constate dans le modèle de la délibération. Celui-ci correspond mieux à la tradition européenne, où existe depuis toujours un conflit entre les logiques individualiste et col-lective.

Bref, sur le « marché des idées », celle de démocratie du public séduit, car elle pousse jusqu'au bout la logique de l'individu, de l'opinion et de la stratégie individuelle. Mais le problème est de savoir jusqu'où il y a *continuité* entre les logiques du consommateur, de l'agent économique et du citoyen? Le fait qu'il s'agisse du même individu suffit-il à privilégier le même modèle et à vouloir y trouver des mécanismes identiques? Certes, rapprocher les logiques économique et politique légitime le modèle de l'agent économique rationnel libre et calculateur, et conduit à l'existence d'un seul modèle. Même les théoriciens de l'individualisme méthodologique tel R. Boudon sont plus prudents sur la continuité des comportements, comme d'ailleurs les philosophes anglais du XVIIIᵉ siècle, qui n'allèrent pas aussi loin dans l'hypothèse de cette continuité chez l'individu entre ses comportements économique et politique. On sait déjà que la rationalité dans les rapports coût-efficacité, objectif-moyens, n'est pas toujours ce qui anime l'agent économique. On peut alors aisément comprendre que les décalages sont encore plus nets lorsque ce même agent se comporte en citoyen… De toute façon, a-t-on déjà vu la politique, toujours engagée autour des conflits de valeurs, se faire sans passions, sans arbitraires ni mensonges? Là aussi, il y a une adéquation *trop rapide* entre le comportement conjoncturel, observé depuis une dizaine d'années, d'un individu qui se libère du choix idéologique avec un modèle de théorie politique qui mettrait justement en son centre les mêmes catégories. De plus on retrouve avec la démocratie d'opinion la même ambiguïté qu'avec l'opinion. Le grand nombre n'a pas toujours raison, sauf dans le cas bien particulier du vote. Une démocratie d'opinion centrée sur les opinions majoritaires susciterait plus que des déconvenues. Non seulement la démocratie d'opinion donne une valeur trop importante à l'opinion, mais surtout elle établit *un lien trop rapide et rationnel entre information et opinion.* Il n'existe pas d'attache directe, on l'a vu, entre information et vérité d'une part, entre information et opinion d'autre part. Les opinions ne sont pas la source sage des informations rassemblées et réélaborées. Et les idéologies peuvent faire demain le même ravage qu'hier.

Il y a en fait dans l'adhésion au thème de la démocratie d'opinion un pari et une hypothèse. Le pari concerne la fin de grandes infrastructures idéologico-culturelles collectives au profit du choix individuel. L'hypothèse consiste à croire que si l'on donne au citoyen tous les moyens d'information, par le biais des médias et des sondages, on résout la contradiction de la société individualiste de masse entre l'échelle individuelle et la réalité collective. Le thème de la démocratie du public rappelle deux autres expressions qui se sont imposées, depuis une vingtaine d'années, pour caractériser des phénomènes nouveaux, mais dont il n'est pas certain qu'elles apportent finalement une capacité de compréhension supérieure. Il s'agit d'abord du « vote volatil », expression qui caracérise le vote dont on ne comprend pas la rationalité et qui bouleverse es classifications habituelles. Il s'agit ensuite de l'expression courante « vote protestataire », pour caractériser le Parti communiste français ou le Front national, tout simplement parce que les catégories référencées ne rentrent pas dans le credo libéral dominant. En dépit des apparences, parler de démocratie du public ou de démocratie d'opinion n'est peut-être pas plus éclairant que de parler de vote protestataire ou de vote volatil…

II. La crise de la représentation

Le thème de la démocratie du public illustre la crise du modèle de communication politique, lui-même lié à celle de la *représentation poli-tique* – qui renvoie au décalage existant entre la société et sa représen-tation politique.

Hier, les classes et couches sociales étaient relativement identifiées et les acteurs politiques reflétaient plus ou moins cette représentation socio-économique. Aujourd'hui, ce phénomène de délégation est brouillé, car les structures sociales le sont également. Il y a donc là un premier niveau d'indétermination. Le second concerne le lien entre les idéologies et le discours des acteurs. Hier, ce lien était assez net entre les différentes idéologies de droite, de gauche, et les groupes sociaux. Aujourd'hui, il est plus flou. C'est donc à ce *double* niveau, essentiel, qu'existe la crise de la représentation politique. Elle est de ce fait *d'abord* une crise de représentation sociale, au sens où les structures sociales et idéologiques sont *moins* visibles qu'hier. De là à *combler* par la commu-nication, c'est-à-dire par la voie des sondages et des médias, la baisse d'influence des idéologies et le manque de correspondance entre struc-tures sociales et comportements politiques, il n'y a qu'un pas à franchir. D'autant que l'affaissement des structures idéologiques renforce appa-remment le règne de l'opinion publique, comme celui de l'information et de la communication.

Il n'est pas certain, et c'est là le point important, que cette logique sociologique de l'information et de la communication résolve la « panne de représentation » et donc de la communication politique. Il existe peu d'études sur la *crise* de représentation, et en général sur la question de la représentation, en dehors des travaux classiques de science politique, mais ils ne couvrent pas les dimensions anthropologiques, sociologiques et philosophiques. Il s'agit pourtant d'un des concepts essentiels de la démocratie. En effet, le suffrage universel généralisé, la fin du rapport entre structure sociale et idéologie, la disparition relative des structures sociales, l'affaissement des grands discours idéologiques, qui assuraient un mécanisme de représentation, invitent à la réflexion sur la représentation. En supposant même que médias et sondages assurent une meilleure visibilité, et d'autre part un meilleur passage entre la sphère de la société et celle de la politique, cela ne change rien au problème plus fondamental du manque d'existence ou de visibilité de principes structurants. Rien ne dit que la visibilité des rapports sociaux suffise à créer une logique politique. Les sondages et les médias n'assurent pas forcément un meilleur passage de la représentation sociale à la représentation politique que ne le faisaient hier les classes sociales et les idéologies. *L'information et la communication ne peuvent être le substitut aux structures sociales et aux visions du monde.* En d'autres mots, la sociologie de demain, à supposer qu'elle soit visible par les sondages et la communication, n'est pas la politique de demain. On arrive ainsi au paradoxe suivant : hier, la communication bousculait les systèmes de représentation antérieurs, pour les assouplir, voire les contester. Aujourd'hui, elle se présente comme le moteur possible d'une nouvelle représentation. Mais les progrès dans la représentation, obtenus par les techniques de communication, ne suffisent pas à organiser une nouvelle communication politique.

La vraie difficulté consiste à réaliser que la plupart des mots et concepts issus de la sociologie et de la communication (public, opinion publique) renvoient davantage à une problématique socioculturelle qu'à une logique politique, et qu'il est difficile de construire des catégories politiques *avec* des concepts socioculturels. Le paradoxe tient au fait que ce sont les politologues, traditionnellement méfiants à l'égard de la sociologie, qui *introduisent* aujourd'hui avec les médias et les sondages les mots et les références pour essayer de penser la politique actuelle. Et c'est un sociologue qui rappelle aux politologues la limite de compétence du discours sociologique pour penser les réalités politiques…

Le résultat est l'élimination de la *violence historique*. Tout devient sage ; la politique est réduite à la logique du public et le vocabulaire politique se rapproche du vocabulaire économique et sociologique. Et l'opinion publique se trouve être au centre de l'histoire, devenant presque à elle toute seule le *projet* de l'histoire. Et voici le risque d'inversion : autant l'opinion publique est un concept central pour identifier une capacité de *réaction* sociale et culturelle à des projets politiques, autant elle ne peut être la principale force de l'espace public. Surtout à une époque où il n'est déjà question que de discours. Hier, dans une société violente, le discursif et la délibération constituaient un progrès. Préférer les mots aux coups était une nouveauté radicale. Mais aujourd'hui la situation est différente puisque tout est discursif et délibératif. La rupture consisterait plutôt à essayer de réintroduire de l'altérité, du côté de la capacité d'*action*, et non du côté du discours.

Enfin, cette crise de la représentation, qui explique le succès du thème de la démocratie d'opinion, favorise le discours d'une certaine élite, qui comprend de nouveau hauts fonctionnaires, hommes de communication et universitaires. Il s'agit d'individus autonomes par rapport aux grandes structures sociales et idéologiques, qui construisent «rationnellement» leur opinion, et pour qui la politique est un vaste lieu de débats et d'analyses. Certains, pour justifier plus encore cette «rationalisation» de la politique, n'hésitent pas à parler en empruntant les mots du vocabulaire économique, du «*marché politique*» sur lequel les acteurs font leurs «offres» de programmes et leurs discours, et à partir desquels les citoyens, eux, font leur «choix». Le danger d'une telle vision est que l'on puisse véhiculer un schéma faux de la «rationalité politique», mais aussi *valoriser le rôle* de cette catégorie bien particulière que l'on appelle *élite* dans le fonctionnement de sociétés complexes. En effet, qui serait au cœur d'une démocratie d'opinion et de délibération? Qui a naturellement les capacités symboliques et cognitives pour décrypter les opinions, les hiérarchiser, interpréter les débats, animer et hiérarchiser l'espace public? Qui, si ce n'est justement ce milieu privilégié qui a les possibilités de nommer, de gérer et d'argumenter en termes abstraits?

Mais ce n'est pas parce que l'on maîtrise la délibération que la délibération est le centre de la politique... Être capable de rebondir d'une idée sur l'autre ne suffit pas pour avoir une idée juste de la réalité, et surtout ne garantit pas une meilleure action. Bel exemple de tropisme qui néglige le fait que le centre de la politique reste le pouvoir et l'action, beaucoup plus difficiles à réussir que l'analyse et la délibération. Aujourd'hui la vogue de la «délibération rationnelle» chez certains analystes ne suffit pas non plus à faire oublier que, dans un passé fort récent, les mêmes et d'autres ont cautionné en toute «rationalité» les analyses idéologiques et les régimes politiques les plus discutables...

Cette vision sage, discursive et rationnelle a enfin un inconvénient: elle n'empêche en rien le surgissement de la violence historique. Des exemples? Tous les conflits identitaires, nationalistes et religieux depuis la chute du communisme, la guerre en ex-Yougoslavie, l'émergence du racisme, la fracture sociale durable dans les pays européens et l'incompréhension entre l'Europe et le Moyen-Orient depuis la guerre du Golfe se sont produits, de manière inattendue, dans la petite trentaine de pays occidentaux où le fonctionnement de l'espace public est le plus satisfaisant. Ces tragédies ont émergé dans les nations où le «marché des idées» est le plus libre, et où les sondages saisissent presque en temps réel les évolutions de l'opinion. Alors pourquoi ces décalages? Pourquoi ces démocraties d'opinion surinformées, où tout est débattu au grand jour, se retrouvent-elles dans la *même* situation d'imprévisibilité et de fractures que la plupart des autres sociétés politiques qui ne bénéficient pas d'une telle «logistique démocratique»? S'il faut essayer de rendre la politique rationnelle, pour réguler les passions et les violences de l'histoire, ce n'est pas une raison, comme le disait R. Aron, pour croire la société et la politique rationnelles…

En conclusion, il faut remarquer que le rôle capital joué aujourd'hui par l'espace public et la communication politique dans la démocratie de masse n'est pas exempt de contradictions. La première est l'illusion de la transparence; elle remettrait au centre la logique de l'*expertise*, qui, au nom de la compétence, réintroduirait la hiérarchie. Autrement dit, réaffirmer des principes de hiérarchisation est nécessaire pour éviter que d'autres, plus sournois, ne s'imposent subrepticement. Dans le même ordre d'idées, le modèle délibératif risquerait de renforcer encore plus l'autorité des élites, au nom de la compétence et de l'argumentation rationnelle. La seconde contradiction concerne le *principe de représentation*. Il n'est pas non plus le remède aux limites de cette logique de la transparence et de la communication, car il réifie la représentation des sondages. Celle-ci ne règle d'ailleurs pas le problème essentiel, qui est celui de la crise de la représentation politique. De plus, l'on court le risque d'une *extension sans limite de la politique*. Tout devient politique, au nom même du progrès de la démocratisation. Le danger est alors celui de la fin de la séparation, indispensable, entre espace public et société civile.

La question à laquelle nous sommes confrontés, pour l'avenir du modèle de la démocratie de masse, est celle des *limites* à l'égard d'une logique de la communication qui progressivement envahit le champ politique. Aujourd'hui le roi est nu, ou plutôt cette transparence acquise ne résout qu'imparfaitement la question du pouvoir dans la société démocratique. Dans cet équilibre toujours fragile entre communication et politique, le déséquilibre au profit du premier terme, depuis un demi-siècle, oblige au contraire à une réflexion théorique sur la politique et le pouvoir. En fait, si l'extension de la démocratisation, dont la communication est à la fois l'outil et le symbole, a sans doute permis de résoudre certaines contradictions, la lucidité et la modestie forcent à reconnaître les limites de ces acquis.

BIBLIOGRAPHIE

chapitre 9

BALIBAR E., *Les Frontières de la démocratie*, La Découverte, coll. «Cahiers libres», Paris, 1992.

BAUTIER R., *De la rhétorique à la communication*, PUG, Grenoble, 1994.

BLANCHOT M., *La Communauté inavouable*, Éd. de Minuit, Paris, 1983.

BOUDON R., «Sens et raisons: théorie de l'argumentation et sciences humaines», *Hermès*, n° 16, «Argumentation et rhétorique II», Éd. du CNRS, Paris, 1995.

C.U.R.A.P.P., *La Communication politique*, PUF, Paris, 1992.

CAYROL R., *La Nouvelle Communication politique. Essai politique*, Seuil, Paris, 1986.

DORNA A., «La psychologie politique: un carrefour pluridisciplinaire», *Hermès*, n°s 5-6, «Individus et politique», Éd. du CNRS, Paris, 1989.

FUMAROLI M., *L'Age de l'éloquence*, Albin Michel, Paris, 1994.

GAUTIER C., *L'Invention de la société civile*, PUF, Paris, 1993.

GERSTLÉ J., *La Communication politique*, PUF, coll. «Que sais-je?», n° 2652, Paris, 1992.

GOSSELIN A., «Les attributions causales dans la rhétorique politique», *Hermès*, n° 16, «Argumentation et rhétorique II», Éd. du CNRS, Paris, 1995.

GRIZÉ J.-B., «Argumentation et logique naturelle: convaincre et persuader», *Hermès*, n° 15, «Argumentation et rhétorique I», Éd. du CNRS, Paris, 1995.

HUNYADI M., *La Vertu du conflit: pour une morale de la médiation*, Cerf, Paris, 1991.

KATZ E., «L'héritage de Gabriel Tarde. Un paradigme pour la recherche sur l'opinion et la communication», *Hermès*, n°s 11-12, «A la recherche du public», Éd. du CNRS, Paris, 1993.

L'Année sociologique, Argumentation dans les sciences sociales, vol. 44, PUF, Paris, 1994.

L'Année sociologique, Argumentation dans les sciences sociales, vol. 45-1, PUF, Paris, 1995.

LEBLANC G., «Du modèle judiciaire aux procès médiatiques», *Hermès*, n°s 17-18, «Communication et politique», Éd. du CNRS, Paris, 1995.

LEMIEUX V., « Un modèle communicationnel de la politique », *Hermès*, nᵒˢ 17-18, « Communication et politique », Éd. du CNRS, Paris, 1995.

LIVET P., « Médias et limitations de la communication », *Hermès*, nᵒ 4, « Le Nouvel Espace public », Éd. du CNRS, Paris, 1989.

MEYER M., « Problématologie et argumentation, ou la philosophie à la rencontre du langage », *Hermès*, nᵒ 15, « Argumentation et rhétorique I », Éd. du CNRS, Paris, 1995.

MEYER-BISCH P., *La Culture démocratique : un défi pour les écoles*, Unesco, coll. « Culture de paix », Paris, 1995.

MOUCHON J., « La communication présidentielle en quête de modèle », *Hermès*, nᵒˢ 17-18, « Communication et politique », Éd. du CNRS, Paris, 1995.

NEVEU E., « Les émissions politiques à la télévision : les années 80 ou les impasses du spectacle politique », *Hermès*, nᵒˢ 17-18, « Communication et politique », Éd. du CNRS, Paris, 1995.

NIMMO D. et SANDERS D., *Handbook of Political Communication*, Sage, Beverly Hills, 1981.

PADIOLEAU J.-G., *L'Ordre social. Principes d'analyse sociologique*, L'Harmattan, Paris, 1986.

SWANSON D. et NIMMO D., *New Direction in Political Communication*, Sage, Londres, 1990.

TOURAINE A., « Communication politique et crise de la représentation », *Hermès*, nᵒ 4, « Le Nouvel Espace public », Éd. du CNRS, Paris, 1989.

VEYRAT-MASSON I., « Les stéréotypes nationaux et le rôle de la télévision », *Hermès*, nᵒˢ 5-6, « Individus et politique », Éd. du CNRS, Paris, 1989.

VIGNAUX G., « Des arguments aux discours. Vers un modèle cognitif des opérations et stratégies argumentatives », *Hermès*, nᵒ 15, « Argumentation et rhétorique I », Éd. du CNRS, Paris, 1995.

—, *L'Argumentation. Essai d'une logique discursive*, Droz, Genève, 1976.

WINDISCH U., AMEY P. et GRÉTILLAT F., « Communication et argumentation politiques quotidiennes en démocratie directe », *Hermès*, nᵒ 16, « Argumentation et rhétorique II », Éd. du CNRS, Paris, 1995.

—, « L'argumentation politique : un phénomène social total. Pour une sociologie radicalement quotidienne », *L'Année sociologique*, juin 1995.

WOLTON D., « La communication politique : construction d'un modèle », *Hermès*, nᵒ 4, « Le Nouvel Espace public », Éd. du CNRS, Paris, 1989.

—, « Les contradictions de la communication politique » « L'information », *Hermès*, nᵒˢ 17-18, « Communication et politique », Éd. du CNRS, Paris, 1995.

—, « Le statut de la communication politique dans les démocraties de masse. Ses rapports avec les médias et l'opinion publique », *Crise et modernisation*, Éd. du CNRS, Paris, 1991.

1. Pour la définition de la communication politique, voir le glossaire. Et pour la problématique, voir les deux articles : « Communication politique : construction d'un modèle » et « Les médias, maillon faible de la communication politique », *Hermès*, nᵒ 4, « Le Nouvel Espace public », Éd. du CNRS, 1989.

QUATRIÈME PARTIE

INFORMATION ET JOURNALISME

INTRODUCTION

TOUT SE COMPLIQUE

Hier l'objectif était simple : asseoir la liberté d'information, la légitimité de la presse et du journalisme constituait un combat dans le droit fil de celui pour la démocratie, les deux allant de pair, au travers de luttes épiques, souvent tragiques.

Il fallut se battre pour créer le statut de journaliste (1935 en France), sans lequel il n'y a pas de presse autonome : ce fut l'objet de longues et nombreuses batailles dans tous les pays occidentaux au début du XXᵉ siècle. Aujourd'hui, deux siècles plus tard, l'essentiel est acquis. Certes, la liberté politique d'information n'est jamais « naturelle », car il subsistera toujours un *rapport de force* entre les acteurs politiques et la presse, mais dans les pays occidentaux la presse et l'information sont légitimes. Plusieurs fois la presse a même su faire pression, par l'intermédiaire de l'opinion publique, pour obtenir du pouvoir politique ce qu'elle voulait.

Le combat est donc gagné, et les contradictions à résoudre découlent directement d'une *triple victoire*.

Victoire politique : les journalistes et l'information sont au cœur de toute démocratie, la réalité des rapports de force ne mettant pas en cause cet acquis. Victoire technique : hier, faire de l'information relevait de l'exploit. Aujourd'hui tout est techniquement possible. Les systèmes de production et de transmission permettent de couvrir n'importe quel événement d'un bout du monde à l'autre et d'en informer instantanément le reste de la planète. Le rêve de tout savoir sur tout, le plus vite possible, pour le plus grand nombre, est devenu réalité. Victoire économique enfin : l'information et la communication sont devenues l'un des secteurs les plus lucratifs de nos économies. Même si les journaux ont des difficultés financières, les hebdomadaires, la presse spécialisée, les radios et la télévision, publique ou privée, les groupes de communication sont des secteurs en expansion, et l'alliance prochaine de l'informatique, de la télévision et des télécommunications est même présentée comme «la clé du XXIe siècle».

Pourquoi tout se complique-t-il alors? Parce que la plupart des acteurs continuent d'argumenter et de se battre comme s'ils étaient encore au siècle dernier, alors même que les obstacles résultent non pas d'un manque de liberté d'information, mais au contraire de la difficulté à en gérer l'exercice. Les journalistes pensent les problèmes de l'information avec les yeux d'hier; comme si la liberté d'information n'était pas acquise; comme si le rapport de force avec le pouvoir politique était encore fragile. Les contradictions ne sont pas liées au manque de liberté, mais aux difficultés à ne pas en abuser: overdose d'information, erreurs liées à la concurrence effrénée entre médias, manque de professionnalisme des journalistes, rythme trop rapide de la production de l'information...

La presse, au lieu d'assumer une certaine autocritique liée aux erreurs de sa propre victoire, fait comme si elle était encore menacée dans son existence légale. Elle se présente fragile comme en 1850, tout en succombant aux mirages du «quatrième pouvoir». Au lieu de reconnaître que la technique a facilité la production de l'information, les journalistes continuent d'invoquer les complications «techniques» du métier. Au lieu de reconnaître que le problème n'est plus aujourd'hui la liberté politique de l'information, mais le poids de l'économie et de ses effets sur la liberté d'information, la presse persiste à vouloir batailler sur le plan politique et à perdre sur le plan économique, titres, journaux, radios et, demain, télévisions et nouveaux médias passant d'un propriétaire à l'autre, au gré des concentrations et des fusions. Au lieu d'admettre que la difficulté actuelle est le statut de l'information dans un univers saturé d'information, la presse fait comme si l'information restait un bien rare. Bref, au lieu de regarder la réalité du XXIe siècle, elle se pense dans les catégories du XIXe siècle. Elle parle de ses droits pour n'avoir pas à parler de ses devoirs, se voit dans le rétroviseur du passé pour ne pas réfléchir aux obligations liées à ses victoires.

C'est en cela que tout se complique pour la presse occidentale. Elle évalue mal les dégâts qui, décennie après décennie, *sont à l'opposé* de son discours. Elle ne perçoit pas le lent mais inexorable mouvement de désaffection des opinions publiques à son égard. Les journalistes se considèrent encore comme les preux chevaliers de la vérité dans le combat épique de l'information du siècle dernier, et ignorent les contradictions liées à leur propre pouvoir. Ils veulent ce pouvoir, en jouissent et en jouent, mais ne sont prêts ni à l'analyser, ni à l'assumer, ni à subir la critique à son propos, créant progressivement une distance avec le public, qui est pourtant leur seule source de légitimité, et dont ils ne veulent pas entendre la sourde désillusion.

*

Trois exemples illustrent le changement d'échelle et de nature des problèmes.

Hier les difficultés de production, de diffusion et de réception de l'information aboutissaient à une relation assez simple entre événement, fait et information. Dans la multitude des événements quotidiens, les hommes de presse sélectionnaient certains faits significatifs : la rareté de l'information pouvait être une certaine condition de sa qualité. Au moins sur le plan normatif. Aujourd'hui tout peut devenir information ; il n'y a plus de limite à la production et à la diffusion de l'information. Mais de ce fait la saturation guette. Jusqu'où le citoyen occidental peut-il absorber autant d'informations, dont la plupart ne l'intéressent ni ne le concernent ? La limite est du côté de la réception.

Autre exemple. Hier le chemin était simple : l'information symbolisait la lutte contre le secret, le mensonge, la rumeur, pour la vérité. Elle devait terrasser ses adversaires au fur et à mesure de sa victoire. Aujourd'hui elle a triomphé, mais le secret, le mensonge, la rumeur se portent tout aussi bien ! Ils se sont développés à la vitesse de l'information. Celle-ci a autant favorisé la vérité qu'elle a propagé le secret ou la désinformation...

Troisième rupture : le schéma universaliste de l'information occidentale faisait de la « mondialisation » l'horizon à la fois de la démocratie et de l'information. Aujourd'hui la mondialisation des techniques et la constitution des grands groupes de communication à l'échelle mondiale rendent possible la réalisation de cet idéal. Mais la mondialisation de l'information n'a plus grand-chose à voir avec l'idéal d'universalité de l'information occidentale.

*

La quatrième partie de ce livre analyse ce basculement de l'idéal de l'information et du journalisme à la montée des périls et des contradictions. Dans les deux cas, qu'il s'agisse des limites de la liberté de l'information ou du triomphe du journalisme, on assiste à la *revanche de la géographie*. L'information et le journalisme se sont affranchis des contraintes du temps, mais butent sur le deuxième terme, l'espace. La même information n'a pas le même sens selon les aires culturelles et les systèmes symboliques. L'universalisme occidental rencontre les frontières des autres systèmes symboliques. L'information occidentale pouvait d'autant plus revendiquer cet universalisme qu'elle correspondait à la domination de l'Occident sur le monde. Dès lors que celle-ci est contestée, l'universalisme de l'information l'est aussi. L'information est aujourd'hui confrontée au relativisme historique et géographique. C'est au moment où les valeurs démocratiques, avec l'effondrement du communisme, semblent avoir conquis le monde, que les principes de l'information universelle occidentale se heurtent à d'autres valeurs... *Un autre se rappelle à nous*. Si le temps est conquis, et même domestiqué, avec les nouvelles technologies, la géographie ne l'est pas. Plus l'information est mondiale, plus la notion de *point de vue* est essentielle. En niant cela, l'information occidentale risque de glisser vers un simple culturalisme, voire vers sa caricature, l'occidentalisme. Les chapitres X et XI examinent ce basculement de l'information et de la communication de l'idéal à l'idéologie. Le chapitre XII est consacré aux trois crises du journalisme. Celui-ci se trouve dans la situation paradoxale de n'avoir jamais eu autant de prestige – voire de légitimité –, devenant la profession symbolique des temps modernes, comme on le voit dans les romans, à la télévision et au cinéma, et d'être en même temps, silencieusement mais sérieusement, remise en cause.

La question posée est de savoir comment sauver les valeurs de liberté et d'émancipation qui ont sous-tendu l'histoire de la lutte pour l'information et la communication. La solution consisterait à faire l'*inverse* de ce qui est généralement entrepris. Ralentir au lieu d'accélérer, organiser et rationaliser au lieu d'accroître les volumes d'information, réintroduire des intermédiaires au lieu de les supprimer, réglementer au lieu de déréglementer.

CHAPITRE 10
ENTRE IDÉAL ET IDÉOLOGIE

L'idéal vire à la caricature : telle est sans doute la perception que les citoyens occidentaux ont finalement de l'information et de la communication. Sans que le monde des médias ait conscience de ce glissement. Le public est moins admiratif, moins dupe peut-être que le monde de la communication lui-même.

Cinq faits, qui sont autant de symptômes, permettent de comprendre le décalage entre le discours officiel et la réalité. C'est probablement à la capacité d'en prendre conscience que se mesurera l'indispensable *aggiornamento*. L'angle choisi dans ce chapitre illustre la ligne théorique du livre. Il existe un sérieux décalage entre l'idéal d'information et la réalité, mais il existe également une marge de manœuvre. Autrement dit, l'objectif n'est pas de dénoncer le *décalage* entre le discours normatif tenu par les journalistes sur eux-mêmes et sur l'information. Il est plutôt de réfléchir aux *conditions* à satisfaire pour que, au-delà de ces contradictions, le monde de l'information et de la communication reste fidèle aux valeurs qui le portent, et qu'il affiche. C'est pourquoi ce chapitre consacré aux *cinq symptômes* de la *crise* intervient avant l'étude de l'information et du journalisme.

1) La confusion concernant *la situation de la presse dans les démocraties et dans les dictatures.* Quand on parle aux journalistes de simplification, de conformisme, de tyrannie de l'événement, d'absence de recul, de logique de *scoops*, d'effets pervers de la concurrence, de manque de travail, d'absence de mise en perspective de l'actualité, de résistance à la connaissance, de poids trop grand accordé à l'événement par rapport à l'analyse, d'excès de narcissisme..., ils répondent : « Attention ! A trop critiquer, vous portez atteinte à la liberté de la presse et créditez toux ceux qui veulent la limiter. Dénoncer les excès, c'est faire le jeu de ceux

qui, dans le monde, et ils sont nombreux, souhaitent réduire la liberté fragile de l'information.» On met ainsi sur le *même pied* la volonté encore bien timide de mieux réglementer la profession de journaliste, la déontologie de l'information, les limites à l'investigation... et les multiples atteintes aux libertés d'information dans les dictatures. *Toute critique de l'information est perçue comme une caution donnée aux ennemis de la liberté.* Toute critique des journalistes de l'Ouest suscite la réponse suivante : savez-vous combien de journalistes sont déjà morts depuis le début de l'année dans l'exercice de leur métier dans le monde ? Comme s'il y avait un *rapport* entre les deux. Comme si les journalistes morts pour la liberté de l'information sous les dizaines de dictatures cautionnaient la vie heureusement normale de dizaines de milliers de journalistes dans les pays démocratiques. Comme s'il y avait un quelconque rapport entre les facilités de production de l'information ici et la lutte aride, souvent tragique, pour asseoir cette même liberté là-bas. Comme si les difficultés de l'information et du journalisme dans les dictatures servaient de caution à l'information à l'Ouest. Bref, une logique d'amalgame.

2) Le deuxième symptôme concerne *le changement de statut de l'information dans notre société.*

Hier apanage de la lutte pour la démocratie, l'information est aujourd'hui omniprésente. Non seulement parce qu'elle est indispensable au fonctionnement de la société complexe, mais aussi parce que *tous* les acteurs, économiques, politiques, militaires... souhaitent communiquer. Le résultat, en tout cas, est que tout le monde s'exprime et que le public a de plus en plus de difficultés à faire *la part des choses.* Comment distinguer l'information liée à la presse des milliers d'autres informations, économiques, commerciales, institutionnelles, qui circulent dans la société ? Distinction d'autant plus difficile à faire que *tous les acteurs* manient l'information en utilisant la *légitimité* de l'information-presse pour *justifier* leur propre information. Certains journalistes vedettes, en acceptant de prêter leur concours à cette floraison de l'information institutionnelle, contribuent finalement à brouiller les pistes. Résultat ? Les officines de presse, de communication, de relations publiques se sont multipliées en trente ans et sont omniprésentes auprès des grands groupes industriels, commerciaux et financiers. Les rapports information-vérité deviennent alors plus complexes. Autrefois, dans les sociétés fermées et non démocratiques, le secret était la règle, et les informations avaient souvent pour but de faire éclater la vérité. Mais aujourd'hui où tout le monde informe, l'information n'est plus synonyme de vérité, sans pour autant d'ailleurs être toujours fausse. Elle est souvent «entre les deux», obligeant l'information-presse à se radicaliser dans l'investigation, les révélations, la levée de secrets, pour se distinguer de ce flot d'informations qui la singe. Une deuxième raison rend difficile le rapport information-vérité. Dans les sociétés contemporaines, la plupart des problèmes ne se résolvent plus dans l'opposition blanc-noir, vrai-faux. Non seulement la complexité des situations économiques, institutionnelles, rend difficile le rapport entre information et vérité, mais de plus l'omniprésence de l'information et de la communication dans la stratégie des acteurs déplace le sens de la vérité. Le paradoxe est que cette double évolution est en bonne partie le fruit de la lutte pour la publicité, la démocratie... Mais elle *complique* d'autant la notion de vérité, qui était hier beaucoup plus simple dans la bataille pour l'information et la démocratie, aux XVIIIᵉ et XIXᵉ siècles. Non seulement les journalistes doivent alors «se distinguer» de tous ceux qui font de l'information et de la communication, mais surtout leur travail d'enquête est plus difficile. Il est plus difficile en effet de dévoiler et de révéler quand tout est plus compliqué, et quand tout est *déjà* apparemment dévoilé et sur la place publique! Bien sûr, tout n'est pas sur la place publique, et les secrets sont aujourd'hui aussi nombreux qu'hier, mais plus difficiles à expliquer. On assiste alors à un glissement imperceptible mais durable: l'idéal de l'information se radicalise en impératif de *scoop*, d'événements, de secrets et de révélations. L'information-presse, pour se distinguer, renforce une logique de «révélations», qui certes a toujours existé dans la presse, mais dont on pouvait penser qu'elle aurait joué un rôle moins important avec l'élévation générale du niveau culturel et l'esprit critique accru du public.

3) Le troisième symptôme de ce basculement concerne *le statut de ce milieu de l'information et de la communication*. Il est aujourd'hui beaucoup *plus important en nombre* qu'il y a un demi-siècle, et les journalistes côtoyant quotidiennement les publicitaires, les spécialistes en communication, les bureaux de relations publiques, les conseillers en tout genre, risquent non pas de perdre leur identité, mais leur visibilité! En même temps, les journalistes sont beaucoup plus sollicités qu'hier, tout le monde souhaitant accéder à l'espace public. Ils se trouvent donc à la fois *banalisés* dans une gigantesque logique de communication et *valorisés* parce que ce sont eux qui tiennent l'accès à l'espace public, par le biais des journaux, des radios et de la télévision. Dans une société ouverte, tout le monde veut accéder à l'espace public, et doit donc, pour cela, passer par l'intermédiaire des journalistes. Les «passeurs», qui gèrent l'accès à l'espace public, sont devenus les «sélectionneurs», pour ne pas dire les «censeurs», de ce qui doit ou non exister publiquement.

Trois phénomènes se cumulent donc pour expliquer le renforcement de leur situation. Ils doivent se distinguer de ce vaste milieu de la communication qui fait apparemment le même métier qu'eux, et c'est en contrôlant l'accès à l'espace public qu'ils signent leurs différences. Il existe beaucoup plus de messages et d'informations qu'hier, obligeant de toute façon à une sélection plus grande de ce qui doit, ou non, être rendu public. Enfin, dans notre société ouverte, l'espace public devient le principal lieu de visibilité et, le plus souvent hélas, de légitimité. Résultat ? Tout le monde fait pression pour y être présent, renforçant quasi mécaniquement le rôle de ceux qui en gardent l'accès. Il existe donc des causes objectives, indépendantes du comportement des journalistes, qui expliquent ce pouvoir, par ailleurs discutable, qu'ils détiennent aujourd'hui dans la gestion de l'espace public.

Le milieu de l'information et de la communication est désormais le «chef d'orchestre» qui décide de ce qui accède à l'espace public. Avec l'effet pervers bien connu du *bocal*: les médiateurs, pour se protéger des pressions qu'ils subissent de l'extérieur, s'autolégitiment et considèrent leurs choix comme objectifs et justes. *Ils confondent la lumière qu'ils font sur le monde avec la lumière du monde.* Ils sont persuadés, et ceci est surtout vrai pour l'élite journalistique, de jouer un rôle essentiel. L'énorme système de communication de nos sociétés arrive ainsi au résultat paradoxal de *n'éclairer qu'un nombre très limité* de problèmes et d'interlocuteurs. Ce sont en effet toujours les mêmes personnalités politiques, culturelles, scientifiques, religieuses, militaires… qui s'expriment dans les médias. Le petit cercle médiatique éclaire de sa lumière le petit cercle de ceux qu'il considère comme les plus compétents pour s'exprimer. Les deux milieux ayant ainsi l'illusion de croire *qu'à eux deux*, ils sont représentatifs de la réalité…

Cela a trois effets vicieux. Le premier est de sélectionner plus que d'ouvrir. Le deuxième est d'accorder une légitimité trop grande à ceux qui font partie de ce premier cercle. Le troisième est de mettre en place un système où les sélectionneurs et les sélectionnés s'autoprotègent. Le monde de l'information et de la communication bénéficie d'un prestige beaucoup plus grand que les mondes de la science, de l'économie, de la religion… *La culture séduit beaucoup moins que la communication*, d'autant qu'avec un peu d'application le monde de la communication se présente comme cultivé. Et il est pris comme tel.

Un simple exemple ? La proportion croissante de livres écrits chaque année par le milieu de la presse. S'il y a toujours eu des livres publiés par des journalistes, leur nombre était hier assez limité. Aujourd'hui la proportion de romans, essais, témoignages, visions du monde, écrits par le milieu de la communication ne cesse de croître. Et comme leurs auteurs sont «connus», les éditeurs sont à leur égard beaucoup moins exigeants qu'à l'égard des autres auteurs, car ils sont certains de vendre les livres et d'obtenir de «bonnes reprises» dans les médias. Et comme *la rubrique «livres»* dans les quotidiens et les hebdomadaires, à la radio et à la télévision occupe une place très limitée, on arrive au résultat paradoxal suivant: les ouvrages dont parlent les médias sont le plus souvent ceux écrits par le milieu de la communication lui-même... La *lumière* faite par la communication sur certains pans de la réalité se transforme en *légitimité*, réduisant d'autant la curiosité à l'égard de ce qui se trouve *au-delà* du cercle. Il y a *toujours* eu un «cercle de lumière», éclairant certains aspects de la réalité au détriment d'autres, mais ce qui a changé, c'est la *légitimité* accordée à ce cercle de lumière, c'est-à-dire au milieu de la communication. De nos jours, avec l'omniprésence de l'information, des valeurs de la publicité et de la transparence, l'idée implicite s'est imposée que tout ce qui est important est visible. Quand on réalise, pour finir, que le monde de la communication ne lit *que* des journaux et des *revues de presse*, on comprend comment se renforce l'idée selon laquelle ce qui est public est légitime. *Une idée simple et fausse s'installe: tout ce qui est important est connu, donc médiatisé.*

Les journalistes ne sont pas les seuls responsables de cette situation, d'autant que seule une minorité d'entre eux en profite, mais dans la mesure où d'un point de vue théorique ils sont les passeurs de l'espace public, on comprend qu'ils bénéficient, et parfois abusent de cette situation.

4) Le quatrième changement concerne *les rapports entre information et histoire.* L'histoire est depuis toujours violente et sanglante, mais il y a dans le paradigme démocratique l'hypothèse d'un *rapport* entre ignorance et violence. La violence serait décuplée par l'ignorance, et l'un des fondements de l'information est de réduire l'ignorance pour limiter la violence. Ce fut longtemps vrai, mais aujourd'hui, l'omniprésence de l'information rend ce schéma plus complexe. Trois faits récents prouvent les limites de ce lien. Le premier concerne l'*expérience humanitaire.* Le puissant mouvement qui a bousculé en une génération les frontières traditionnelles de l'action politique et montré que le courage, la volonté de témoigner et d'agir, pouvaient enrayer la violence a illustré un certain temps cette formule célèbre selon laquelle «on tue moins quand il y a des caméras». Ce fut vrai pendant une vingtaine d'années. Mais au fur et à mesure le jeu s'est compliqué. De la Somalie au Rwanda en passant par la Yougoslavie, on sait aujourd'hui que voir, dire, montrer, témoigner n'empêchent pas la violence. Les hommes apprennent à tuer sans trop d'appréhension sous les yeux des caméras. C'est d'un seul coup l'une des idées les plus fortes de l'association humanitaire-information qui est remise en cause. Cela n'invalide nullement le schéma général mais le complique. En peu de temps on a compris que les dic-

tatures, à l'instar de celle de Saddam Hussein en Irak, apprennent à jouer avec l'information et la communication occidentale. On l'a vu, et déjà trop vite oublié, pendant la guerre du Golfe. Et surtout on réalise que, dans de très nombreuses situations historiques, rien n'arrête la violence. La Yougoslavie en est un exemple tragique. L'information, continuellement présente, n'a freiné ni la violence ni la barbarie. Certes elle n'a pas été inutile puisqu'elle a contribué à faire agir les gouvernements, divisés sur le type d'intervention à entreprendre. Et surtout elle a facilité la création de tribunaux internationaux contre les crimes de guerre. Mais chacun sent néanmoins que la marge de manœuvre reste étroite, rien ne pouvant forcer le citoyen à s'intéresser aux informations s'il ne le souhaite pas. Or dans le dispositif information-humanitaire, le public récepteur occidental joue un rôle essentiel, puisque c'est lui qui fait pression sur les gouvernements pour agir lors de situations de violence historique. Mais il n'y a pas de moyen de forcer ce public si celui-ci décide de se détourner de l'information. La déception qui, décennie après décennie, risque de gagner l'opinion publique occidentale peut avoir des effets majeurs, car l'indignation reste, dans le cas de l'humanitaire, le principal moteur de l'action politique. On l'observe déjà, à une échelle plus modeste, avec l'essoufflement des grandes soirées médiatiques chargées de lever des fonds pour les causes humanitaires ou scientifiques. L'«élasticité» de l'opinion publique occidentale – pour reprendre un mot du vocabulaire économique – à l'égard de ses propres misères comme de celles du monde a une limite, dont il faut avoir conscience. Peut-on vivre en permanence sous l'œil des malheurs de la planète, surtout quand on sait ne rien pouvoir faire pour les soulager ?

Le deuxième fait concerne le *statut de l'information* à *l'échelle internationale*. Avec les facilités techniques d'une information mondiale instantanée et tous azimuts, c'est le *rapport* même entre information et mondialisation qui est en cause. Hier, dans un monde où l'information était rare, celle-ci pouvait contribuer à rapprocher les points de vue. Aujourd'hui, avec l'instantanéité de l'information, le monde est tout de suite présent ; trop présent, trop vite, sans médiation. Au point de susciter un besoin de retrait. Le citoyen occidental, seul à assister en direct aux catastrophes planétaires, se lasse de cette «responsabilité mondiale» qui devrait être la sienne. L'information censée lui permettre de se rapprocher du monde suscite au contraire chez lui un phénomène de rejet : «*La Corrèze plutôt que le Zambèse*», selon la célèbre formule de R. Cartier. Et l'expression est encore plus vraie aujourd'hui qu'hier, puisque, par l'information et la communication, le Zambèze est aussi présent que la Corrèze dans les cuisines et les salles à manger !

Conséquence? *Les conditions à satisfaire*, pour que cette information mondiale joue le rôle positif qu'on lui souhaite, sont beaucoup plus difficiles. En un mot, il faudrait rétablir de la *distance*, là où celle-ci est supprimée par la performance technique. Comment réintroduire une distance pour éviter le rejet? Par la connaissance. C'est par elle que l'on «s'apprivoise» à l'autre et que l'on se familiarise avec lui. Le résultat auquel on arrive est ainsi paradoxal : la connaissance, qui demande toujours effort, temps et distance pour lire et comprendre, devient le complément indispensable pour accepter l'immédiateté de l'autre. *La lenteur de la connaissance* devient le moyen de contrebalancer la vitesse de l'information.

Le troisième fait concerne ce que l'on appelle l'*ingérence médiatique*. Puisque tout savoir tout de suite paraît une solution trop simple pour réduire la violence de l'histoire, les médias occidentaux réfléchissent à une stratégie plus fine d'ingérence médiatique. Celle-ci consiste à choisir les situations sur lesquelles il est *a priori* possible de peser. Cibler quelques situations et faire pression devient plus efficace que d'agir tous azimuts. Mais jusqu'où les nations occidentales peuvent-elles soutenir dans certains pays les «médias indépendants» [1]? Que faut-il entendre par médias indépendants? N'y a-t-il pas un risque de boomerang, finalement identique avec ce qui se passe pour les ONG (Organisations non gouvernementales) et certaines actions humanitaires, où la logique de la communication prend une place croissante? Une chose est certaine : l'omniprésence des médias sur le plan international crée une situation *inédite* dans l'histoire, à laquelle on n'a pas assez réfléchi et qui ne peut consister à croire, comme on l'a pensé de bonne foi depuis une trentaine d'années, que plus il y a de médias, et d'informations, mieux c'est. Jusqu'où la mondialisation des médias perturbe-t-elle, ou est-elle un facteur favorable du jeu éminemment complexe des relations internationales? Les tentations de «média-diplomatie» sont évidemment dangereuses, mais le simple fait que de nombreux acteurs de la communication y pensent est un indice de cette idée, courante au sein des médias occidentaux, selon laquelle il est «normal» pour eux d'intervenir dans les relations internationales. Là aussi la guerre du Golfe[2] aurait dû au contraire faire prendre conscience du danger de cette attitude. Mais comme le conflit fut court, apparemment juste et gagné par les Occidentaux, il n'a pas été pour eux le signal d'alarme qu'il aurait dû être. Bref, plus les médias occupent une place importante sur la scène internationale, plus la tentation est grande pour eux de vouloir peser sur les relations entre pays. Toute la question est de savoir jusqu'où cela est possible, puisque l'on sait maintenant que la réalité n'oppose plus l'information pure, honnête, au service de la vérité, à la logique politique obscure et douteuse.

5) Le dernier symptôme du renversement du rapport à l'information concerne la *confiance du public*. On a vu que dans la théorie démocratique cette confiance est la *clé de voûte* de la légitimité journalistique. C'est parce que les journalistes ont la confiance du public – appréciation éminemment qualitative – qu'ils peuvent jouer leur rôle essentiel de contre-pouvoir. C'est en s'adossant à cette confiance qu'ils peuvent travailler. Si celle-ci s'effrite, c'en est fini, à terme, de leur autonomie à l'égard des différents pouvoirs. Or depuis une vingtaine d'années, dans presque tous les pays, cette confiance est entamée, à la mesure des excès de l'information et de la communication, directement liés aux facilités techniques de la production de l'information, aux conséquences de la concurrence et au fait plus général de l'expansion du monde de la communication.

Les journalistes en profitent, mais le public voit l'écart entre les discours tenus et la réalité. Il est conscient du *décalage* entre le discours de neutralité et les mille et une manières dont les médias se trouvent, ne serait-ce que par les liens financiers, reliés aux multiples carcans des mondes industriel, financier et politique. Si l'histoire montre que l'information a toujours été unie à l'argent, jamais les liens n'ont été aussi forts, notamment en raison du développement des diverses industries de la communication, et jamais l'information et la communication n'ont joué un tel rôle dans la société. Le résultat, en tout cas pour le public, est que quelque chose du « contrat de confiance » s'est cassé, sans que les journalistes s'en inquiètent. Plus rien n'est cru « naturellement ». L'information et les journalistes sont facilement mis en question, mais le monde de l'information n'en a pas conscience, car les citoyens ne disent *rien*, continuant de s'informer, dans un marché plutôt florissant. En réalité, la demande d'information augmente avec *simultanément* une méfiance croissante de l'opinion à l'égard des journalistes. Il ne s'agit pas de défiance entendue comme un moyen de garder ses distances, mais plutôt de défiance à l'égard de la qualité de ceux qui informent. Que devient l'information-presse, déjà marginalisée, dans un monde où circulent tant d'informations de toute nature, si simultanément le public évolue vers un réel scepticisme à l'égard de ceux qui la fabriquent ? C'est au moment où l'information est enfin instantanée, permettant de tout savoir sur tout, que l'on s'aperçoit de l'importance du point de blocage constitué par le *public*. Si le récepteur n'accorde plus sa confiance au journaliste, l'information perd une bonne partie de sa valeur. On avait eu tendance à « oublier » le récepteur pendant cent cinquante ans, tant cette confiance était supposée acquise, le grand problème ayant été,

pendant cette période, d'*améliorer* la performance de l'information.
Aujourd'hui la performance est acquise, mais la confiance s'étiole…

*

La difficulté à évoquer les dégâts de l'information avec les journalistes illustre la résistance à la logique de la connaissance dont j'ai parlé
au début du livre. En effet, ils ne sont pas prêts à entendre une analyse
critique, eux qui pourtant la manient facilement, et cela pour deux raisons. Face aux pressions externes, le milieu a développé une sorte de
culture de rejet et de méfiance pour se protéger, car il s'agit d'un milieu
fragile sur lequel pèsent de multiples lobbies. D'autre part, le milieu
journalistique n'est pas habitué, contrairement à ce qu'il dit, à être
désapprouvé. Et ce d'autant que la plupart des acteurs souhaitant accéder à l'espace public passent par l'intermédiaire des journalistes et n'ont
pas envie de les désavouer, de peur de se voir barrer l'accès à l'espace
public. Les journalistes sont de ce fait beaucoup plus ménagés, voire
courtisés, que critiqués. Rien d'étonnant alors que les bénéficiaires de
tant de sollicitudes s'y soient habitués et supportent mal des analyses qui
vont à l'encontre de cette pratique dominante…

BIBLIOGRAPHIE

chapitre 10

BALLE F., *Et si la presse n'existait pas...*, Lattès, Paris, 1987.

BAUDRILLARD A., *La guerre du Golfe n'a pas eu lieu*, Galilée, Paris, 1991.

BRAUMAN R., *L'Action humanitaire*, Flammarion, coll. «Dominos», Paris, 1995.

—, *Somalie, le crime humanitaire*, Arléa, Paris, 1993.

CHAMPAGNE P., *Faire l'opinion*, Éd. de Minuit, Paris, 1990.

CHARON J.-M., *La Presse en France: de 1945 à nos jours*, Seuil, Paris, 1991.

CONSTANT B., *De la liberté chez les modernes*, Hachette, coll. «Pluriel», Paris, 1980.

DE JAUCOURT, «Article "Peuple"», extrait de l'*Encyclopédie de Diderot*, *Hermès*, n° 2, «Masses et politique», Éd. du CNRS, Paris, 1988.

DAHLGREN P., «Television Journalism as Catalyst», *Hermès*, nos 11-12, «A la recherche du public, réception, télévision, médias», Éd. du CNRS, 1992.

DEBRAY R., *Le Pouvoir intellectuel en France*, Ramsay, Paris, 1979.

EMMANUELLI X., *Dernier Avis avant la fin du monde*, Albin Michel, Paris, 1994.

—, *J'attends quelqu'un*, Albin Michel, Paris, 1996.

FARGE A., *Dire et mal dire. L'opinion publique au XVIIIe siècle*, Seuil, Paris, 1992.

FERENCKZI T., *L'Invention du journalisme en France*, Plon, Paris, 1993.

HALBERSTAM D., *Le pouvoir est là*, Fayard, Paris, 1979.

JAUME L., *Les Déclarations des droits de l'homme, 1789, 1793, 1848, 1946*, Garnier-Flammarion, Paris, 1989.

KOSELLEK R., *Le Règne de la critique*, Éd. de Minuit (trad.), Paris, 1979 (éd. originale 1959).

KOUCHNER B., *Le Malheur des autres*, Odile Jacob, Paris, 1991.

LAZAR J., *L'Opinion publique*, Sirey, Paris, 1995.

LE BON G., *Psychologies des foules (1895)*, PUF, Paris, 1988.

LIPPMANN W., *Public Opinion*, Mac Millan, New York, 1922.

MARTIN M., *Histoire et médias, journalisme et journalistes français, 1950-1990*, Albin Michel, Paris, rééd. 1991.

PADIOLEAU J.-G. (sous la dir. de), *L'Opinion publique*, Mouton, Paris, 1981.

RAWLS J., *Libéralisme politique*, PUF (trad.), Paris, 1995.

SILVERSTONE R., «Television, myth and Culture», *in* Carey J. W., *Media, Myths and Narratives. Television and the Press*, coll. «Sage Annual Reviews of Communication Research», 15, Sage, Newbury Park, 1990.

1. Selon la terminologie de l'Unesco.
2. Pour plus de détails sur l'enchaînement des faits, voir *War Game. L'information et la guerre*, chap. I, «La guerre du Golfe en direct», et chap. IV, «La presse va plus vite que l'événement». Pour l'analyse, voir *ibid.*, chap. IX, «L'information devant l'histoire et l'action», et chap. XI, «Les mutations culturelles».

CHAPITRE 11

LE TRIOMPHE FRAGILE DE L'INFORMATION

L'idéal de l'information depuis le XVIIIᵉ siècle, tout savoir, tout de suite, pour tout le monde, est devenu une réalité en moins de trente ans, du moins dans les pays démocratiques.

Certes il n'est pas possible de tout savoir, tout de suite, sur tout, mais le principe en est acquis. C'est au moment où l'idéal devient réalité que le rêve se brise pour deux raisons : la logique de l'information devient trop simple par rapport à la complexité de l'histoire ; les perturbations créées par l'information augmentent aussi vite que ses performances. La découverte de ces trois dernières décennies est amère. Le rêve de milliers de journalistes, démocrates et militants de tout genre s'avère beaucoup plus difficile au moment de s'inscrire dans les faits. Autrement dit, en dépit des facilités techniques et des consensus dont elle est l'objet, l'information reste toujours aussi fragile aujourd'hui qu'hier, mais pour des raisons différentes. Elle n'est finalement jamais donnée, mais conquise et, le plus souvent, de haute main. Son apparent succès ne doit donc pas faire oublier qu'elle reste un bien rare et fragile. L'information au carrefour des valeurs politiques, des techniques et du marché illustre cette faible marge de manœuvre dont j'ai parlé au début du livre, mais qu'il est néanmoins possible de préserver.

I. La pression trop forte des faits

En trente ans on a assisté à un glissement aux effets désormais préjudiciables. La victoire politique de l'information s'est muée en un véritable *bombardement informatif*, car dans le même temps le changement technique a progressivement permis de savoir beaucoup de choses, rapidement. L'information devient omniprésente et confine à une *tyrannie de l'instant.* On sait tout, de tous les coins du monde, sans avoir le temps de comprendre, ou de souffler, et sans savoir finalement ce qui l'emporte, du devoir d'informer, de la folie concurrentielle ou de la fascination pour les outils, ou les trois à la fois.

Le deuxième facteur explicatif de cette pression résulte du rôle des *guerres.* Si les guerres ne sont certes pas des périodes de liberté pour l'information, elles sont souvent l'occasion d'innovations techniques ou tout au moins de prouesses journalistiques. Cela a été vrai pour l'Indochine, l'Algérie, le Vietnam, les Malouines, la guerre du Golfe, la Yougoslavie… Les conflits militaires sont l'occasion d'un traitement exceptionnel de l'information, avec en grandeur nature tous les problèmes posés : performances techniques et censure, impossibilité pour les journalistes, malgré leur discours, de se situer au-dessus des camps au nom de la neutralité de leur travail, effets pervers d'images reçues simultanément dans les deux camps en guerre, décalage entre la capacité d'accéder à l'information et l'incapacité à agir, illusion de croire que tout doit être visible, avec son corollaire, le doute à l'égard de tout ce qui n'est pas montré… Jusqu'où le droit à l'information est-il compatible avec les contraintes de la guerre, donc de la censure et de la politique ? A partir de quand le mensonge, le silence ou l'autocensure deviennent-ils partie prenante de l'information ?

Le troisième facteur concerne les *situations de crises* sociales ou politiques. Elles sont aussi révélatrices d'une autre contradiction de l'information triomphante. La couverture beaucoup plus rapide des crises n'est en rien un facteur de leur résolution. Hier les crises éclataient, mais la lenteur de l'information ne permettait ni aux acteurs ni aux publics d'apprécier correctement la situation. Aujourd'hui c'est l'inverse. L'information sur les crises «en direct» permet de savoir tout de suite, sans forcément contribuer à mieux les expliquer ou à les résoudre. Les faits écrasent tout. La déstabilisation qui touche les acteurs en cas de crise affecte *également* les médias, qui se trouvent finalement pris la plupart du temps dans la même trépidation que les acteurs, alors même que leur rôle devrait être, au contraire, de temporiser et de permettre aux uns et aux autres de prendre un peu de distance. En fait les médias n'échappent pas au désordre qui atteint les acteurs, et cela en dépit d'une longue tradition journalistique de l'urgence et de l'événement. Mais comme l'expérience ne se transmet pas – ce sont rarement les journalistes qui ont couvert une crise qui suivent la prochaine –, la dramatisation de l'information amplifie la dramatisation des événements. La «communication de crise» n'est pas toujours à la hauteur de la mission d'information des médias et provoque souvent une «crise de communication».

Autrement dit, les moyens techniques dont disposent aujourd'hui les rédactions, qui devraient leur permettre de réagir plus vite, donc de conserver davantage de calme, n'empêchent ni les cafouillages, ni les dramatisations, ni les erreurs, retards et contresens dans la production de l'information de crise. Pourquoi ? Parce que le *décalage* entre la performance des outils et la difficulté à analyser et à réagir en direct est encore plus net. C'est sur la capacité d'analyse en direct que bute la performance des outils. L'information immédiate n'est pas plus facile à faire qu'autrefois, lorsque les moyens techniques étaient plus rudimentaires, car le plus difficile reste l'analyse et non la couverture de l'événement. Certes tout est en direct, mais en désordre. *Le direct n'est pas synonyme de vérité*, et le sens est encore plus difficile à dégager quand on colle aux événements. Autrement dit, l'information requiert de la distance. *La distance*, c'est-à-dire ce contre quoi, à juste titre, les journalistes se sont battus pendant plus d'un siècle pour faire une information au plus près des faits. Le résultat est paradoxal : *plus on est en direct, plus il faut réintroduire du recul.*

Les limites de l'information en direct, en temps de guerre ou de crise, sont donc le *révélateur* du problème plus général de la qualité de l'information. On ne « sait pas forcément mieux aujourd'hui » qu'hier, tout simplement parce que l'*information ne se réduit plus au récit de l'événement.* Si l'on peut *tout* voir, on ne peut tout comprendre. L'exploit n'est plus d'accéder à l'événement *mais* de le comprendre. Trop d'informations tue les faits et leur compréhension. Tel est le résultat paradoxal de la victoire du paradigme de l'information : *l'événementiel sature l'information.* Ou plutôt l'information, au lieu d'être un *choix* entre plusieurs événements, devient simplement leur somme.

Le fait structural le plus important pour comprendre la crise de l'information est donc le poids trop lourd de l'*événement* par rapport à la compréhension de la réalité. L'information est devenue un flot continu, toujours plus dramatique et dramatisé, sans pour autant qu'émergent mieux les facteurs de compréhension. Encombrée par un mélange d'événements, de rumeurs, d'opinions, de commentaires, l'information constitue un déluge dont le récepteur a du mal à s'extraire. Autrement dit, plus il y a d'événements, moins l'information peut se réduire au récit des faits, plus elle requiert d'interprétations.

II. Information : une pyramide à l'envers

Le décalage entre la performance technique caractérisant la couverture des événements et la difficulté à mieux les comprendre est accentué par un fait peu connu : la disproportion entre le tout petit nombre de journalistes d'agence, à l'origine des informations, et le volume des informations qui circulent dans le monde. Moins de vingt mille journalistes, si l'on additionne les trois grandes agences occidentales (Associated Press, Reuter, AFP), créent l'écrasante majorité des informations reprises par les médias du monde entier. Cela signifie qu'il y a *trois étages*.

A l'origine, le tout petit nombre des journalistes d'agence, producteurs de la plus grande partie des informations qui circulent dans le monde. Puis un nombre beaucoup plus grand de journalistes qui, ailleurs, plus tard, reproduisent, complètent cette information des agences, y introduisant commentaires et annexes. Enfin tous les autres acteurs qui interviennent à leur tour sur ces deux premiers flux. Résultat? La production de l'information est une *gigantesque pyramide à l'envers*. Les contradictions liées à cet état de fait ne sont guère perçues, puisque simultanément le volume et l'offre d'information ne cessent d'augmenter, dans un marché globalement en expansion. Ces deux dimensions contradictoires expliquent beaucoup de distorsions, d'autant que chaque style de journalisme (presse, radio, télévision, généraliste, spécialisé) qui intervient sur l'information souhaite y laisser son empreinte, en y introduisant des commentaires et des compléments. Finalement le moins important dans l'affaire devient l'information brute, sans laquelle les autres n'existeraient pourtant pas. *Les «agenciers» restent largement inconnus du public*, alors que ce sont eux qui, de tous les coins du monde, produisent cette information brute à l'origine de toute la chaîne. Le paradoxe est que, à l'autre bout, les journalistes-présentateurs sont devenus les vedettes des temps modernes. Autrefois, les difficultés de production et de diffusion de l'information valorisaient les journalistes qui se trouvaient à sa *source*. Aujourd'hui où tout est «facile», ce sont les présentateurs et les commentateurs qui sont valorisés. Dans un flux continu d'information, on se soucie moins de la source que du moyen de se distinguer.

III. L'autarcie du milieu

Quand on observe ce milieu, on est frappé par le fait que les journalistes qui regardent le monde ont paradoxalement tendance à vivre repliés sur eux-mêmes. Comme si le fait d'être *exposé* obligeait en contrepartie à se protéger du bruit et des pressions. Le milieu journalistique, finalement tout petit, vit, travaille, se rencontre constamment dans les mêmes lieux, obéit aux mêmes rites, a les mêmes habitudes, vit dans un cercle étroit, observe les mêmes styles, partage les mêmes codes culturels et les mêmes réflexes, dans une sorte de mimétisme silencieux, *sans* pour autant faire preuve de beaucoup de solidarité mutuelle. Cela est encore plus vrai pour la *nomenklatura* journalistique, c'est-à-dire les cinquante à cent personnes qui, dans chacune des capitales du monde, dirigent les journaux de presse écrite, de radio, de télévision, et sont en relation avec les mondes politique, diplomatique, économique. En tout cas, le décalage est grand entre le caractère *fermé* de ce milieu et le fait que c'est lui qui, jour après jour, informe et fait l'*ouverture* du monde…

IV. La tentation du conformisme

Elle a deux causes. D'une part, l'effet de bocal: entre les journalistes et leurs différents interlocuteurs, il n'y a pas assez de «courants d'air», venus d'autres aspects de la réalité; la société se réduit aux bruissements et aux rumeurs de la capitale. D'autre part, un réflexe d'autodéfense pour se protéger de la complexité du monde. Quelle est aujourd'hui l'angoisse des journalistes? Non pas rapporter les faits, c'est maintenant dans l'ordre des choses, mais savoir si leurs collègues ont finalement choisi les mêmes faits, et s'ils en ont la même compréhension. Ce qui sépare et distingue aujourd'hui les journalistes entre eux, ce sont moins les faits que leurs interprétations. Si plusieurs journalistes, appartenant à *différentes* formes de presse, constatent avoir réagi de la même manière à tel ou tel fait national ou international, ils ont tendance à en conclure que, en dépit de leurs diversités, ils ont vu l'*essentiel* de l'événement. Autrement dit, réagir à peu près de la même manière est pour eux la preuve d'une bonne perception de la réalité. Mais ils ne réalisent pas que cette réaction semblable ne renvoie pas forcément à une perception objective de la réalité, mais à l'existence d'une *culture* professionnelle commune. Cela est déjà important, mais avoir, à plusieurs, les mêmes réflexes ne garantit pas toujours d'avoir raison. Voilà pourquoi la presse a tendance, en dépit de ses différences, à traiter en *même* temps et presque de la *même* manière, les événements et les problèmes, avant de passer, tel un moineau voletant, d'un sujet à un autre. Cette tentation de conformisme dans la manière de voir et de parler du monde n'est pas reconnue par le milieu lui-même, qui y voit au contraire la preuve d'un certain professionnalisme. Cela est partiellement vrai, mais dans un univers surinformé, il faut aussi y voir une trace de l'inévitable orthodoxie qui est un moyen autant de se protéger du désordre du monde que d'y mettre de l'ordre. Parler en même temps de la même chose, de la même manière, n'est plus forcément une preuve de vérité.

V. Un événement l'emporte toujours sur l'analyse

La force du journalisme, qui compense la tentation du conformisme, est d'avoir une grande sensibilité aux événements, mais la contrepartie de cette disposition est de ne pas toujours les relativiser par rapport aux faits de structure. Et souvent de préférer l'événement à l'analyse. Ou de changer fréquemment d'analyse en fonction des circonstances. La grandeur du journalisme est de préférer un événement à une analyse, car telle est l'essence de son métier ; mais en même temps les événements ne valent que par rapport à des analyses, et comme aujourd'hui il y a de plus en plus d'événements susceptibles de devenir des informations, on comprend comment le rapport, toujours difficile, entre fait et analyse bascule au profit du premier. L'aspect positif reste la souplesse d'adaptation à l'événement, l'aspect négatif est que celui-ci suffit de moins en moins à donner un sens à l'histoire. Autrement dit, la force du journalisme est d'être dans le flux du temps, sa faiblesse, d'être à la surface du temps, son talent de passer de l'un à l'autre. De toute façon, et c'est ce que montre l'histoire, un grand nombre d'analyses conservent leur pertinence indépendamment de certains faits contradictoires, tout simplement parce que événements et analyses n'appartiennent pas au même registre de connaissance de la réalité.

VI. Les excès de l'information

Ils sont trop connus pour qu'il soit nécessaire de s'y attarder. Cependant les journalistes en ont sans doute moins conscience que le public. Quels sont ces excès ? La tyrannie de l'événement ; la logique du *scoop* et des révélations pour se distinguer de la concurrence ; le harcèlement médiatique sur certains événements ou personnalités, au détriment de pans entiers de la réalité qui sont passés sous silence ; l'absence de distance et de culture professionnelle pour mettre en perspective les événements ; la facilité dans le traitement des faits ; le peu de droit de suite sur l'information ; l'obsession des révélations, secrets et dévoilements qui, semaine après semaine, dans les médias «sérieux» comme dans les médias «populaires», prennent le public à partie pour lui permettre enfin de «tout savoir» sur tel ou tel aspect de la réalité ; l'accélération de l'information au nom du «droit de savoir» ; la spectacularisation et la dramatisation de la réalité ; la fascination pour l'urgence et les situations de crise, qui correspondent aux stéréotypes de la culture du milieu journalistique ; l'imposition de sujets qui mobilisent souvent plus les journalistes que le public ; la confusion entre la couverture instantanée de l'événement et sa compréhension ; le silence sur les effets de la logique impitoyable de la concurrence ; la surmédiatisation d'un tout petit milieu de personnalités «représentatives» de la société, circulant sans cesse d'un média à l'autre ; le narcissisme du milieu médiatique, qui conduit la presse à consacrer une place considérable aux changements d'emplois, ou d'employeurs, des «vedettes», ainsi qu'aux nouvelles maquettes d'émission, comme s'il s'agissait chaque fois d'informations importantes, pour tout le monde... Et la liste peut sans difficulté être augmentée. Il en résulte une sorte de malaise diffus. Le public ne sait plus très bien jusqu'où toutes ces pratiques ont un quelconque rapport avec le devoir d'informer, et à partir de quand elles servent de caution à une concurrence effrénée entre acteurs de la communication, au narcissisme perceptible...

VII. Plus il y a d'informations, plus il y a de secrets

Le volume croissant d'informations bute sur un autre obstacle non prévu dans la théorie démocratique: l'information devait réduire la place du secret et des rumeurs; on constate l'inverse. Pourquoi? Parce que chacun se sent davantage valorisé par le fait de partager des informations connues uniquement d'un petit nombre, plutôt que d'être au courant de ce que tout le monde sait... Si le secret a l'inconvénient de lier les partenaires, la rumeur a l'avantage de valoriser le narrateur *et* le récepteur, expliquant que la rumeur soit l'information à la diffusion la plus rapide. Une information publique est beaucoup moins valorisante qu'une rumeur. Ce qui explique que les deux croissent aussi vite que l'information publique, chacun cherchant un moyen de savoir quelque chose qui n'est pas su par tout le monde, avec cette idée implicite: la vérité est toujours plus ou moins cachée; «on» cherche à nous dissimuler quelque chose que les journalistes vont nous révéler. Ce phénomène explique le succès de toutes les «lettres confidentielles» publiées par les groupes de presse, même si certaines sont parfois tirées à plus de cinq mille voire à dix mille exemplaires... D'ailleurs elles sont d'autant plus chères qu'elles sont tirées à peu d'exemplaires, preuve que dans l'inconscient collectif l'information semi-secrète et sa cousine la rumeur ont toujours plus de valeur que l'information publique...

VIII. Le déficit de légitimité

Les journalistes sont à la recherche d'une légitimité, qu'ils savent discutée, même si aujourd'hui ils ont davantage d'influence qu'il y a un siècle. Ils la trouvent bien sûr dans le phénomène de groupe, mais aussi en fréquentant «les grands de ce monde». Leurs interlocuteurs deviennent ainsi, et c'est normal, leurs partenaires de légitimité. D'ailleurs l'année est scandée de rendez-vous, de rencontres régionales ou mondiales, où les grands acteurs économiques, politiques et militaires se retrouvent. Et ceux-ci acceptent de plus en plus dans ces entrevues, au nom de la «transparence», la présence de la *nomenklatura* journalistique mondiale. En participant à ces rencontres — celle de Davos, en Suisse, en janvier de chaque année, en est peut-être l'archétype —, cette «élite» a ainsi le sentiment d'entrer dans la «communauté des grands». Et surtout d'avoir la possibilité, en peu de temps, ce qui est toujours l'obsession des journalistes, d'accéder à l'*essentiel* des problèmes du moment. Non seulement ils ont la conviction – fausse, mais partagée par les autres participants de ce type de réunion – de maîtriser ainsi les problèmes du moment, mais ils ont aussi le sentiment d'acquérir un peu de la légitimité des grands de ce monde. Même si ces savants travaux de prospective mondiale se révèlent la plupart du temps inutiles, ils donnent, le temps de leur énonciation, l'impression d'offrir une synthèse et «un sens à l'état du monde». Cette quête angoissante du *sens*, qui étreint tous les responsables, est l'un des résultats mécaniques de la mondialisation de l'information et des problèmes. En effet, avoir une beaucoup plus grande conscience des problèmes du monde, et de la difficulté à les résoudre, crée un besoin de rationalisation de l'histoire.

Ce phénomène de légitimation mutuelle entre les «élites» et l'«élite journalistique» observé à l'échelon international est identique dans le cadre des nations. Il provoque une tendance *à se ménager mutuellement*, et ce, pour trois raisons. Accédant aux mêmes sources, parlant avec les mêmes interlocuteurs, réagissant de la même manière, les journalistes ont des réactions *communes* avec les élites même si ensuite, par l'exercice de leur métier, ils s'en «distinguent». A un certain niveau hiérarchique, les élites des médias doivent de toute façon ménager les autres élites économiques et politiques, car le marché professionnel reste instable, et les oppositions politiques d'aujourd'hui sont facilement au pouvoir demain, obligeant chacun à «ménager la chèvre et le chou». En outre, les bouleversements constants du secteur de la communication – provoquant concentrations, rachats, licenciements et départs volontaires – obligent les journalistes à rester en termes courtois avec beaucoup de monde. Y compris avec des collègues dont ils ne partagent pas toujours les analyses, mais avec lesquels ils seront peut-être appelés à travailler demain, tant les chemins de ce marché du travail bien particulier sont capricieux. Enfin, partager avec d'autres confrères les secrets des grands de ce monde crée des *liens*, qui sont en relation avec l'autolégitimation du milieu.

Ce milieu très individualiste entretient donc un réel esprit de corps face aux critiques et manifeste même des réactions corporatistes, comme si tout reproche était finalement une atteinte à la liberté de la presse. Dans l'ensemble, les journalistes ne tiennent du reste pas beaucoup de propos critiques sur leur «petit territoire», ce qui pour le public crée un malaise. Pourquoi les journalistes, qui ont la remontrance si facile à l'égard de *tous les milieux*, refusent-ils que l'on procède de même avec eux?

IX. Le quatrième pouvoir, ou l'idéologie journalistique

L'idéal d'un grand nombre de journalistes occidentaux, qui n'oseront jamais l'avouer, n'est-il pas de devenir K. Berstein ou B. Woodward, les deux journalistes héros du Watergate? Arriver, au nom de la vérité, à déstabiliser le pouvoir politique légitime d'une démocratie, voire à le renvoyer, est sûrement le rêve inavouable d'un nombre considérable de journalistes… N'est-ce pas mettre l'idéal de l'information au-dessus de tous les pouvoirs?

Plus la concurrence s'installe au sein de l'information, plus les journalistes veulent sortir par le haut et devenir *les purificateurs de la démocratie*. Le journalisme d'investigation devient la référence et la ligne d'horizon, avec cette dérive, hélas bien connue, consistant à glisser vers un journalisme de dénonciation, qui, au nom des grandes vertus de la démocratie, rejoint une autre tradition fort ancienne du journalisme populaire, notamment dans les pays anglo-saxons, celle du «journalisme de caniveau». Hier limité aux faits divers, celui-ci concerne aujourd'hui *tous* les aspects de la société, à la mesure d'ailleurs de l'extension du champ de l'information. Les «révélations» concernent de nos jours de la même façon la politique, la science, la religion, la médecine, la vie publique ou la vie privée… La grande difficulté de cette dérive idéologique vers le quatrième pouvoir est illustrée par la figure mythique du *journalisme d'investigation*, qui renaît régulièrement tous les vingt ans comme thème central de l'*essence* du journalisme. Certes l'*enquête*, symbole de la tradition journalistique, est encore plus nécessaire dans un univers saturé d'informations, mais à la condition de ne pas l'identifier à un travail de justiciers! Si l'information n'est jamais acquise, aujourd'hui comme hier, en dépit de sa légitimité apparemment reconnue, ce n'est pas une raison pour se transformer en justiciers. Et si l'on pense à la coopération qui peut s'établir entre la justice et la presse, on voit aussi les dérives qui peuvent en résulter, notamment du fait qu'il n'y a pas de contre-pouvoirs à la presse et à la justice. D'autant que les acteurs politiques et économiques, si souvent mis en cause aujourd'hui par la presse et la justice, sont confrontés à la redoutable épreuve de l'action. Comment faire la part des choses entre le droit à la critique, la nécessité de respecter la loi et la difficulté de l'action? Par ailleurs, la référence à la vérité, pour expliquer certains comportements de la presse et de la justice, laisse sceptique. Le public a parfois le sentiment que cette recherche de la vérité est à deux vitesses. Obsédante, voire étouffante dans certains cas, elle devient au contraire plus discrète dans d'autres cas, notamment en ce qui concerne les mutations, les échecs, voire les exactions du milieu de la presse et de la communication, ou les erreurs de la justice. La pire des dérives pour la démocratie serait une espèce de «collusion purificatrice» entre la presse et la justice.

X. Gardiens ou juges de l'espace public?

La puissance croissante du rôle des journalistes dans l'espace public conduit à une dégradation de leurs relations avec les autres prêtres de cet espace que sont les intellectuels. Hier, leurs intérêts étaient communs, et l'histoire de la démocratie est jalonnée de batailles où journalistes et intellectuels ont marché main dans la main. Aujourd'hui, la médiatisation de certains intellectuels fait perdre à ce milieu la place d'expert extérieur au jeu social qu'il avait auparavant. Et le rôle grandissant des journalistes dans l'espace public rend moins utile le recours aux intellectuels. A la limite, les journalistes seraient mieux placés pour dénoncer les injustices et occuper la position morale des intellectuels du siècle dernier[1]. Ils sont alors tentés, avec quelques intellectuels médiatiques, de se transformer en maîtres à penser; du reste, ils écrivent de plus en plus de livres sur des sujets de plus en plus éloignés de leur compétence stricte. Et le succès de ces ouvrages renforce leur légitimité. La conséquence est que l'élite journalistique se met à parler de *tout*, acquérant progressivement un double *statut*: celui de journaliste et celui de penseur à chaud de la société. C'est ainsi que certains d'entre eux participent même à des émissions où ils sont interviewés par d'autres journalistes... En passant du statut de personne interrogeant à celui de personne interrogée, ils manifestent leur changement de place dans l'espace public.

D'une certaine manière une rivalité s'établit entre cette minorité et les autres journalistes. Pourquoi pas? Cela introduit une certaine concurrence dans l'interprétation des événements, mais le problème vient alors du fait que certains journalistes considèrent qu'ils peuvent être les *deux* à la fois. Comme d'ailleurs certains intellectuels qui se comportent simultanément en simples journalistes. On observe là un travers du phénomène de la médiatisation: celui qui consiste à croire que l'on peut remplir *deux rôles* en même temps. Une minorité de journalistes-clercs et d'intellectuels-journalistes se trouve ainsi constamment au centre des médias, prêts à commenter l'histoire, dont ils ne sont pas loin de penser qu'ils en sont le centre. Même s'il n'y a évidemment pas de rapport direct entre commenter l'histoire et être au cœur de celle-ci...

BIBLIOGRAPHIE

chapitre 11

BALLE F., *Le Mandarin et le Marchand: le juste pouvoir des médias*, Flammarion, Paris, 1995.

BOMBARDIER D., *La Voie de la France*, Laffont, Paris, 1975.

BOUGNOUX D. (sous la dir. de), *Sciences de l'information et de la communication*, « Textes essentiels », Larousse, Paris, 1993.

BOYD-BARRETT O. et PALMER M., *Le Trafic des nouvelles. Les agences mondiales d'information*, A. Moreau, Paris, 1981.

CHALIAND G., *La Persuasion de masse: guerre psychologique, guerre médiatique*, Pocket, Paris, 1996.

CHARON J.-M., *La Presse quotidienne*, La Découverte, Paris, 1996.

DAHLGREN P., « L'espace public et les médias. Une nouvelle ère ? », *Hermès*, nos 13-14, « Espaces publics en images », Éd. du CNRS, 1994.

DURANDIN G., *L'Information, la désinformation et la réalité*, PUF, Paris, 1993.

FERRO J.-M. et WOLTON D., « Guerre et déontologie de l'information », *Hermès*, nos 13-14, « Espaces publics en images », Éd. du CNRS, Paris, 1994.

FERRO M., *L'Information en uniforme: propagande, désinformation, censure et manipulation*, Ramsay, Paris, 1991.

FOGEL M., *Les Cérémonies de l'information dans la France du XVIe au XVIIe siècle*, Fayard, Paris, 1989.

SCHUDSON M., *Discovering the News. A Social History of American Newspaper*, Basic Books, New York, 1978.

UNESCO, *Rapport sur la communication dans le monde*, La Documentation française, Paris, 1990.

VOLKOFF V., *La Désinformation; armes de guerre; textes de base*, Age d'Homme, Lausanne, 1992.

WIEVIORKA M. et WOLTON D., *Terrorisme à la une. Média, terrorisme et démocratie*, Gallimard, Paris, 1987.

WOLTON D., « Le déclin de l'information universelle », *Columbia Journalism Review*, New York, printemps 1979.

WOODROW A., *Information, manipulation*, Félin, Paris, 1991.

1. A ce sujet, on se reportera à l'article de J.-D. Bredin, « Les habits neufs de la justice », *Le*

Monde, jeudi 10 octobre 1996 : « Les médias rêvent volontiers d'un droit et d'une justice qui ne pourraient les contrarier. On voit s'agiter et s'opposer des images : le juge tout-puissant contre l'intraitable défenseur, le journaliste purificateur contre le politique corrompu, l'intellectuel généreux qui souhaiterait vider les prisons contre ce vilain Français qui ne voudrait que les remplir. Débat d'images. Peut-on tenter de les fuir un instant ? »

CHAPITRE 12

LES TROIS CRISES DU JOURNALISME

Les journalistes sont les grands bénéficiaires de la victoire de l'information et de la communication. En seront-ils les victimes? Sauront-ils maîtriser leur victoire, ou seront-ils happés par elle? Bénéficiaires ou victimes, la réponse dépendra en réalité de leur capacité à surmonter cette victoire et à ne pas confondre le caractère public de leur métier, leur visibilité, voire leur notoriété, avec leur légitimité. Car depuis trente ans le fossé se creuse lentement entre la représentation que les journalistes se font d'eux-mêmes et la confiance que leur accorde le public[1].

Deux faits demeurent à leur décharge. Le phénomène est récent et principalement dû à l'explosion de la télévision. Auparavant les journalistes étaient plus modestes, narquois et ironiques vis-à-vis d'eux-mêmes. La visibilité et la notoriété conférées par l'image ont tout changé.

«La télévision rend fou» – selon le titre d'un ouvrage de B. Mazure – c'est bien connu, et elle a rendu fou bon nombre de ceux qui s'y sont frottés: journalistes, animateurs, producteurs et dirigeants. Deuxièmement, la plus grande partie des journalistes ne tombe pas dans ce travers, parce qu'ils ne sont pas des «vedettes» et font assez modestement leur travail. Mais le public ne voit et ne connaît que la cinquantaine des journalistes médiatisés, et c'est par rapport à ce petit groupe qu'il se fait une image de la profession *dans son ensemble*. Or cette profession est très hiérarchisée, et la plus grande partie du milieu subit les images positives ou négatives véhiculées par cette petite *nomenklatura*, sans réussir à s'en distinguer. Soit parce que, en étant en bas de la hiérarchie, certains journalistes n'arrivent pas à se faire entendre. Soit parce qu'eux-mêmes aspirent à rejoindre le club des privilégiés... L'enjeu est double avec, d'une part, la perte de confiance du public qui réduirait la légitimité des journalistes, donc leur rôle de contre-pouvoir, et, d'autre part, l'illusion selon laquelle, grâce aux nouvelles technologies, on pourrait réduire le rôle des journalistes. A terme, c'est le statut du journaliste, intermédiaire entre le spectacle du monde et le public, qui est en cause, à la suite de cette évolution technique et de la crise de confiance du public à l'égard de la profession. Inutile de dire qu'une telle évolution serait catastrophique, pour le métier mais aussi pour l'information, le public et la démocratie. Comme je l'ai souvent dit, plus il y a d'information, de commentaires, d'opinions, plus la fonction du journaliste comme intermédiaire pour sélectionner, organiser, hiérarchiser l'information est au contraire indispensable.

Rien ne sert là non plus de dénoncer les dérives du métier que tout le monde a à l'esprit. Il faut plutôt en comprendre les causes et dégager les solutions possibles. Il y a un prix à payer pour cette revalorisation du journaliste : un sérieux examen de conscience, qui dépasse l'autocritique narcissique observée dans certains colloques sur la «crise du journalisme». Si le public des pays occidentaux ne perçoit pas cet *aggiornamento* dans les dix à vingt ans qui viennent, et sans doute même avant, le contrat de confiance, silencieux mais indispensable, entre le public et ses informateurs risque de se rompre. Ce serait dommageable, car il s'agit d'un très beau métier : saisir au jour le jour le fil du temps, distinguer l'important du secondaire, tenter de l'expliquer à des publics invisibles. Mais il est plus difficile à faire aujourd'hui qu'hier, du fait de l'omniprésence de l'information. Plus il est facile *techniquement* de faire de l'information, plus son *contenu* pose des difficultés. Ce qui est gagné en facilité technique est perdu en signification. Ce fait déstabilise l'activité journalistique, nécessairement artisanale et dont le *sens* reste d'être capable, en spectateur de l'histoire, de distinguer jour après jour le tragique du superflu. Le journaliste est fragile, car il est quotidiennement exposé aux feux de l'histoire et au regard du public. Rien ne serait pire que la lente dégradation de cette fonction de «guetteur de la démocratie» au moment où les valeurs de l'information triomphent.

Mon propos vise donc à revaloriser la fonction de journaliste, et non à la diminuer, d'autant qu'un certain nombre de difficultés auxquelles elle est confrontée concerneront bientôt le monde intellectuel et culturel. A terme, le problème sera en effet en grande partie le même : comment résister à la logique communicationnelle ? Comment préserver une certaine altérité dans la manière de voir la réalité ? D'autant que l'émergence, en vingt ans, de la catégorie des «intellectuels médiatiques» permet d'imaginer le problème. Peut-on jouer simultanément plusieurs légitimités ? A partir de quand le monde intellectuel et culturel doit-il refuser la simplification et le côté spectaculaire inhérents à l'existence des médias, dès lors que ceux-ci font disparaître la logique de connaissance? A partir de quand le monde journalistique doit-il refuser la tentation de passer du statut de contre-pouvoir à celui de quatrième pouvoir, lui faisant perdre ainsi l'altérité indispensable de sa fonction? Dans les deux cas la question est la même: comment éviter que la communication nivelle toutes les différences, supprime les distances indispensables? Ces difficultés observées ici dans l'évolution du journalisme concernent donc, à terme, le monde académique, celui des experts, et la frange des technocrates intervenant dans l'espace public. Mais il prend une valeur exemplaire quand il s'agit du métier de ceux qui *font* l'information et la communication.

I. Les trois crises du journalisme

Elles n'ont pas les mêmes causes, mais se renforcent toutes pour déstabiliser l'identité d'une profession récente et fragile.

1) *Les contraintes économiques*: les journalistes occidentaux se battent pour la liberté politique, comme si celle-ci était menacée, alors que la logique économique est au moins aussi menaçante pour la liberté de la presse que la répression politique. Les lois du capitalisme – qui ont toujours été omniprésentes dans le secteur de la presse, car il ne faut pas idéaliser le passé – ont aujourd'hui des effets implacables, à la mesure du développement du secteur. Les journaux sont rachetés, supprimés, fusionnés. Les groupes de communication jouent avec les radios, les télévisions et les industries de programmes. Les groupes multimédias, quant à eux, combinent, avec les nouvelles technologies, des offres de programmes et de services qui déstabilisent toute la tradition de l'information et de la communication. Les journalistes sont mal à l'aise face à cette place croissante de la logique économique, car ils ne disposent ni des mots ni des références pour se battre sur ce terrain. Autant ils sont à l'aise avec la lutte politique, dont ils partagent les références, autant ils sont gênés, et pris à contre-pied, par les contraintes économiques. La standardisation et le rationalisme qui en résultent perturbent la division du travail traditionnel, laissant sans défense un milieu peu familier de ce type de lutte. L'individualisme de la profession accentue les effets de déstabilisation et, comme le marché du travail est, simultanément, en récession et en expansion, beaucoup de journalistes, comme souvent dans l'histoire de la presse, pensent pouvoir «s'en tirer» individuellement. La logique individualiste s'oppose ici à la défense de l'identité professionnelle. Et l'idéologie de la déréglementation qui domine le secteur de la communication a vite fait d'identifier à la «défense d'un corporatisme étroit» ce qui est en réalité une lutte politique essentielle, dans le cadre du modèle démocratique.

Dans la lutte économique impitoyable qui emporte tout le secteur de la communication, les journalistes, malgré les sourires et les bons discours, sont souvent de la *« chair à information »*. Les groupes et les capitaines d'industrie savent qu'à la condition de mettre suffisamment d'argent dans la négociation les vedettes de la profession, comme les stars du football, passeront d'un groupe de communication à un autre. Le reste de la profession est par ailleurs peu capable de s'opposer aux logiques de restructuration. En Occident, ce milieu a plus été déstabilisé en trente ans par la logique économique que par la pression politique. Mais il n'ose pas le reconnaître.

2) *Les contraintes techniques* : apparemment il s'agit moins de contraintes que de facilités. En réalité, ces dernières affectent structurellement, on l'a vu, le travail journalistique. Aujourd'hui tout va très vite, trop vite. Il n'y a plus de distance entre l'événement et l'information. Le rêve du direct, devenu réalité, vire au cauchemar. D'autant que la contrainte de la concurrence pousse encore plus à raccourcir les délais entre événement et information. Les journalistes, là aussi, sont pris à contre-pied, puisque c'est au moment où la réalité rejoint leur idéal qu'ils en voient les limites. Ce n'est pas forcément en étant le nez sur l'événement que l'on fait une meilleure information. Cruelle prise de conscience. De toute façon, à supposer que les journalistes puissent suivre le rythme des événements sans trop d'erreurs, cela ne signifie pas que le récepteur, à l'autre bout, ait la même capacité d'absorption. Le thème de la mondialisation de l'information illustre au mieux cette contradiction entre performance technique et contenu de l'information. Techniquement, il peut exister une « mondialisation de l'information », mais il n'y a pas de « récepteur mondialisé ». *Le thème du village global est une réalité technique et une illusion du point de vue du contenu de l'information.* Plus il est facile, techniquement, de faire de l'information, plus la difficulté est du côté de la sélection et de la construction de l'information d'une part, et de la réception de celle-ci d'autre part. Le changement technique, accentué par les contraintes de l'économie, a brisé la chaîne qui, hier, était relativement continue entre le fait et l'événement, la technique et le journaliste, l'information et le public. Le paradoxe est que c'est le progrès technique qui a cassé cette chaîne, alors que pendant un siècle et demi on a cherché, avec ce même progrès technique, a réduire la longueur de cette chaîne de l'information.

3) *Les contraintes politiques* : là aussi, la difficulté résulte d'une amélioration ! La liberté politique de l'information est acquise. Certes, le rapport de force demeure indépassable entre les journalistes et les acteurs, mais il est sans commune mesure avec ce qui se passa pendant un siècle. Le problème est, on l'a vu, d'éviter que les journalistes n'abu-

sent de cette victoire. La plupart du temps, ce ne sont plus les journalistes qui sont dans les mains des hommes politiques, mais l'inverse.
Cependant les hommes politiques ont intérêt à faire croire qu'ils maî-
trisent leur rapport au monde, et les journalistes qu'il leur est toujours
aussi difficile de travailler... D'une manière générale, c'est la place de
l'information dans le fonctionnement de la démocratie qui, en un siècle,
a changé. Tout citoyen trouve aujourd'hui normal d'être informé publiquement, librement, contradictoirement de la plupart des grands problèmes de société. L'information est omniprésente. Mais comment éviter d'abuser de cette situation ? Ce qui signifie deux choses : d'une part,
évaluer l'impact du bombardement informationnel, visible avec la multiplication des chaînes thématiques d'information en radio, télévision et
nouveaux médias. D'autre part, apprécier la croyance selon laquelle l'essentiel de la réalité est aujourd'hui perceptible grâce à l'information.
Autrement dit, comment admettre que l'information, aussi omniprésente soit-elle, ne suffira jamais à rendre compte de l'essentiel de la réalité ? Et qu'il existe des pans entiers de la réalité largement sous-traités,
sur le plan de l'information, et qui n'en sont pas moins importants pour
autant ? Le résultat de ces trois crises est en tout cas une *déstabilisation*
profonde du monde des journalistes, qui se trouve à la fois bénéficiaire
et victime de cette triple évolution.

II. Les dix voies de l'*aggiornamento*

A. Casser l'apparente unité du groupe des journalistes

Parler «des» journalistes n'a guère de sens, car il existe, là comme
ailleurs, une hiérarchie, et la plus grande partie des dérives observées
concerne la minorité des «journalistes leaders» à la tête de la radio, des
journaux, de la télévision, des groupes de communication, c'est-à-dire
le sommet de la hiérarchie. Nombre de journalistes qui n'y appartiennent pas ne partagent pas ces comportements, mais ne le font pas savoir,
pour toutes les raisons expliquées précédemment. Tant que les journalistes n'arriveront pas à casser cette fausse unité, qui leur est plus préjudiciable que favorable, le public restera sceptique à leur égard. Cette différenciation consisterait d'abord à valoriser les journalistes d'agence, qui
jouent, on l'a vu, un rôle crucial dans la production de l'information et
restent sans doute les plus fidèles à l'idéal du métier. Mais ceux-là,
n'étant ni connus ni médiatisés, ne font guère parler d'eux. Il y a également d'autres différences à faire apparaître, pour mieux distinguer les
multiples métiers du journalisme : dans l'écrit, à la radio, à la télévision,
demain dans les nouveaux médias, il y a à chaque fois un travail de *spé-
cification* à faire. La presse de la capitale n'est pas celle de la province, et

cela ne justifie en rien le complexe de supériorité de la première à l'égard de la seconde. Ni la paresseuse hiérarchie dans laquelle la seconde accepte trop souvent de se situer par rapport à la première. *Différencier* est indispensable, d'autant qu'en un demi-siècle plusieurs formes de journalisme sont apparues : journalisme économique, social, militaire, territorial, scientifique…, qui remettent en cause la hiérarchie « naturelle » qui place les journalistes du service étranger, puis de la politique intérieure, au sommet. Pourquoi les multiples formes de journalisme qui se sont développées depuis la guerre n'ont-elles pas réussi à *mettre en cause* le stéréotype du métier, qui relève d'une autre époque de la presse ? Leçon à méditer pour un milieu qui, par ailleurs, « s'étonne » de la « lenteur » avec laquelle d'autres milieux professionnels ou culturels refusent de changer. On pourrait appliquer exactement le *même* raisonnement au milieu de l'information…

Non seulement il existe de nouvelles *formes* de journalisme qui devraient être intégrées dans une réflexion critique sur le métier, mais se posent aussi de redoutables problèmes de *frontières*. Certaines fonctions de documentalistes dans les médias électroniques ne sont-elles pas du journalisme ? Pourquoi dans certains pays les présentateurs des journaux audiovisuels sont-ils des journalistes, et dans d'autres des animateurs ? Quelles sont les différences entre certaines fonctions de relations publiques et le journalisme ? Où finit le journalisme, où commence la communication ? Ceux qui assurent la communication des grandes institutions (entreprises, villes…) sont-ils des journalistes ? Quel est le prix de l'information dans ce vaste marché ? Qui le fixe et, surtout, qui paye ? Faudra-t-il là aussi des conflits aux marges du métier et entre les OS de l'information et les stars pour que les problèmes se posent ? Jusqu'à quand ce milieu composite acceptera-t-il d'être identifié à une cinquantaine de personnalités ?

B. Relativiser les images mythologiques du métier

A. Londres, Rouletabille, P. Lazareff, B. Woodward, F. Giroud et bien d'autres… Ces références jouent, comme dans tout milieu professionnel, un rôle essentiel, mais ici peut-être plus qu'ailleurs du fait de la dimension publique du métier. La distance est grande entre les figures mythiques, ou imaginaires, du métier et les réalités de la vie professionnelle. Quel impact ces êtres « emblématiques » ont-ils encore sur le milieu ? Quelles sont aujourd'hui les vraies valeurs du journalisme, au moment où celui-ci triomphe en se caricaturant ? Deux exemples concrets : comment sauver une conception du journalisme différente de l'évolution constatée aux États-Unis, où tout se termine par la mise en place d'une logique juridique ? L'issue du journalisme démocratique est-elle de finir dans l'espace judiciaire par l'intermédiaire d'avocats? Le journaliste est-il un superavocat et l'information peut-elle échapper à sa juridicisation? C'est à la fois l'évolution de la société qui est en cause et celle des représentations du rôle du journaliste. Autre exemple : celui des sources. Jusqu'où le journaliste peut-il protéger ses sources, et à partir de quand doit-il les rendre publiques? Problème essentiel, lié à la place croissante du droit dans la vie publique. Pour sauver sa place dans une société où tout est «information», le journaliste doit-il accepter cette course-poursuite vers les «révélations», les «secrets», les «scoops», en protégeant ses sources et en prenant à partie le public, ou la justice, de sa «lutte» contre les pouvoirs? Le journaliste juriste et avocat est-il une nouvelle figure, à côté du journaliste d'enquête et d'investigation? Que devient la fonction si ancienne de reporter? Le journalisme institutionnel ne prend-il pas trop de place? Que penser du journalisme de relation et de présentation, lié aux médias audiovisuels, et dont personne ne peut nier qu'il joue un rôle important puisque sa force est ce rapport de confiance avec le public? L'hypermédiatisation de la réalité est-elle encore compatible avec l'un des rôles classiques du journalisme, depuis plus d'un siècle, à savoir faire pression sur la politique?

C. Retrouver la confiance du public

Cette confiance est la clé de voûte de la légitimité du journalisme. En dépit de leurs discours, les journalistes sont peu curieux du public. Ils ont souvent à son égard une relative indifférence et ne sont jamais loin de penser que leur métier *les met « en avance » sur lui*. Comme si de savoir avant les autres créait une différence… De plus les journalistes ont une vision qualitative du public trop sommaire, où deux pôles émergent : le paternalisme et la peur de se faire critiquer. Ils s'en «remettent» trop souvent aux sondages pour se faire une opinion du public, et à quelques témoignages favorables ou défavorables. Toute profession se constitue une représentation plus ou moins simplifiée du public, mais peu y trouvent à ce point le sens et la légitimité de leur métier. Beaucoup sous-estiment l'intelligence du public et, surtout, n'ont pas compris combien, en un demi-siècle, celui-ci avait acquis une culture audiovisuelle critique, à la mesure notamment de l'élévation des connaissances. L'information ne suffit plus, n'épate plus. Le public veut comprendre, et spécialement comprendre l'information dans son contexte. Ce qui apparemment devrait revaloriser le rôle du journaliste. Plus il y a d'informations, plus des liens complémentaires entre *information et savoir* sont nécessaires.

D. Informer sur les pièges et les difficultés de l'hypermédiatisation

Cela est nécessaire d'abord parce que les techniques vont plus vite que l'information. Hier celle-ci était une conquête, aujourd'hui elle est une banalité, même si les journalistes continuent de la dramatiser. Mais cette dramatisation est plutôt autoréférentielle. Ensuite parce que les facilités techniques et la pression de la concurrence conduisent à une escalade de la dramatisation. La plupart des informations sont présentées sur un mode dramatique, haletant et grave (par exemple la crise de la vache folle). Les «révélations» se succèdent à un rythme rapide, créant à terme un risque évident d'«overdose informationnelle». Le thème de l'«information mondiale» participe à ce processus d'inflation. C'est aux journalistes de rappeler que plus il y a d'information, plus la notion de *point de vue* est déterminante parce qu'il n'y a jamais de citoyen mondial. Les journalistes le savent bien : quand ils se trouvent sur un même événement à plusieurs, ils constatent rapidement combien les uns et les autres ne le voient pas de la même manière ! Mais au lieu de voir une force dans cette diversité, ils y voient une faiblesse...

Enfin, un immense travail est à faire sur l'*image* afin de maintenir très distincte, pour le public, la différence entre images de la réalité, liées à l'actualité, images de fiction et images virtuelles. Aujourd'hui, dans un univers saturé d'images, le lien entre image et vérité n'est plus direct. Dès lors qu'il y a pléthore d'images, celles-ci ne disent pas, *naturellement*, «le vrai». À supposer qu'elles l'aient jamais rendu... Avec l'image rien n'est jamais simple, encore moins aujourd'hui pour des sociétés qui en ont fait le rapport *privilégié* et le plus direct à la réalité. Son statut se trouve donc modifié par le simple fait du volume d'images en circulation. Cela crée une situation inédite où l'image *constitue* au moins autant la réalité qu'elle ne la représente. C'est donc toute la question du statut de l'image et de son rapport à la réalité qui est posée. Le lien entre image, réalité et vérité doit être d'autant plus interrogé qu'avec le côté spectaculaire de la réalité, celle-ci est réduite à une succession d'images fortes, symbolisant la plupart du temps des événements graves ou tragiques. Un exemple : toutes les télévisions du monde recourent à des montages d'images violentes non seulement pour les informations, mais aussi pour la publicité, les magazines et les documentaires. Pour réaliser le poids de cette dramatisation, il suffit de voir les génériques de presque tous les magazines d'information dans les télévisions privées ou publiques : une suite saccadée d'images sur les événements les plus tragiques des dernières années. Comme si le public avait besoin de cette dramatisation pour s'intéresser à l'information ! Comme s'il oubliait le caractère tragique de l'histoire ! Comme s'il fallait chaque jour un peu plus de violence pour ne pas fuir les informations... En réalité, dans le maniement de ces images dramatiques une violence considérable est faite au public.

Bref, si l'on veut que l'image conserve son rôle dans l'économie générale de l'information et de la vérité, il est indispensable, après vingt à trente ans d'explosion d'images de toutes sortes, qu'un travail critique soit entrepris par ceux qui les *font* et les *gèrent*. Non seulement il ne suffit plus d'être informé pour savoir, mais il ne suffit plus de voir pour savoir. En trente ans, les repères traditionnels du rapport entre information et connaissance ont basculé, justifiant un effort théorique dont les journalistes doivent être les premiers acteurs. Sinon, le phénomène de rejet à l'égard de l'information, y compris à l'égard des images les plus sophistiquées, pourrait bien venir d'un public saturé de sang, d'images et de sens.

E. Valoriser la fonction d'intermédiaire généraliste

En quoi consiste l'information-presse par rapport à tous les autres genres d'information ? Pourquoi cette distinction, vitale, doit-elle être maintenue ? Que devient la spécificité du journaliste si tout le monde fait de l'information et de la communication ? Comment refuser la fusion de ce métier dans un milieu professionnel plus large, celui de la communication ? On peut suivre deux pistes. D'une part, réaffirmer le lien entre l'information-presse et les valeurs démocratiques pour résister aux mirages d'une information objective. Le défi du journalisme n'est pas de concurrencer Internet. D'autre part, revendiquer le caractère généraliste de l'information-presse, au sens non pas du niveau zéro de l'information, mais d'un choix renvoyant à l'impératif démocratique. C'est en étant capable, grâce à l'information reçue par tous, de comprendre les problèmes du moment que le citoyen peut exercer sa souveraineté.

Cela signifie réaffirmer le rôle essentiel du journaliste comme intermédiaire généraliste entre le spectacle du monde et le grand public destinataire de son travail. Dans un univers de discours nombreux, complexes et contradictoires, la force du discours journalistique consiste à simplifier les problèmes pour les rendre compréhensibles par le plus grand nombre. On retrouve ici la question normative du public et de son lien avec l'information et la démocratie. Plus il y a de niveaux de discours, de connaissances, de savoirs hiérarchisés et d'expertise, d'intérêts, de mensonges, de demi-vérités, plus la fonction du journaliste généraliste est essentielle. Enfin le volume croissant d'informations renforce le rôle du journaliste comme intermédiaire entre le monde et les citoyens. Le progrès ne consiste pas à accéder directement de chez soi à un nombre incalculable d'informations, mais à mieux comprendre le monde, à pouvoir accorder sa confiance à ceux dont c'est le mérite d'être les intermédiaires entre l'histoire et la réalité des publics.

F. Revaloriser l'enquête

Enquêter, c'est d'abord sortir des sentiers battus, essayer de comprendre, ne pas se contenter des discours officiels, croiser les informations. « Enquêter et rapporter », comme on disait dans la grande tradition journalistique. Le journaliste est le « reporter », celui qui *rapporte* au public le fruit de son enquête. Démarche originale par rapport aux autres professions intervenant sur le champ de l'information, et qui fait toujours la spécificité du métier : celle d'aller voir. En ce sens l'enquête journalistique est cousine de l'autre grande enquête, celle des sciences sociales. L'enquête permet aussi d'éclairer les qualités du travail journalistique : indépendance d'esprit, curiosité, esprit critique, subjectivité. Elle favorise une réflexion sur la spécificité de l'information-presse par rapport aux autres genres d'information et permet notamment de résister à trois écueils. Celui de l'« information-poubelle », qui vise à coup de révélations et d'enquêtes chocs à propager soit l'image du journaliste à scandales, soit celle du journaliste justicier. Le deuxième écueil, à l'opposé, concerne l'« information-commentaire », qui transforme le journaliste en simple commentateur et pseudo-ordonnateur des événements du moment. Le troisième est la dérive vers l'information « objective » dont j'ai plusieurs fois parlé et qui, fondée sur des chiffres et des statistiques, éloigne l'information du principe qui est le sien dans la théorie démocratique : être le récit de l'histoire des hommes pour d'autres hommes. L'enquête permet aussi au journaliste de démêler les fils de plus en plus ténus des systèmes d'information gérés par les *lobbies*, qui savent très bien aujourd'hui jouer la logique de l'information et de la communication. Curieusement les journalistes ne parlent pas assez de l'*atteinte* à la liberté de l'information que représente l'action des lobbies. Rapporter au public, c'est aussi reconnaître l'intelligence critique du public, et lui reconnaître la capacité de comprendre ces problèmes. C'est aussi le moyen de rappeler que l'horizon de l'information est moins *l'objectivité que l'honnêteté*. En revendiquant l'honnêteté plus que l'objectivité, le journaliste est plus crédible auprès du public, car le volume d'informations échangées, dans un incessant mouvement brownien, rend caduque l'idée d'objectivité. Celle-ci pouvait servir de référence dans un univers pauvre en information. Elle est aujourd'hui inadaptée dans un monde surmédiatisé.

G. Reconstruire une hiérarchie de l'information

Cela signifie réexaminer le poids respectif des rubriques dans les médias, la hiérarchie entre les services, et donc le nombre de journalistes par service. Dans les médias généralistes, la part belle reste à l'international et à la politique intérieure, au détriment de l'économie, de la société, de la science, de l'éducation, de l'environnement, de la religion et de la culture. Cela pose le problème non seulement de la formation et de la compétence des journalistes, mais aussi celui de la *disproportion* dans le traitement de pans entiers de la réalité. « Dis-moi la répartition des journalistes dans les différentes rubriques, je te dirai la représentation que tu te fais de la société, à travers cette hiérarchie. » On réalise d'ailleurs, en réfléchissant sur les rubriques, combien les médias ont une vision de l'information directement liée au découpage *institutionnel* de la société. La presse est divisée selon les mêmes critères que les grands ministères et les grandes administrations. Belle preuve d'indépendance… Répartir autrement les rubriques et modifier leur pondération permettrait de hiérarchiser autrement l'information ; la presse pourrait acquérir alors un peu d'indépendance à l'égard des pressions multiples qu'elle subit. Cela renforcerait peut-être aussi le lien avec le public, lien aujourd'hui réduit trop souvent à un simple « courrier des lecteurs » relégué dans les pages les moins lues et les moins valorisées… En parallèle à l'examen critique de la hiérarchie de l'information, une réflexion sur « les limites du devoir d'information » doit être ouverte. Dans un univers hyperconcurrentiel, où tous les coups sont permis, savoir dire non à la diffusion de certaines informations apportera du crédit aux journalistes. Cela veut dire réouvrir les dossiers de la déontologie, de la politique du secret, du rapport entre vies privée et publique, de la nécessité de ne pas « bidonner », et oser dénoncer les brebis galeuses qui, au nom d'un droit démagogique à l'information du public, transgressent toutes les règles déontologiques… Bref, admettre que, parallèlement à un travail critique sur la *hiérarchie* de l'information, s'impose une réflexion sur sa *déontologie*. Si les journalistes ne l'entreprennent pas, sans pour autant d'ailleurs en avoir le monopole, d'autres s'en chargeront…

H. Critiquer l'idéologie de la transparence et de l'immédiateté

Tout montrer et tout dire ne sont plus synonymes de vérité. Ce qui oblige à retravailler sur le statut de l'image, les limites du direct et le rôle de l'autocensure. Il n'est pas difficile de comprendre comment une certaine conception du « tout dire, tout montrer », au nom du « droit de savoir » du public séduit le voyeurisme de ce dernier. Réexaminer le rapport à l'information, c'est aussi réouvrir une réflexion sur l'avenir du rôle du journalisme. Jusqu'où doit-il entrer dans une logique de communication, voire d'animation, et à partir de quand, faisant cela, perd-il sa spécificité ? S'il n'y a pas d'information sans communication, à partir de quel moment l'hypertrophie de la seconde transforme-t-elle le journaliste en animateur? Jusqu'où la mise en spectacle de l'information est-elle nécessaire sous la pression de la concurrence et du besoin d'intéresser le public blasé? Les contraintes du « *charity business*» autorisent-elles par exemple les journalistes les plus prisés à se transformer en bateleurs et en héros de la générosité populaire? Jusqu'où la fin justifie-t-elle les moyens dans une époque où toute initiative passe par une logique de communication? Tout cela pose la question de la *définition du métier* et de la capacité à distinguer les différents spécialistes. Hier le rêve du journaliste était, par la recherche de la vérité, de devenir *acteur*, dans la perspective des deux héros du *Washington Post*. A l'opposé, il y a le rôle de *témoin* privilégié de l'actualité, et celui du *journaliste-présentateur* qui, tous les jours, entre dans les foyers et explique le monde. La proportion est difficile à conserver entre l'humanisation de l'information que le journaliste assure et la valorisation du journaliste que l'information assure... Retravailler le profil de l'*animateur*, du maître des talk-shows, permettrait sans doute de mieux faire apparaître les distinctions. Ce rôle de *producteur* de talk-show, et autres émissions de dialogues plus ou moins en direct, est une nouvelle identité professionnelle journalistique. Certes, il n'est pas nécessaire d'être journaliste pour animer des talk-shows, mais la légitimité journalistique améliore en général la crédibilité de ces émissions. Jusqu'où aller? Jusqu'où, également, la multiplication d'émissions traitant de faits de société, de mœurs, de culture, de religion... doit-elle rester réglée par une logique de l'information; et si d'autres logiques doivent intervenir, quelles sont-elles? Il existe sûrement d'autres profils professionnels que les quatre rapidement évoqués ici. A chaque fois la question est la même: selon quel principe *qualifier* la nature de l'activité? Est-ce l'apparition d'un segment de marché rentable, en mal de légitimité, qui guidera une extension du métier de journaliste? Ou bien l'arrivée de nouveaux supports, dont il faudra limiter les risques de dérive? Ou bien une réflexion sur la nature de l'information fournie? Le très vieux débat sur l'identité du journaliste est à reprendre. Quelle relation établir entre ces trois fonctions très anciennes de témoin, d'acteur et de porte-parole, qui toutes trois sont valorisées par l'évolution actuelle, mais deviennent de plus en plus contradictoires?

I. Informer est moins dangereux dans les démocraties que dans les dictatures...

Admettre la différence radicale de situation entre les deux formes de journalisme est essentiel pour éviter les *amalgames* trompeurs. Les difficultés, souvent tragiques, des seconds ne peuvent servir de caution aux erreurs et au laxisme des premiers. Le problème n'est pas seulement la nécessité de différencier plus nettement les rôles et les responsabilités, il est aussi d'assurer, pour les journalistes des pays occidentaux, davantage de *solidarité* avec ceux de leurs confrères qui, dans l'écrasante majorité des pays du monde, vivent difficilement leur métier. L'information est instantanée, omniprésente, mais en même temps, dans un nombre toujours aussi impressionnant de pays, juste à côté des ordinateurs et des satellites, des journalistes continuent à croupir dans les geôles ou à être martyrisés. A quoi sert-il de parler d'une «information mondiale», de rêver de réseaux interactifs, si l'on ne protège pas, au nom des droits élémentaires de l'homme et de la liberté d'information, ceux qui, fragiles, sont à l'origine de ces informations répercutées ensuite aux quatre coins du monde en quelques secondes? Se battre pour promouvoir une certaine vision universaliste de l'information, c'est aussi, et peut-être surtout, défendre les professionnels de l'information et ceux qui les aident: avocats, témoins, hommes politiques, syndicalistes, religieux, intellectuels, hommes de culture...

J. Apprendre à résister aux industries de l'information et de la communication

Celles-ci, à coup de rachats et de concentrations et par le biais de figures apparemment épiques de capitaines d'industrie qui font aujourd'hui fortune dans la communication – comme d'autres, hier, l'ont fait dans le pétrole, l'acier, l'aéronautique ou l'automobile –, bouleversent régulièrement tous les équilibres, en achetant, vendant, licenciant et transformant les lignes éditoriales. Ces entrepreneurs se comportent avec l'information et les journalistes de la même manière que n'importe quel capitaine d'industrie dans la vie des affaires. Après avoir, au moment des rachats, ventes, fusions ou restructurations, garanti aux rédactions «le respect de la liberté des journalistes», leur indépendance et leur volonté de ne pas interférer sur le contenu des journaux, ces mêmes industriels licencient plus ou moins rapidement, offrant aux journalistes, par le système des clauses professionnelles, la possibilité de quitter les rédactions. Les journalistes accentuent d'ailleurs leur propre déstabilisation en véhiculant par enquêtes, éditoriaux et rumeurs une *vision démiurgique* de ces nouveaux capitaines. Les médias sont de toute façon plus bienveillants et fascinés à l'égard des grands prédateurs de la finance qu'à l'égard des grands industriels, des grands commerçants, des hommes politiques, des hommes de science et de culture... Pourquoi cette différence? Cela dit, la presse généraliste reste plus digne que la presse spécialisée, qui, sous couvert de «personnaliser l'information», se rapproche souvent dangereusement d'une «information-promotion». Il ne se passe pas une semaine, un mois, où la presse spécialisée ne mette en avant tel grand capitaine du Monopoly financier et industriel mondial...

Comment le public peut-il prendre au sérieux les journalistes quand il ne les retrouve pas se battant, de toutes les manières possibles, par grèves et conflits interposés, lors d'opérations économico-politico-financières de concentration qui portent manifestement atteinte à la liberté d'information et de communication ? Certes, on ne passe pas facilement d'un côté de l'information à l'autre, du statut de celui qui pose les questions sur les raisons d'une action au statut de celui qui agit. Mais ce même problème se présente pour toutes les professions qui observent la réalité, et la réflexion avancerait déjà si le problème était posé. Agir est de toute façon très difficile, mais ce n'est pas en niant les difficultés de l'action que celle-ci devient plus facile. Il en résulte pour le public la perception sourde d'une défense de la liberté d'information et de communication à *deux vitesses*. Résolue, forte et spectaculaire quand il s'agit d'atteintes à la liberté politique, plus modeste, nuancée et hésitante lorsqu'il s'agit d'atteintes liées à la logique économique.

Les journalistes ne sont pas la seule profession intellectuelle, indivi-dualiste et *a priori* protégée qui se trouve piégée dans le maelström des intérêts contradictoires. Demain le monde académique et celui de la recherche, tous deux aussi individualistes et mal à l'aise avec les logiques d'argent, se retrouveront dans la même situation. Se battre pour préser-ver un certain statut journalistique, c'est donc aussi lutter pour garantir les conditions d'une certaine liberté d'information dont l'enjeu, on le voit, va au-delà de ce groupe professionnel. Ces évolutions dans le domaine de l'information, si diamétralement opposées aux valeurs de la vérité et de la connaissance, qui y dominent par ailleurs, préfigurent en effet d'autres batailles similaires dans d'autres milieux professionnels qui gèrent de l'information, de la connaissance, de la culture. C'est en cela que se battre pour la défense d'un certain modèle *normatif* du journa-lisme a des répercussions qui dépassent largement la simple défense d'un métier.

BIBLIOGRAPHIE

chapitre 12

BRAUMAN R. et BACKMANN R., *Les Médias et l'humanitaire. Éthique de l'information charité spectacle*, CFPJ, Lille, 1996.

CHARDON J.-M. et SAMAIN O., *Le Journaliste de radio*, Economica, Paris, 1995.

CHARON J.-M., *Cartes de presse*, Enquête sur les journalistes, Stock, Paris, 1993.

«Communication et journalisme», *Avenirs*, nos 472-473, Onisep, mars-avril 1996.

COLOMBANI J.-M., *De la France en général et de ses dirigeants en particulier*, Plon, Paris, 1996.

DELPORTE C., *Histoire du journalisme et des journalistes en France*, PUF, coll. «Que sais-je?», n° 2926, Paris, 1995.

FASSIN É., «Une morale de la vérité; journalisme et pouvoir dans la culture politique américaine contemporaine», *Esprit*, n° 226, Paris, 1996.

FERENCKZI T., *Ils l'ont tué. L'affaire Salengro*, Plon, Paris, 1995.

GUÉRY L., *Les Droits et devoirs du journaliste: textes essentiels*, CFPJ, Lille, 1992.

LEPIGEON J.-L. et WOLTON D., *L'Information demain, de la presse aux nouveaux médias*, La Documentation française, Paris, 1979.

LIBOIS B., *Éthique de l'information. Essai sur la déontologie journalistique*, Éd. de l'Université de Bruxelles, Bruxelles, 1994.

MATHIEN M., *Les Journalistes et le système médiatique*, Hachette Supérieur, Paris, 1992.

MERCIER A., «L'institutionnalisation de la profession de journaliste», *Hermès*, nos 13-14, «Espaces publics en images», Éd. du CNRS, Paris, 1994.

—, *Le Journal télévisé*, Presses de la FNSP, Paris, 1996.

MONERY A., *Les Journalistes de la liberté et la naissance de l'opinion publique (1789-1793)*, Grasset, Paris, 1989.

PADIOLEAU J.-G., *Le Monde et le Washington Post, précepteurs et mousquetaires*, PUF, Paris, 1985.

PLENEL E., *Un temps de chien*, Stock, Paris, 1994.

POIVRE D'ARVOR P., *Lettre ouverte aux violeurs de vie privée*, Albin Michel, Paris, 1997.

RUELLAN D., *Le Professionnalisme du flou: identité et savoir-faire des journalistes français*, PUG, Grenoble, 1993.

WOLTON D., «Journalists: the Tarpeian Rock is closed to the Capitol», *Journal of Communication*, vol. 42, n° 3, été 1992.

1. Cette représentation est caractérisée par l'immuable calendrier annuel des rencontres entre journalistes comme le montre l'article de A. Cojean, «La tribu des marchands d'images», *Le Monde*, lundi 14 octobre 1996: «... janvier aux États-Unis (le très américain Natpe à Las Vegas ou à La Nouvelle-Orléans), février à Monte-Carlo (festival et marché), avril à Cannes (MIP), juin à Budapest (pour les acheteurs des pays de l'Est), octobre à Cannes (Mipcom), décembre à Hong Kong (MIP-Asia)».

CINQUIÈME PARTIE

LES NOUVELLES TECHNOLOGIES

INTRODUCTION

LES RAVAGES DE L'IDÉOLOGIE TECHNIQUE

Les nouvelles techniques illustrent de manière exemplaire la place centrale prise par l'information et la communication dans la société occidentale, puisque, à partir de nouveaux services dans l'informatique, les télécommunications et la télévision, on prédit tout simplement la naissance d'une nouvelle société. En moins de vingt ans ce thème de la *société de l'information* s'est imposé avec un succès considérable, légitimé par la prospective, les industries de la communication, les technocrates, un certain discours d'ingénieurs et les médias. Il est tellement dans l'ordre des choses, qu'il paraît suranné de s'y opposer.

Il faut souligner ici la spécificité, si ce n'est l'originalité de l'idéologie technique. Certes, celle-ci, comme toute idéologie, est « un ensemble d'idées, de croyances, de doctrines propres à une époque, une société ou une classe » (Petit Robert), mais sa configuration est relativement marquée par le contexte historique.

Il ne s'agit pas d'une idéologie de la *science*, au sens où celle-ci existait au XIXe siècle au travers des livres, journaux, publications, et qui reposait sur l'idée des connaissances et du progrès, car aujourd'hui la science comme valeur est en crise. Assurément, elle reste la dernière valeur d'une société laïque, mais la manipulation de la matière, avec l'énergie atomique et celle de la vie, la biologie lui ont fait perdre l'aura qui fut la sienne pendant près de deux siècles.

Il s'agit d'une idéologie plus modeste pour deux raisons. La première est liée au fait qu'elle porte sur des *techniques*. Même leurs performances ont quelque chose d'exceptionnel, elles ne sont pas de même niveau théorique que des savoirs. Directement liées à l'individu et à la société, elles ne transforment ni la nature ni la matière. Si elles fascinent les hommes, parce qu'elles décuplent sa capacité de traitement des informations, elles n'ont pas le même prestige que les sciences et les techniques qui ont directement modifié le rapport au cosmos. Autant l'idéologie scientifique de la fin du XIXᵉ siècle et du début du XXᵉ était liée à une notion du progrès des connaissances, du savoir, autant celle des techniques de communication se situe plus modestement par rapport à la capacité d'améliorer les relations individuelles et sociales. La deuxième raison du caractère apparemment plus modeste de cette idéologie est qu'elle surgit sur les décombres des grandes idéologies politiques qui prétendaient transformer le monde. L'échec rend modeste, et l'idéologie technique n'a pas *a priori* le même niveau d'ambition historique que les grandes idéologies religieuses, politiques ou scientifiques. En vérité, il s'avère que l'idéologie technique a un impact social considérable, justement parce qu'elle est modeste et instrumentale. Certes, elle prétend, comme toute idéologie, transformer le monde, mais à partir de réalités compréhensibles par tout le monde. Autrement dit, sa modestie apparente est une garantie de son succès, lié à sa dimension instrumentale. On se méfie de la science, on se méfie moins d'une technique, surtout si celle-ci porte sur la communication. Puisqu'il y a toujours de la communication dans une société, et que les promesses techniques permettent une communication tous azimuts, l'issue rêvée est naturellement l'émergence d'une société de la communication. Un exemple : Internet. Ce réseau qui aujourd'hui fascine et illustre sans doute au mieux les attentes et les espoirs *signifie en réalité, par le suffixe « net », le réseau ; et Webs, la « toile d'araignée ».* Ce qui symbolise l'avènement de la liberté individuelle désigne en réalité un filet, et une toile d'araignée. C'est-à-dire ce dont tout le monde, intuitivement, veut s'affranchir. Et qui dit toile d'araignée ou filet dit quelqu'un qui le jette, et le ramasse. Qui ramasse ici ? Et que ramasse-t-on ? A qui cela profite-t-il ? Bizarre…

Jusqu'où les techniques de communication sont-elles réellement le secteur clé de l'économie de demain et dessinent-elles le modèle d'une nouvelle société ? Ce que j'appelle, avec d'autres, l'idéologie technique, consiste justement à établir un *lien direct* entre les trois et la réflexion critique vise à montrer les contradictions, mais surtout les *discontinuités* entre ces trois logiques. Ce n'est pas parce que les techniques de communication affectent le fonctionnement de nos économies, qu'elles donnent naissance à une nouvelle société. Le propre de l'idéologie est d'établir des continuités et des correspondances entre des phénomènes de nature différente. La difficulté d'une réflexion théorique vient du fait que dans les années 50, avec les premiers ordinateurs, est né un discours qui n'a cessé de s'amplifier depuis et selon lequel il ne s'agissait pas seulement de gestion de plus en plus rapide de flux d'information, mais aussi de la naissance d'une nouvelle société. Aucune autre technique, depuis le XIXe siècle, sauf avec la « fée électricité », n'a donné naissance à un tel discours synthétique, reliant si naturellement le monde des arte-facts, celui des intérêts et celui des valeurs. C'est en cela que l'idéologie technique, malgré son apparence modeste, est redoutable car elle com-bine les trois dimensions de toute idéologie : par les fantasmes sur la société de l'information, elle véhicule un projet politique ; par sa dimen-sion naturellement anthropologique elle constitue un système de croyance ; par ses enjeux économiques elle est une idéologie d'action.

*

Quels sont les verrous possibles au développement de l'idéologie technique ? *Le marché et le public.* Le marché car, en dépit des prévisions, c'est lui qui finalement sera l'épreuve de vérité. Le public parce que, à cheval entre l'économie et la société, il manifeste par son comportement ce qu'il attend de ces techniques. Si les acteurs techniques et écono-miques ont évidemment intérêt à la déréglementation, c'est à la capacité des acteurs politiques à préserver une réglementation indépendante des intérêts stricts des industries de la communication que l'on mesurera réellement leur distance par rapport à la « révolution » de l'information sur la société.

Si le discours idéologique part des capacités techniques, pour remon-ter à l'économie et finir sur un modèle de société, le discours de bon sens rappellera l'*autonomie* de chacun de ces niveaux, et soulignera com-bien c'est à l'ordre politique, par le biais de la réglementation, d'organi-ser les relations entre techniques, économie et société. La force de l'idéo-logie technique se voit dans son incapacité à entendre un argument adverse, sa promptitude à disqualifier l'argument opposé et sa facilité à traiter de passéistes, conservateurs, craintifs et hostiles au « progrès » tous ceux qui s'opposent. On le voit dans le peu d'intérêt à l'égard des tra-vaux de chercheurs, spécialistes dans ce domaine, qui dans leur grande majorité contestent cette utopie de la société de l'information. On leur préfère de manière presque ostentatoire les quelques auteurs qui sou-tiennent l'idéologie de la révolution de la communication. Si la puis-sance d'un discours idéologique, comme ce fut le cas hier par exemple avec le marxisme, se mesure à sa capacité à disqualifier les objections, alors ce qui entoure les techniques de communication ressemble réelle-ment à de l'idéologie.

Trois effets pervers résultent de cette idéologie. D'abord la confusion entre ces trois mots voisins, mais au sens si différent : *mondial, global, universel.* Quelle est la différence ? Les *techniques* de communication deviennent aujourd'hui mondiales ; l'*économie* capitaliste se globalise, et l'*Occident* défend des valeurs *universelles*. L'idéologie technique établit un sens entre les trois : les techniques de communication, en se mondialisant, sont un instrument nécessaire à la globalisation de l'économie, et les deux, en élargissant les frontières, deviennent le bras armé de l'universalisme occidental. De là à croire que les trois sont synonymes, il n'y a qu'un pas, à ne pas franchir. Ils ne renvoient ni aux mêmes réalités, ni aux mêmes valeurs, mais l'enjeu de l'idéologie technique est justement d'établir une *correspondance* entre les trois. Si la mondialisation des techniques fascine, la globalisation des économies inquiète, alors que l'idée d'universalité séduit. Pour lever ces doutes, le meilleur moyen est d'investir la mondialisation des techniques, et la globalisation des économies, de la dimension normative qui entoure la référence à l'universel. L'universalisme sert de caution à un développement des techniques de communication à l'échelle mondiale et à une globalisation constante de l'économie capitaliste. Mais ces deux réalités techniques et économiques n'ont que peu de *rapport* avec le système de pensée de l'universalisme, dont on a vu dans la partie sur la démocratie et l'information qu'il est par ailleurs contesté par les pays du Sud. Ceux-ci y voient plutôt la marque d'un impérialisme. Pour le Sud, et même pour certains pays du Nord, la mondialisation des techniques de communication, leur insertion dans une économie mondiale n'ont rien à voir avec un certain idéal d'universalisme posé par la civilisation occidentale, et pensé d'ailleurs dans un temps, le XVIIIᵉ siècle, qui ne connaissait ni le monde fini et ses marchés, ni les techniques de communication et la conquête du temps. Le risque est donc que la *valeur universelle*, liée au système occidental, et déjà en partie contestée au plan mondial, serve de caution à des logiques techniques et économiques éloignées de toute référence normative. Plus on *disjoint* ces trois mots, plus on évite l'unidimensionalisation de la réalité, prémice de tous les conformismes. Si des références, extérieures à la logique du marché et des techniques, n'arrivent plus à s'imposer, à quoi assisterons-nous ? A l'incorporation des références universalisantes *dans un strict* langage technique et économique. Et donc, à terme, à leur contestation radicale. Non, les trois mots n'ont pas le même sens, et la mondialisation des techniques, comme la globalisation de l'économie ne sont pas l'instrumentalisation des valeurs de la pensée universaliste.

Le deuxième effet pervers de l'idéologie technique consiste à croire que les techniques de communication sont synonymes de liberté. Ce fut vrai dans le passé, ce ne l'est plus aujourd'hui. Les dictatures apprennent à jouer avec les médias occidentaux, à retourner contre eux leurs discours, à utiliser les mêmes techniques à leur profit. Il n'y a plus de *lien direct* entre techniques de communication et valeurs occidentales.

Autrement dit, les paraboles des satellites ne sont pas le premier pas vers la démocratie et les fondamentalistes de tous genres apprennent, comme on le voit à s'en servir et à les retourner contre l'Occident. *La technique ne suffit pas à définir l'usage.* Ce qui est un renversement copernicien dans l'histoire des techniques de communication. Car, à quelques exceptions près, l'histoire de la presse écrite, puis celle de la radio et de la télévision, ont plutôt été des facteurs de liberté. En un mot, il peut y avoir simultanément beaucoup d'ordinateurs, beaucoup de paraboles et des régimes autoritaires.

Le troisième effet pervers de l'idéologie technique consiste à mettre sur le *même* plan l'offre et la demande. Pour le moment, l'offre est largement en avance sur la demande, ce qui après tout est assez fréquent dans l'histoire technique, et qui s'explique d'autant plus que les besoins de communication dépendent d'abord de la satisfaction des besoins fondamentaux. Mais au lieu d'admettre cette incertitude, l'idéologie technique fait au contraire *comme si* les besoins allaient naturellement se développer.

La demande en matière de communication dépend pourtant de l'environnement social et culturel, et rien ne dit qu'elle rencontrera l'offre de service. L'histoire fera peut-être apparaître d'autres besoins, réclamant d'autres moyens que ceux offerts par les techniques de communication. Donc, rien, *a priori*, ne garantit que la nouvelle demande de communication trouvera sa satisfaction dans l'offre de technique et de services actuels. C'est un exemple typique de fuite en avant technologique : puisqu'il existe une crise de la communication entre les individus, les milieux sociaux, les générations, on postule que l'offre de plus en plus performante des techniques apportera les éléments de réponse. C'est toujours la même idée caractéristique de l'idéologie technique : *confondre performance technique et performances humaines et sociales.*

*

Pour évaluer l'impact des nouvelles techniques de communication, et essayer de comprendre ce qu'elles changeront et ne changeront pas, il faut revenir aux *deux principes suivants.* Premièrement : reconnaître que *toute communication est un rapport de force.* L'horizon de toute communication étant le rapport à l'autre, elle n'est jamais assurée de réussir. Et ceci depuis toujours, aussi bien au niveau individuel que collectif. Or, la plupart des discours sur les nouvelles techniques de communication nient cette réalité du rapport de force, faisant même de la communication le domaine qui par excellence y échapperait... Deuxièmement : dès lors que toute communication est un rapport de force, *que gagne-t-on et que perd-on à chaque nouvelle forme de communication ?* Les techniques, notamment de communication, permettent en général de faire l'économie d'un effort. Mais si elles offrent un service supérieur, c'est toujours à un *coût*, non seulement financier, mais également anthropologique, puisque toute technique, surtout de communication, consiste à remplacer une activité humaine directe par une activité médiatisée par un outil ou un service. Et donc à supprimer une expérience humaine, dont le contenu ne se retrouve pas toujours dans des techniques. Aujourd'hui, aucune des promesses techniques n'évoque *ce qui se perd* dans cette communication médiatisée par les nouvelles techniques. Dire qu'elles permettent d'améliorer la communication humaine est un peu court... Discerner ce qui se perd en contrepartie de ce qui se gagne pour chaque nouveau service de communication est donc essentiel pour éviter les déceptions ultérieures. Les enjeux économiques liés aux nouvelles techniques de communication sont tellement considérables à l'échelle du monde qu'il paraît bien improbable que quelqu'un ne paie pas pour les autres...

Communiquer avec autrui a toujours un prix. Et le prix renvoie ici de plus en plus à des stratégies financières et commerciales mondiales, bien éloignées des idéaux de liberté et de fraternité qui fleurissent par ailleurs dans les discours sur la «société de l'information». En réalité, dans le rapport entre communication et société on est toujours sur le fil du rasoir. Entre d'un côté ce qui reste conforme à un certain idéal de la démocratie et de la libération de l'homme, et de l'autre ce qui relève désormais de logiques de puissance et d'intérêts.

CHAPITRE 13

LES CLÉS DU SUCCÈS:
TRANSPARENCE, RAPIDITÉ ET IMMÉDIATETÉ

Cela fait plus de vingt ans que l'on parle de « la société de l'information et de la communication ». Les premiers ouvrages d'économistes, souvent américains, et certains travaux de prospectivistes datent des années 70. Mais depuis les années 90, le thème s'est popularisé, au point de devenir l'un des sujets principaux de l'espace public et des médias. Pas une semaine ne se passe sans qu'un hebdomadaire ou un quotidien ne vante les mérites et les promesses des autoroutes de l'information, les vertus de l'interactivité et les prodiges d'Internet. C'est comme si, en moins de dix ans, nous étions passés de l'archaïsme aux utopies informationnelles, puis aux marchés florissants, enfin aux mutations sociales et culturelles bouleversant tout à la fois : le travail, l'éducation, les loisirs, les services. Bref, comme si tout, ou presque, avait déjà changé...

I. Les conditions techniques

Les discours sont si inflationnistes que l'on oublie la réalité, à croire que chacun est déjà, chez lui, devant ce fameux « mur d'images », *must* de la modernité technologique, lui permettant de zapper entre au moins soixante à cent chaînes[1]. Pourtant, dans chaque pays, l'écrasante majorité des spectateurs regardent entre cinq et sept chaînes, l'audience se concentrant sur trois ou quatre d'entre elles. Mais qu'importe la réalité puisque, si tout n'a pas encore changé, tout va changer... Même décalage avec Internet. On en parle tellement au quotidien que l'on oublie qu'il n'y a que trente à quarante millions d'ordinateurs dans le monde qui y sont connectés, dont vingt-quatre millions pour les seuls États-Unis, alors qu'à en juger par la couverture de presse on peut facilement croire que le milliard d'habitants des pays riches en sont déjà utilisateurs. A la seule échelle de la France, plus personne n'évoque la réussite exceptionnelle des six millions de Minitel et de ses quatorze millions d'utilisateurs, ce qui est une réussite, pour le coup, mondiale. Il n'est question que des 120 000 à 200 000 utilisateurs d'Internet, présentés comme le «sel de la France» et l'avant-garde de la société de demain... Qui n'a pas lu de reportage ni vu d'émission de télévision sur les «cyber-cafés», ces lieux «du futur» où chacun, dans une atmosphère conviviale, dialogue avec le bout du monde? La disproportion est considérable entre ces quelques cafés et le nombre d'émissions qui leur ont été consacrées, pouvant laisser croire que les cafés «anciens» ont disparu, parce qu'on y aurait moins parlé... Pourtant on peut être de parfaits internautes, mais incapables de parler à autrui. Des schizophrènes, mais branchés sur Internet. Bref, si le phénomène reste largement minoritaire dans les faits, il est largement majoritaire dans les médias, les conversations, les références. Chacun ayant peur de ne pas être «dans le coup», «en rajoute». Il n'y aurait pas la cruelle vérité des faits, on pourrait croire que tous les Français «intelligents», mais aussi les Anglais, les Allemands, enfin tous ceux qui vivent «dans leur temps» et se soucient de l'avenir, sont branchés sur le Net...

En fait, c'est d'abord la *signification culturelle* qui s'impose et qui m'intéresse. Avant d'aller plus loin dans l'analyse critique du thème de «la société de l'information» il faut *comprendre* les raisons du succès des nouvelles techniques. L'ordinateur est un peu devenu l'objet phare, comme la voiture dans les années 50-60. Parler d'aliénation aux intérêts des industries ne fait pas crédit à l'intelligence du public. Il faut revenir *au fait*, ne pas discréditer *a priori* ce vaste mouvement en faveur de la société de l'information, et en comprendre les motivations. Elles sont à mon avis nombreuses et de statut différent, mais je ferai volontiers l'hypothèse qu'elles sont avant tout d'ordre *culturel*.

Il me semble que *cinq raisons*, de nature différente, mais qui se complètent, peuvent expliquer le mouvement actuel. Il s'agit de la rupture avec les médias de masse, de l'aventure d'une génération, du symbole de la modernité, de la réponse à une certaine angoisse anthropologique, et du rêve d'un «court-circuit» pour le développement des pays pauvres.

Auparavant il faut rappeler en quoi consiste cette «révolution».

Les conditions techniques sont évidemment primordiales. Pas d'autoroutes de l'information sans interconnexion des services de l'informatique, des télécommunications et de l'audiovisuel. En matière *industrielle*, les marchés qui se dessineront n'auront pas la même forme selon le type de technologie (informatique, télécommunications, audiovisuel...) qui l'emportera. Le terminal sera relativement différent s'il s'agit plutôt d'un ordinateur, d'un poste de télévision, ou d'un super-poste de téléphone. Mais de toute façon l'usager accédera, quel que soit ce terminal, aux services interconnectés de ces trois technologies, le transport du texte, du son et de l'image permettant les « 3 A » du multimédia : *anytime, anywhere, anything*. Pour que cela soit possible, sans file d'attente – ce qui est loin d'être le cas aujourd'hui –, il a fallu une *numérisation* et une *compression* des données. Troisième condition, la mise au point de *supports de stockage* à la mesure de la gestion de ces flux d'informations. Enfin, quatrième condition, l'installation de *réseaux* à double bandes permettant l'interactivité et la circulation des informations « en paquets ». C'est donc à la fois la capacité de calcul, de stockage, de transports dans les deux sens et la baisse des coûts qui expliquent le succès des technologies de l'information, dont Internet est peut-être le symbole, même s'il n'est ni la technologie ni le service le plus répandu. Comme le disait en 1993 le vice-président Al Gore, grand défenseur et propagandiste du thème, il s'agit « d'offrir à la population la possibilité d'accéder pour un coût modique, de manière simple, à une multitude de services d'information et de distraction ». Et comme le rappelait aussi G. Thery, auteur du rapport sur les autoroutes de l'information (oct. 94), « la révolution de l'an 2000 sera celle de l'information pour tous ».

Car tel est le grand changement : la perspective des marchés de masse. Certes, l'offre est pour le moment en avance sur la demande, mais celle-ci semble s'être accélérée en dix ans. *L'économie*, condition pratique de mise en œuvre des possibilités techniques, sera la deuxième condition de cette innovation de masse. La troisième est d'ordre *politique* et a pour nom la déréglementation. Comment constituer un marché mondial de l'information et de la communication si les frontières empêchent les flux transnationaux ? C'est la bataille idéologique, économique et politique menée par les États-Unis depuis la fin des années 80, à travers notamment les négociations du Gatt et de l'OMC. C'est ici que se rejoignent très précisément les *idéaux* d'une société de l'information et les *intérêts* vitaux des industries de l'information, infiniment liés à la bataille juridique en faveur de la déréglementation.

La configuration de cette société ne sera pas exactement la même si ce sont finalement les fabricants d'informatique et d'électronique qui l'emportent, s'il s'agit des opérateurs de télécommunications, ou des acteurs de grands groupes de communication (télévision et cinéma). Le paysage changera également si c'est la logique de la fibre optique ou celle des satellites qui domine, si les négociations internationales permettent la standardisation ou au contraire la concurrence pour les consoles d'accès, si l'image numérique est le marché porteur, à moins que ce ne soit tout simplement encore le téléphone ou les données informatiques, si ce sont les produits « off-line » ou « on-line » qui s'imposent ou si le premier marché est professionnel ou domestique... Mais dans tous les cas, les enjeux économiques sont considérables. On peut même dire qu'en dépit des discours optimistes sur le marché de demain la violence des batailles pour la déréglementation traduit une demi-inquiétude sur l'ampleur de ce marché. Si celui-ci devait être si naturellement et rapidement international, pourquoi tant de précipitation à vouloir l'ouvrir ? Il suffirait d'en attendre les profits. C'est sans doute parce que demeure une incertitude quant à la taille et à la rapidité de constitution de ce marché « mondial » que les acteurs économiques veulent mettre toutes les chances de leur côté, en assurant tout de suite l'ouverture des frontières.

II. Les cinq raisons du succès

A. La rupture avec les médias de masse

Rupture pour trois raisons. D'abord, la télévision fait partie du présent indéfini, alors que « le Net » est du côté du futur. Comme on dit : « Ça change ! » Ensuite, l'usager a le sentiment de devenir actif. Il ne reçoit plus des images, il prend l'initiative. Certes, avec la télévision thématique l'impression de choisir est plus forte, mais on reste dans une logique de réception : on regarde, et on parle ensuite, alors qu'avec l'ordinateur on est dans un autre espace. Il n'y a pas d'abord les images, mais le clavier, et l'usager a le sentiment d'agir individuellement, voire de dialoguer avec quelqu'un d'autre. L'interaction assurée par le clavier donne un sentiment de responsabilité et d'action. Enfin, les nouvelles techniques satisfont à un formidable besoin de communication *immédiate. Internet c'est l'inverse de la télévision, l'échange prime sur l'image*. Le contenu est à la limite moins important que le dispositif et l'instantanéité paraît plus satisfaisante que le contenu du message reçu. Initier soi-même la communication crée un sentiment d'égalité. Les nouvelles technologies, même si cela est faux dans la réalité, donnent l'impression d'une plus grande liberté que les médias de masse. Avec l'ordinateur, l'usager a le sentiment d'être l'acteur de ce qu'il fait. C'est la force du « *do it yourself* ».

B. L'aventure culturelle d'une génération

Impossible de comprendre le succès des technologies de l'information sans y voir *d'abord* le signe d'une génération. Une génération qui est née avec la télévision, a vu ses parents y consacrer une part considérable de leur temps, et qui d'un seul coup a le sentiment de créer son propre terrain d'aventures, de pouvoir inventer quelque chose et de se distinguer ainsi des générations précédentes. D'ailleurs cet univers est peu compréhensible pour les adultes, les jeunes en rajoutant dans les codes, les vocabulaires et l'esquisse d'une sous-culture pour faire comprendre leur différence et le fait qu'il s'agit d'une «autre époque»… C'est un terrain neuf «au goût venu d'ailleurs», ouvert aux aventures individuelles, et nul doute que la promotion rapide de génies du bricolage télématique ne séduise une génération qui a la sensation de pouvoir *inventer*, sans avoir à se justifier. De plus, la domination du vocabulaire anglais renforce l'idée d'appartenance à une *autre* culture que celle des parents. Moins de 5 % des échanges sur Internet ont lieu en français. Enfin, c'est une aventure valorisante pour une génération qui n'a connu que la crise et le chômage. Voilà des activités qui ont un avenir, où l'on peut créer d'autres solidarités et inventer un art de vivre. Toutes ces dimensions culturelles, extérieures aux caractéristiques proprement techniques, sont importantes. La culture de la vitesse et la fin des distances plaisent également, ainsi peut-être, même si c'est implicite, que l'origine militaire de ces services. En tout cas, le caractère sophistiqué de ces technologies est incontestablement un facteur de séduction. Pouvoir communiquer avec n'importe qui à n'importe quelle heure, de n'importe où, sur n'importe quoi, a quelque chose de fascinant. Il y a toujours quelqu'un, quelque part, avec qui l'on peut entrer en relation ; une sorte de double de soi, avec lequel on peut «dialoguer» instantanément sans avoir besoin d'en référer à personne.

Cette rupture réintroduit ainsi l'idée de changement radical. Les jeunes peuvent accéder à un monde technique où des progrès sont encore possibles. Tout n'est pas connu. *Une nouvelle frontière* se dessine, qui échappe à la culture des adultes, permettant d'être l'acteur d'une nouvelle étape du progrès. Avec Internet domine l'espoir d'un progrès possible, non plus seulement dans la science physique, la conquête de l'espace ou la science biologique et la connaissance du vivant, mais aussi du côté de la société et des hommes[2].

Internet comme moyen d'entreprendre un saut qualitatif dans l'histoire de la communication et de nouer de nouvelles solidarités. Cela est bien sûr discutable, mais le plus important est la certitude, pour une jeunesse en quête d'idéal, d'être l'*acteur d'un nouveau monde*.

On retrouve l'idée de cette rupture culturelle dans le vocabulaire : Internet, cyberspace, navigation, interactivité, internautes, réseaux, plates-formes, services en ligne, Newsgroups… Non seulement les mots sont magiques, mais ils sont les clés d'un autre monde, en voie de constitution. Les BD et les dessins animés des deux ou trois générations précédentes deviennent *réalité*. Ce qu'une génération ne cherche plus dans une idéologie politique, comme ce fut le cas pour celle des années 60, elle le trouve aujourd'hui dans la cyberculture, le cyberspace. Elle a là aussi le sentiment d'un progrès car il s'agit de quelque chose de tangible, qui touche tout de suite à l'individu et à sa liberté, c'est-à-dire ce qui est *au cœur* du modèle de la société individualiste de masse. La liaison est enfin possible entre l'individu et le nombre. L'outil devient ici directement le support de cette valeur tant recherchée : la communication avec autrui. Ces services ont même une qualité supérieure puisqu'ils permettent de passer de la société de l'information à la société de l'imagination, ouvrant ainsi d'autres espaces. C'est en cela que « *la génération Internet*» n'a pas l'impression d'être instrumentalisée, voire écrasée, dans une bataille industrielle qui la dépasse, mais au contraire celle d'être la pionnière de la première société de l'imaginaire...

Terrible contresens, mais il correspond à la réalité vécue. La signification culturelle d'Internet paraît plus importante que la bataille économique et industrielle, car ces réseaux condensent toutes les aspirations de la société individualiste de masse : l'individu, le nombre, la liberté, l'égalité, la rapidité, l'absence de contraintes. Les diasporas peuvent ainsi entrer en relation permettant de combiner le désir de vivre en groupe sans être coupé des autres groupes semblables à l'autre bout du monde. Une sorte de nouvelle figure de l'universel qui s'affranchit des territoires, autorisant les communautés à renforcer leurs identités et leurs liens au travers des réseaux extraterritorialisés. C'est un peu le rêve d'une *utopie immatérielle*. Comme si, après la conquête de la nature et de la matière, les technologies de l'information allaient maîtriser le temps et l'espace, ouvrant ainsi la voie à une société de relation. La liberté, l'imaginaire, «le hors la loi», plutôt que «le sans loi», avec un mélange de transparence et de nouveau, dominent dans ce Far West de la communication. C'est pourquoi, par exemple, la bataille essentielle de la déréglementation n'est pas perçue comme un enjeu politique majeur, comme le fut notamment, pour la génération précédente, le tiers-monde, car la déréglementation est ressentie *a priori* comme un changement synchrone à d'autres : il faut que tout circule. Il faut davantage de «libertés». C'est ainsi que toute volonté de réglementation du Net pour limiter les trafics, les mafias, la pornographie, le trafic des médicaments... est largement perçue comme des censures de la liberté. Et l'amalgame est d'autant plus rapide que les régimes communistes et religieux veulent par ailleurs limiter l'accès et l'usage d'Internet. « Trop de réglementation tuerait le réseau», semble dire une bonne partie de ses fans... Les adeptes d'Internet, sans le dire explicitement, ne sont pas loin de penser qu'ils sont les artisans d'une utopie qui réussira peut-être mieux à changer les choses que ne l'ont fait les générations précédentes.

Et c'est probablement ainsi que la génération Internet s'inscrit dans une filiation et une histoire. On assiste à deux phénomènes contradictoires. L'installation dans une culture de l'instant, du temps indéfini, où tout est possible, avec simultanément le sentiment d'apporter une nouvelle pierre à la longue histoire du progrès. De bonne foi, cette génération, à laquelle on ne prédit d'autre destin que la sortie éventuelle du chômage, a la conviction d'être porteuse, avec ces techniques et ces services, d'idées et de projets qui relancent l'espoir. Et d'être la première à créer une sorte de culture, voire de société, basée sur «la solidarité technologique». Comment ne pas respecter cette perception d'une jeunesse qui a trop l'impression qu'historiquement et politiquement tout a été tenté par les aînés et qu'il ne lui restait plus qu'à s'accommoder de la consommation, de la crise, et du chômage? L'investissement affectif et culturel, considérable, de ces nouveaux services va bien au-delà de leur caractère performant, il concerne en fait un *réinvestissement de l'histoire*, et du progrès. C'en en cela qu'il est difficile d'en faire une critique simple.

C. Le symbole de la modernité

Internet n'est pas seulement le symbole d'une génération, il est aussi celui de la modernité. Tout avec les techniques de communication est propre, dépourvu de nuisance. Rien ne menace la nature, comme le nucléaire. C'est immatériel, convivial, direct, soft, instantané, créant une réalité virtuelle qui n'a pas besoin de se justifier par rapport à une tradition. Ludiques, sans cadre *a priori*, «les réseaux» favorisent l'initiative individuelle et la connaissance. Ce qui est magique avec les techniques de communication, et tellement en phase avec la modernité, c'est le fait qu'il s'agisse d'outils qui ne réclament aucun effort et libèrent l'homme de toute peine, pour le faire naviguer dans un univers silencieux. C'est ici que *se fait le lien, sans doute, entre écologie et communication.* Dans les valeurs de la modernité, la protection de l'environnement joue un rôle essentiel, presque similaire au thème de la lutte des classes, il y a un siècle. Et face à cette problématique, les valeurs de l'information et de la communication sont des alliées objectives. La cybersociété ne dégrade pas la nature, elle l'observe et la respecte. Demain ses citoyens seront aussi respectueux de l'écosystème que de toutes les différences culturelles… D'une certaine manière on retrouve dans la cyberculture les mythes de la pensée socialiste et communiste du XIXᵉ et du XXᵉ siècle. Mais – et la différence est capitale – sans haine ni violence. Comme si les «générations de l'ordinateur», ayant enfin compris les violences de l'histoire, voulaient inscrire une nouvelle page de l'humanité, débarrassée de sang et de conflits…

D'autant qu'avec Internet on gère de la *connaissance*, qui est peut-être un des symboles les plus forts du XXᵉ siècle. Après avoir mis au jour les origines de la matière, puis de la vie, et avoir connu les pires barbaries, ce siècle n'est-il pas avec Internet sur le point de renouer avec les connaissances, et pourquoi pas avec une certaine sagesse ? En mettant au centre les connaissances, on valorise la culture et donc l'éducation, qui se trouvent être au cœur de ces outils.

C'est le rêve d'un monde fraternel, sans frontière, sans hiérarchie entre pauvres et riches dont les techniques de communication seraient un peu le porte-drapeau. Communiquer d'un bout à l'autre du monde ne coûte plus rien, à la condition d'avoir des terminaux. *Tous les individus* peuvent donc entrer sur le grand réseau. Immense pied de nez aux inégalités économiques traditionnelles. Jamais le rêve d'une sorte d'égalité, affranchie des territoires et des frontières, n'a paru plus à portée de main. Les frontières sont vaincues avec leurs territoires de misères et d'exploitation, permettant enfin une *société de l'omniprésence*³. L'écran devient le lieu des représentations de la modernité avec ce qu'elle a de meilleur : l'idéal de la transparence et de l'immédiateté.

Les autoroutes et leur cortège de virtualité incarnent les valeurs de la modernité où dominent la conquête du temps et de l'espace, la fin de l'effort, une certaine vision de l'instantanéité, un rêve de convivialité. On saisit le côté idéaliste, voire dangereux, d'une telle utopie, mais au nom de quoi la disqualifier d'avance quand on voit à quoi ont conduit *les autres rêves* de société idéale depuis deux siècles ? C'est la science-fiction à l'envers, car il est frappant de remarquer combien sont en définitive humanistes et altruistes les discours tenus sur « la société Internet ». Les adeptes du « Net » veulent d'ailleurs apprendre à faire la police pour laisser à ces réseaux le caractère de liberté et de convivialité qui en fait leur force. Du rêve d'une génération à l'idéal de la modernité, on trouve là des éléments de séduction difficiles à disqualifier *a priori*. D'autant que simultanément les promesses d'un travail plus libre et décentralisé font rêver à ce que pourrait être une autre culture du travail débarrassée de hiérarchies inutiles. Quant à l'éducation, elle est aussi assurée d'être plus innovante. Bref, de quelque côté que l'on se tourne, les idéaux de la modernité se trouvent en phase avec les outils de navigation informationnels…

D. Une réponse à l'angoisse anthropologique moderne

Le succès du Net ne vient pas seulement du fait qu'il s'agit du symbole d'une génération et de la modernité, mais aussi qu'il résout certaines angoisses culturelles contemporaines. Et de ce point de vue on peut introduire l'hypothèse suivante : l'adhésion, presque excessive, que suscitent ces nouvelles techniques est peut-être aussi un moyen de domestiquer la peur qu'elles réveillent. Une sorte «d'adhésion réaction-nelle» ou de phénomène contra-phobique. Il y a, en effet, quelque chose de mystérieux, voire d'inquiétant, dans cette communication tous azimuts, mais comme il est difficile de s'opposer à la science et à la tech-nique, mieux vaut y adhérer pleinement, comme pour en conjurer le sort. S'en protéger, en s'en rapprochant. En adhérant massivement, on a moins peur et on domestique son appréhension. Et puis on a telle-ment reproché à la génération des années 80-90 d'être centrée sur la consommation que celle-ci trouve là le moyen de concilier consomma-tion et connaissance. Des consoles aux ordinateurs, des jeux aux CD-Rom, elle acquiert le sentiment de ne pas «consommer idiot». Certes elle consomme, là comme pour le reste, mais pour «la bonne cause», ce qui n'est pas négligeable dans le contentieux qui oppose souvent cette jeunesse, au niveau de consommation élevé, au monde des adultes, qui vit difficilement la crise économique, le chômage et la fin d'un certain modèle de consommation. En outre, cette forme de communication par machines interposées est *moins contraignante* que la communication directe. L'avantage des dispositifs techniques est en effet *de limiter* le face-à-face. Le plaisir est là, sans avoir à gérer la présence d'autrui. On retrouve ici une des contradictions de l'anthropologie moderne: com-muniquer, mais sans les contraintes imposées par l'autre.

Ces services interactifs résolvent, en effet, simultanément deux pro-blèmes existentiels de la modernité: *la solitude* et *le besoin de solidarité*. Il est possible de sortir de sa solitude *et* la disponibilité facilitée par ces outils laisse la place à toute demande de solidarité qui pourrait se mani-fester. L'exemple du courrier électronique illustre bien ces deux dimen-sions. C'est personnel, individuel, peu onéreux et secret, reflétant ainsi ce qui est au cœur du modèle individualiste. En outre, c'est une possi-bilité d'entrer en dialogue avec quelqu'un plus facilement que par le téléphone ou le courrier. Enfin, par la rapidité des échanges et leur caractère anonyme, le courrier électronique facilite la solidarité, et le besoin de donner, si important dans nos sociétés. On a donc simulta-nément l'individu, l'antidote à la solitude et la porte ouverte à la soli-darité.

Tout cela est d'autant plus séduisant qu'il n'y a *pas de sanction* immé-diate de la réalité. On retrouve ici le charme et l'ambiguïté du mot *vir-tuel*. Si la virtualité séduit autant c'est aussi parce qu'elle n'ouvre pas à une sanction du réel. On reste dans un univers «de l'entre-deux». En naviguant dans le virtuel, on est dans le monde, tout en lui échappant, cette situation correspond assez bien au contexte contemporain: à la fois présent et absent au monde. Depuis sa naissance, l'individu, par médias et consommation interposés, sait tout du monde, en ayant aussi appris à s'en tenir à distance. Pour ne pas rester *écartelé* entre le fait de tout savoir et celui de ne rien pouvoir faire, le citoyen moderne préfère s'installer dans une sorte de posture d'entre-deux, à laquelle les techniques de communication interactives sont plutôt adaptées. D'autant que l'affaissement, par ailleurs, des grandes idéologies ne crée pas le désir de s'investir plus avant dans la transformation du monde. La communication virtuelle, avec tous ses services, correspond donc assez bien à la *lucidité un peu désespérée* du moment. On souhaite s'investir, mais sans y croire ; communiquer avec autrui, mais sans en payer le prix fort. La communication virtuelle constitue aussi une sorte de *substitut partiel* aux idéologies désastreuses du XXᵉ siècle. Internet comme premier dépassement de la tour de Babel, sans les illusions du grand soir, comme recherche d'une nouvelle solidarité basée sur la communion à distance, et sans la proximité physique.

Le succès des nouvelles techniques serait donc à la hauteur des *déceptions* idéologiques du XXᵉ siècle, et c'est en cela qu'elles sont liées à une certaine angoisse anthropologique. Pourquoi cette idéologie, il est vrai discutable, serait-elle pire que toutes celles qui l'ont précédée au XXᵉ siècle, et qui ont été largement plus mortifères ? Peut-être faut-il trouver dans le mot *réseau*, dont on a remarqué combien il est étonnant qu'il soit symbole de liberté, la recherche d'un principe de solidarité ? Les réseaux seraient-ils des moyens de faire tenir ensemble des sociétés qui n'ont d'autres liens que la communication ? Les autres valeurs, politiques, religieuses, sociales, qui devaient assurer une meilleure compréhension entre les hommes ont à ce point échoué qu'il est difficile de condamner *a priori* celle-ci, sous prétexte qu'elle est plus récente et reliée à un nouveau marché. Le libéralisme, le socialisme, le communisme, et avant eux le catholicisme triomphant n'étaient-ils pas simultanément des valeurs d'émancipation et de redoutables logiques économiques et politiques sans grand rapport avec leur idéal ? Pourquoi dénier à la communication cette ambiguïté que l'on a reconnue, par ailleurs, à toutes les autres grandes philosophies et visions du monde ?

E. Le « court-circuit » du développement mondial

Cette dernière raison, qui pourrait expliquer le mouvement actuel, est sans doute essentielle, même si elle n'est pas toujours verbalisée. On a tellement dit que les nouvelles techniques de communication permettent une communication instantanée d'un bout à l'autre du monde, que beaucoup y voient *la* condition pour *sauter une étape* de cette interminable course au développement – pour ne pas dire au sous-développement – commencée dans les années 60, et s'inscrire ainsi d'emblée dans l'économie du XXIᵉ siècle. Si les satellites peuvent être reçus partout et si les ordinateurs sont aussi performants à Hong Kong qu'à Yaoundé ou à Bogota, les outils d'un autre développement sont présents. Les techniques de communication constituent alors les moyens de court-circuiter les étapes du développement, réduisant ainsi un peu l'écart entre les pays riches et les autres. Non seulement il y aurait là le moyen de rééquilibrer les relations Nord-Sud, mais aussi celui de développer le dialogue Sud-Sud. Casser les liens Nord-Sud et établir enfin une com-munication Sud-Sud est sans doute une chance pour s'émanciper du Nord et puiser d'autres sources de coopération et de développement. En utilisant les mêmes outils que le Nord, et en créant de nouveaux circuits de communication et d'échange entre pays du Sud, ces pays trouve-raient là un des facteurs de leur autonomie de demain.

Cette génération de l'an 2000, sensible à la communication et à la solidarité, voit donc dans ces outils le moyen de *neutraliser* les impla-cables effets du capitalisme. Certes, le développement de ces pays se fait aussi sur un mode capitaliste, mais l'idée est que ces peuples, une fois équipés de terminaux et intégrés aux réseaux mondiaux, sauront s'en servir pour leurs *propres* intérêts. Les nouvelles techniques de commu-nication permettraient une autre solidarité, le franchissement des fron-tières, et l'affirmation de nouvelles compétences...

Il suffit de voir l'énorme succès de l'informatique en Europe de l'Est et en Russie depuis seulement 1990 pour comprendre les espoirs que ces pays et leurs économies investissent dans ces industries d'un nouveau genre. On y retrouve au centuple tout ce qui plaît déjà à l'Ouest : la nouveauté, l'idée de Far West, la rapidité, le caractère « propre », la dimension de jeunesse, la liberté d'invention, la création de nouvelles solidarités, un moyen de couper radicalement avec un passé qui colle à la peau... Sans oublier l'idée de revanche, car les peuples de l'Europe de l'Est ont tout de même le sentiment que depuis 1945 – 1917 pour les Russes – ils n'ont pas eu les mêmes chances que les Occidentaux. Aujourd'hui et surtout demain, à l'aide de ces outils communs, même avec ce handicap de départ, ces peuples fiers et cultivés se sentent à même de relever les défis. Si des outils identiques sont disponibles en même temps dans les deux parties de l'Europe, alors les chances, peut-être pour la première fois depuis le début du XXe siècle, seront enfin égales. Ce sentiment de revanche pacifique et de compétition à armes égales est très fort dans l'ancien camp communiste, comme il l'est d'ailleurs dans de nombreux pays du Sud. A l'Est comme au Sud on retrouve un peu, en écho à l'étymologie du mot cybernétique, « science du gouvernail et du gouvernement », l'idée que ces outils permettent enfin un nouveau pilotage de l'économie. On comprend ainsi pourquoi les nouvelles techniques de communication sont perçues, non comme une nouvelle forme de domination, voire comme une idéologie, mais plutôt comme la condition d'un nouveau départ. Les premières vraies chances d'un nouveau développement pour l'Est, et le moyen de réduire l'écart tragique entre le Nord et le Sud.

BIBLIOGRAPHIE

chapitre 13

AFTEL, *La Télématique française en marche vers les autoroutes de l'information*, Les Éditions du téléphone, Paris, 1994.

« Signification » BELL D., *Vers la société post-industrielle*, Laffont, Paris, 1976.

BOURETZ P., *Les Promesses du monde. Philosophie de Max Weber*, Gallimard, coll. « NRF essais », Paris, 1996.

CASTEL F. du, *La Révolution communicationnelle. Les enjeux du multimédia*, L'Harmattan, Paris, 1995.

CHAMBAT P., CASTEL F. du et MUSSO P., *L'Ordre communicationnel*, La Documentation française, Paris, 1990.

GOLDFINGER C., *L'Utile et le Futile. L'économie de l'immatériel*, Odile Jacob, Paris, 1994.

GOUYOU-BEAUCHAMPS X., *Les Nouvelles Techniques de télévision*, Rapport à G. Longuet (ministre de l'Industrie, de la Poste et des Télécommunications) et A. Carignon (ministre de la Communication), août 1993.

JOHNSTON W., *Post-modernisme et bi-millénarisme*, PUF, Paris, 1992.

LAIDI Z., *Un monde privé de sens*, Fayard, Paris, 1994.

LEMOINE P., *Les Technologies d'information : enjeu stratégique pour la modernisation économique et sociale*, Rapport au Premier ministre, La Documentation française, coll. « Les rapports officiels », Paris, 1984.

MACHLUP F., *The Production and Distribution of Knowledge in the U.S.*, Princeton University Press, 1962.

MATTELART A. et STOURDZE Y., *Technologie, culture et communication : rapports complémentaires*, La Documentation française, Paris, 1983.

MONET D., *Le Multimédia*, Flammarion, coll. « Dominos », Paris, 1994.

MUSSO P. (sous la dir. de), *Communiquer demain : nouvelles technologies de l'information et de la communication*, Datar, Éditions de l'Aube, Paris, 1994.

NORA S. et MINC A., *L'Informatisation de la société*, La Documentation française, Paris, 1978.

PORAT M., *The Information Economy. Definition and Mesurement*, 9 vol., Government Printings, Washington DC, 1977.

RABOYM. *et al.*, *Développement culturel et mondialisation de l'économie*, Institut québécois de recherche sur la culture, Québec, 1994.

Rapport du Sénat: *Les Autoroutes de l'information et la mise en place d'une industrie globale de l'information aux États-Unis*, Sénat n° 245, Paris, 1995.

Rapport sur l'Europe et la société de l'information planétaire, Union européenne, Office des publications européennes, Luxembourg, 1994.

REICH R., *L'Économie mondialisée*, Dunod (trad.), Paris, 1993.

THERY G., *Les Autoroutes de l'information*, La Documentation française, coll. « Les rapports officiels », Paris, 1994.

TOFFLER A., *La Troisième Vague*, Denoël (trad.), Paris, 1980.

VASSEUR F., *Les Médias du futur*, PUF, coll. « Que sais-je ? », n° 2685, Paris, 1993.

WIEVER N., *Cybernétique et société*, UGE (trad.), Paris, 1962.

WOLTON D., « Paradoxes et limites de la communication instrumentale », *Une démocratie technologique*, Université du Québec, ACFAS, Québec, 1989.

1. Rappelons qu'en France il y a vingt-trois millions de postes de télévision et, même si l'équipement en paraboles est rapide, il y en a actuellement moins de deux millions, autant que de foyers câblés. Il y a donc loin encore de la réalité aux fantasmes de la société interactive. En supposant évidemment qu'il s'agisse là d'un idéal à atteindre...
2. Cf. par exemple les ouvrages de: Negroponte N., *L'Homme numérique*, Laffont, Paris, 1995; Rosnay J. de, *L'Homme symbiotique. Regards sur le troisième millénaire*, Seuil, Paris, 1995; Lévy P., *Qu'est-ce que le virtuel ?*, La Découverte, Paris, 1995.
3. Pierre Lévy est aussi l'un des apologues de la «poésie du virtuel»; il écrit, en conclusion de son livre: «Tendez l'oreille à l'interpellation de cet art, de cette philosophie, de cette politique inouïe: Êtres humains, gens d'ici et de partout, vous qui êtes emportés dans le grand mouvement de la déterritorialisation, vous qui êtes greffés sur l'hypercorps de l'humanité et dont le pouls fait écho à ses géantes pulsations, vous qui pensez réunis et dispersés parmi l'hypercortex des nations, vous qui vivez saisis, écartelés, dans cet immense événement du monde qui ne cesse de revenir à soi et de se recréer, vous qui êtes jetés tous vifs dans le virtuel, vous qui êtes pris dans cet énorme saut que notre espèce accomplit vers l'amont du flux de l'être, oui, au cœur même de cet étrange tourbillon, vous êtes chez vous. Bienvenue dans la nouvelle demeure du genre humain. Bienvenue sur les chemins du virtuel!» P. Lévy, *Qu'est-ce que le virtuel ?* La Découverte, 1995, p. 146.

CHAPITRE 14

LES SOLITUDES INTERACTIVES

Depuis la Renaissance, la Science et la Technique ont régulièrement été chargées de transformer la société, et non moins régulièrement les événements ont souligné les décalages entre les trois logiques, scientifique, technique et sociale. Rappelons combien la société devait être définitivement bouleversée par le moteur à explosion, l'électricité, le pétrole, la voiture, le train, l'avion… Mais jamais le lien n'a été aussi fort qu'avec la communication puisque ici c'est la *forme* de la société qui prend le nom de la technique dominante. Et ceci d'autant plus qu'il n'y a plus aujourd'hui, dans le monde occidental, d'autres systèmes de référence.

L'idéologie de la communication devient l'idéologie de substitution. Elle ne s'oppose à aucune autre, elle *est* l'idéologie dominante. Avec un facteur supplémentaire de légitimation, celui d'incarner le *changement*. Or en Occident, depuis au moins un siècle, le changement est assimilé au progrès, et comme les techniques de communication sont appelées à changer considérablement la société, elles sont doublement légitimées et valorisées. Une sorte de couple modèle s'installe, aux intérêts complémentaires : «technique de communication et changement». L'idéologie technique devient l'idéologie de la société actuelle. D'autant qu'avec les techniques de communication on est du «bon côté» de la science puisqu'elles ne menacent ni la nature ni la matière et ont pour objectif d'améliorer les relations humaines et sociales. De plus, ces outils semblent faire directement le lien entre les dimensions *fonctionnelles* et *normatives*. Ou plutôt, on voit dans leurs capacités fonctionnelles (échanger plus vite ; gérer un grand nombre d'informations ; abolir les distances…) la possibilité de résoudre les problèmes de sociétés non plus d'un point de vue fonctionnel mais normatif (se comprendre, se parler…). On complète les capacités fonctionnelles d'une capacité normative; on suppose que les performances fonctionnelles résoudront les problèmes de solitude et de solidarité.

C'est cela l'idéologie technique : d'une part, investir la technique d'une fonction qui, hier, résidait dans la religion, puis dans la politique et enfin dans la science; d'autre part, charger ces techniques d'une capacité à changer la société en incarnant les valeurs les plus fortes des sociétés démocratiques, la liberté, l'égalité et l'échange. C'est le *recouvrement* de ces deux dimensions qui explique la valorisation de ces techniques, lesquelles permettent en outre de faire le *lien* entre l'échelle individuelle et le nombre. On suppose que la présence des mêmes ordinateurs et des mêmes écrans, du travail au loisir, de l'éducation aux services, de la maison à l'hôpital… est un facteur de rationalisation déterminant. On est là au cœur de l'idéologie technique, dans cette tentation d'investir un outil de la capacité à résoudre un problème social, culturel, politique, relevant d'une autre logique. Sa force, comme idéologie, est triple. Disqualifier tout discours qui ose mettre en cause ce lien entre performance des outils *et* problèmes de société. Être transnationale et jouer la jeunesse. Rester modeste en ne se présentant pas sous la forme d'un discours construit et cohérent, comme ce fut le cas pour le rationalisme et le scientisme. Elle est une forme du bon sens, expliquant la difficulté de la critique, car l'idéologie n'est jamais aussi forte que lorsqu'elle est banale et quotidienne. D'autant qu'il est impossible de contester les progrès objectifs de la communication depuis cinquante ans ni d'exclure l'hypothèse que la rapidité des échanges aujourd'hui est une chance de meilleure compréhension demain.

Pour comprendre la séduction opérée par le thème de la société de l'information, il faut distinguer trois plans. Les auteurs de ces discours. Le rôle de la prospective. Les caractéristiques mêmes de ce discours.

I. Qui parle de la société de l'information?

Deux faits sont ici à rappeler. D'abord, le discours sur la société de l'information n'est ni homogène ni construit, il est plutôt une *extrapolation* des performances techniques. Et comme celles-ci progressent sans cesse depuis vingt ans, c'est, par ricochet, l'idée même de société de l'information qui s'implante avec le plus de force. Les performances croissantes, la miniaturisation, les baisses de prix et la mondialisation des marchés sont finalement les meilleurs arguments en faveur de cette idéologie. Si personne ne sait très bien ce que signifie société de l'information, au moins chacun peut-il constater « qu'on y va ». Si, demain, à domicile et au travail, pour les loisirs et l'éducation, tout le monde utilise les mêmes services, comment ne pas y voir une véritable révolution ?

C'est donc ce mélange d'évidence, de séduction technique, d'absence de grands discours, de captation par la jeunesse et d'ignorance des inégalités sociales et culturelles traditionnelles qui explique le succès du thème de la société de l'information.

Le deuxième fait concerne les *auteurs* de ce discours. Là non plus, pas d'homogénéité. On ne peut pas dire qu'il existe un corps de doctrine, avec un groupe social et professionnel qui, par brochures, publications, congrès, en soit le propagandiste. Non, le phénomène est plus diffus. Bien sûr, certains livres ont contribué à populariser le thème, mais on ne peut pas dire qu'il s'agisse d'une école ou d'un courant de pensée. Ce sont probablement les magazines et les médias qui sont le meilleur amplificateur d'un discours « qui marche tout seul ». Il marche d'autant plus seul qu'il ne se heurte pas à de véritables adversaires. Le discours scientiste est aujourd'hui beaucoup plus modeste, le discours politique est à la recherche de nouveaux lendemains qui chantent, le discours religieux est empêtré dans la difficulté à gérer ses rapports à la tradition et à la modernité. C'est donc finalement la *situation*, plutôt que des auteurs, qui explique la faveur de ce thème. Le caractère un peu fourre-tout et mal vissé de ce discours de la société de l'information est ici un facteur favorable. Plus que d'un discours, c'est d'ailleurs d'un *prêt-à-penser* qu'il s'agit. Le paradoxe est que les *scientifiques* jouent un rôle tout compte fait assez modeste dans la création de ce discours. Les *scientifiques de la recherche fondamentale* (logiciens, mathématiciens, spécialistes d'informatique théorique…) ne disent rien. Cela veut dire qu'ils ne condamnent ni n'approuvent. Certes, il s'agit pour eux de sciences appliquées et de techniques, donc d'activités ne relevant pas de leur sphère directe de compétence, mais dans la durée leur silence vaut plus comme acquiescement que comme critique… Le milieu des *ingénieurs* est évidemment le premier producteur et diffuseur des discours de ce type. Comment le leur reprocher ? De l'intelligence artificielle aux réseaux, aux dialogues hommes-machines, ils sont les auteurs et les créateurs de cette énorme aventure scientifico-industrielle. Que par des publications, des interviews, des livres, ils popularisent cette histoire, on le comprend d'autant mieux qu'à y bien regarder le triomphalisme est plutôt modeste. Assurément, le discours est ferme, sans trace de doutes inutiles, mais pour finir avec moins d'arrogance qu'il y a un siècle, sans doute aussi parce que l'idéologie scientifique et technique, comme le rationalisme, sont aujourd'hui moins méprisants.

Trois autres sources de ce discours sur la société de l'information et de la communication sont à développer.

D'abord, le *discours technocratico-étatiste*, qui existe depuis plus de vingt ans au Japon et en Europe. Discours à dominante prospectiviste, qui anticipe sur le cours de l'informatisation réelle pour légitimer des grands plans d'équipements destinés, en fait, à soutenir l'industrie nationale. L'accent est mis sur les secteurs non marchands comme l'éducation, la santé, les transports, la lutte contre la pollution, même si la perspective est évidemment d'aller dans le sens du renforcement du secteur industriel. Le thème de la société d'information donne une cohérence à des plans qui relèvent plus de la logique de la politique industrielle que de l'idéologie[1].

Le *discours culturalo-moderniste*, sur la société de l'information, est plus récent puisqu'il date d'une dizaine d'années. On peut symboliser sa naissance par l'événement qu'a été le succès du *Macintosh*. Le succès n'appartient plus à ceux qui faisaient de l'ordinateur l'instrument d'une rationalisation taylorienne des organisations, mais à ceux qui ont su en faire l'instrument d'une expression individuelle et d'une transformation culturelle de l'entreprise. La référence à la société d'information répond ici à un objectif précis: «labelliser» un produit ou une stratégie, de façon à faire clairement comprendre qu'elle s'inscrit dans une perspective de rupture par rapport à la «vieille» société industrielle. Le raz-de-marée Internet montre que ce discours repose sur des ressorts puissants, et qu'il ne s'agit ni d'une idéologie ni d'un argumentaire creux, mais d'un vrai dynamisme marketing. A l'heure où l'informatique pénètre des activités toujours plus diverses, il est investi d'un fort désir de transformation des rapports d'échange et de travail. L'informatisation ne se réduirait pas à la pénétration de nouveaux outils dans toutes les sphères de la vie publique et privée mais, au contraire, à l'émergence d'une société nouvelle, qui se dévoile peu à peu et s'engouffre dans les organisations.

Enfin, le *discours politique* sur la société de l'information est le seul qui comporte une dimension idéologique. Il trouve en effet son origine dans le travail de ressourcement de l'idéologie libérale. Le succès politique de la vague libérale qui a marqué les vingt dernières années tient notamment au travail théorique qui a consisté à reformuler les concepts d'État de droit et de marché à la lumière de la cybernétique et de la théorie de l'information. La pensée libérale y a trouvé une modernité telle que les thèmes de la dérégulation dominent désormais complètement l'univers économique. Encore ne s'agissait-il pas, jusqu'à une date récente, de se référer explicitement à la société d'information. Le pas a été franchi, il y a seulement quelques années, par les néo-conservateurs américains, comme Newt Gingrich, qui ont construit leurs discours politiques sur cette logique centrale. Le débat public américain a alors été soumis à des propositions du type «Internet ou le marché pur et parfait», ou «le cyberspace comme extension de la logique démocratique», ou encore le thème de «la démocratie électronique» comme complément «du marché électronique». On peut ici parler de propositions idéologiques mais il n'est pas sûr que ce discours rencontre un réel écho, justement du fait de son caractère trop systématique.

En bref, le discours technocratico-étatiste cherche à légitimer des grands programmes. Le discours culturalo-moderniste veut «vendre» des systèmes interactifs et multimédias jusque dans des organisations jusqu'ici mono-langages et unidimensionnelles. Le discours politique souhaite relancer une bataille idéologique sur fond du vieux conflit libéralisme-étatisme.

Mais on ne parlerait pas tant de société de l'information s'il n'y avait que ces discours. Le thème est repris ailleurs, et c'est cette reprise qui lui assure cette visibilité. *Trois milieux* jouent ici un rôle important : les milieux académiques, les milieux de la communication et les milieux européens.

Les *milieux académiques* ne sont pas directement partie prenante du discours sur la société de l'information. Ils sont même au contraire depuis longtemps irrités par la place prise dans les discours par l'informatique et les technologies d'information. Ils sont un peu agacés de voir comment ces nouvelles techniques sont trop facilement présentées comme «les filles aînées de la science». Ayant une culture plus approfondie de l'histoire des sciences, ils ne sont pas prêts à voir si vite dans ces techniques performantes une rupture radicale. D'autant qu'ils savent que la connaissance, la recherche et l'invention dépendent de bien d'autres facteurs que ceux liés à l'informatisation. L'ordinateur est devenu un outil banal et indispensable, mais ce n'est pas lui qui fait la science. Et puis le milieu académique, par sa culture et sa vision du monde, a un peu plus d'ironie à l'égard de tout ce qui surgit, et qui est trop immédiatement taxé de révolutionnaire. Enfin, ce milieu lui-même assez divisé, et hiérarchisé, n'adhère plus avec le même enthousiasme au scientisme et au thème du progrès de la connaissance comme au XIXe siècle. Mais cette attitude plus réservée ne l'a néanmoins pas conduit au développement d'une problématique «science, technologie et société», incluant une réflexion sur les disciplines fortes des mathématiques, de la physique et de la biologie, qui aurait restitué l'informatique *à sa place*, somme toute modeste. Au lieu de favoriser cette mise à distance, bénéfique à tous les discours sur la société de l'information, la communauté scientifique n'a pas dit grand-chose. Si ce n'est qu'en recourant massivement à ces techniques elle a en quelque sorte, par glissements successifs, légitimé les discours sur la «révolution de l'information», qui, eux, par contre, citent systématiquement le milieu académique comme le premier secteur de «la société de l'information»... En somme, par son silence, le milieu académique a apporté une caution aux discours sur la société de l'information, d'autant que ce silence s'accompagne d'une attirance pour la théorie des systèmes, les sciences cognitives et la théorie de l'information… domaines de connaissances en développement, et proches du discours idéologique.

Les *milieux de la communication* sont une deuxième source de surenchère. L'expression «société de l'information» leur a semblé aller dans le bon sens, mais ils l'ont élargie en parlant aussi de *communication*. En parlant de société de l'information *et* de la communication ils veulent montrer que les technologies de l'information n'ont en réalité de sens qu'en s'intégrant dans une problématique de la communication. Ce qui est exact et implique un rapport de force constant – et très intéressant – entre ceux qui parlent d'abord d'information, en laissant ouverte la question de l'utilisation, et ceux qui au contraire, en parlant de communication, veulent tout de suite *socialiser* le problème.

Les *milieux européens* l'emportent sur tous les autres dans la surenchère concernant ces thèmes. Au départ, l'Europe s'est mise à parler de société de l'information dans le cadre précis des discours technocratico-étatistes. En liaison avec des grands industriels européens, il s'agissait de faire en sorte que l'Europe engage des grands programmes de recherche-développement et d'infrastructure de télécommunication, prenant le relais des politiques industrielles nationales. Mais cet objectif a été rapidement dépassé. *On parle aujourd'hui beaucoup plus de société de l'information, à Bruxelles, que nulle part ailleurs au monde.* Cette société est présentée comme le grand défi de demain. Même si, en reprenant aussi vite ce discours des Américains et des Japonais, il est encore plus légitimé, donnant à ceux-ci le sentiment d'avoir raison. Mais le thème a, dans le discours européen, une autre signification. La société de l'information tient lieu d'excuse et d'espoir. D'excuse d'abord, car la léthargie économique et le niveau atteint par le chômage ne seraient plus une affaire de responsabilité politique, mais le symptôme d'une crise historique, celle du passage d'une société à une autre. D'espoir ensuite, car l'expression «société de l'information» ne met pas l'accent sur une notion de performance ou de technologie, mais sur une notion de *contenu* qui donne toutes ses chances à de vieilles nations, riches d'une culture sans égale : la société de l'information comme nouvelle frontière et défi à relever par rapport aux États-Unis et au Japon. Le drame est que la reprise de ce discours ne manifeste *aucune* singularité européenne, mais vise plutôt à *légitimer* ce thème lancé outre-Atlantique et au Japon, donc à accréditer l'idée qu'il s'agit *réellement* de la prochaine «révolution mondiale». Tous les intérêts industriels et économiques liés aux technologies de l'information n'ont pas dû rêver meilleure légitimation, quand ils ont vu les élites technocrates, en mal de projet politique pour l'Europe, reprendre le thème de la société de l'information comme le grand horizon de l'Europe... Qui aurait pu dire, il y a vingt ans, que les plus vieux pays du monde auraient défini comme leur plus grand avenir leur adhésion à ce discours mal vissé et mélangeant des préoccupations économiques, techniques et vaguement sociales....

Pourquoi avoir distingué ces *types* de discours? D'abord pour rappeler qu'il n'y a pas un corps de doctrine, ni une stratégie d'acteurs ou de discours, mais un mélange de logique et de valeurs. Pour souligner, ensuite, qu'il existe, là comme ailleurs, une *marge de manœuvre* et que rien ne serait pire que de donner à ces discours de source, de genre et d'ambitions différents sur la «société de l'information» une *cohérence* idéologique qu'ils n'ont pas. Il existe, certes, une idéologie technique ambiante, mais il est d'une part possible de la critiquer et d'autre part nécessaire de rappeler qu'elle n'est pas homogène. *L'humour* est sans doute à terme une bien meilleure logique argumentative que la réponse trop sérieuse à ces discours qui y verraient la preuve de leur caractère sérieux...

II. La prospective et ses échecs

Pour comprendre l'intérêt d'une pensée critique sur la société de l'information, il y aurait une méthode simple : faire retour sur les innombrables erreurs commises par la *prospective*. Il suffit de reprendre les promesses faites *depuis trente ans* concernant tout ce qui devait changer, dans la vie quotidienne, le travail, l'éducation, les loisirs, pour se rendre compte à chaque fois des *limites* du discours prospectif. Celui-ci est toujours définitif, précis et assuré de lui-même, même si, dans la plus grande partie des cas, il est invalidé par les faits. Un recueil du bêtisier des travaux de prospective, sur les trente ans où ils ont fleuri, introduirait déjà cette relativisation nécessaire à la connaissance et cet humour indispensable à la liberté de l'esprit... Quelle est la tonalité générale de ces nombreux travaux de prospective? «Tout sera mieux, convivial, interactif, sans contrainte, libre, mondial, instantané, sans hiérarchie, librement accepté, dépourvu de toute logique de pouvoir et de domination; à l'écoute de l'autre[2]...» Tout est possible, à condition de se *dépêcher*, car la force du discours prospectiviste est de *fixer un calendrier*. Et c'est par rapport à cette anticipation «rationnelle» du futur qu'il faut réagir. Si on ne le fait pas tout de suite, demain il sera «trop tard». La prospective oscille toujours entre une vision plutôt cohérente et rassurante du futur, et une image plutôt pessimiste du présent, sauf à se préparer dès maintenant aux changements...

Mutadis mutandis, les promesses mirifiques de la société de l'information et de la communication rappellent curieusement les discours religieux sur ce que devait être le monde enfin christianisé aux XVIIᵉ et XVIIIᵉ siècles alors au maximum de la puissance de l'Église... La domination religieuse allait de soi, comme il en est de même aujourd'hui avec le discours technique. *Dans l'accélération* à laquelle on assiste depuis 1990, le plus étonnant est sans doute le peu de documents sérieux, officiels, sur lesquels se fondent promesses, rumeurs et stratégies. En dehors des discours américains, largement relayés depuis 1992 par le vice-président Al Gore, il existe en Europe peu de textes. Tous sont publiés depuis 1993, à l'exception certainement du rapport Nora-Minc (1975) qui fut le premier à populariser ces thèmes dans la perspective très volontariste et moderniste qu'insuffla le président Valéry Giscard d'Estaing et dont on oublie trop le rôle *essentiel* qu'il joua dans la modernisation de la France.

Le rapport Bangeman de 1993, «Europe and the global information society, recommandation to the european council», très enthousiaste pour l'avenir, dégageait dix applications pilotes finalement très hétéroclites (télé-travail, télé-enseignement, réseaux universitaires, télé-services de PME, télé-gestion de transports routiers et aériens, réseaux dans le domaine de la santé, télé-information sur les appels d'offre, services publics électroniques, villes virtuelles).

Jacques Delors, dans le rapport *Croissance, compétitivité, emploi* (CEE 1994), voyait également dans la société de l'information la grande chance technologique, économique, sociale et culturelle de l'Europe[3]. Enfin, en France, le rapport G. Thery de 1994, le père du Minitel, allait dans le même sens, prévoyant cinq millions de foyers raccordés en l'an 2000[4]...

Preuve du dynamisme de ce thème, le G7 du 7 février 1995 définit onze projets pilotes ambitieux, à réaliser par les différents pays : inventaire global de l'impact de la société de l'information ; interrogeabilité des réseaux à large bande ; éducation et formation transculturelles ; bibliothèques électroniques ; musées et galeries d'art électroniques ; gestion de l'environnement et des ressources naturelles ; gestion des situations d'urgence ; systèmes de santé ; réseaux de données administratives ; PME ; système d'informations maritimes.

Ce qui frappe dans ces rapports, finalement peu nombreux, c'est la *certitude* inébranlable de leurs sentences. Comme s'ils ne tiraient aucune leçon des multiples échecs de la prospective, qui régulièrement depuis vingt à quarante ans prévoit des mutations qui ne se réalisent jamais. Par exemple l'impératif absolu de la croissance zéro, proposé par le Club de Rome dans les années 70 comme seul moyen de sauver le monde des désastres écologiques, avant que la crise économique ne le plonge dans cette autre obsession : comment retrouver la croissance ? Pourquoi alors la prospective a-t-elle tant de succès ? Parce qu'il s'agit d'un véritable exercice de *métonymie*, où la partie est prise pour le tout. A partir de quelques éléments de certitude, on extrapole à une tout autre échelle. Mais les décalages entre le petit nombre de certitudes et le grand nombre d'incertitudes n'est jamais mentionné. Et surtout personne ne va, hélas, vérifier *rétrospectivement* les allégations de la prospective. L'essentiel, avec la prospective, est de *rassurer dans le ici et maintenant* de la production des textes. C'est en cela que derrière leurs références rationnelles, leur sérieux d'ingénieur et d'expert, les travaux de prospective sont le plus souvent des exercices de *croyance*. Ils servent à calmer l'angoisse créée par le futur. Leur force est en réalité de fournir du sens pour *aujourd'hui*, même si tout le monde fait semblant de parler d'avenir. Et comme à chaque fois le problème est nouveau : aujourd'hui il concerne l'impact des nouvelles techniques de communication ; hier le tiers-monde ou la crise pétrolière, la fin du communisme, la faim... ceux qui ont en charge le problème n'ont guère de chance d'être contestés. Le credo de tout travail de prospective est : « *Tout commence aujourd'hui ; et nous sommes face à une rupture radicale par rapport au passé. Tout va changer, et le passé est inutile.* » Et gare à celui qui conteste. En effet, les auteurs de prospective n'aiment pas que l'on critique leur travail. Ils ont mis tellement de temps à mettre de l'ordre et à dessiner une perspective *cohérente*, avec seulement quelques points de repère, qu'ils reçoivent toute critique comme une remise en cause de l'ensemble... Et plus les auteurs de la prospective ont l'air sérieux, et scientifiques, plus leurs idées sont bien reçues. *La prospective n'est finalement qu'un exercice de croyance, paré des atouts de la rationalité.* Pourquoi pas ? Mais pourquoi ne pas le dire...

Il faut lire ces travaux pour voir le besoin angoissant de maîtrise du futur qui y domine, et la croyance dans la capacité de la technique à changer la société. Tout simplement, parce que l'on confond batailles industrielles et rapports sociaux. Le tout accompagné en général d'un calendrier de mesures *urgentes* à prendre, sous peine d'accumuler un retard *irrattrapable*. Le décalage est toujours considérable entre le caractère inévitablement approximatif des prévisions, et la manière définitive avec laquelle on conclut au caractère impératif de telle ou telle politique à mener. Et pourtant, si l'on regarde ne serait-ce que les multiples erreurs de *politique industrielle* dans les différents pays depuis trente ans, cela devrait rendre modeste sur les capacités d'ambition anticipatrice.

On retrouve toutes ces caractéristiques avec «la société de l'information». Partant d'une maîtrise, à peu près possible, des techniques et de la filière industrielle, on s'aventure ensuite avec moins d'assurance vers l'anticipation de service, puis vers une demande plus difficile à évaluer, et donc du marché, pour finir avec encore plus d'incertitude par une prospective des différentes institutions (santé, éducation, urbanisme…) et de leur «adaptation» à la société «moderne». Les évaluations les plus vraisemblables concernent les *jeux* et les *loisirs* car les marchés existent. En matière de *services*, ce qui améliore la vie quotidienne des citadins pressés et fatigués (relation avec les banques, les services administratifs, le télé-commerce, les voyages) est concevable, mais la question est plus compliquée dès que l'on touche à la santé, à l'éducation, où il ne s'agit pas d'abord d'information, mais de connaissances. Pour le *travail*, ou le télé-travail, sauf pour des emplois très sous-qualifiés – ou au contraire sur-qualifiés –, les difficultés apparaissent beaucoup plus réelles que ce que l'on avait un peu rationnellement imaginé. Contrairement aux promesses séduisantes, l'installation des villes à la campagne paraît plus compliquée qu'il n'y paraît… Quant à l'éducation, en dehors des CD-Rom et de quelques applications interactives, on constate rapidement un décalage entre les capacités de dialogue homme-machine et le rôle considérable que l'on veut leur faire jouer par rapport à des questions beaucoup plus complexes comme l'apprentissage, la synthèse des connaissances, la didactique, le désir de savoir[5]… Bref, dès que l'on avance dans chacun de ces immenses territoires on constate que tout devient très compliqué.

Le caractère finalement hétérogène des prospectives se retrouve au niveau des *expérimentations* dont chacun reconnaît la nécessité pour éviter la répétition de certaines erreurs du passé. Le G7 en 1995 a, on l'a vu, décidé onze projets pilotes, et la France, à une échelle plus modeste à la suite du rapport Thery, en a également retenu quarante (sur cent présentés à la suite d'un appel d'offres), la plus grande partie financée sur fonds privés. La réalité est triviale: les incertitudes sont considérables; les difficultés techniques de plus en plus grandes au fur et à mesure que l'on avance; les marchés et la demande difficiles à prévoir, les coûts largement aléatoires. Mais chacun sait qu'il faut être présent sur ce Far West pour garantir l'avenir. Alors chaque acteur économique, industriel et technique, et chaque État, fait du «dumping». Tout le monde «ment», car l'important est d'occuper le terrain, en espérant qu'au détour d'une expérimentation un vrai marché se dessinera. Le marché des nouvelles technologies ressemble à un gigantesque jeu de poker-menteur. Tout le monde doit suivre, sous peine d'être distancé sans savoir où il va, mais en donnant fermement l'impression inverse.

Bref, beaucoup d'incertitudes et d'inconnues demeurent, mais elles sont niées au nom de la guerre technique et économique impitoyable que se livrent les grands groupes et les États. En réalité, tout le monde pour des raisons différentes, est embarqué dans cette partie. Le premier qui dit la vérité est immédiatement éliminé. C'est ainsi que les différents groupes multimédias agissent en faisant semblant de savoir très précisément ce qu'ils veulent, dans quel calendrier, pour quoi et pour quel profit…

III. La société de l'information et son discours

A. Le mondialisme

«Les techniques de communication sont adaptées à l'échelle du monde autant qu'à l'échelle de l'individu. Pour la première fois, les deux échelles sont réunies…» C'est le thème bien connu du *village global*, le monde fini, vaincu par les techniques de communication, comme préfiguration d'un monde dominé par les valeurs de la communication. Non seulement le lien entre l'idéologie mondialiste et les intérêts des industries de la communication *n'est pas perçu* mais, de plus, la *relation complémentaire* entre ce thème de la mondialisation et la logique du libéralisme économique *est également ignorée*. Pourtant le village global est la meilleure caution au libéralisme économique, au sens où il correspond au rêve d'un marché mondial débarrassé des règles inutiles, notamment nationales. Le libéralisme économique trouve dans le mondialisme des techniques de communication sa meilleure justification idéologique. Et «ça marche». Internet condense de ce point de vue, au mieux l'idéologie technique d'un monde sans frontières, l'idéologie libérale du «*free flow*» et de la dérégulation. Ce qui est censé représenter l'*innovation* la plus radicale en matière de communication se trouve au contraire *au cœur* des intérêts économiques du moment. L'amalgame s'opère entre l'information comme valeur démocratique *et* l'information comme valeur économique, le tout sur fond de référence à la «cybercivilisation». C'est en raison de cette ambivalence fondamentale que le thème de village global a tant de succès. S'il n'y avait pas un tel *entrelacement* des intérêts, des valeurs et des aspirations, il serait plus facile d'en faire la critique. De plus, parler de mondialisation a deux avantages: d'une part, masquer le déséquilibre Nord-Sud et croire que le Sud, en accédant rapidement aux réseaux, trouve également le moyen d'un «développement accéléré»; d'autre part, offrir aux revendications identitaires, de plus en plus nombreuses et violentes dans le monde, une panoplie de services et de techniques susceptibles d'être utilisés. Plus les conditions de communication s'élargiraient, plus la revendication identitaire trouverait de place pour s'exprimer et donc s'assagir.

Le problème est pourtant exactement inversé: c'est parce qu'il y a de plus en plus de communication, que la question de l'identitaire devient forte, chacun craignant de perdre son identité dans un flux généralisé de communication. Et la perspective visant à découper le monde en quatre grandes régions (Amérique, Europe, Asie du Nord et du Sud) ne change rien. Certes, parler de «régions» renvoie à un vocabulaire plus familier, et à des *repères* que nous avons tous. Mais les régions ne se feront ni facilement ni rapidement. En supposant qu'elles arrivent à se constituer, ce qui à l'aune de l'histoire de l'Europe illustre la complexité, elles resteront confrontées à la violence des rapports de force entre les économies nationales, les formes multinationales, et des facteurs parallèles de mondialisation de l'économie. Bref, la mondialisation, présentée comme la «seule» perspective du développement, devrait, comme toutes les autres «certitudes» économiques qui ont fait tant de dégâts dans l'histoire économique depuis un siècle, être abordée avec plus de prudence. Et surtout, il ne faudrait pas oublier que plus la communication progresse, plus la question de l'*identité* devient cruciale. D'ailleurs certains analystes, percevant le *risque* d'une revendication identitaire croissante, proportionnellement à l'accroissement de la communication, trouvent la solution dans la promotion de ce *couple miracle*: *le global* et *le local* ou, pour reprendre une formule du même type: la mondialisation et l'individualisation. Mais ce *grand écart*, faisable au plan technique, ne l'est ni au plan individuel ni à celui de la société. C'est plutôt l'explosion et la fragmentation qui risquent de se produire en conséquence des contradictions immenses entre la logique du global et du local. D'autant que le mouvement de globalisation de l'économie n'est pas nouveau, simplement il s'accélère depuis les années 50. Par contre ce qui est nouveau c'est la présence de la communication. Non seulement il n'est pas certain que la mondialisation des techniques de communication soit susceptible de gérer la revendication d'identité qui vient en réaction à cette globalisation de l'économie, mais surtout il ne faut pas oublier que cette mondialisation de la communication a un effet de *dévoilement*: aujourd'hui grâce à elle on *voit* les *dégâts* de cette globalisation, c'est-à-dire les inégalités. Il y a toujours eu des dégâts, simplement ils n'étaient pas visibles *simultanément*. Le vrai changement est là: la mondialisation de la communication rend encore plus *visibles* les dégâts de la globalisation économique.

L'information et la communication ne peuvent à la fois être la valeur dominante de la société individualiste de masse, de la démocratie de masse, *et* constituer le système de représentation de la société mondiale de demain... Il faut que d'autres références philosophiques, idéologiques, religieuses apparaissent *extérieures* à l'information et à la communication pour que ces deux valeurs essentielles jouent, par ailleurs, leur rôle. Il y a quelque chose de *fou* dans l'idée de croire que l'information et la communication *seront à la fois* les outils et les valeurs que l'on retrouve au niveau de l'économie, de la société, des idéaux, et de la société mondiale...

B. Le temps supprimé

Non seulement les techniques court-circuitent la *durée* de toute communication, permettant une communication instantanée, qui hier réclamait du temps, mais surtout, avec les progrès des satellites et de la fibre optique, la communication *à distance* est aussi bon marché que la communication locale. On ne retrouve même plus dans la différence de prix la trace de la *durée* et de l'*espace*. La baisse radicale des coûts de la communication à longue distance, pour l'informatique hier, pour l'image aujourd'hui, pour les télécommunications demain, crée un monde *instantané*. La conquête du temps retrouve l'idée postmoderniste d'un temps indéfini, sans passé ni présent, et qui intègre en permanence le présent et le futur. Tout devient synchrone, présent à l'esprit et à la vue. D'ailleurs avec Internet, pour peu que l'on accepte de se décaler dans les horaires, on peut passer la journée à naviguer à travers les fuseaux horaires. Gérer la communication à distance, sans frontière et sans durée suscite un indicible sentiment de puissance, d'autant moins gênant que tout semble ludique. En fait, le postmodernisme, qui est davantage l'air du temps qu'une idéologie, a le même défaut que la communication : croire que l'on peut sortir du temps, ou arriver à sa compression. Bien sûr, toute philosophie *exprime* une échelle du temps et une vision de l'espace, mais le bouleversement de ces deux échelles par les nouvelles techniques *ne suffit pas* à créer un modèle de société. C'est ici qu'opère le *syllogisme* de l'idéologie technique : puisque toute philosophie de l'existence comporte une vision du temps et de l'espace, et que les techniques de communication bouleversent ces définitions du temps et de l'espace, on en conclut que les techniques de communication sont à l'origine d'une nouvelle philosophie... En réalité les autoroutes de l'information incarnent l'illusion d'un *temps unique de l'information*, et donc finalement d'un temps unique pour tout. L'illusion d'un temps mondial, en opposition aux temps historiques locaux. Le rêve du temps unique est une constante des utopies et des dérives séduisantes de l'idéologie technique.

C. Tout va changer

La conséquence ? Le même rythme s'impose à la technique et à la société, obligeant le temps social à se *calquer* sur le temps technique. Cela se traduit par un désintérêt à l'égard du passé : « Ça va tellement changer qu'il est inutile de le connaître. » Il y a tellement de choses à faire pour se préparer au futur qu'il est inutile de regarder vers le passé. Cela nous encombre plus que cela ne serait utile. Bref, le passé est forclos.

Une autre version, peut-être plus angoissante encore, de cette idéologie de la communication consiste à sous-évaluer l'importance des changements intervenus, et à survaloriser ceux à venir. « Demain les mutations seront encore plus radicales. » Cela crée une sorte de « halètement » permanent, d'autant plus déstabilisant que la plus grande partie de la population n'a même pas encore intégré les changements précédents. Pourquoi cette impression de course folle et implacable ? Parce que les travaux prospectifs sont garantis par la signature des meilleurs scientifiques du domaine, et parce qu'ils supposent établie l'hypothèse, jamais posée, selon laquelle l'explosion des innovations techniques *engendrerait* à une vitesse *identique* des changements dans toute la chaîne : mise au point des applications, création des services, offre, naissance des marchés, existence d'une demande.

Ce n'est pas parce que l'on imagine des *applications* en médecine, dans l'éducation, l'agriculture, le télé-travail, le commerce... que celles-ci auront effectivement lieu. Ni surtout que celles-ci se feront selon les *modalités* envisagées actuellement, et qui relèvent pour la plupart d'une logique d'ingénieurs. Un exemple personnel. En 1979 j'ai publié (avec J.-L. Lepigeon) une recherche comparative sur l'informatisation de la presse écrite et l'arrivée (déjà...) des nouveaux médias en France, en Grande-Bretagne, aux USA et en Scandinavie (*De la presse écrite aux nouveaux médias*, Documentation française, 1979). A entendre la plupart des interlocuteurs, l'informatisation de la fabrication, puis la généralisation des rédactions électroniques, et enfin l'accès plus facile aux bases de données devaient « révolutionner » la presse écrite et l'information. Déjà à l'époque nous avions largement relativisé ce discours idyllique. Mais vingt ans après il est possible de voir, puisque *tous* les changements se sont réalisés, en quoi ces mutations techniques, pourtant *considérables*, n'ont pas révolutionné la conception de la presse et de l'information ! Certes l'informatisation de toutes les phases de la production présente des avantages, mais aussi des inconvénients inattendus, notamment en termes de rigidité. Mais surtout l'entrée de la presse dans la « révolution de l'information » n'a pas provoqué la révolution annoncée, à savoir « une nouvelle conception de l'information et du journalisme »... Aujourd'hui, avec une omniprésence de l'informatique et de tous les moyens techniques les plus sophistiqués, il ne semble pas que l'information et la presse aient beaucoup changé du point de vue du *contenu*, et de leur rôle. Cela montre une fois de plus qu'une innovation technique, si forte soit-elle, n'entraîne pas, *mécaniquement*, une transformation profonde du contenu des activités. Non seulement le temps technique n'est pas le temps social, mais surtout le changement technique suscite des problèmes nouveaux, inattendus, qui n'étaient pas présents dans les fameux discours de prospective... Tous ces ratages devraient faire réfléchir, mais rien n'y fait. Par exemple, la société de l'information, qui devait *déjà* être là dans les années 90, et qui n'est évidemment pas au rendez-vous, au lieu de provoquer une réflexion critique est simplement annoncée pour *après-demain*. Plutôt que de comprendre que les sociétés n'évoluent pas au rythme des innovations techniques, on parle de « résistance au changement » et de peur de l'avenir... Tout sauf mettre en cause la rationalité synthétique rassurante mais fausse de la prospective. Tout sauf mettre en cause cette urgence du temps et cette confusion entre temps technique et temps social.

BIBLIOGRAPHIE

chapitre 14

ADDA J., *La Mondialisation de l'économie*, 2 t., La Découverte, Paris, 1996.

BRENDER A., *L'Impératif de la solidarité. La France et la mondialisation*, La Découverte, Paris, 1996.

BRESSARD A. et DISTLER C., *La Planète relationnelle*, Flammarion, Paris, 1995.

CARPENTRAS J.-Y., *L'Épreuve de la mondialisation*, Seuil, Paris, 1996.

COHEN E., *La Tentation hexagonale. La souveraineté à l'épreuve de la mondialisation*, Fayard, Paris, 1996.

DELORS J., *Pour entrer dans le XXIᵉ siècle ; le Livre blanc de la commission européenne, croissance, compétitivité, emploi*, Ramsay, Paris, 1993.

ENGELHARD P., *L'Homme mondial. Les sociétés peuvent-elles survivre ?*, Arléa, Paris, 1996.

FLICHY P., *Les Industries de l'imaginaire : pour une analyse économique des médias*, PUG, Grenoble, 1980.

GOULDNER A.-W., *The Dialectic of Ideology and Technology*, Seabury Press, New York, 1977.

KENNEDY P., *Préparer le XXIᵉ siècle*, Odile Jacob, Paris, 1994.

LÉVY P., *L'Intelligence collective : pour une anthropologie du cyberspace*, La Découverte, Paris, 1994.

MIÈGE B., *La Pensée communicationnelle*, PUG, Grenoble, 1995.

NÉGROPONTE N., *L'Homme numérique*, Laffont, Paris, 1995.

NORA D., *Les Conquérants du cybermonde*, Calmann-Lévy, Paris, 1995.

QUEAU P., *Éloge de la simulation*, Champ-Vallon/INA, Paris, 1986.

RICŒUR P., *La Critique et la conviction*, Calmann-Lévy, Paris, 1995.

ROSNAY J. de, *L'Histoire symbolique. Regards sur le troisième millénaire*, Seuil, Paris, 1995.

TURNER B.S. (sous la dir. de), *Theories of Modernity and Postmodernity*, Sage, Londres, 1990.

VATTIMO G., *La Société transparente*, Desclée de Brouwer, Paris, 1990.

---

1. Un exemple parmi une dizaine : en France, le 2 octobre 1996, le commissariat au Plan a rendu public un rapport alarmant sur « les réseaux et la société de l'information ». Il y était

question du retard de la France dans ce secteur clé. Retard voulant dire qu'il n'y avait que 1 % des foyers français qui était raccordé à Internet, et qu'il fallait donc des mesures d'urgence pour augmenter la consommation de communication. On comprend l'argument industriel qui est derrière, mais jamais n'est posée la question de savoir ce que cela apporte que 30 % des foyers français soient branchés sur Internet… C'est l'impératif catégorique de la modernité qui s'impose (cf. *Le Monde*, 3 oct. 1996).

2. «Avec Internet, cette fameuse conscience planétaire tant prônée par les précurseurs comme Teilhard de Chardin devient palpable. Dans le cybermonde, la notion d'étranger n'existe pas… Ce qui est grand dans Internet, c'est ce beau mot : le partage. Le partage d'informations est une longue tradition scientifique. Nous avons essayé d'abolir les frontières… » Jean-Pierre Luminat, *Télérama*, numéro hors série, «Le délire du multimédia», avril 1996.

3. J. Delors, *Pour entrer dans le xxi⁰ siècle, le Livre blanc de la Commission européenne*, Michel Laffont/Ramsay, 1994.

4. G. Thery, *Les Autoroutes de l'information*, La Documentation française, 1994. G. Thery voit dans les «autoroutes de l'information» un «défi universel». «La révolution de l'an 2000 sera celle de l'information pour tous. Comparable en ampleur technique à celle des chemins de fer ou de l'électrification, elle sera plus profonde dans ses effets car les réseaux de télécommunications constituent désormais le système nerveux de nos sociétés. Elle sera aussi beaucoup plus rapide parce que les technologies évoluent plus vite qu'il y a un siècle […]. Cette révolution, rendue possible par des ruptures technologiques récentes, se caractérise par l'apparition de nouveaux concepts de la fin de la pénurie d'information. Le développement de la numérisation, associé en particulier à celui de la fibre optique, va provoquer une véritable rupture libératrice… » (p. 11).

5. Cf. G. Delacôte, *Savoir apprendre : les nouvelles méthodes*, éditions Odile Jacob, Paris, 1996.

CHAPITRE 15

GARDER LES DISTANCES

Et si tout cela était vrai ? Et si nous assistions enfin à un changement positif, ne menaçant personne et résolvant les problèmes de solitude et de communication de nos sociétés ? Bref, si, pour une fois, on pouvait faire confiance au progrès scientifique et technique, sans l'appréhension qui entoure le nucléaire, la conquête de l'espace, ou la biologie ? Si enfin il s'agissait d'une révolution pacifique, universelle, conviviale, tous azimuts. Une revanche du progrès par rapport à tant de déceptions et d'angoisses.

Garder ses distances et son esprit critique est donc d'autant plus difficile qu'intuitivement chacun souhaite se laisser emporter par les promesses de la modernité et craint de se faire traiter de «grincheux» et de «frileux». Comment, à l'opposé, garder ses distances à l'égard de l'autre discours, ultra-pessimiste, qui dénonce les dévoiements de la communication dans les multiples industries du même nom et ne voit dans le thème de la société de l'information que la marque d'une nouvelle domination ? Bref, il est difficile de garder ses distances quand, *en vingt ans*, tout a été annoncé ou dénoncé, parfois réalisé, parfois oublié, et que nos sociétés se trouvent pour finir saoulées de toutes les promesses de l'enfer ou du paradis des techniques de communication. Conserver ses distances, c'est conjuguer cinq verbes : distinguer, réglementer, relativiser, ralentir, revaloriser.

I. Distinguer

C'est sans doute le maître mot. Pourquoi ? Parce que du côté des techniques on assiste au contraire à une *intégration* croissante de l'informatique, des télécommunications et de l'audiovisuel, qui permet, *en*

aval, des services intégrés individualisés, interactifs, universels, peu onéreux, lesquels ont contribué à diffuser le thème de *la société de l'information*. En intégrant des services hier séparés, on a popularisé l'idée de
services *universels* de l'information et de la communication, tout autant
que le thème *synthétique* de la société de l'information. Celui-ci n'aurait
jamais le succès qu'on lui connaît si chacun n'avait pu constater l'*efficacité* de cette intégration croissante. Distinguer, réintroduire du jeu,
montrer le caractère hypothétique, voire discutable, de certaines promesses est d'autant plus nécessaire que l'individu est *sommé* de choisir :
s'il adhère c'est totalement, s'il doute ou critique il est disqualifié. Entre
les deux, pas de discussion, d'argumentation, de débat, alors même que
c'est cet *espace discursif* qu'il faudrait créer pour évaluer, relativiser, hiérarchiser les promesses. Distinguer ce qui paraît vraisemblable de ce qui
reste plus incertain.

Parmi les très nombreuses distinctions à établir, deux s'imposent.
*Première distinction : hiérarchiser innovation scientifique et technique ;
application et service.* On ne passe pas *directement* de l'un à l'autre car les
« résistances » sociales, culturelles, institutionnelles augmentent au fur et
à mesure que l'on évolue du niveau de la technique à celui de la réalité
empirique. L'histoire des sciences et des techniques est encombrée de
découvertes qui n'ont jamais été appliquées, ou dans un délai radicalement différent de ce qui était prévu, ou même selon des modalités totalement imprévues. Il y a toujours loin de la science à la technique, et de
la technique à la société. Il suffit de voir comment le téléphone, qui fut
la première rupture dans les techniques de communication, fut non seulement l'objet de multiples controverses, mais surtout de calendriers
d'implantation différents dans les différents pays. Évidemment, le fait
qu'il s'agisse de techniques de communication renforce l'illusion d'un
lien direct entre science, technique et société, car c'est en général parce
que l'on investit une *technique* de la capacité de résoudre un problème
social et culturel, que l'on brûle les étapes entre ces trois stades.
Aujourd'hui la *forte* demande de communication, non satisfaite dans la
société, explique l'investissement, à tous les sens du terme, *dans* les nouvelles techniques de communication.

Cette distinction à maintenir entre les trois niveaux (découverte,
application, et service) est à mettre en parallèle avec ce qui relève de la
connaissance stricte (découverte), de la bataille industrielle (application)
et de la réglementation (service). Rien n'est pire que de mélanger les
problèmes liés à la demande potentielle avec ceux qui concernent la
concurrence industrielle ou les politiques de recherche. Dans la *réalité*,
les acteurs, surtout industriels, pressés d'occuper des territoires où la
concurrence est vive, ont tôt fait de mélanger les plans, ce qui est nor-

mal. Mais les acteurs économiques ne sont pas les seuls acteurs «légitimes» de la société!

Seconde distinction: séparer dans les nouveaux services ce qui concerne nettement le travail, les services, l'éducation, les loisirs. Ce n'est pas parce que *tout* se fait à partir du même terminal que les différences entre le travail, l'éducation, les services... disparaissent. Le propre de l'idéologie technique consiste à faire croire que l'usage du même outil crée une intégration. L'usage du même clavier ne change rien à l'hétérogénéité des activités auxquelles on accède... Autant les applications semblent assez faciles pour le secteur des *loisirs* et des *services*, autant elles sont très compliquées pour le *travail*, l'*éducation*, la *santé*. Mais on masque le plus souvent les difficultés des secondes derrière les facilités des premières. Comme si les expérimentations en grandeur nature, dans un domaine, allaient directement servir dans l'*autre*. Pourtant les faits devraient rendre prudent. Cela fait vingt ans que l'on promet «l'explosion du télétravail, qui doit à la fois déconcentrer les villes, faciliter un travail intelligent, mettre le travail à la campagne, créer de nouvelles solidarités». Le télé-travail reste en réalité marginal (moins de 100 000 emplois aujourd'hui, moins de 200 000 en 2005), et les difficultés augmentent au fur et à mesure des applications. Mais au lieu de reconnaître que les difficultés sont liées à la *complexité* de ce qu'on appelle le *travail*, on répond que demain une nouvelle génération d'outils permettra de résoudre tous les problèmes. Autrement dit, on technicise le problème et on refuse d'admettre que dans l'automatisation des tâches on bute vite sur des difficultés de division et d'organisation sociale du travail peu incompatibles avec une certaine vision du travail automatisé. La question n'est pas récente, elle a été posée dès les premières automatisations du travail humain dans les années 30 et 50[1]. Qui a entendu à l'époque? Le caractère plus sophistiqué des outils, un demi-siècle plus tard, ne change rien à cette problématique du décalage, incompressible, entre l'immense complexité et interactivité du cerveau dans les situations de travail et les inéluctables simplifications qu'implique l'automatisation des tâches et des fonctions. Dans un autre domaine, les difficultés répétées depuis trente ans, en matière de traduction automatique ou d'intelligence artificielle dans les systèmes experts, devraient là aussi rendre plus modeste... L'une des questions centrales est de savoir jusqu'où il est possible d'individualiser les relations de travail, d'éducation, de santé, de loisir... Jusqu'où ce type de tâches est-il organisable sur le mode interactif du système d'information, et à partir de quand la performance assurée par une telle individualisation devient-elle contradictoire avec, par exemple, le besoin inextinguible qu'ont les êtres humains de vivre en collectivité? En outre, plus les activités sont sophistiquées, plus l'auto-matisation, qui suppose une certaine standardisation, pose problème.

La question centrale n'est pas d'ailleurs d'automatiser l'*accès* à l'in-formation, mais de savoir pour quel *usage*? Et la réponse est radicale-ment différente selon les domaines d'application. De quelle information a-t-on réellement besoin et pour faire quoi? Personne ne consomme en soi «de l'information» et celle-ci n'existe que *par rapport* à une capacité d'interprétation, de sélection et de réorganisation qui varie d'un indi-vidu à l'autre et d'une activité à l'autre. L'individu n'est jamais seul, avec une machine; il est toujours en société, en interaction avec d'autres pro-blèmes, d'autres logiques, d'autres références, qui inéluctablement inter-fèrent avec les tâches cognitives. En bref, il n'existe *aucun lien* entre l'ac-croissement du volume d'informations disponible et l'accroissement de leur utilisation. Plus il y a d'informations, plus les filtres des savoirs et des outils culturels nécessaires à leur utilisation sont importants. Autrement dit, les inégalités culturelles d'accès et d'utilisation croissent au fur et à mesure que l'on passe des informations pour les services, ou les loisirs, aux informations liées au télé-travail ou à la télé-éducation. *Distinguer consiste donc à casser le discours qui confond simplicité d'accès avec hiérarchies de compétences.* Celles-ci ne changent pas. S'il peut y avoir égalité d'accès, il n'y a pas d'égalité dans la capacité d'utilisation. Les inégalités de savoir ne sont pas modifiées avec la simplification de l'accès et de l'utilisation.

Dans cet ordre d'idées, une autre distinction s'impose: les *besoins* de nouveaux services (et d'abord les plus immédiatement utilisables que sont le courrier électronique et l'accès aux bases de données) ne sont pas identiques selon que l'on est à l'Ouest ou à l'Est, au Nord ou au Sud. Ce sont les pays riches du nord de l'Europe, et de l'Europe de l'Ouest, qui vivent déjà dans un univers saturé d'information. Par contre, pour l'ancienne Europe de l'Est, le besoin est *immense*. Le courrier électro-nique est, par exemple, un moyen commode et rapide d'échanges, qui permet de remédier aux carences des systèmes d'information tradition-nels souvent défaillants du téléphone ou de l'informatique, et de casser les réseaux traditionnellement centralisés de communication. Dans les deux cas on voit l'avantage de ces services, mais avec néanmoins une question: quel est le prix du court-circuit permis, par exemple, par le courrier électronique? Certes, il est conforme au temps de la modernité, mais le temps de l'Europe de l'Est et des pays du Sud n'est peut-être pas identique à celui des pays du Nord. Et à trop vouloir accélérer, on crée des déséquilibres au sein de ces pays et entre ceux-là et les pays riches. Autrement dit, non seulement les besoins *réels* ne sont pas les mêmes selon l'Est, l'Ouest, le Nord et le Sud, mais également la rapidité des outils introduit des distorsions et des déséquilibres au sein même des pays bénéficiaires.

II. Réglementer

La mondialisation des techniques de communication est souvent considérée comme la condition de la globalisation de l'économie et la source de tous les progrès. Voilà l'équation diabolique qui s'est installée depuis une vingtaine d'années, et dont le troisième terme s'appelle déréglementation[2].

Or l'enjeu de la mondialisation, pour la communication, est simple et essentiel : réglementer *ou* susciter des réactions identitaires violentes. Contrairement au discours moderniste naïf, les nouvelles techniques ne peuvent rien contre la violence politique ou religieuse. Ou, pour le dire autrement, ce ne sont pas les paraboles qui auront raison du fondamentalisme, mais plutôt le fondamentalisme qui instrumentalisera les paraboles ou les interdira. On pouvait penser, il y a vingt ans, que le meilleur moyen de lutter contre les régimes autoritaires était d'ouvrir les frontières. Que constate-t-on aujourd'hui ? L'ouverture est acquise, avec les perspectives de la mondialisation par satellites, Internet et autres réseaux mondiaux, mais elle ne déstabilise pas ces régimes autoritaires. Pire, elle suscite des résistances identitaires où l'amalgame se fait entre ouverture et impérialisme. Notamment dans les pays du Sud, où le fondamentalisme religieux trouve dans la lutte contre l'occidentalisme – identifié à l'idéologie et aux intérêts de l'ouverture – une de ses ressources favorites. L'idée longtemps dominante selon laquelle, par l'ouverture, le commerce, les échanges, donc la déréglementation, on favorisait une meilleure compréhension, et à terme la démocratie, trouve aujourd'hui sa limite. Justement parce que, aujourd'hui, contrairement au siècle dernier, *tout est ouverture*. L'ouverture ne garantit plus la démocratie. Les tyrannies savent maintenant gérer ouverture économique *et* fermeture politique, et retourner contre nous les valeurs de la communication. *L'ouverture et la mondialisation ne suffisent plus à être identifiées au progrès et à la démocratie*, surtout depuis que les pays pauvres ont compris comment les *valeurs* mondialistes de l'Occident coïncidaient bien, à travers les techniques de communication et le commerce mondial, à leurs seuls *intérêts*. Ce qui signifie : attention au boomerang de la communication. L'Occident ne réalise pas suffisamment combien la mondialisation, qui est son idéologie, liée à ses intérêts, est d'abord perçue comme un facteur de déstabilisation, économique, sociale, culturelle.

Jusqu'où ce qui est bon pour l'économie est-il simultanément bon pour les sociétés ? Une fois de plus, on retrouve cette contradiction entre logique capitaliste et réalités sociales et culturelles. Tout le problème réside dans le fait qu'il n'y a plus *de lien direct* entre *mondialisation des techniques* et *progrès de la communication au sens démocratique* du mot, c'est-à-dire meilleure compréhension mutuelle. C'est même le contraire. Si l'on veut améliorer la compréhension entre les peuples, les cultures, les pays riches et les autres, il faut *imposer* des conditions à la communication, c'est-à-dire aller *contre* le courant dominant des intérêts et des idéologies, c'est-à-dire réglementer. *Plus il y a de communication, plus il faut de règles.* C'est en rappelant qu'il n'y a pas de public mondial, pas d'événement mondial, pas de citoyen mondial, pas d'espace public mondial que l'on comprendra au mieux les limites du discours mondialiste et les nécessités d'une réglementation comme moyen de préserver les différences.

S'il peut éventuellement exister une économie globalisée, il n'y a pas de société globalisée, et, *a fortiori*, de communication globalisée. Si les techniques et les marchés peuvent être internationaux, les publics restent toujours nationaux, même s'ils reçoivent les mêmes programmes et utilisent les mêmes ordinateurs. Les irrédentismes ne se créent pas *ipso facto*. Depuis un demi-siècle ils surgissent *en réaction* à cet énorme mouvement d'identification du progrès à la mondialisation.

Dire que «les enjeux sont mondiaux», c'est reprendre à son compte le discours des acteurs, dont les intérêts sont effectivement mondiaux. Sinon on tient un autre discours qui vise d'abord à ne pas amplifier les inégalités et à respecter les différences. Si l'on n'organise pas la communication, sur la base des identités nationales, culturelles, linguistiques, il surgira un *identitaire de refus*, bien différent de celui qui existe actuellement au sein de toute société. Le surgissement de cet identitaire de refus serait la preuve de l'échec de toutes les valeurs occidentales.

La prise en compte de l'identitaire est donc aussi le moyen de sauver la référence à *l'universel*, pour ne pas identifier mondialisation et universalisme. L'essentiel, on l'a vu, est de casser *cette illusion selon laquelle la mondialisation serait l'incarnation de l'universel* et de rappeler que l'*identité* n'est pas l'obstacle à l'universalisme, mais sa condition. Si l'Occident n'arrive pas à inscrire la capacité mondialiste des techniques de communication dans la réalité des identités socioculturelles de la communication, il met en place les outils de sa propre *destruction*. De toute façon, le caractère «naturellement progressiste» de la mondialisation est contestable. Certes, la mondialisation des techniques de communication a été un outil formidable pour tous les dissidents des pays communistes, et pour tous les combattants de la liberté contre les dictatures. Les dissidents de l'Europe de l'Est et de l'ex-URSS ont su tirer profit de cette mondialisation de l'information, de même que les

ONG avec notamment l'appel au thème de la communauté internationale. Le mouvement humanitaire, à partir des années 70, a fait de même. Mais le *terrorisme* utilise aujourd'hui tout aussi efficacement la mondialisation des techniques de communication, et sait très bien répercuter, avec la même efficacité que les médias, son action au plan international.

Enfin il faut déplacer la problématique, fausse, mais séduisante, selon laquelle *les nouvelles techniques de communication permettraient de réduire le décalage entre Nord et Sud*, et même au sein des pays développés. En réalité le sous-développement a des causes beaucoup plus nombreuses et complexes que l'accès à l'information. Encore plus que pour les pays riches. Accorder trop de place à l'information dans les causes du succès, ou de l'échec, du développement, c'est sous-estimer largement les *autres* dimensions (alphabétisation, éducation, santé, capacité de production agricole, organisation des marchés de matières premières, politique urbaine…). Et d'abord les capacités de mobilisation, sociale, culturelle et politique, qui n'ont rien à voir avec un accès plus facile à Internet… Il n'est pas possible de *réduire* le développement des pays du Nord depuis cent cinquante ans à une problématique de l'information. *A fortiori* pour les pays du Sud qui gèrent des dimensions anthropologiques encore plus nombreuses et complexes. Il y a là une *réduction* douteuse à un seul facteur des causes du développement. Et suspecte, tant ce raisonnement est isomorphe aux idéologies de l'information. Faire de l'information la valeur centrale de l'économie et de la société, c'est tout simplement faire un tour de passe-passe et confondre la dimension fonctionnelle de l'information avec sa dimension normative. C'est transformer Internet, symbole de l'idéologie fonctionnelle de la communication, en archétype de l'information normative.

III. Relativiser

Trois directions sont à privilégier pour mettre en «perspective» les promesses de la révolution de la communication. Les nouvelles techniques de communication ne résolvent pas mieux le rapport *individu-masse* que les médias de masse. Bien sûr, elles sont présentées comme le moyen de résoudre le problème délicat de nos sociétés: celui de la relation entre l'échelle individuelle et l'échelle collective. Pourtant, comme je l'ai expliqué en seconde partie, le problème principal aujourd'hui est moins l'écrasement de l'individu sous le nombre que le déchirement du lien social, et la désocialisation. Que devient le lien social dans la société si tout va dans le sens de l'individualisation? Les nouvelles techniques de communication ne permettent pas de *rééquilibrer* le lien entre l'individu et le nombre; elles ne sont pas l'après-communication de masse, et constituent plus le *rétroviseur* que le projecteur. En valorisant essentiellement la demande, et non l'offre, elles ne modifient pas la problématique du «être ensemble». Certes, à travers la demande et l'interactivité se nouent des liens, mais la problématique est ici celle du marché, et non celle d'un projet culturel. Les nouvelles techniques réunissent ceux qui *parlent déjà* le même langage et appartiennent à la même culture. La télévision, avec ses maladresses et ses énormes insuffisances, s'adresse à tout le monde. Et la prolifération du nombre de tuyaux ne change rien à cette problématique du «être ensemble». En réalité, les nouvelles techniques de communication sont *le symétrique* des médias de masse par rapport à la question centrale de *l'intégration* culturelle, sans la déplacer ni l'améliorer.

Il demeure, par ailleurs, une disproportion considérable entre la *taille* des enjeux économiques et la *modestie* des applications et des services. Une des forces du discours des techniques de communication réside dans le fait de se présenter comme universel. En réalité, il n'en est rien, pour deux raisons. La première tient à la *disproportion* entre les discours et la réalité des marchés. Pour le moment, on en est au stade de la constitution des grands groupes du secteur, pas de la définition des services, ni de l'organisation des marchés. En effet, chaque groupe industriel fait du «dumping» pour se distinguer de ses concurrents, en annonçant «pour demain» la mise sur le marché d'un produit révolutionnaire, mais dans la réalité les services ne sont pas prêts. Dans la guerre psychologique que se livrent les groupes industriels, chacun marque son territoire, mais les marchés vont plus lentement que les discours.

La seconde direction est liée au problème, déjà évoqué, des *limites de la prospective.* Ce qui doit changer est «considérable», mais les calendriers d'expérimentation sont toujours en retard et portent surtout sur des échelles d'application plus modestes. Quel rapport entre les accords laborieux entre les opérateurs, les pouvoirs publics, les fournisseurs de service, les 2 000 à 5 000 foyers, qu'il faut convaincre de l'intérêt de l'expérimentation, et par ailleurs le *discours* sur la société de l'information? C'est un peu comme si chaque fois la montagne accouchait d'une souris. Mais comme les expérimentations, à peine commencées, sont déjà répercutées et commentées aux quatre coins du monde, citées dans les colloques scientifiques et commerciaux, on a le sentiment contraire d'une *multitude* d'expérimentations, alors que l'on parle toujours des mêmes. Le Far West *juridique* et l'absence de règles accentuent ce phénomène avec en plus la caution laudative des milieux scientifiques. Sous prétexte que ceux-ci recourent beaucoup à ces systèmes d'information, et de plus en plus au niveau mondial, on en conclut qu'il en sera de même pour tout le monde ! Mais il y a beaucoup de différences entre les scientifiques et le grand public…

Pour l'instant, le *seul* résultat concret de l'absence de réglementation n'est pas une capacité supérieure de création originale, mais plutôt l'utilisation de ces systèmes d'information pour les causes les plus douteuses : drogue, maffia, pornographie… Preuve, une fois de plus, qu'une liberté sans contraintes n'est pas toujours synonyme de progrès. Et contrairement au discours idéologique ambiant, il est tout à fait possible de réglementer Internet, dès lors que les pouvoirs politiques le souhaiteront[3]. Tous les juristes travaillant sur les nouvelles techniques de communication disposent des concepts, références et méthodes pour rationaliser et organiser ce qui est aujourd'hui présenté comme une sorte d'univers « orgiaque » de l'information, où chacun fait ce qu'il veut, quand il veut. Internet devient le fantasme d'une planète, arrivée au bout de la déréglementation, et illustre le symptôme, à interroger, du désir violent de supprimer toute contrainte. Une fois réglementé, Internet retrouvera, et cela est normal, les difficultés des autres expérimentations. Le tri se fera ainsi progressivement entre deux types d'application radicalement différents. D'une part, les informations *de services et d'échanges* accessibles à tous qui constituent un vaste marché, une sorte de super-Minitel ou d'ordinateur familial. D'autre part, des services *spécialisés* nécessitant une compétence technique pour être efficaces, et qui illustrent le problème universellement connu selon lequel la communication spécialisée, quel que soit le sujet (astronomie, physique, chimie…), requiert un savoir partagé, des compétences et une expertise mutuelle pour être efficace.

La question centrale aujourd'hui n'est plus l'accès à l'information, mais l'information pour quoi faire ? Quelle question poser à cette information aujourd'hui omniprésente ? Et savoir poser une question à un stock d'informations requiert préalablement une *compétence*. C'est pourquoi les discours qui confondent l'accès à l'information et la compétence nécessaire pour savoir utiliser l'information sont mensongers. Par exemple, l'idée selon laquelle Internet permet à des médecins d'échanger des informations d'un bout à l'autre du monde sur un diagnostic, ou un traitement, pour sauver des vies humaines est typiquement le genre de références qui légitime Internet. Même chose pour la météorologie, les catastrophes naturelles, les épidémies…

Mais à chaque fois on confond deux phénomènes : l'étroite spécialisation nécessaire pour que l'échange d'informations soit possible, *avec* la facilité d'accès. La rapidité d'échange et d'interaction ne réduit en rien la hiérarchie des savoirs et des compétences. Si vous n'êtes pas médecin, cela ne sert à rien d'accéder immédiatement à un diagnostic. La *facilité d'échanges ne change rien à la hiérarchie des savoirs ni à la distance entre les compétences.* Rien ne serait plus démagogique que d'y voir les prémices d'une république des savants pour tous. L'existence d'une demande n'est pas non plus forcément synonyme d'un progrès. D'abord parce que la demande, au travers des nouvelles techniques, exige préalablement l'existence d'une *infrastructure* à partir de laquelle elle puisse émerger. Il existe donc toujours une offre préalable à la demande. Ensuite, si les nouvelles techniques de communication favorisent les échanges, il arrive un moment où une certaine lassitude se manifeste. Tout peut s'échanger, chacun peut accéder à tout, et après? Pour quoi faire? Pour quel projet? En un mot, les nouvelles techniques ne créent pas une nouvelle culture ou de nouveaux savoirs, elles dépendent toujours de cultures et de savoirs *antérieurs*. Du reste, la comparaison avec les médias de masse est éclairante. Si ceux-ci ont eu l'écho qu'on leur connaît, c'est bien sûr parce qu'ils constituaient une innovation technique, mais c'est surtout parce que, antérieurement à eux, avait existé un projet politique de démocratisation de la culture. Quel est aujourd'hui le projet *extérieur* qui sous-tend les nouvelles techniques de communication?

Pour quoi, pour quelle fin accéder de chez soi à la bibliothèque du Congrès, ou d'Alexandrie? La performance technique et l'autonomie de la demande ne constituent pas un projet. Les connaissances sont illimitées mais personne ne peut accéder à *toutes* les connaissances. Et les connaissances ne valent que par rapport à un contexte et à un projet. Autrement dit la connaissance s'inscrit dans un *rapport* qui la structure et lui donne sens. Si vous n'avez pas de projet, à quoi cela sert-il de pouvoir accéder à toutes les informations? Et, entre le projet et vous, il faut un intermédiaire, le plus souvent humain.

L'idée d'un accès direct, sans l'aide d'un spécialiste, c'est-à-dire sans le savoir du *documentaliste*, est une illusion. Plus les messages sont nombreux et complexes, plus il faut des intermédiaires. Mais le propre des nouvelles techniques est de créer l'illusion d'une communication directe, alors qu'il faudra, demain, revaloriser les interfaces. Dans les années à venir, le métier de documentaliste sera essentiel, à la mesure du volume d'informations et de connaissances auquel on peut accéder. Un des paradoxes de cette situation de «communication directe» sera sans doute de revaloriser les intermédiaires dont elle pensait se débarrasser.

IV. Ralentir

Ce qui nous fascine le plus? Le *temps* gagné par les nouvelles techniques de communication. Mais pour quoi faire? Que perd-on et que gagne-t-on dans cette nouvelle situation? Gagner du temps ne constitue pas un projet. Question d'autant plus pertinente qu'il y a trente ans tout le monde était *déjà* persuadé que l'arrivée de l'ordinateur ferait gagner un temps considérable et permettrait aux hommes d'avoir des activités plus enrichissantes. Le résultat n'a pas été convaincant, et pourtant aujourd'hui les mêmes promesses renaissent...

La grande *méprise* des techniques de communication est d'incarner l'idée d'un *court-circuit* historique qui est le rêve de l'Occident. Mais les sociétés, comme les individus, ne peuvent échapper au temps, et le grand avantage de l'expérience de ces trente dernières années est de montrer que le temps gagné par les technologies de l'information n'a permis ni aux individus ni aux sociétés d'en gagner. Le *temps compressé* qui rapproche le futur et le présent, au point de les confondre, doit être compensé par une valorisation de la *mémoire*. Non pour vivre dans le passé, mais pour échapper à la tyrannie du présent et réintroduire du relief. Pour que le futur prenne de nouveau forme, il faut *ralentir* le temps, réintroduire du relief, donc de la mémoire. Rappeler, exemples à l'appui, le *décalage* constant entre l'accélération de la circulation de l'information au plan mondial, et l'extrême lenteur d'évolution des sociétés. Rappeler aussi que le temps de l'événement n'est pas toujours celui de l'information, et encore moins celui de la société. Rappeler enfin que la performance du temps technique n'a rien à voir avec celui des individus et des sociétés, et que plus le temps se compresse d'un côté, plus il faut le décompresser de l'autre. Ce que l'on appelle le triomphe de la *culture zapping* illustre ce phénomène. On veut accéder à tout, comme on zappe d'un programme à un autre. On refuse l'*intégralité*, et donc le temps qui l'accompagne, on ne consomme que des «condensés» et des «abstracts». Lutter contre le *zapping* c'est réintroduire l'idée de durée et d'un temps complet, en opposition à l'idéologie de la compression, que l'on retrouve au cœur du succès du multimédia. *Le multimédia, c'est vite, un peu de tout, sur tout.* Comme si le *zapping* permettait de faire l'économie de l'épreuve du temps. La question juste consiste à se demander : pourquoi faire circuler, de plus en plus vite, un nombre de plus en plus important d'informations ? Pourquoi ne dit-on jamais qu'au niveau mondial le premier bénéficiaire de cette accélération du temps par les systèmes d'information a été en vingt ans la création, et l'expansion, de cette énorme *bulle financière* spéculative[4], qui perturbe régulièrement et sauvagement toutes les tentatives de coopération économique ? Pourquoi les économistes ne dénoncent-ils pas cette *perversion* qui rend caduc tout schéma économique ? De même pourquoi parle-t-on du miracle de la communication à distance sans parler des utilisations maffieuses et spéculatives d'Internet ? Difficile pourtant d'évoquer les délices futurs de la société de l'information, faite d'échanges pacifiques, sans rappeler qu'historiquement l'émergence des sociétés s'est toujours accompagnée d'inégalités. Qui a oublié les violences qui se sont déroulées parallèlement à la société industrielle, et celles qui ont accompagné la société tertiaire, celles de l'exode rural et de la fin des usines ? Pourquoi cette société serait-elle plus pacifique que les autres ? L'omniprésence des systèmes d'information ne donne pas naissance à une société de l'information, tout simplement parce qu'une société s'organise autour de systèmes de valeurs, et non de systèmes techniques.

Deux exemples. Parler de «nouvelles techniques de communication», comme on le fait depuis vingt ans, est inapproprié, parce que les générations qui sont nées avec les considèrent au contraire comme faisant partie de leur *présent*. Ce n'est que pour les générations qui ont entre trente et soixante ans que le mot «nouveau» a un sens. Deuxième exemple, des centaines de milliers d'emplois ont été créés autour de l'informatique dans les années 60 avec les mots superbes de programmateur, analyste-système… Non seulement ces emplois ont disparu, mais les systèmes de formation et d'éducation qui étaient trop calqués sur ces emplois, eux-mêmes liés à un état de la technique, se sont révélés caducs. Dans une vision «rationnelle et efficace» du temps, on a voulu trop rapprocher système de formation et métier. Non seulement les métiers ont disparu, mais ceux qui les exerçaient, du fait de leur formation trop liée à ces outils, ont eu beaucoup de mal à se reconvertir. L'exemple devrait être médité au moment où l'on nous prédit une «planète Apple» à laquelle il faudrait dès maintenant préparer les enfants. L'effondrement des emplois, formations et qualifications des métiers qui touchent aujourd'hui le monde de l'informatique, après trente ans d'une croissance presque insolente, prouvent déjà les *limites* du thème à la mode de la «planète cyber» et du «cyberspace».

V. Revaloriser l'expérience

Limiter l'emprise de la communication devient un enjeu culturel majeur, surtout pour les jeunes générations qui depuis vingt ans vivent dans cet empire sans fin. Et cela ne signifie pas refuser le «progrès», mais simplement préserver la dimension normative de la communication.

A. Réduire l'emprise de l'image et des claviers

Il n'y a pas de rapport entre le nombre d'heures passées devant le petit écran, ou un ordinateur, et la réalisation de soi. De ce point de vue, le discours dominant selon lequel les quinze chaînes d'aujourd'hui ne sont rien en comparaison des cinquante, voire des cent chaînes qui seront reçues demain doit être pris pour ce qu'il est : une stupidité. Oui, cela est possible techniquement, mais n'a pas de sens socialement, ou alors au prix d'un éclatement de tous les liens sociaux et de l'enfermement de chacun dans un univers schizophrénique. Comment peut-on à la fois s'interroger sur les problèmes anthropologiques posés par les trois heures de consommation audiovisuelle moyenne quotidiennes dans les pays développés et attendre avec gourmandise l'arrivée des cinquante chaînes et de leurs compléments, panoplie de tous les services multimédias à domicile ?

Au bout de ces techniques, toutes plus performantes les unes que les autres, on retrouve la *même question*: la difficulté de rentrer en contact avec autrui. *L'homme pourra-t-il penser longtemps se réaliser dans le prolongement des systèmes de communication de toutes sortes?* Et le thème de «Cybionte», mis en avant par certains adeptes de la révolution de la communication[5], illustre parfaitement cette contradiction. Pour eux, l'homme défini comme cybionte, c'est-à-dire comme le prolongement humain des réseaux, est perçu comme un *progrès* au sens d'une intégration des caractéristiques techniques et humaines. On peut, au contraire, y voir le symbole d'une technicisation complète de l'homme, et non le triomphe d'une humanisation de la technique. Que signifie cette idée du progrès où les techniques «prolongent» naturellement les caractéristiques de l'homme?

B. Le livre est l'expression directe pour sortir des tyrannies de la communication

Le livre, faut-il le rappeler, reste évidemment la «nouvelle» technique la plus sophistiquée, la plus interactive, la plus mobile, la moins chère, grâce aux prodiges de toutes les éditions de poche, la plus universelle, la plus libre, et surtout la plus imaginative au sens où la polysémie de la réception ouvre sans cesse de nouvelles voies à l'interprétation. Certes, le livre réclame un *effort* et du *temps*, ce dont les nouvelles techniques de communication permettent de faire l'économie. Mais justement le prix de ce temps est cet effort qu'il s'agit de *rappeler* contre une culture de l'instant et de la facilité. Chacun se souvient des livres qu'il a réellement lus, du temps qu'il a passé, de l'épreuve que cela a constituée. Personne ne se souvient de sa «navigation» dans les différentes bibliothèques accessibles par réseaux. Sauf pour la première expérience. Et le livre c'est aussi *les bibliothèques* – dont on ne soulignera jamais assez le rôle humaniste. Une bibliothèque, réelle, avec des odeurs, des locaux, avec des livres que l'on prend, ouvre et repose, et pas seulement les bibliothèques virtuelles. C'est pour cela que l'on devrait instituer la règle suivante: chaque *franc* donné par les pouvoirs publics aux nouvelles technologies doit s'accompagner de *un franc* pour multiplier les bibliothèques, moderniser celles qui existent, embaucher des bibliothécaires. La force irremplaçable du livre? Il est physique, différent de l'un à l'autre, encombrant, réclame un effort, et pour chacun symbolise une victoire, celle d'avoir été lu. Il est l'objet des plus profonds souvenirs: les siens pour la découverte merveilleuse de la lecture; ceux des parents qui constituent la chaîne du temps. Et c'est le temps, le temps qui manque pour lire, qui est la force du livre. Autrement dit sa *contrainte* en fait son génie.

Que signifie la frénésie actuelle qui consiste à multiplier les catalogues automatisés, de plus en plus complets, performants, interactifs? En quoi cela fait-il lire? La lecture ne consiste pas à circuler dans les bibliothèques virtuelles comme on circule dans les discothèques. Aujourd'hui le problème n'est pas l'*accès*, mais le *désir*, problème, on le sait, beaucoup plus complexe. Trop d'information tue le désir de connaître. Et provoque le réflexe de repli, car, faut-il le rappeler, l'homme a du mal à devenir un système technique. Et chacun fait cette expérience dans une librairie. Une librairie trop petite est insatisfaisante mais une librairie trop grande, et une grande surface de surcroît, suscite souvent encore plus un phénomène de rejet, au lieu de créer un désir de lecture. Tout simplement parce que l'abondance révèle l'impossibilité de tout lire. En matière de culture comme en matière de communication, le plaisir est lié à l'*expérience*, et donc au choix, toujours limité et frustrant.

A l'opposé de la lecture, il faut évidemment revaloriser l'*expression directe*, avec les arts du spectacle, à commencer par le plus ancien, le plus « archaïque » mais le plus sophistiqué des arts de la communication: le théâtre. Si les jeunes passent des heures à communiquer d'un bout à l'autre de la planète, libres de toute contrainte, et de toute épreuve du temps, il est urgent de récréer des situations où se retrouvent au contraire les contraintes de l'espace et du temps. Le théâtre n'est-il pas un merveilleux exemple du prix, irremplaçable, du « ici et maintenant »? Dans un cybercafé, la difficulté ne consiste pas à se brancher sur le « Net », mais à être capable de parler à son voisin.

Depuis trente ans on remarque dans les écoles l'existence *d'une fuite en avant* dans les systèmes techniques de communication supposés mieux « préparer » les enfants à vivre dans le monde moderne. Après la mode de la télévision qui devait « familiariser » les enfants au monde de demain, on en est aujourd'hui à l'installation, dans la plus grande urgence, de l'informatique et du multimédia, avec le même argument qui s'est avéré inopérant hier pour la télévision. A savoir que c'est en familiarisant les jeunes aux techniques de communication de « notre temps » qu'ils seraient plus adaptés au monde de demain... Mais l'on oublie de dire que la plupart du temps ces mêmes enfants disposent *déjà* à domicile de *toutes* les techniques de communication; ils n'en sont pas privés, et sont plutôt des utilisateurs opiniâtres. Il n'est donc pas certain que leur meilleure «préparation» à l'intégration au monde moderne consiste à *amplifier* l'usage de services et de techniques auxquels ils sont *déjà* familiarisés.

Le meilleur moyen de préparer au monde multimédia de demain ne consiste pas à suréquiper les établissements scolaires de téléviseurs, consoles, supports et claviers interactifs, mais plutôt à valoriser ce qui concerne la communication directe. A commencer par le livre et l'échange direct avec un professeur, mais aussi le *théâtre* qui fut, dans l'histoire de l'humanité, la première forme de représentation et de distanciation par rapport à la réalité. Tout est *déjà* dans le théâtre. Surtout par opposition à une culture de la communication technicisée. Éprouver son corps dans l'espace, respecter les règles de la mise en scène, inventer les conventions indispensables à tout jeu, apprendre à parler, créer une réalité à partir d'une fiction, susciter l'attention d'un public, accepter l'épreuve du temps réel sont non seulement des expériences indispensables, mais surtout des moyens de relativiser la culture de la «cybersociété». Il n'y a aucun rapport entre le fait d'être un as d'Internet, de se connecter sur les réseaux, et être capable de parler en public, d'apprendre un texte par cœur, de le jouer, de susciter l'adhésion, et surtout de créer de l'*émotion*. Le tout grâce aux conventions les plus simples et les plus archaïques, qui concernent le déplacement de quelques individus dans un même décor, sur une scène qui la plupart du temps ne dépasse pas 100 m²! Il y a dans la convention de la règle du théâtre l'antidote à un nombre considérable de situations de communication modernes, et la découverte du caractère éternellement «moderne» du théâtre. C'est pour cela, par exemple, que les établissements scolaires, au lieu d'investir goulûment dans des parcs de techniques performantes et chères, feraient mieux de reconstruire des théâtres. Des *salles des fêtes*, comme on disait autrefois, plutôt que des *parcs multimédias*. D'autant que ces parcs rouillent bien vite, toujours délaissés par des enfants qui ont à domicile des techniques plus performantes et plus à la mode que celles existant au sein des établissements scolaires. *L'école ne peut pas rivaliser avec la modernité.* Ce n'est pas son rôle, elle en est au contraire le meilleur remède, surtout dans une époque où il n'y a plus *que* la modernité. Contrairement au discours moderniste des adultes, les enfants ne réclament pas forcément que l'école duplique la modernité extérieure, mais plutôt qu'elle les introduise dans un *autre* espace discursif, cognitif, symbolique, qui fasse la *différence* avec le monde réel. L'école devrait beaucoup plus choisir l'altérité que le mimétisme, et les souvenirs que nous avons de l'école sont liés à la découverte et à l'altérité. L'école n'est pas *dans* le monde, mais *à côté* du monde, et c'est en cela qu'elle permet aux jeunes de se préparer *au* monde.

Inutile donc de vouloir faire de l'école, au sens large, le lieu de l'hypermodernité : telle n'est pas sa fonction. Et, encore une fois, les jeunes ne le demandent pas, *même* s'ils regimbent face à la culture et à la tradition. L'expérience prouve que tout accès réussi au patrimoine et à la culture suscite chez eux une jubilation sans rapport avec le plaisir, banal, « naturel », avec lequel ils accèdent à tous les biens et services de la modernité. Et le contresens consiste à dire qu'ils liront davantage avec les livres électroniques, qu'ils iront davantage aux musées après avoir circulé dans les musées virtuels... Ce dont les jeunes ont besoin, au contraire, c'est d'*expériences* de nature *différente*, et si toutes les expériences du *rapport au monde* sont médiatisées par une technique, un risque d'appauvrissement apparaît. Le choix n'est donc pas entre le théâtre, la salle des fêtes *et* les ordinateurs. Il est au contraire d'investir dans *les deux*, et davantage encore dans le premier. Les enseignants qui, par goût et métier, sont sensibles à la réalité du patrimoine culturel subissent une telle pression technique *qu'ils n'osent* pas s'opposer à l'idéologie moderniste et revendiquer ce qui fut souvent à l'origine de leur vocation : le désir de *transmettre* aux jeunes générations le goût du patrimoine, de l'histoire, de la connaissance, du temps, de l'inutile, sans lesquels il n'y a ni vie individuelle ni vie collective. Il a fallu près d'un siècle pour reconnaître que le *gymnase* est aussi important à l'épanouissement de l'enfant que les salles de classe. Quand nos sociétés redécouvriront-elles que le théâtre, c'est-à-dire tout lieu consacré au travail sur la voix et à la mise en scène du corps, est aussi important que le parc multimédia, démodé avant d'être installé ? Quel gouvernement occidental, quel ministère de l'Éducation aura le courage de dire que pour demain le théâtre est *au moins* aussi important que l'ordinateur ? Et coûte moins cher à la collectivité ? Et après avoir redécouvert le gymnase, puis le théâtre, il sera peut-être possible alors de revaloriser la terre, l'agriculture, comme moyen, là aussi, de contrebalancer une expérience du rapport au monde, trop centrée sur la gestion des signes. Mais la redécouverte de la terre et de la nature, n'est-ce pas *déjà* ce que l'on constate dans les pays occidentaux, où l'on observe un formidable développement du *jardinage* ? Cela concerne plus d'un Français sur deux, et autant dans tous les pays d'Europe. Personne ne force les individus au jardinage, et pourtant celui-ci est en pleine expansion. Là aussi, sans doute est-ce dû à une sorte de recherche de l'équilibre. Cybernaute et jardinier ? Le temps gagné du côté des signes permettant d'éprouver au contraire la lenteur de la nature? Pourquoi pas, cela complète même d'ailleurs très bien les deux autres expériences du rapport au monde de la lecture et du théâtre.

C. Valoriser l'expérience humaine

Depuis longtemps, en Occident, se pose le principe du lien entre communication et *action*. Si les techniques de communication se justifient toujours au nom d'une meilleure capacité d'action (cf. les arguments pour le téléphone, la radio…), l'expérience prouve aussi que la communication n'est pas toujours la meilleure condition de l'action. Les nouvelles techniques relancent ce débat: qu'est-ce en réalité que l'*expérience humaine*? Le contraire de la communication médiatique ou d'Internet. Elle prend du temps, n'est ni communicable ni reproductible, résulte le plus souvent d'échecs et dépend de facteurs non maîtrisés. De même que l'identité est une construction, le résultat d'un processus, et non une donnée, de même l'expérience est-elle le résultat d'un *trajet*, ce qui est à l'opposé de l'instantanéité de la communication moderne. L'expérience prend du temps, suppose une confrontation avec le monde ou autrui, alors qu'avec les machines on est face au semblable *même*, ou à la performance. C'est du reste pourquoi on les aime, car elles nous évitent la confrontation avec l'altérité.

Bien sûr, avec les techniques de communication, il existe aussi un rapport à l'autre, mais assourdi, à distance, amorti, «pasteurisé». Rien à voir avec l'épreuve d'autrui *dans* la réalité…

C'est finalement autour du rapport à l'expérience que se jouera l'avenir des techniques de communication. Soit une acculturation est possible à l'égard des techniques, et une forme de dialogues se nouera entre ces deux rapports au monde que sont la communication médiatisée et l'expérience directe. Soit cette acculturation n'est pas possible, et alors il pourrait se dessiner un sérieux déséquilibre anthropologique, résultat de l'écart croissant entre le monde de l'expérience et celui de la communication. Cette revalorisation de l'expérience aurait aussi l'avantage de valoriser le doute, qui est une grande caractéristique de la culture européenne mais qui se trouve, aujourd'hui, largement évacué par la rationalité technique. Le doute est un autre moyen de rappeler que l'*horizon de la communication humaine reste la communication intersubjective et non la communication Internet.*

En un mot, l'homme est confronté à *trois types de communication*: la communication *intersubjective ou humaine*, la moins performante, la plus archaïque, la plus lente, la moins efficace, mais sans doute la clé de voûte de toute société; la communication *médiatique*, condition du lien social; la communication *Internet*, évidemment la plus performante, mais dont l'efficacité est à la mesure des dimensions anthropologiques qu'elle laisse de côté. Le choix? Ne pas choisir, mais rechercher les trois formes de communication. La première parce qu'elle donne sens à la vie, la seconde parce qu'elle est liée à la société et à la démocratie de masse et la troisième parce qu'elle est en phase avec l'ouverture des sociétés et la place grandissante des flux immatériels.

BIBLIOGRAPHIE

chapitre 15

ANIS J. et LEBRAVE J.-L. (sous la dir. de), *Texte et ordinateur: les mutations du lire-écrire*, Éd. de l'espace européen, La Garenne-Colombes, 1991.

BERTRAND A., *Le Droit d'auteur et les droits voisins*, Masson, Paris, 1991.

BRETON P., *L'Utopie de la communication, le mythe du village planétaire*, La Découverte, Paris, 1995.

CASTEL F. du, CHAMBAT P. et MUSSO P. (sous la dir. de), *L'Ordre communicationnel. Les nouvelles technologies: enjeux et stratégies*, La Documentation française, Paris, 1989.

CASTEX J., COHEN J.-L. et DEPAULE J.-C., *Histoire urbaine. Anthropologie de l'espace*, Éd. du CNRS, PIR Villes, Paris, 1995.

CHÉNAUX J.-L., *Le Droit de la personnalité face aux médias internationaux*, Droz, Genève, 1990.

DELMAS R. et MASSIT FOLLEA F., *Vers la société de l'information, savoirs pratiques, médiations*, actes du colloque CNE-CE/DG XIII, Apogée, Paris, 1995.

DESSEMONTET F., *Internet, le droit d'auteur et le droit international privé*, SIZ 92, 1996.

DUFOUR A., *Internet*, PUF, coll. « Que sais-je ? », n° 3073, Paris, 1992.

FITOUSSI J.-P. et ROSANVALLON P., *Le Nouvel Âge des inégalités*, Seuil, Paris, 1996.

FUKUYAMA F., « The end of History, The public interest », trad. franç.: « La fin de l'Histoire », *Commentaire*, n° 47, été 1989.

GAUTIER P.-Y., *Du droit applicable dans le « village planétaire », au titre de l'usage immatériel des œuvres*, D., 1996.

ITEANU O., *Internet et le droit: aspects juridiques du commerce électronique*, Eyrolles, Paris, 1996.

LAMBERTERIE I. de, *Le Droit d'auteur aujourd'hui*, Éd. du CNRS, Paris, 1991.

LEMOINE P., *Le Commerce de la société informatisée*, Economica, Paris, 1993.

LIVET P., *La Communauté virtuelle. Action et communication.*, Éd. de l'Éclat, Paris, 1994.

MATTELART A., *La Communication-monde. Histoire des idées et des stratégies*, La Découverte, Paris, 1992.

—, *La Mondialisation de la communication*, PUF, coll. «Que sais-je?», n° 3181, Paris, 1996.

MONGIN O., «Les tournants de la mondialisation; la bataille des interprétations», *Esprit*, n° 226, Paris, 1996.

POIRRIER J., *De la tradition à la post-modernité*, PUF, Paris, 1996.

Rapport sur la communication dans le monde, Unesco/La Documentation française, Paris, 1989.

VIVANT M., LE STANC C. *et al.*, *Lamy, droit de l'informatique; informatique, multimédia, réseaux*, Éd. Lamy SA, Paris, 1996.

WOLTON D., GIRAUD A. et MISSIKA J.-L., *Les Réseaux pensants, télécommunications et société*, Masson, Paris, 1978.

1. Cf. toutes les recherches des sociologues du travail qui consacrèrent de nombreuses recherches à la question de l'automatisation du travail, entre 1960 et 1980. G. Friedmann; A. Gorz; P. Naville; A. Touraine; S. Mallet; M. Crozier; R. Tréanton...

2. Renaud de la Baume et Jean-Jérôme Bertolus parlent d'ailleurs d'une «déification de la concurrence» orchestrée par «Les Nouveaux Maîtres du monde» (Belfond, 1995).

3. Cf. l'article de F. Pisani, «Internet soumis à la propriété artistique et intellectuelle», *Le Monde*, 24 décembre 1996.

4. Cf. l'article de P.-A. Delhommais, *Le Monde*, 18 décembre 1996: «Il s'échange aujourd'hui quotidiennement sur le marché international des devises 1 300 milliards de dollars, soit à peu près l'équivalent du produit intérieur brut annuel de la France» (extrait), et l'article de E. Le Boucher, *Le Monde*, 6 janvier 1997: «La Banque de France, par exemple, est en fait elle-même très démunie face à des marchés bien plus riches qu'elle. Ses réserves de changes s'élèvent à 122 milliards de francs tandis que sur les marchés s'échangent plus de 1 000 milliards de dollars par jour.» (Extrait.)

5. Joël de Rosnay (*L'Homme symbiotique, Regards sur le troisième millénaire*, Seuil, mars 1995) décrit les révolutions mécaniques, biologiques et informatiques conduisant à l'avènement d'un nouvel être collectif, le «cybionte»... qui en dit long sur l'avenir de la techno-utopie!

«Pour moi, l'homme du futur sera l'homme symbiotique. Peu différent physiquement et mentalement de l'homme du XXe siècle, mais disposant grâce à ses connexions biologiques, psychologiques ou biotiques avec le cybionte d'extraordinaires moyens de connaissance et d'action [...] l'émergence de la biotique laisse augurer d'interfaces encore plus intimes entre l'homme et ses machines, conduisant, notamment, à la création de nouveaux organes et de nouveaux sens...» (P. 128.)

SIXIÈME PARTIE

L'EUROPE

INTRODUCTION

LA COMMUNICATION FACE À L'HISTOIRE

Les difficultés de la construction politique de l'Europe, depuis Maastricht (1992), illustrent les limites du volontarisme, et par ricochet celles de l'information et de la communication qui ont depuis toujours joué un rôle favorable dans cette construction. En passant d'une Europe faite par une élite de 370 000 personnes à l'Europe des 370 millions, celle du suffrage universel, on s'aperçoit de l'immense difficulté à mobiliser les citoyens appartenant déjà à de vieilles démocraties, habitués à la politique, aux débats, et dont l'enthousiasme à l'égard de l'Europe politique est inversement proportionnel aux discours gouvernementaux. Et leur rappeler tous les matins que l'Union est le seul moyen d'éviter la décadence ne les motive pas davantage. Bien sûr, chacun souhaiterait que cette superbe utopie réussisse, pour dépasser des siècles de guerre, et réaliser la plus grande démocratie du monde. Mais les immenses difficultés pour passer de la construction économique à la construction politique font réfléchir, d'autant qu'entre-temps l'adversaire, le communisme, qui servait de facteur de cohésion, s'est effondré tout seul…

Dans tous les cas la construction européenne illustre les limites, comme facteur de mobilisation, du rôle de l'information et de la communication. En effet, dans tous les pays, l'information sur l'Europe est aujourd'hui pléthorique – ce qui ne fut pas toujours le cas –, sans pour autant accroître l'adhésion des citoyens. Ceux-ci sont informés de toute part, sans que la cause européenne progresse. Preuve que même sur un objectif accepté par tous les pays, mené publiquement, démocratiquement, ouvertement par tous les gouvernements avec débats et ratifications parlementaires, il ne suffit pas d'informer ou de communiquer pour convaincre. Expérience essentielle car il s'agit d'une situation nouvelle, où tout est à inventer et où les événements ont été très rapides en cinquante ans. L'on aurait pu penser que le volontarisme et le caractère indéniablement démocratique de ce superbe projet auraient donné à l'information, elle-même tellement liée à l'histoire démocratique, un rôle déterminant. Un rôle un peu similaire, tout compte fait, à ce qui s'est passé au XIXᵉ siècle pendant la longue bataille de la presse pour l'information. Non seulement cela ne s'est pas produit, mais l'Europe est même le révélateur inverse, c'est-à-dire du peu d'influence des médias, puisque ceux-ci, dans leur grande majorité, sont favorables à l'Europe, et rendent compte positivement de cette construction politique difficile. On retrouve ici brutalement ce qui est souvent oublié dans les théories de la communication, à savoir la « résistance du récepteur ». L'information se heurte non seulement aux barrières de l'histoire, des langues, des symboles et des représentations, mais *aussi* à la difficulté de constitution et d'expression de l'opinion publique. Elle se heurte, enfin, aux intérêts contradictoires des uns et des autres.

En un mot, l'Europe est un *lieu de lecture* de la difficulté des rapports entre information, communication, culture, société et politique. C'est pour cela que ce livre, qui tente de présenter une synthèse des recherches sur les rapports entre communication, histoire et société, s'achève par l'Europe. Il y a là, *in situ*, la reprise de la plupart des problèmes théoriques précédemment évoqués. L'Europe est, pour un chercheur travaillant sur les rapports entre communication et société, un terrain d'expérimentation des théories et un lieu d'observation empirique essentiel. Elle offre une leçon de modestie quant à l'efficacité du modèle rationaliste de l'information. Il ne suffit pas d'informer, de communiquer, de faire pression sur les opinions publiques, d'ouvrir les cultures les unes sur les autres pour créer de l'intérêt mutuel...

La question est donc la suivante : jusqu'où l'information et la communication sont-elles utiles pour la construction d'un nouvel espace politique ? Question d'autant plus cruciale que l'observateur est surpris par un double phénomène.

D'abord, le style de la communication n'a pas beaucoup évolué, depuis Maastricht, alors qu'entre 1990 et 1995 *le sens* de la construction européenne a changé, passant d'un projet de construction économique à un projet politique, d'un schéma inévitablement technocratique à une ambition plus démocratique. Ce changement radical dans l'objet et dans la perspective européenne n'a modifié ni le ton ni le style des discours sur l'Europe. Ensuite, l'absence d'un discours spécifique de l'Europe dans la grande bataille de la communication apparaît immédiatement. Celle-ci ne fait entendre aucune analyse particulière, alors même que, par la concentration de sa population, son haut niveau de vie et de culture, elle constitue le premier marché de toutes les industries de la communication informatique, comme de la télécommunication et de l'audiovisuel. Cette passivité de l'Europe dans un secteur crucial de l'activité économique et culturelle est d'autant plus étonnante qu'au-delà du marché l'Europe joue dans ce domaine, par la tradition de ses industries de support et de programme, un rôle culturel et politique prépondérant au cœur de l'énorme rapport de force sur la déréglementation, avec les États-Unis et le Japon. On perçoit certes une volonté de préservation des identités culturelles, visible à travers la bataille des droits d'auteurs et des quotas de diffusion de la Directive Télévision sans frontière, mais on devine aussi une certaine fascination, pour ne pas dire une fascination certaine, pour les nouvelles techniques de communication, et l'idéologie de «la liberté», dont j'ai parlé dans la cinquième partie.

Que manque-t-il alors dans cette bataille essentielle de l'information et de la communication en Europe? *Le désir* et *la conviction*, qui sont bien autre chose que de l'information. Une multitude d'informations ne suffisent pas à créer un «désir d'Europe», l'information et la communication ne pouvant se substituer à un *projet politique* manquant.

L'Europe permet en réalité de *reprendre* une question théorique fondamentale, celle des *rapports* entre communication et communauté. Quand une communauté existe, avec une identité, des frontières, une histoire, comme c'est le cas dans la plupart des États-nations, le rôle de la communication est de faciliter une certaine *représentation* de celle-ci. Par la communication, une communauté se représente et réactualise son identité. Dans le cas de l'Europe la situation est toute différente. La communication est ici une *action*, c'est-à-dire un moyen pour *créer* une identité encore incertaine. La question est alors de savoir jusqu'où l'information et la communication peuvent agir. Jusqu'où peuvent-elles contribuer à la constitution d'une identité, aider à un projet politique, et à partir de quand ce volontarisme[1] risque-t-il de se retourner contre lui-même? Penser le rôle de l'information par rapport à l'Europe, c'est le situer par rapport à un projet. Et tout le problème vient de la bien trop faible clarté de ce projet. On y trouve pour le moment beaucoup de réalité institutionnelle et peu de réalité symbolique.

Deux démarches sont à suivre pour sortir de l'institutionnalisation artificielle de l'Europe bien visible dans la préparation de la conférence intergouvernementale de 1997 où les institutions, au lieu de traduire une maturité politique, largement insuffisante, essaient plutôt de la créer: revaloriser le *passé*, qui est le grand creuset de l'identité européenne, *et* valoriser l'*utopie* qui est le sens de ce projet. Revaloriser le passé, c'est d'abord réhabiliter, comme je l'ai dit[2], *«la bande des quatre»*, le passé, l'identité, la nation, la religion. C'est-à-dire les éléments de l'histoire qui permettent de *comprendre l'unité* de l'Europe, au-delà de la violence des divisions de toute sorte qui l'ont traversée.

Ici, l'histoire est le socle de l'utopie. Celle-ci peut d'autant se développer que le passé, dans son hétérogénéité, est «validé», pris en compte, accepté. L'utopie a besoin de ce «tout compte fait du passé». C'est-à-dire de la légitimation des histoires pour se déployer, d'autant que, pour la première fois, l'Europe ne se fait pas *contre* un ennemi mais *pour elle-même*, dans un univers non fermé, et d'autant plus ouvert que l'on ne sait pas où s'arrêtent les frontières de l'Europe. L'utopie est indispensable, mais difficile à développer, car elle ne dépend jamais d'un travail volontariste : on ne crée pas un «ministère de l'Utopie». Elle ne peut pas non plus reprendre les utopies socialistes du XIXe siècle car des ruptures définitives sont intervenues par rapport au siècle dernier. Les États européens sont tous déjà démocratiques. Tous connaissent les avantages et les inconvénients des principes de liberté et d'égalité triomphantes ; les désillusions du XXe siècle interdisent de croire au rêve d'un changement radical ; les tragédies des deux totalitarismes ont tué l'idée de révolution ; les sociétés européennes sont déjà «ouvertes» au double sens des *réalités* économiques, et des *valeurs* ; la communication est aujourd'hui omniprésente et répercute aussi bien les réussites que les échecs, voire le vide des projets… Un des moyens pour faire le *lien* entre l'histoire et l'utopie est de se tourner vers l'ex-Europe de l'Est. Extérieure à la construction européenne, celle-ci en devient une des conditions de succès depuis la chute du communisme. D'abord parce que certains pays sont depuis toujours candidats à l'intégration, ensuite parce que l'Europe de l'Est est un peu le «double» de notre histoire. On y voit de manière plus claire qu'à l'Ouest, où dominent rationalité et modernité, les liens entre histoire et utopie. Elle est enfin le lieu de lecture de la plupart des problèmes à venir parce que, à travers la gestion des rapports entre identité et nation, histoire et religion, économie et valeurs, se trouvent en condensé non pas les problèmes *antérieurs* de l'Europe de l'Ouest, mais ceux *à venir*. L'Union européenne ne pourra se constituer non seulement si à l'Est dominent la rancœur ou l'incompréhension, voire le désordre, alors qu'il s'agit en grande partie de pays qui ont été traversés par la même histoire que nous, mais aussi parce que ces pays présentent un *rapport presque inverse* au nôtre entre tradition et modernité. Et ce rapport inversé est une chance pour élaborer un nouveau cadre symbolique et culturel lié à l'Europe politique. L'Europe de l'Est présente un second avantage pour l'Europe de l'Ouest. Elle permet de s'écarter, un peu, de l'influence du modèle technocratique qui a prévalu dans notre expérience de la construction politique. Certes, ce modèle a été utile pour le premier demi-siècle de la construction, mais il devient aujourd'hui presque dangereux par la fausse rationalité qu'il introduit dans un projet qui est d'abord un immense pari utopique. La pire des choses serait de croire à une continuité entre l'Europe technocratique et l'Europe démocratique. Tout ce qui permet de prendre ses distances par rapport à l'expérience de l'Europe technocratique est favorable pour développer l'*imaginaire* et l'ouverture d'esprit, nécessaires pour penser ce projet insensé : la construction pacifique et libre de la plus grande démocratie du monde, à partir de très vieux pays, déjà démocratiques, et dont toute l'histoire est faite de différences, de guerres, de morts et d'incompréhension…

Pour résumer la réflexion sur le rôle de l'information et de la communication dans la construction européenne, on peut dire que l'on se trouve face au *paradoxe* suivant. D'une part, l'Europe montre les *limites* de l'information et de la communication pour modifier une réalité historique. D'autre part, il faut bien avoir conscience qu'il n'y a *pas d'Europe sans communication*. Impossible au citoyen d'adhérer à ce projet sans un rôle essentiel de l'information et de la communication qui sont des moyens normatifs, et non fonctionnels, de dépasser les clivages actuels. Avec l'Europe, l'information et la communication se retrouvent directement face à l'histoire.

---

1. J'ai fait une analyse plus détaillée des limites du volontarisme dans le cadre de l'Europe démocratique dans : *Naissance de l'Europe démocratique*, chap. 3 et 5, coll. «Champs», Flammarion, 1997.
2. Cf. *Naissance de l'Europe démocratique, op. cit.*, chap. 4 : «Que faire ? Réhabiliter la bande des quatre : passé, identité, nation, religion.»

CHAPITRE 16

DU MULTICULTURALISME
A LA COHABITATION

I. L'épreuve des cultures

Ce qui réunit les Européens dans les fondements de leur culture est aussi ce qui les sépare. Surtout depuis la fin du communisme, qui opposait deux blocs artificiellement homogènes. Aujourd'hui, ce sont les *différences* qui dominent, pour ne pas dire les divergences, non seulement au sein des pays momentanément réunis sous le vocable de l'Europe de l'Est, mais aussi au sein des pays de l'Europe de l'Ouest où les oppositions se manifestent au fur et à mesure du passage à l'Europe politique et à l'élargissement de l'Union. Elles existaient tout autant auparavant, mais le contexte historique était peu favorable à leur expression. L'Europe est aujourd'hui confrontée à une épreuve radicale : comment poursuivre la construction de son unité économique, mais surtout politique, au moment où les facteurs de cohésion, qui hier imposaient d'artificielles unités, s'estompent et où se développe un mouvement profond d'affirmation identitaire ? Cette contradiction entre la globalisation progressive de l'économie européenne, qui se traduit par une ouverture des marchés et des frontières, et le mouvement inverse d'affirmation des identités est probablement un des défis historiques les plus difficiles à résoudre. Et rien n'est plus simpliste, pour se débarrasser de cette véritable aporie, que de voir, comme le croient les élites, pressées de se rassurer dans ce mouvement d'affirmation identitaire, une « peur » de l'ouverture. Il l'est assurément en partie, mais en partie seulement, car ce processus a des racines beaucoup plus profondes que la simple réaction à l'économisme ambiant. Il n'est pas facile pour l'Europe d'être confrontée à l'épreuve des cultures, au moment où il n'est question que de «globalisation des marchés». Ou plus exactement il n'est pas facile pour elle de gérer ce mouvement croissant d'identité culturelle, *au moment* où la recherche d'un modèle politique commun va dans un autre sens, et que simultanément, sur le plan économique, on ne cesse de vanter les avantages des «grands marchés». Si chacun sait que le succès de l'Europe passe par la prise en compte de son formidable capital culturel, chacun est également conscient du fait que ce patrimoine ne suffit pas à faire réussir l'immense projet politique. Justement parce que la culture a été dans l'histoire autant un facteur de rapprochement que de division.

II. La perspective

Toute la question est de savoir jusqu'où les facteurs culturels peuvent jouer dans le sens de l'intégration, et à partir de quel moment ils risquent, au contraire, de devenir un facteur de blocage. La phrase apocryphe de J. Monnet selon laquelle «si c'était à refaire, il faudrait commencer par la culture» est aussi fausse aujourd'hui qu'hier. Heureusement que les pères fondateurs ont commencé par l'économie et les intérêts, et non pas par les valeurs et la culture; l'Europe n'aurait sûrement pas réussi à se faire aussi rapidement.

Cependant, il est impossible d'aller plus loin dans l'Europe politique sans réintégrer l'histoire et ses différences culturelles, tout en sachant qu'elles risquent d'être des facteurs de division. Véritable quadrature du cercle.

En fait, c'est probablement le rapport à la culture qui sera le point de bascule dans la construction de l'Europe. Tout passe par elle, mais à une condition, et cela complique un peu le problème: ne pas en faire un «objet» de politique, comme il y a par ailleurs la politique agricole, industrielle, urbaine... L'adhésion des peuples à l'Europe ne dépend pas d'une «politique culturelle» ambitieuse, mais d'une plus grande prise en compte de ce facteur déterminant et insaisissable qui mêle styles de vie, traditions, patrimoines, histoire, langues... Sans cette prise de conscience de l'urgence à intégrer les hétérogénéités culturelles, il se passera pour l'Europe ce qui se dessine déjà pour le Sud: l'émergence d'un irrédentisme culturel et religieux violent en réaction à l'insuffisante prise en considération du symbolique. Et dans ce schéma, la communication, qui est en général facteur de progrès et de diffusion de la culture, peut au contraire très bien devenir *le véhicule* de tous les irrédentismes. Les paraboles de satellites, on le voit bien depuis quinze ans, et demain tous les Internet, véhiculent autant la modernité, l'ouverture... qu'ils peuvent relayer la haine de l'autre, de l'Occident. Autrement dit, si la place des phénomènes culturels n'est pas reconnue pour ce qu'elle est, *sans hiérarchie* par rapport à un quelconque étalon de la «modernisation», alors la communication, qui en est généralement son bras armé, peut tout aussi bien devenir l'instrument d'un redoutable combat idéologique identitaire. La culture est probablement une cause plus importante de la réussite de l'Europe politique que la monnaie unique. Mais qui est prêt aujourd'hui à accepter cette évidence tant l'idée banale et fausse selon laquelle la monnaie unique apportera la croissance, et donc l'unité politique, domine? La difficulté du facteur culturel est qu'il ne suffit pas d'en parler, et même de le mettre en avant, pour en être quitte. Il faut au contraire y penser sans cesse, sans le nommer, ou en faire un «objet» de politique, comme la monnaie, l'industrie, la santé... D'autant que les inégalités culturelles au sein de l'Europe de l'Ouest, et entre celle-ci et l'Europe de l'Est, sont tout aussi prégnantes qu'entre le Nord et le Sud. L'erreur consiste à vouloir partir de la culture pour faire l'Europe politique, sous prétexte que les deux sont liées; la bonne idée est au contraire de poursuivre par l'économie et la politique, en sachant que la culture deviendra sans doute de manière silencieuse, mais déterminante, la cause du succès ou de l'échec du thème central de la gestion de l'*altérité*.

L'objectif ne consiste donc pas à mettre en avant la culture, mais à intégrer le poids des altérités culturelles, comme condition de réussite du projet démocratique. Il consiste encore moins à importer pour l'Europe le modèle du multiculturalisme existant aux États-Unis et qui aurait pour nature – sous couvert de reconnaître la légitimité des diversités culturelles – de légitimer une sorte de «différentialisme culturel». Tout sépare en effet les rapports entre communauté-différentialisme-universel aux États-Unis et en Europe. Aux États-Unis, les immigrants étaient, en arrivant, sommés d'abandonner leurs cultures, leurs langues, leurs idées. C'est à ce prix que se faisait l'intégration à la société américaine. Et la perte de leur identité culturelle antérieure, prix de l'intégration, se retrouvait dans la reconnaissance et la légitimité des communautés culturelles qui ont toujours gardé un grand poids outre-Atlantique. C'est dans ce rapport particulier intégration-communauté, sur fond d'une grande violence politique supprimant l'identité, que s'est construite la société américaine, sans finalement de référence à l'universel. Toute différente est la situation en Europe. D'abord il ne s'agit jamais d'individus mais de peuples, de nations, qui décident librement de construire un nouvel espace politique, sans rien renier de leur passé ni de leur tradition, en souhaitant au contraire les *intégrer* dans une perspective plus large dont personne ne sait encore s'il s'agira d'une société, d'un État, d'une confédération... Ici ce n'est pas l'individu arraché à son cadre religieux, culturel et historique qui prime, c'est au contraire l'adhésion volontaire de collectivités, sur fond de souvenir de deux guerres mondiales.

En Europe, l'histoire ne se fait jamais par abandon et rupture des autres histoires, mais par intégration successive. L'Europe ne jette aucune de ses cultures dans les «poubelles de l'histoire», elle doit les «intégrer» toutes. Elle n'oublie pas l'histoire et la culture, elle les «accumule». Et si demain on assiste à un retour en arrière sous la forme d'une affirmation culturaliste, identitaire, religieuse, violente comme ce fut le cas en Yougoslavie, ce sera la preuve de l'échec de cette accumulation des histoires. L'appui sur le modèle américain de type communautaire n'est pas possible pour une autre raison fondamentale : l'absence en Europe d'un État fort garant de la puissance symbolique, comme aux États-Unis. C'est la citoyenneté américaine et le dollar qui ont forgé l'identité américaine, ou plutôt qui ont permis de faire accepter le prix à payer de l'abandon des identités antérieures. Rien de tel en Europe. Non seulement la forme politique n'a aucun pouvoir de coercition, et en aurait-elle que cela se heurterait à la réaction de peuples qui ont mis des siècles à être souverains et entendent le rester, mais en outre l'économie, à travers l'Euro, n'a pas, pour un bon moment, la force de séduction... du dollar.

On retombe donc sur la spécificité européenne : le poids déterminant du *facteur culturel* comme condition de réussite du projet politique et économique, sans que celui-ci puisse se transformer en culturalisme. Pour que le culturalisme joue un rôle de levain dans la construction symbolique européenne, il faudrait qu'il soit associé à un *universalisme*, lié à une utopie mobilisatrice qui pour l'instant fait défaut. Autrement dit, si le *modèle* de la cohabitation culturelle est le seul adapté à la phase actuelle de construction de l'Europe, il peut prendre deux formes relativement différentes. Soit une simple cohabitation d'identités culturelles sans projet d'intégration, sous la forme de la cohabitation des États-nations auxquels la souveraineté politique aurait été réduite. Soit une cohabitation liée à un projet politique d'intégration, mais ce projet d'intégration dépend d'une phase préalable de valorisation des différences et des traditions. On ne peut faire l'économie de cette étape, et c'est la raison pour laquelle je ne cesse de répéter que le repérage et la valorisation des identités ne sont pas un obstacle à l'Europe politique, mais en sont la condition même. Les identités étaient peut-être l'obstacle dans le cadre de la première étape, elles ne le sont plus aujourd'hui. C'est dans cette perspective que doit être prise en compte la question de l'*identité nationale*. Elle est à ce jour indépassable ; et l'argument entendu selon lequel l'identité constitue un obstacle à l'intégration européenne est un argument qui ignore le changement de contexte historique et conduit à plaquer sur la réalité actuelle les schémas d'hier. De même, l'argument selon lequel plusieurs pays (Belgique, Espagne…) ont une identité nationale faible ou discutée n'est guère recevable car la problématique nationale est alors souvent complétée par celle des *régions*. On retrouve alors une idée d'identité, même si l'échelle n'est pas la même. Ce qui importe, de toute façon, c'est l'émergence de la problématique identitaire dans la construction politique européenne.

III. Les défis

Pour comprendre l'immensité de la tâche, il suffit de voir la difficulté avec laquelle les différents pays n'arrivent pas à régler le multiculturalisme *au sein* de leur propre pays. Comment parler alors de multiculturalisme, voire d'identité culturelle européens ? *Recenser aujourd'hui les différences* et organiser la cohabitation culturelle est déjà un objectif ambitieux, car qui dit cohabitation suppose la reconnaissance des identités culturelles. C'est par le repérage et la légitimation des différences que l'on pourra ensuite aller plus loin. C'est ce recensement, et cette mise à plat, qui seront la condition ultérieure d'un réel «vouloir être ensemble». Et non l'inverse. *La cohabitation précède le multiculturalisme et ne lui est pas synchrone.* La voie à suivre, pour favoriser cette cohabitation, est celle du *tourisme*. La découverte de l'Italie, puis de l'Espagne et du Portugal dans les années 60, puis de la Grèce et de la Yougoslavie dans les années 70, avec la naissance du tourisme de masse, a favorisé une forme d'initiation, non menaçante, à l'autre. Le tourisme est un bon moyen d'aborder l'autre, certes souvent par le biais de stéréotypes, mais ceux-ci sont une étape nécessaire. Dans le tourisme, l'autre n'est pas menaçant puisqu'on va à sa rencontre pour une durée brève. Aujourd'hui, avec l'ouverture des deux Europes, et la déréglementation du voyage aérien, on trouve deux conditions favorables pour susciter le goût du voyage, la curiosité culturelle et le dépaysement sans risque de menaces. En connaissant un peu mieux l'autre, par des voyages et le tourisme, on en a moins peur, donc on favorise une certaine cohabitation. Évidemment ce serait formidable si cela s'accompagnait d'une remise en cause du «tourisme-béton» qui domine depuis trente ans en Europe du Sud…

D'une manière plus générale, le destin qui a séparé les deux Europes pendant un demi-siècle devient aujourd'hui un facteur favorable à leur destin commun, car l'Europe de l'Est offre un *point de vue* original sur toute la construction de l'Europe. Les différences et les ressemblances s'y lisent *simultanément*. Tout, des niveaux de vie aux styles, vêtements, langues et religions, villes et encombrements, couleurs, monuments et références, s'oppose, permettant de voir, en direct, les difficultés d'organisation de la cohabitation entre les deux Europes. Sans oublier les différences de modèles de rationalité, de spiritualité, de vérité, de rapports au patrimoine, et les expériences si divergentes de la démocratie et du socialisme. Bref, toutes ces différences sont autant de voies d'accès à une meilleure compréhension mutuelle. D'autant que les différences n'existent pas seulement entre l'Est et l'Ouest, mais *au sein* de chacun des deux anciens camps. Et chacune des deux Europes est un lieu de lecture des difficultés de l'autre. Finalement tout sépare les traditions catholiques, protestantes, orthodoxes, comme celles de l'islam et du judaïsme, ainsi d'ailleurs que la manière dont se sont imposés les modèles de rationalité et les divers modèles de modernisation. Mais, en même temps, cet entrelacement d'histoires, violentes et innombrables, apparaît aussi comme une *figure* de l'histoire faite en commun et *à faire en commun*. Malgré toutes les différences, il existe un *destin* européen, et c'est en repassant à travers ces multiples différences qu'il se fonde. Retrouver les liens avec l'Europe de l'Est n'est peut-être pas plus difficile que de construire ceux de l'Europe de l'Ouest.

Le dialogue entre les deux Europes, avec ses ressemblances et ses différences, est une des figures de ce qui peut se passer au sein de l'Union européenne. Un dialogue qui du reste ne doit pas viser simplement à revisiter l'histoire contemporaine mais qui doit aussi passer par un effort de *connaissances* historiques. Comment aller plus loin sans revisiter non seulement l'histoire de l'Empire austro-hongrois[1] ou de l'Empire ottoman, mais aussi celle de l'Empire byzantin, de l'Arménie, des royaumes scandinaves, de la Ligue hanséatique ou du Saint Empire romain germanique ? Une méconnaissance de ces quinze siècles de l'histoire européenne serait une des causes les plus profondes de l'échec du dialogue entre l'Europe latine et orientale, de celle du Nord et de celle du Sud. Il ne s'agirait pas seulement de l'échec du dialogue entre *ces* Europes, mais aussi de l'échec *de* l'Union, comme incapacité à assumer son histoire. Le dialogue avec l'Europe de l'Est représente le lieu de lecture de la faisabilité du projet européen dans son ensemble. Tel est le bilan positif de ces retrouvailles, inattendues.

Le vieux débat entre la marche à l'occidentalisation ou le respect des différences orientales, qui caractérise le dialogue entre les deux Europes, se retrouve en réalité au sein des deux camps. C'est ce mouvement continu entre la découverte de points communs et de différences qui caractérise finalement la matière de ce travail *interculturel* à mener. En vérité, l'Europe est probablement un des modèles existants les plus compliqués de communication interculturelle avec : l'absence de fermeture de l'Europe qui passe de 6 à 12, à 15, demain 25 ou 30 ; l'absence de langue commune ; de points de vue communs sur l'histoire… L'Europe et sa culture reflètent les tragédies de l'histoire et obligent à être modeste, alors qu'il faut être simultanément ambitieux.

Dans ce contexte, le *silence des « intellectuels »* est sans doute un de faits les plus frappants. Leur prise de parole en faveur de l'Europe fu tardive puisque dans le climat de guerre froide qui domina pendant u demi-siècle l'Europe était assimilée à un projet impérialiste, dirigé contre le socialisme, et de surcroît bénéfique au capitalisme[2]. Le revire ment est intervenu au cours des années 80, sans lever réellement le doute sur le fait de savoir si en définitive les dimensions politiques l'em portaient ou non sur les dimensions économiques dans la construction européenne. La fin du communisme en 1991 n'a pas simplifié le pro blème, puisqu'il fallut redécouvrir l'Europe de l'Est trop longtemp oubliée. Bref, l'Europe a pendant un demi-siècle, et pour des raison successives, pris les intellectuels à contre-pied. N'ayant été investie n intellectuellement ni idéologiquement, celle-ci n'est jamais devenue u « objet noble », restant l'apanage d'une minorité d'hommes politiques hauts fonctionnaires et entrepreneurs qui n'avaient finalement d'appu que dans une petite partie du milieu académique, et souvent la moin prestigieuse. En effet, la partie la plus « publicisée » du milieu acadé mique, que l'on appelle l'intelligentsia, fut pendant cette période beau coup plus occupée à soutenir les combats révolutionnaires du tiers monde au nom de la rupture de l'impérialisme qu'à s'intéresser à l'Europe, considérée comme un projet capitaliste. En résumé, les intel lectuels ont « raté l'Europe ». Sans jamais depuis faire pour cela leu autocritique, mais cela a sûrement manqué à l'Europe qui n'a jamai bénéficié du panache des débats sur la classe ouvrière, le mouvemen révolutionnaire, la rupture avec le capitalisme, le tiers-mondisme, la refondation du socialisme… Les militants européens furent peu nom breux dans le milieu intellectuel[3], et ce demi-silence a contribué à jete une sorte de suspicion sur la vertu et la légitimité de cet immense chan tier. Et pourtant le soutien du monde intellectuel aurait sans doute rendu service aux hommes politiques, leur permettant de trouver de alliés du côté de la culture et de l'histoire. Sans rien changer à l'orienta tion économique, qui était la bonne solution, cela aurait néanmoin permis de rappeler plus nettement la dimension culturelle et politiqu du projet. Même les historiens et les anthropologues, dont le savoir es aujourd'hui indispensable à la compréhension de l'hétérogénéité euro péenne, ne se sont guère mobilisés. Le contraste reste saisissant entre le nombre impressionnant d'intellectuels, qui ont apporté en un demi siècle, au nom de la radicalité, leur appui aux combats les plus discu tables et le très petit nombre d'entre eux qui se sont investis dans la question européenne. L'Europe illustre, en réalité, les limites non pas d monde académique et culturel, mais de ce que l'on appelle les «intellectuels». Ils ont eu une attitude et un comportement aux *antipodes* de ce que l'on attend des universitaires, soit ouverture d'esprit, curiosité, tolérance et esprit d'analyse. En tout cas, ni ces «intellectuels» qui ont condamné l'Europe, comme projet capitaliste, ni, hélas, la plus grande partie des autres universitaires ne se sont engagés dans l'affaire européenne, jusqu'aux années 90.

Derrière la défaillance des intellectuels, c'est celle de la *connaissance* qui apparaît. La connaissance mobilisée fut essentiellement pratique, administrative, politique et économique, mais guère intellectuelle et culturelle. C'est pour cela qu'il faut éviter, au moment du passage de l'Europe économique à l'Europe politique, de trop brocarder les technocrates car, pendant un demi-siècle, ils ont été *les seuls* à croire à l'Europe. Sans eux, et une minorité d'hommes politiques chrétiens, démocrates et socialistes, celle-ci n'aurait jamais pu se réaliser. Ce n'est pas parce que aujourd'hui, au moment de la naissance de l'Europe politique, les technocraties ont trop de poids, croyant à tort que l'Europe monétaire et économique permettra de faire l'Europe politique, qu'il faut oublier le rôle essentiel qu'ils ont joué hier. A la limite, leur poids trop grand aujourd'hui est la conséquence du fait qu'hier ils furent les seuls à vouloir l'Europe. Ce n'est pas une raison pour ne pas réduire leur rôle aujourd'hui, mais c'est une raison pour *leur rendre hommage* pour le travail considérable qu'ils firent dans une demi-indifférence. Aujourd'hui les *sciences sociales* devraient être valorisées, car les regards croisés sur les différentes sociétés sont un moyen de faire avancer la cause européenne. Mais, là aussi, les cloisonnements disciplinaires, les traditions et les différences d'approche dans les pays réduisent à tort le rôle que pourraient jouer les sciences sociales. Au moins peut-on constater, depuis Maastricht, grâce à la multiplicité des procédures européennes d'échanges d'étudiants, de professeurs et de traductions, qu'un mouvement intellectuel et universitaire se met en place entre les Europes. Le mouvement reste dispersé, mais au moins commence-t-il ! Au-delà de l'engagement insuffisant des sciences sociales, et plus largement d'une connaissance de l'Europe et de son histoire, il faudrait souligner la nécessité de *revaloriser* les phénomènes spirituels.

Pour accroître la connaissance de l'Europe, il semble nécessaire de *marcher sur les deux jambes*, c'est-à-dire sur les valeurs rationnelles et spirituelles. Les premières ayant aujourd'hui triomphé, on voit mieux leur limite à donner un sens à la vie. Les compléter par les valeurs religieuses – sans crainte d'y voir une menace pour la laïcité – serait un moyen de remettre l'Europe sur ces deux jambes. Les deux systèmes ne sont pas de trop pour réussir «la dernière utopie».

BIBLIOGRAPHIE

chapitre 16

12 historiens, Hachette, coll. « Histoire de l'Europe », Paris, 1992.

BADIE B. et SADOUN M. (sous la dir. de), *L'Autre. Études réunies par A. Grosser*, Presses de FNSP, Paris, 1996.

BANNIARD M., *Genèse culturelle de l'Europe*, Seuil, coll. « Points », Paris, 1989.

BASFAO K. et HENRY J.-R. (sous la dir. de), *Le Maghreb, l'Europe et la France*, Éd. du CNRS, Paris, 1991.

BAYARD J.-F., *L'Illusion identitaire*, Fayard, Paris, 1996.

BERENGER J., *Histoire de l'empire des Habsbourg (1273-1918)*, Fayard, Paris, 1990.

BEUTLER B. (sous la dir. de), *Réflexions sur l'Europe*, Complexe, Bruxelles, 1993.

BILLIOUD J.-M., *Histoire des chrétiens d'Orient*, L'Harmattan, Paris, 1995.

BRAUDEL F., *L'Europe*, Flammarion, AMG, Paris, 1977.

CORM G., *L'Europe et l'Orient, de la balkanisation à la libanisation, histoire d'une modernité inaccomplie*, La Découverte, Paris, 1989.

DESJEUX D., *Le Sens de l'autre. Stratégies, réseaux et cultures en situation interculturelle*, Unesco/ICA, Paris, 1991.

EISENSTADT S., *Approche comparative de la civilisation européenne*, PUF, Paris, 1994.

Futuribles, « L'évolution des valeurs des Européens », n° 200, 1995.

GIDDENS A., *La Constitution de la société: éléments de la théorie de la structure*, PUF (trad.), Paris, 1987.

GIORDAN H., *Les Minorités en Europe. Droits linguistiques et droits de l'homme*, Kimé, Paris, 1992.

Haut conseil à l'Intégration. *L'Intégration à la française*, UGE, coll. « 10/18 », Paris, 1993.

HERVIEU-LÉGER D., *La Religion pour mémoire*, Cerf, Paris, 1993.

HUNTINGTON S., *The Clash of Civilizations and the Remaking of World Order*, Simon and Schuster, New York, 1996.

IMHOF U., *Les Lumières en Europe*, Seuil, Paris, 1993.

LADMIRAL J.-R. et LIPIANSKY E.-M., *La Communication interculturelle*, A. Colin, Paris, 1989.

LE COUR GRANDMAISON O. et WITHOL DE WENDEN C. (sous la dir. de), *Les Étrangers dans la cité: expériences européennes*, La Découverte, Paris, 1993.

LECERF J., *Histoire de l'unité européenne*, Gallimard, coll. «Idées», Paris, 1965.

LEPENIES W., *Les Trois Cultures. Entre science et littérature, l'avènement de la sociologie*, Éd. de la MSH, Paris, 1990.

MAGRIS C., *Le Mythe et l'Empire dans la littérature autrichienne moderne*, Gallimard, coll. «L'Arpenteur», Paris, 1991.

MILLON-DELSOL C., *L'Irrévérence. Essai sur l'esprit européen*, Mame, Tours, 1993.

PASTOUREAU M. et SCHMIDT J.-C., *Europe: mémoire et emblème*, Éd. de l'Épargne, Paris, 1990.

POLET J.-C., *Patrimoine littéraire européen*, 12 vol., De Boeck Université, Bruxelles, 1992-1996.

POMIAN K., *L'Ordre du temps*, Gallimard, Paris, 1984.

Réseaux, dossier: «Médias, identité, culture des sentiments», n° 70, 1995.

ROUGEMONT D. de, *Vingt-huit siècles d'Europe, la conscience européenne à travers les textes d'Hésiode à nos jours*, Payot, Paris, 1961.

TAYLOR C., *Multiculturalisme. Différence et démocratie*, Aubier, Paris, 1994.

TODOROV T., *Nous et les autres*, Seuil, Paris, 1989.

TONNIES F., *Communauté et société*, PUF, Paris, 1944.

VELTZ P., *Mondialisation, villes et territoires. L'économie d'archipel*, PUF, Paris, 1996.

VIARD J. (sous la dir. de), *La Nation ébranlée*, Éd. de l'Aube, La Tour d'Aigues, 1996.

WEBERN E., *La Fin des terroirs*, Fayard, Paris, 1983.

WIEVIORKA M., *Une société fragmentée? Le multiculturalisme en débat*, La Découverte, Paris, 1996.

WINDISCH U., *Les Relations quotidiennes entre Romands et Suisses allemands*, 2 vol., Payot, Lausanne, 1992.

ZWEIG S., *Le Monde d'hier. Souvenirs d'un Européen...*, Belfond, Paris, 1993.

1. Comment oublier que l'Empire austro-hongrois, surtout après le compromis de 1867, faisait cohabiter douze langues et cinq religions...
2. Cf. *Naissance de l'Europe démocratique, op. cit.*, chap. 15: «Les intellectuels de cour».
3. L'histoire de l'engagement des intellectuels dans la bataille de l'Europe reste à faire. Et comme ceux qui étaient favorables à l'Europe étaient pour la plupart favorables à l'Alliance atlantique, donc aux États-Unis contre l'URSS au sein de la guerre froide, il s'agissait de ce que l'on appelait avec mépris les «intellectuels de droite». Fort peu d'intellectuels de gauche s'engageaient dans la bataille de l'Europe. Ce qui explique le peu de «légitimité intellectuelle de la construction européenne» jusqu'aux années 80. Sur ce sujet, cf. notamment *Preuves*, revue européenne à Paris, ouvrage collectif, introduction de P. Grémion, postface de François Bondy, *Commentaire*, Julliard, 1989.

CHAPITRE 17

IDENTITÉ ET COMMUNICATION

I. Le renversement de la problématique de l'identité

L'identité est, dans la culture occidentale, l'objet d'une contradiction indépassable entre l'échelle individuelle et collective. Au premier niveau elle est synonyme de liberté, au second elle a été facteur de haines. A l'échelle individuelle, le lien entre identité et émancipation est évident : les luttes pour l'émancipation depuis le XVIIIe siècle passent toutes par l'affirmation des droits de la personne, la liberté de penser, d'expression puis de l'égalité. Donc par le droit à l'identité. Le mouvement de libération des femmes depuis les années 20, puis celui de la libération des mœurs depuis les années 60 ont accentué cette évolution : se libérer, c'est être soi-même, affirmer son identité, dans toutes ses dimensions. Bref, l'*identité* est l'un des symboles les plus forts de la lutte pour l'émancipation individuelle ; et l'une des caractéristiques essentielles du modèle culturel européen. C'est d'ailleurs cette contradiction entre la valorisation de l'identité individuelle et la réalité d'une société de masse qui est au cœur du modèle actuel que j'appelle société *individualiste de masse* et dont j'ai essayé de comprendre les caractéristiques dans la deuxième partie du livre. Lorsque le modèle de la société de masse se dessine à partir de la moitié du XIXe siècle, il s'accompagnera de la disparition du modèle antérieur, centré sur les provinces, corporations, familles élargies... et favorisera l'émergence de l'individualisme. La massification, et la standardisation, n'ont eu cet impact que parce qu'elles rencontraient des individus de plus en plus isolés, face à la société.

Facteur de progrès au plan individuel, l'identité a par ailleurs été souvent facteur de haines au plan collectif.

C'est le même mot, mais il n'a plus le même sens. L'histoire est jalonnée de guerres où des communautés, des nations se sont battues au nom de leur identité, pour l'extension de leur territoire, ou pour conquérir d'autres peuples dont la puissance ou l'identité étaient moins affirmées. L'identité collective a toujours été plutôt un argument de puissance et un facteur d'expansion politique, notamment au XIXᵉ siècle, à travers le lien qui s'est noué entre *identité* et *nationalisme*, et dont le résultat fut l'instabilité politique que l'on connaît depuis deux siècles. Les tragédies de la guerre de 14-18 et de 39-45 représentent le « triomphe » du principe de l'identité nationale, c'est-à-dire d'une recherche belliqueuse de la conquête du territoire, et l'affirmation de la supériorité des peuples les uns sur les autres. Facteur de progrès au plan individuel, c'est devenu un facteur de haine et de conflit en passant au plan politique. Et d'ailleurs les régimes marxistes ont pris la suite du nationalisme guerrier de la seconde moitié du XIXᵉ siècle et de la première partie du XXᵉ siècle puisqu'ils ont instauré leur dictature au nom du mélange d'un projet nationaliste et politique. Le fascisme n'avait pas fait différemment.

Bref, à la fin du XXᵉ siècle, l'identité n'a plus bonne réputation dans les démocraties. Se battre pour affirmer l'identité collective réveille de sombres souvenirs et toute l'idée de la communauté internationale depuis 1945, avec la création de l'ONU, a été – comme l'avait tenté sans succès la SDN entre 1920 et 1935 – de construire un ordre international qui essaie de dépasser le principe identitaire. Cela explique que le progrès soit désormais assimilé au « dépassement » des identités nationales, au profit d'organisations internationales de coopération économique et culturelle plus vastes. C'est strictement sur ce modèle qu'est construite l'Europe depuis la conférence de La Haye de 1948 : dépasser les identités nationales au profit d'une coopération pour éviter le retour de la guerre et transcender les irrédentismes *identitaires* irréductibles au profit d'un nouveau principe *collectif* démocratique. Aujourd'hui, revendiquer l'identité collective, la patrie, la nation est suspect et renvoie à une pensée « conservatrice ». La seule identité collective valorisée est celle qui transcende les identités communautaires, et nationales, au profit d'organismes de coopération plus ou moins internationaux. Oui à l'ALENA, à l'ASEAN, à l'APEC, au MERCOSUR, à l'Europe…, qui sont autant de moyens de dépasser les identités nationales ; non à tout ce qui peut renforcer celles-ci. A l'heure de la mondialisation, les identités nationales paraissent dépassées et dangereuses, l'idée étant même de favoriser de grands regroupements afin que la planète se découpe en quelques ensembles, et ne succombe plus à la folie meurtrière identitaire nationaliste de l'Europe depuis un siècle.

Tel est le point d'où il faut partir pour comprendre le scepticisme qui entoure la problématique de l'identité.

Et cependant l'hypothèse que je développe depuis le début de ce livre, et tout particulièrement dans le cadre de la construction de l'Europe politique, consiste à dire que les peuples, *et non les élites*, n'accepteront la constitution de ce vaste espace politique qu'à la condition préalable d'une *revalorisation* des identités collectives. Affirmation d'autant plus difficile que toute l'histoire passée va exactement dans le sens inverse, y compris la construction européenne : mais c'est le changement de *nature* du projet européen qui oblige à réouvrir le dossier de l'identité. Les identités, notamment nationales, voire régionales, ne sont plus, dans le cadre du projet de l'Europe politique, un obstacle mais une condition. Elles l'étaient hier, au temps du nationalisme triomphant et haineux. Elles l'étaient aussi dans les années 50 au début de l'Europe, quand il fallait faire naître l'idée d'Europe, contre les identités. Elles ne le sont plus aujourd'hui quand il s'agit de passer de l'Europe économique à l'Europe politique, et surtout de l'Europe technocratique à l'Europe démocratique, celle des citoyens.

Mais peu d'analystes ont réalisé ce renversement de problématique, les événements et les conflits à base de revendication identitaire nationaliste continuant de donner le sentiment que l'identité restait un obstacle. Et ce n'est pas la tragédie yougoslave qui *a priori* leur donne tort. Elle conforte au contraire le sentiment que l'identité reste l'ennemi. Pourtant, là comme ailleurs, au Proche et au Moyen-Orient, le nationalisme belliqueux est autant à l'origine de comportements guerriers qu'il est lui-même la conséquence de processus historiques qui ont été incapables de gérer les identités et leurs cohabitations.

Mon hypothèse est simple. Compte tenu de l'extraordinaire *accélération* des événements européens depuis dix ans, de la difficulté «à fermer» l'Europe, c'est-à-dire à savoir finalement où elle commence et où elle finit, le principe identitaire est un paramètre, une référence, un point de stabilité dans le passage difficile de l'Europe technocratique à l'Europe démocratique. Et même dans le cadre de ce nouvel, et grand espace démocratique, les identités collectives sont à préserver, car elles sont aujourd'hui démocratiques et non guerrières et donc indispensables pour résister au puissant mouvement de rationalisation et de standardisation lié à l'ouverture des marchés. *Les identités collectives ne sont pas un obstacle à l'Europe, elles en sont la condition.* Tout simplement parce que sans elles le projet perd tout relief et n'arrive pas à dépasser le plan économique. Les intérêts nationaux étaient un frein à la création de l'Europe économique, qui vise d'abord à être un grand marché sans «frontière». Ils constituent évidemment encore des facteurs de résistance dans le cadre de la constitution de l'Europe politique mais ils sont en même temps la condition pour que ce nouvel espace garde quelques vertèbres. Contrairement au discours ambiant, le nationalisme n'est pas l'obstacle à l'Europe, il le *deviendra* si l'on refuse de prendre en compte le poids et la légitimité de l'identité nationale ou communautaire au sein de ce nouvel ensemble.

L'Europe illustre à sa manière *la problématique centrale de ce livre, à savoir que plus il y a de communication, plus il faut d'identités.* Hier dans un univers fermé, l'identité était un obstacle à l'ouverture et à la communication. Aujourd'hui dans un univers ouvert, c'est l'inverse, la préservation des identités est la condition du maintien d'une problématique d'émancipation liée à la communication. Autrement dit, le repli identitaire ou agressif est moins la cause que les conséquences d'une insuffisante prise en compte de l'identité. A l'heure de la communication triomphante, l'enjeu n'est pas la dissolution des libertés individuelles mais l'effritement des identités collectives et des liens sociaux qui sont pourtant les conditions préalables à l'installation et à l'efficacité de tous ces réseaux interactifs. Sans le matelas de ces identités collectives, les réseaux technologiques modernes ne peuvent jouer leur rôle ; ils risquent même de favoriser un formidable désordre. C'est une des raisons qui expliquent les violences identitaires au Proche et au Moyen-Orient, ainsi qu'en Afrique du Nord depuis vingt ans. Si l'on avait mieux respecté les identités culturelles, religieuses, sociales et symboliques de ces vieux pays déjà bouleversés par la colonisation, puis par «l'impératif de la modernisation», il est probable que l'Occident serait moins aux prises avec les violences qu'il connaît depuis trente ans. Il est trop facile de dénoncer l'identité belliqueuse chez l'autre quand on voit la manière dont on l'a tout simplement ignorée, pendant de nombreuses décennies... On constate la même situation, en symétrique, pour l'Europe de l'Est. Chacun s'est félicité de la façon dont les différents pays se sont débarrassés du communisme, mais comment analyser la capacité de résistance pendant vingt à trente ans sans la force du sentiment national, c'est-à-dire de cette fameuse identité dont on se méfie aujourd'hui ? Autrement dit, c'est bien à partir de ce modèle culturel, de ces traditions et de ces identités, que ces pays ont pu traverser l'épreuve de la décommunisation. Pourquoi ce qui est une force dans le cas d'un combat de libération serait-il un handicap dans celui d'un projet ouvert et librement consenti ?

II. Information et identité

Pendant un siècle, l'information a été synonyme d'ouverture et de communication, donc considérée comme un moyen de dépasser l'identité des sociétés fermées, pour contribuer à la naissance d'une société plus ouverte. Aujourd'hui le rapport s'inverse, tout simplement parce que, entre-temps, le modèle dominant a changé. Informer pour ouvrir ne constitue plus une innovation, mais une banalité... Restituer l'information *par rapport* à l'enjeu de l'Europe, c'est-à-dire celle de son identité potentielle, devient donc déterminant, et il faut admettre là aussi que l'information européenne est très souvent en avance sur l'identité européenne. Elle peut donc avoir autant un effet stabilisateur que déstabilisateur. Il ne faut ainsi pas confondre le *rouleau-compresseur* institutionnel européen, du Parlement à la Commission en passant par la Cour de justice de La Haye, la CIG où tout se déroule selon un calendrier impeccable, avec par ailleurs la conscience et l'adhésion du citoyen! Cette conscience du citoyen va beaucoup moins vite que la logique institutionnelle, et il va falloir un jour se rendre compte de l'importance du décalage entre les préoccupations des élites et la réalité des opinions publiques. Et arrêter de disqualifier les secondes par rapport aux premières. Avec le suffrage universel, il n'y a plus ceux qui sont en avance, et ceux qui sont en retard. Plus personne ne maîtrise « l'échelle de l'européanité ». Ou alors, il ne fallait pas passer à l'Europe démocratique... Bref, il faudrait sortir l'information européenne des *stéréotypes*, cesser de distribuer les bons et les mauvais points, par rapport à une hiérarchie qui confond les inévitables rapports de force entre États et la difficile naissance d'une identité collective européenne. Autrement dit personne ne peut savoir, malgré les deux stéréotypes sur le britannique « adversaire de l'Europe » et l'allemand « bon élève », lequel des deux peuples, et non pas des deux gouvernements, ou des deux élites, sera finalement le plus favorable à l'émergence de cette nouvelle entité politique.

Respecter les différences de *point de vue* dans l'information européenne, et au-delà dans la politique européenne, n'est pas un obstacle à l'identité européenne mais constitue plutôt un moyen d'en reconnaître le caractère problématique. Rien de pire, face à des citoyens informés mais sceptiques, que de leur faire croire que seule la Grande-Bretagne, accrochée à son passé, est un obstacle à la réussite de l'Europe. Il faut au contraire *retourner l'argument*, et remercier les Britanniques. En maintenant un discours sceptique sur l'Europe politique, ils permettent à des citoyens de se reconnaître dans cette thèse, et rappellent aux autres qu'il n'est pas possible d'avancer au rythme des élites.

En un mot, face au projet de l'Europe politique, les *eurosceptiques* ont autant de légitimité que les *eurofanatiques*. Il n'y a pas d'individus ou de peuples « en avance » sur les autres — ou alors on retrouve la thèse des « avant-gardes »... Valoriser l'identité à travers l'information dans son ensemble n'est donc pas un frein à l'Europe, mais représente sans doute le moyen de *préserver* le désir d'Europe. Voilà où se situe de façon concrète le lien entre information et identité. L'information dans un univers où domine l'idéologie moderniste d'ouverture, de dérégulation, d'interactivité… ne doit pas renforcer cette idéologie, mais au contraire rappeler la légitimité de la problématique identitaire.

Dans le rapport identité-information, une autre révolution est à faire. Il faut cesser de croire que plus l'information est rapide, directe, plus elle est proche de la *vérité*. Ce raisonnement est vrai au plan d'un État-nation, en introduisant cependant une limite à ce lien entre vitesse et vérité, comme on l'a vu dans la quatrième partie, mais il est certainement moins vrai dans le cas de la situation européenne où toute information est reçue *contradictoirement* dans les différents pays. Un même événement, par exemple une décision de Bruxelles, n'est pas expliqué de la même manière par les divers correspondants. Car chacun parle pour son opinion publique, et module cette décision, ou cette information, en fonction des spécificités de son opinion publique. Plus l'information va vite, moins ce décodage-recodage se fait, et plus cette information, au lieu de favoriser lentement l'émergence de la conscience européenne, risque au contraire de provoquer un phénomène de rejet. Plus les journalistes «médiatisent» toute information européenne, en fonction de leur contexte culturel, la «traduisent» d'un espace mental à l'autre, plus la même information peut être acceptée. La crise de la *vache folle* au printemps 96 est un exemple typique des ravages d'une information trop globale et trop rapidement diffusée. En moins de deux jours, cette crise, et la manière de parler des uns et des autres, pour ne pas dire de se soupçonner mutuellement, a brisé de nombreux fils, patiemment tissés à travers la politique agricole commune. Les vieux contentieux et les stéréotypes ont, en un mois, détruit près de quarante ans de patients efforts. Toutes les distances entre les intérêts nationaux sont redevenues visibles, et les procès d'intention se sont réactualisés, les vocabulaires retrouvant les méfiances ancestrales… Les conflits d'intérêt, et la manière trop simple dont l'information a été faite, ont contribué à cet éclatement et au retour de suspicions qui ne seront pas facilement gommées par les discours lisses et rationnels des ministres de l'Agriculture. La vitesse de l'information est ici devenue un facteur de déstabilisation.

L'*Europe de l'Est* est aussi un bon lieu de lecture pour comprendre la limite d'un certain modèle de l'information. On fait comme si l'information et la communication étaient en soi un facteur de progrès, laissant implicitement supposer que l'Europe de l'Est était une partie du monde «sous-informée», et qu'il suffirait d'augmenter le volume d'information – fait actuellement sur le modèle occidental – pour accroître le sentiment d'appartenance de l'Europe de l'Est à l'Europe.

En réalité le modèle occidental de l'information sur l'Europe de l'Est devrait être modulé par la prise en compte de la dynamique *propre* de l'Europe de l'Est. Autant l'information, et l'appel à la parole libre, ont joué un rôle déterminant à la fin du communisme, tout simplement parce qu'il n'y avait pas beaucoup d'information — et encore faudrait-il sérieusement nuancer selon les pays —, autant le problème cinq ans après est beaucoup plus compliqué. Après la phase de libération de la parole, liée à la fin de la dictature, on a assisté à une sorte de banalisation de l'information. D'abord parce que les faits ont souvent contredit les promesses, et que les groupes de communication qui se sont installés ont favorisé l'émergence d'une information de plus en plus éloignée de l'idéal de vérité existant du temps de la résistance. Ensuite parce que après cette phase de libération un rapport de force, inévitable, a commencé à s'établir entre médias, opinion publique et pouvoirs politiques. L'information, et la parole exprimée, n'ont plus gardé la même influence que du temps du communisme, où dans un univers de mensonges elles étaient un élément de vérité. Tout est devenu plus nuancé, les informations vraies cohabitant aujourd'hui avec les informations fausses, comme dans n'importe quelle société occidentale. Autrement dit, dans ce phénomène complexe du passage d'une société totalitaire à un système démocratique, l'information n'a joué ce rôle de lieu de la vérité et de la parole que pendant une durée limitée. Aujourd'hui, en Europe de l'Est, il ne s'agit plus de la mise en place d'un système libre et démocratique de l'information, comme on le vit par exemple en France entre 1944 et 1946. On en est déjà au moment des concentrations, des fascinations pour le multimédia, et des relations compliquées entre acteurs économiques et politiques, éloignées du schéma romantique et idéaliste d'une information lieu de vérité et de prise de parole libre…

Le détour rapide par l'Europe de l'Est montre la complexité des rapports entre information et identité en Europe, et la limite de l'idée selon laquelle on suppose que le sentiment européen serait une *fonction directe* du volume d'information diffusé. La difficulté à prendre en compte les spécificités nationales et culturelles dans la manière d'aborder la question de l'information risque de susciter une réaction identitaire nationaliste violente. D'abord en réaction à l'emprise des *capitaux étrangers* sur le secteur de l'information nationale, ce qui est très souvent le cas pour la presse écrite, mais plus encore pour la télévision et les nouveaux médias. Ensuite par réaction à un modèle de société dont l'idéal d'ouverture ressemble plus aux intérêts des industries qu'à la prise en compte des identités nationales et culturelles trop longtemps bafouées.

L'Europe de l'Ouest devrait méditer les relations sourcilleuses que l'Europe de l'Est entretient avec l'identité. Elle y voit trop facilement une simple réaction au bâillonnement des identités nationales sous le communisme, alors que celui-ci fut le plus souvent une forme de «national-communisme» que de communisme internationaliste. Et les pays de l'Ouest, apparemment mieux installés dans leur identité, refusent d'admettre qu'ils sont confrontés *dans des termes différents* à un problème identique. Exemple? L'échec du modèle d'intégration des populations immigrées depuis une trentaine d'années. Aujourd'hui les dix-sept millions d'immigrés «campent» en Europe de l'Ouest plutôt qu'ils ne sont intégrés. Ils se retrouvent presque face-à-face avec les vingt millions de chômeurs de l'univers européen. Comment parler du caractère secondaire du facteur identitaire quand on voit les conflits souvent tragiques que suscite la présence d'immigrés qui ont pourtant largement contribué à la croissance de l'Europe?

Le face-à-face visible de ces dix-sept millions d'immigrés et de ces vingt millions de chômeurs explique à lui seul la limite d'un modèle de l'information trop tournée vers l'ouverture et la circulation. Sans parler des problèmes beaucoup plus anciens mais guère moins compliqués liés aux identités basques, irlandaises, corses, flamandes, wallones, macédoniennes, grecques, qui régulièrement brisent le schéma simpliste du citoyen européen moderne, et rationnel...

III. Communication et identité

Le renversement du rapport entre communication et identité n'est pas plus simple à élucider que celui entre information et identité, car dans les deux cas on considérait que le progrès consistait à dépasser la problématique de l'identité.

Là encore, l'Europe de l'Est peut être utile à l'Europe de l'Ouest. A l'Ouest on peut, après quarante ans de construction, avoir un instant l'illusion d'un dépassement des identités nationales, alors qu'à l'Est les identités nationales résistent. Si les élites choisissent délibérément «l'occidentalisation», il suffit de se promener dans les campagnes et les villes pour voir comment les peuples, au-delà d'une évidente aspiration à un mieux-être, défendront, dans un deuxième temps, leur identité nationale, une fois que celle-ci sera confrontée au maelström de la communication mondiale. Et là il s'agira de nations au sens de communautés culturelles, langagières, liées par une histoire et des souvenirs. Le problème est d'ailleurs plus large que l'information, puisqu'il porte sur toutes les formes de communication (films, variétés, publicité, jeux...) et donc sur les représentations, les styles et les symboles. C'est par rapport à cette emprise communicationnelle globale que la réaction identitaire se manifestera. D'autant que l'Est va rapidement réaliser la contradiction dans laquelle il se trouve. D'une part l'Ouest, par satellites, télécommunications et informatique interposés, n'arrête pas de vendre, au sens propre et au sens figuré, la modernité, et les modèles occidentaux de communication ; d'autre part et parallèlement, l'Ouest repousse l'entrée de l'Europe de l'Est dans l'Union européenne... Le résultat est donc paradoxal. La fin du communisme et l'omniprésence des mêmes flux de communication des deux côtés vont effacer la fausse opposition qui séparait les deux Europes. Mais bientôt émergeront d'autres différences, entre l'Est et l'Ouest, qui étaient masquées par le communisme. Ainsi, la fin de celui-ci ne simplifie pas la communication entre les deux Europes, renforce l'Europe de l'Est dans sa position de dominée, sans pour autant créer beaucoup de curiosité de l'Ouest à son égard si ce n'est pour les marchés... Nul doute que l'Est, qui a déjà subi un mouvement de dépersonnalisation pendant cinquante ans avec le communisme, sans pouvoir s'opposer à cette domination, ne supportera pas une seconde fois le même processus.

Autrement dit, les flux de communication plus nombreux, s'ils ne respectent pas mieux les identités culturelles, nationales, linguistiques, risquent de susciter des réactions violentes. Et pour éliminer la question embarrassante de l'identité nationale à l'Est, on parle de la difficile naissance des « sociétés civiles », ce qui a le double avantage de nier toute spécificité à ces sociétés, et de valoriser plus encore les concepts qui sont les nôtres, en les appliquant aux autres sociétés... A l'Ouest, la question n'est pas plus simple, puisque l'élargissement sans fin de l'Europe redouble la question de la fermeture et de l'identité. Ouvrir de plus en plus ne peut que renforcer le malaise d'un univers sans identité. Et ce, d'autant qu'il n'y a pas de sens à cet élargissement. Celui-ci accentue la *méconnaissance* mutuelle qui ne sera nullement compensée par le fait que des millions d'Européens verront les mêmes programmes de télévision reçus par les mêmes satellites, utiliseront les mêmes ordinateurs, regarderont les mêmes CD-Rom d'origine américaine... L'écart entre une méconnaissance mutuelle qui ne diminue pas de décennie en décennie et l'accès aux mêmes programmes de communication risque de créer, à terme, des réactions violentes.

Quel adulte ou quel étudiant, dans l'Europe de l'Ouest, est-il simplement capable de donner une date et le nom d'une personnalité importante de l'histoire des quatorze autres pays ? Le test serait d'ailleurs accablant si on le faisait passer aux dirigeants des quinze pays de l'Union. Et encore s'agit-il de l'histoire récente. Que dire quand on remonte dans l'histoire ancienne, dominée par les faits religieux. On se souvient par exemple des troubles créés par le pape Jean-Paul II quand il voulut rendre hommage aux deux moines Cyril et Méthode qui évangélisèrent l'Europe orientale et inventèrent l'alphabet qui permit d'écrire les langues slaves au IXᵉ siècle. Les abîmes de *méconnaissance* religieuse, historique, culturelle surgirent alors, montrant la difficulté à connaître, ne serait-ce que les grandes dates de l'histoire des autres. Pour chaque pays européen, on constate la même importance d'événements, de dates, de lieux, ou de personnages, répartis sur une histoire de plus de mille ans, mais totalement ignorés des autres. Cette observation générale explique pourquoi l'Europe n'échappera pas à un travail sur sa propre histoire. Il y a du reste un paradoxe. L'Europe se veut une entité politique neuve, accrochée à une vision moderne et rationnelle de l'histoire, et en même temps on constate dans chaque État-nation une tendance accentuée à célébrer les grandes dates, et à valoriser les événements les plus anciens de la conscience nationale.

Pourquoi nier l'importance de l'histoire, dans le cadre de la construction européenne, et être fasciné par elle à travers des anniversaires et des commémorations, au sein des États-nations? Un seul exemple pour la France, mais les mêmes exemples existent pour tous les autres pays. A l'automne 96, le pape est venu rendre hommage au baptême de Clovis il y a mille cinq cents ans, à Reims, et au rôle joué par saint Martin de Tours il y a mille sept cents ans. Les deux événements ont donné lieu à une grande communication, et à des affrontements typiques de l'identité française. Mais l'on devine l'effort que les autres pays auront à faire pour comprendre la place de ces deux noms dans leur propre histoire. Et l'effort qu'il y aura à faire, en retour, pour comprendre les événements, dates, symboles et racines caractéristiques des quatorze autres pays de l'Union... sans parler des noms et dates de l'Europe centrale et orientale... Cela signifie qu'il ne suffit pas qu'il y ait beaucoup de communication pour qu'il y ait connaissance et respect des identités, car le respect des identités requiert un *temps long*. Le risque est aujourd'hui que la communication globale, rapide, instantanée, horizontale crée l'illusion d'une meilleure compréhension des identités, et provoque en retour de violentes réactions. Pour réduire ce risque, il faut partout réintroduire le maître *mot* de la différence. Recenser les différences, toutes les différences, pour préserver les identités, et éviter le piège de l'irrédentisme identitaire.

Dans cette perspective, il faut également casser l'opposition entre archaïsme et modernisme. L'Europe politique n'a rien à voir avec ce vocabulaire économique, et pourtant il est *constamment* utilisé par les élites politiques et économiques, dans un but évidemment disqualifiant pour tous ceux affublés du doux mot «d'archaïques». Mais qui détient les boussoles de l'histoire? Qui peut, face à une situation politique totalement inédite, décider de ce qui est moderne et «utile», et de ce qui est archaïque et «inutile»? D'autant qu'il y a fort à parier que dans le prodigieux réaménagement symbolique à entreprendre dans le cadre de l'Europe politique, de nombreux repères, codes, comportements, jugés *a priori* dépassés se révéleront en réalité être des facteurs déterminants pour faire avancer la conscience européenne. En outre, même si les élites peuvent se satisfaire d'une certaine modernisation, il n'en est pas de même pour les citoyens. Ceux-ci ont d'autant plus besoin des points de repère du passé que l'avenir leur paraît incertain.

Dans un univers débordant de communication, il y a des mots qui tuent. La dichotomie moderne archaïque «pollue» déjà suffisamment les relations Nord-Sud pour ne pas la réintroduire au sein des deux Europes. Et pourtant le *mot* est sans cesse utilisé. Mais qui est *moderne* ou *archaïque* par rapport à la construction politique de l'Europe? Le sens du projet européen ne se joue nullement par rapport à la modernité! Le mot renvoie à l'expérience européenne depuis le XVIIe siècle mais le défi aujourd'hui est tout autre. Le même mot n'apporte rien de discriminant par rapport à cet enjeu qui est de savoir jusqu'où plus de 370 millions d'individus peuvent mettre leur destin en commun. En réalité, utiliser cette dichotomie dans l'ordre de la politique vise à essayer d'y réintroduire la même hiérarchie existant dans l'ordre économique. Le seul moyen de compenser les illusions d'une connaissance mutuelle liée à l'omniprésence de la communication consiste à développer une *anthropologie culturelle* pour dégager tout ce qu'il y a de «même dans le différent et de différent dans le même». Les mots identité, traditions, islamisme, modernisme, nationaliste... sont à reprendre dans les différentes traditions, pour comprendre comment ils se séparent et se chevauchent. De même, repérer les *grandes familles d'argumentation* autour du conflit, que l'on retrouve un peu partout entre modernisme et tradition est sûrement un meilleur «facteur de communication» entre les Europes que de croire tout le monde «embarqué» de la même manière dans la grande «aventure de la modernité» L'homogénéisation des modes de vie, d'un bout à l'autre de l'Europe, à travers des modes vestimentaires, de l'alimentation, de la musique, des voitures, des ordinateurs... ne préfigure nullement une identité culturelle commune. Les apparences sont les mêmes, mais pas les références. Ni d'ailleurs les réflexes, les stéréotypes, les souvenirs. Et plus les mots semblent se rassembler, se rapprocher, plus on peut faire l'hypothèse du rôle discriminant assuré par d'autres symboles et d'autres représentations. Autrement dit, plus l'univers social, commercial, économique voire politique, s'ouvre, faisant disparaître les différences visibles, plus celles-ci demeurent mais davantage cachées. Il faudra un jour faire, dans ce sens, le bilan des actions du Conseil de l'Europe, de l'Unesco en faveur des droits de l'homme... pour voir comment ces *mêmes* mots recouvrent des différences d'approches. Les grandes institutions internationales et l'idéologie démocratique qui y domine *masquent* en fait des différences considérables. Tout le monde fait comme si chacun se comprenait, tout en sachant qu'il ne faut pas trop approfondir cette compréhension… Mais autant le caractère ambigu de ces vocabulaires communs ne pose pas trop de problèmes au plan international, parce qu'il faut faire « coexister » la communauté internationale, autant il en pose au plan européen, car il s'agit ici de faire réellement quelque chose ensemble. Faire apparaître ces différences ne met nullement en cause le *patrimoine* commun des valeurs. C'est au contraire après avoir fait le tour de toutes les différences et explicité un peu les malentendus que l'on retrouve les points communs quand ils existent. De même faudra-t-il, parallèlement à cet examen critique, réaffirmer le rôle d'une *réglementation* dans le domaine de la communication. C'est-à-dire refuser pour l'Europe l'idéologie de la déréglementation trop évidemment adaptée aux intérêts des industries de la communication. Mais qui dit réglementation dit autorité et légitimité de l'État. Et sans doute faudra-t-il admettre que l'Europe politique passe d'abord par une revalorisation de l'autorité des États nationaux, même si dans l'histoire de la construction européenne ils en furent souvent des adversaires. Là aussi, le contexte a changé. Hier il s'agissait de freiner la diminution du rôle des États-nations, aujourd'hui il s'agit au contraire, dans un contexte économique et politique largement ouvert, de pouvoir prendre appui sur ce qu'il reste de souveraineté nationale pour « organiser » cette ouverture.

Dans un contexte d'ouverture, de communication et de diminution des souverainetés, chacun doit sentir que son identité est préservée et qu'il existe un État pour la garantir. Autrement dit, contrairement à une idée naïve, l'Europe politique ne passe pas par un « dépassement » des identités politiques, impossible à obtenir dans un délai rapide, mais au contraire par une réaffirmation du rôle des États et de la réglementation.

La « télévision européenne » est prématurée du point de vue des programmes, mais pas pour l'information, dont *Euronews* est un exemple à développer de toute urgence, car on y trouve simultanément les différences et les points communs. En dehors d'une coopération évidente à développer en matière d'information, pour mieux comprendre ce qui rapproche et distingue les Européens, la télévision peut jouer un rôle positif de deux autres manières. Au plan *national*, la télévision généraliste, publique ou privée doit rester *le principal outil de communication national* et d'intégration culturelle. On retrouve toute la problématique développée dans la deuxième partie. Au plan *européen*, c'est presque l'inverse. Les télévisions nationales avec les échanges de programmes permettent de mieux comprendre les différences culturelles. Ces échanges doivent faciliter la cohabitation culturelle, sans prétention à fabriquer une intégration prématurée. Le décalage entre l'immensité des enjeux liés à la télévision et la faiblesse de la politique européenne dans ce domaine est inquiétant pour l'avenir. C'est la volonté politique qui manque ici. Pourtant, avec plus de trois cent cinquante chaînes de télévision publiques et privées en Europe, il y aurait de quoi agir. Mais la télévision pâtit, hélas, de la méfiance des élites, alors qu'elle reste pour les peuples le principal outil de divertissement, d'information et de culture... chaque Européen consacrant en moyenne trois heures par jour devant le petit écran... La télévision est un outil largement sous-utilisé, non pas pour « imposer » l'idée européenne, mais pour constituer une voie d'accès à la connaissance mutuelle. Quand y aura-t-il de grands projets audiovisuels pour ce grand projet politique ?

BIBLIOGRAPHIE

chapitre 17

ANDERSON B., *L'Imaginaire national. Réflexions sur l'origine et l'essor du nationalisme*, La Découverte, Paris, 1996.

BADIE B. et SADOUN M. (sous la dir. de), *L'Autre: études réunies pour Alfred Grosser*, Presses de la FPSP, Paris, 1996.

BADIE B., *La Fin des territoires*, Fayard, Paris, 1995.

—, *Les Deux États. Pouvoir et société en Occident et en terre d'Islam*, Fayard, Paris, 1986.

BARRET-DUCROCQ F. (sous la dir. de), *Traduire l'Europe*, Payot, Paris, 1992.

BASTAIRE J., *Éloge des patries. Anthologie critique*, Éditions universitaires, Paris, 1991.

BECKER J. et SZECSKO T., *Europe Speaks to Europe*, Pergamon Press, Oxford, 1989.

BRUNET R. (sous la dir. de), *Les Mots de la géographie. Dictionnaire critique*, La Documentation française, Paris, 1992.

COMPAGNON A. et SEEBACHER J. (sous la dir. de), *L'Esprit de l'Europe*, Flammarion, 3 vol., Paris, 1993.

DEUTSCH K., *Nationalism and Social Communication*, Cambridge University Press, Cambridge, 1966.

DUROSELLE J.-B., *L'Europe: l'histoire de ses peuples*, Perrin, Paris, 1990.

FREMONT A. et FREMONT-VANAGRE A., *Le Nouvel Espace européen*, La Documentation française, Paris, 1993.

GELLNER E., *Nations et nationalisme*, Payot, Paris, 1989.

GREMION P. et HASSNER P. (sous la dir. de), *Vents d'Est vers l'Europe de l'État de droit*, PUF, Paris, 1990.

GREMION P., *Intelligence de l'anticommunisme. Le congrès pour la liberté de la culture à Paris (1950-1975)*, Fayard, Paris, 1995.

GROSSER A., *Les Identités difficiles*, Presses de la FNSP, Paris, 1996.

GUIOMAR J.-Y., *La Nation entre l'histoire et la raison*, La Découverte, Paris, 1990.

HAGÈGE C., *Le Souffle de la langue. Voies et destins des parlers d'Europe*, Odile Jacob, Paris, 1992.

HANKISS E., *Hongrie: diagnostics. Essai en pathologie sociale*, Georg Éditeur, Genève, 1990.

HAVEL V., *Interrogatoires à distance*, Éd. de l'Aube, La Tour d'Aigues, 1989 (1re éd., Prague, 1986).

LABASSE J., *L'Europe des régions*, Flammarion, Paris, 1991.

LENOBLE J. et DEWANDRE N., *L'Europe au soir du siècle. Identité et démocratie*, Éd. Esprit/Seuil, Paris, 1992.

LÉVI-STRAUSS C., *L'Identité*, PUF, coll. «Quadrige», Paris, 1987.

LLOYD A. et WINCKLER A., *L'Europe en chantier*, Hachette, Paris, 1993.

MASCLET J.-C. et MAUS D., *Les Constitutions nationales à l'épreuve de l'Europe*, La Documentation française, Paris, 1994.

MATTELART A., *La Communication-monde*, La Découverte, Paris, 1992.

MICHEL B., *Nations et nationalismes en Europe centrale XIXe-XXe siècle*, Aubier, Paris, 1995.

MICHEL H., *Les Télévisions en Europe*, PUF, coll. «Que sais-je?», n° 2719, Paris, 1994.

MICHEL P., *La Société retrouvée. Politique et religion dans l'Europe soviétisée*, Fayard, Paris, 1986.

PHILONENKO A., *L'Archipel de la conscience européenne*, Grasset, Paris, 1990.

PITTE J.-R. (éd.), *Géographie historique et culturelle de l'Europe*, Presses universitaires Paris-Sorbonne, Paris, 1995.

RUPNIK J., *L'Autre Europe: crise et fin du communisme*, Seuil, Paris, 1993.

SCHNAPPER D. et MENDRAS H., *Six manières d'être européen*, Gallimard, Paris, 1990.

SEGALEN M. (sous la dir. de), *L'Autre et le semblable*, Éd. du CNRS, Paris, 1989.

SEMELIN J. (sous la dir. de), *Quand les dictatures se fissurent… Résistances civiles à l'Est et au Sud*, Desclée de Brouwer, Paris, 1995.

SZUCS J., *Les Trois Europes*, L'Harmattan, Paris, 1985.

TAGUIEFF P.-A. et DELANOI G., *Théories du nationalisme. Nation, nationalité, ethnicité*, Kimé, Paris, 1991.

THUAL F., *Les Conflits identitaires*, Ellipse/IRIS, Paris, 1995.

TODOROV T., *La Vie commune. Essai d'anthropologie générale*, Seuil, Paris, 1995.

WIEVIORKA M. (sous la dir. de), *Racisme et modernité*, La Découverte, Paris, 1993.

CHAPITRE 18

LA DIFFICILE NAISSANCE
DE L'ESPACE POLITIQUE

I. Des réexamens déchirants

L'Europe est l'un des projets politiques les plus ambitieux du XXᵉ siècle mais tout, du contexte et de la perspective, a changé depuis 1990. Il s'agissait de lutter contre le communisme, celui-ci s'est effondré. L'Europe se faisait sur le plan économique par l'action d'une minorité de hauts fonctionnaires et d'entrepreneurs, elle est devenue, après Maastricht, un projet politique dont l'avancement dépend du suffrage universel. Il s'agissait hier d'un espace relativement fermé, il est aujourd'hui beaucoup plus ouvert, au point que personne ne sait plus où l'Europe s'arrête, ni à l'Est ni au Sud.

En résumé, tout a changé et nous sommes face à une situation presque invraisemblable, celle de la construction d'un espace politique de 370 millions d'habitants où cohabitent plus de dix langues, autour de thèmes, vocabulaires et enjeux dont personne ne maîtrise les dimensions. Sans adversaire déclaré, avec l'objectif de mobiliser non pas des élites mais des peuples et des opinions publiques qui n'ont guère d'expérience directe de l'Europe et qui, lorsqu'ils en ont une, sont devenus plutôt réservés à son égard. En effet, l'Europe, qui devait au moins garantir la croissance, se débat depuis dix ans dans une crise économique dont on ne cesse de répéter à ses peuples qu'elle est le symptôme d'une décadence par rapport au surgissement de tous les dragons de l'Asie, et d'ailleurs… Et cela dans un calendrier qui se raccourcit constamment puisque l'élargissement oblige à refaire des institutions, pour un projet dont la clarté ne saute plus aux yeux. Sur fond d'impératif catégorique, de monnaie unique, qu'il ne faut surtout pas remettre en cause, de quelque manière que ce soit, sous peine de «faire le jeu des adversaires de l'Europe»... Quelle est la force d'un projet qu'on ne peut discuter sous peine de le détruire? Et quand quelques journalistes, hommes politiques, entrepreneurs ou universitaires remettent en question le calendrier ou la perspective, ils tombent immédiatement sous le double anathème d'être anti-Européens et de donner une «prime» aux Britanniques, considérés depuis toujours comme les adversaires de l'Europe.

Entre l'indifférence, l'incompréhension, le manque de vocabulaire et d'enjeu commun, la suspicion et l'impeccable logique institutionnelle qui continue de tourner toute seule, comme si chacun savait où l'on va, se trouvent rassemblés là les ingrédients d'un formidable contresens. Tout est à réexaminer, alors même que les mots, les vocabulaires, les enjeux, les références, les symboles, sans lesquels il n'y a pas d'espace politique, sont à peine identifiés. Un superbe terrain de football noyé dans le brouillard britannique, dont on ne voit plus les limites, avec des équipes dont on ne connaît ni les noms ni les compositions exactes, pour un match dont on ne connaît guère les règles du jeu...

Il faut tout inventer, ce qui est déjà difficile, mais, en plus, tout se fait *publiquement*. L'Europe doit inventer son identité politique sous les yeux omniprésents des médias, qui, en dépit d'une attitude plutôt favorable, se trouvent être de redoutables amplificateurs de ce qui ne va pas. Et la visibilité qu'ils assurent dans cet immense chantier, sans architecte ni plan précis, est encore plus perturbante pour le citoyen qui ne sait plus très bien ce qu'il veut, ni comment y aller, tout en subissant le discours *injonctif* et sans nuance des élites politiques.

J'ai déjà essayé d'expliquer[1] en quoi il est difficile de créer artificiellement un espace politique quand aucune des conditions historiques, symboliques ou culturelles n'est réellement réunie; en quoi il est difficile d'animer un espace politique quand il y a à peine un espace commun, mais pas encore un espace politique[2]; en quoi il n'est pas possible de comprimer le temps historique, et en quoi le volontarisme, même paré des plus belles références, atteint ses limites. Mais rien n'y fait. Les hommes politiques et les technocrates n'entendent rien. Pour résoudre la grave crise d'inadaptation des structures de l'Europe, après son élargissement à quinze, les gouvernements ont organisé, à partir de l'automne 96, cette énorme conférence intergouvernementale. Celle-ci est chargée, sans aucun lien avec les populations ni compréhension des opinions, d'inventer les *structures* de la future Europe! Autrement dit on poursuit l'Europe avec les mêmes méthodes technocratiques qu'hier. D'autant que simultanément le projet de la monnaie unique se poursuit, en imposant aux économies et aux sociétés de redoutables réformes.

Sans aucune prétention à l'exhaustivité, on peut au moins relever dix pistes de travail, dix réexamens, plus ou moins douloureux, pour favoriser ce renversement de perspective nécessaire à cette immense aventure politique, pacifique.

II. L'inadaptation des structures politiques européennes

Elles traduisent la triste réalité du moment : l'absence d'utopies, d'idées nouvelles et la tendance générale à concevoir l'Europe avec les *mêmes règles* institutionnelles que celles existant au sein de chaque État-nation. L'Europe comme un super-État-nation. On y trouve tout ce que l'on a l'habitude de rencontrer chez soi ; un législateur : le Parlement ; un exécutif bicéphale : le Conseil européen et la commission ; un judiciaire : la Cour de justice ; une bureaucratie inattaquable : « Bruxelles ». Beaucoup de personnalités savantes, autorisées, en costume gris, qui animent le ballet des voitures officielles et distillent les déclarations solennelles. Pour quel imaginaire ? Quel projet, si ce n'est celui d'un super-État démocratique dont on cherche les citoyens, et dont surtout on s'interdit de savoir s'il est finalement fédéral ou confédéral, de peur de relancer de très anciennes guerres religieuses ? Le débat sur la souveraineté nationale est en partie caduc puisque, dans la réalité, celle-ci est déjà largement écornée par Bruxelles. Mais comme les citoyens l'ignorent, il est difficile de les mobiliser sur l'étape suivante, quand ils n'ont toujours pas réalisé que *leurs* souverainetés nationales sont largement diminuées en dépit des déclarations lors des réunions du Conseil européen. Créer une sensibilisation politique à partir d'une telle méconnaissance est encore plus difficile, puisque simultanément on constate l'absence d'identité politique, de langage, de territoire, d'imaginaire. D'autant qu'à côté du discours officiel, tourné vers « les citoyens », on découvre *le poids considérable des lobbies* (plus de mille à Bruxelles), dont on ne sait pas s'il faut leur donner pignon sur rue, comme aux États-Unis, ou feindre de les ignorer, comme dans la tradition européenne. Ajoutons à cela le silence des rapports de force, les négociations entre experts et « le style » haut fonctionnaire qui prévaut dans les affaires européennes, et l'on comprend pourquoi tout cela n'est pas fait pour réduire le sentiment d'impuissance qui domine *déjà* pour le citoyen au sein de chaque État-nation. Si le citoyen ne peut s'agripper à la réalité de chez lui, comment pourrait-il y arriver sur un territoire si lointain, et inaccessible ?

Toutes les brochures, émissions de télévision, campagnes de communication, débats ne réduiront pas la perception de cet écart infranchissable entre le citoyen et «ce qui se passe là-haut». Ce n'est pas le vote tous les quatre ans du Parlement qui donne un moyen d'action. L'Europe, de ce point de vue, illustre à la perfection le problème évoqué dans la troisième partie du livre: le citoyen occidental est à la fois un géant en matière d'information, et un nain en matière d'action politique.

La seule capacité d'action reste, pour les citoyens, l'un des plus vieux moyens d'expression, à savoir la «*manifestation*». Mais que valent les manifestations par rapport à ces superbes constructions juridiques et institutionnelles que l'Europe invente? Si l'on voulait vraiment prendre au *sérieux* les citoyens européens, on devrait *sérieusement* s'occuper des manifestations – la plupart du temps hostiles, mais là n'est pas le plus important – qui émaillent l'histoire de l'Europe, car il s'agit réellement d'actes publics, dont on cherche par ailleurs toujours des traces. Mais cette manière de faire de la politique n'est pas «politiquement correcte», elle est systématiquement oubliée et dévalorisée. Autrement dit, on souhaite que les citoyens «s'investissent dans l'Europe» mais à condition que cela se fasse de manière sage, et respectueuse. L'Europe est ainsi le lieu de lecture, en grandeur nature, des limites du modèle de la démocratie de masse en général. Toutes les difficultés qu'on y rencontre sont un peu la symétrique des handicaps qui existent au sein de l'État: confiance moyenne dans le Parlement, perception d'une perte de souveraineté nationale, dureté des politiques de restructuration comme de la sidérurgie, la pêche ou l'industrie, puissance des lobbies, toute-puissance de la technocratie… L'Europe est ici une loupe. Ces difficultés ne sont pas catastrophiques au sein des États-nations car existent, parallèlement, les traditions, les cultures, l'expérience commune qui sont autant de stabilisateurs complémentaires. Mais rien de tel pour l'Europe. Pour inventer un nouveau système institutionnel suffisamment décalé du précédent, pour motiver des citoyens fatigués et blasés, qui, tout en restant attachés à la cause européenne, voudraient bien y trouver une occasion d'y croire de manière adulte, il faudrait un peu plus de souffle. *Du souffle, et non pas des sermons*; car ce sont des sermons que les citoyens entendent quand ils osent enfin dire tout haut ce que tout le monde pense tout bas, à savoir qu'il n'y a pas pour le moment beaucoup d'idées originales, et encore moins d'utopies.

III. Il n'y a plus de sens à l'histoire

Cette «découverte» recouvre deux réalités survenues en cinq ans. D'abord, ce n'est pas la démocratie qui a détruit le communisme, mais le communisme qui s'est autodissous, autant sous l'effet de la pression du capitalisme que de la démocratie. Ce qu'il s'est passé depuis est beaucoup plus compliqué que ce que l'Ouest a appelé pour se valoriser, « la transition » puisque les élections depuis 1995 dans les pays ex-communistes ont montré la relation difficile que ces sociétés entretiennent avec le passé immédiat. Cela ne signifie pas le « retour du communisme », mais que le choix n'est pas entre la nuit et la lumière. Autrement dit, le concept de « transition », si narcissiquement rassurant pour l'Ouest, parce qu'il suppose un sens à l'histoire, la nôtre, est ici inapproprié.

S'il n'y a pas de transition, c'est donc qu'il n'y a pas une direction à l'histoire ; il n'y a pas *a priori* ceux qui ont raison, ceux qui sont *en avance* par rapport aux autres, et ceux qui ont tort, ceux qui sont *en retard*. Ce sont naturellement les démocraties occidentales qui depuis toujours adhèrent à cet historicisme. Mais il n'est pas certain que l'immense majorité des pays du monde partagent notre vision de l'histoire. Et l'Occident a de moins en moins les moyens d'imposer cette manière de voir. Notre universalisme rencontre d'autres philosophes de l'histoire, et risque toujours de se réduire à un culturalisme, voire à un strict occidentalisme… Cruelle déception pour les démocrates qui, à la suite des socialistes et des communistes, ont cru pendant presque un siècle qu'il y avait un sens à l'histoire et qu'ils en étaient, évidemment, la boussole. Absence de sens ne veut pas dire absence de valeurs, mais cela rend difficiles certains combats, car il est plus facile de se battre quand on pense agir pour le bien de tous, que lorsque d'autres systèmes de valeurs, opposés au vôtre, peuvent susciter autant d'adhésion collective.

Cette incertitude quant au sens de l'histoire est particulièrement difficile au moment de la naissance de l'Europe politique, car les difficultés de celle-ci seraient mieux acceptées si chacun avait le sentiment de jouer un rôle de *pionnier*, par rapport à une orientation dont tout le monde partage les valeurs. En d'autres termes, les événements vont vite. Le retour au pouvoir d'anciens communistes n'interdit pas, en symétrie, une crise qui ébranlerait les acquis, bien fragiles, de Maastricht. Et face à ce retour de l'histoire, le « volontarisme démocratique » consistant à vouloir accélérer la construction politique risque de se trouver pris à contre-pied. Qui aurait pu prévoir un tel retournement en 1990-1992 ? Seuls ceux qui osèrent rappeler que la victoire du capitalisme ne signifiait pas la victoire de la démocratie avaient raison. Mais ils étaient une minorité.

En un mot, attention au « *boomerang de l'Europe de l'Est* ». Ce qui du reste prend un sens concret quand on sait que de nombreux pays de l'ex-Europe de l'Est sont aujourd'hui candidats à l'Union européenne. Si trop *d'humiliations* accompagnent cette file d'attente, des réactions dommageables à ce formidable projet se feront évidemment jour.

IV. Des oppositions politiques non encore constituées

Malgré la bonne conscience de ceux qui s'arrogent le label de «pro-Européens» et donc s'autorisent depuis des années à *disqualifier* ceux qui refusent un certain modèle de l'Europe, le conflit n'oppose plus les pro- et les anti-Européens. Maastricht a sans doute été le dernier débat où cette dichotomie, pour ne pas dire cette exclusive, ait eu encore une efficacité politique. Les partisans du «oui» ont pu culpabiliser une dernière fois ceux qui votaient «non», en amalgamant ce non à un refus de l'Europe. Ceux qui votaient «non» avaient beau se justifier de n'être pas forcément anti-Européens, en expliquant leur vote par rapport à un traité confus, complexe, inapplicable, rien n'y faisait. La dichotomie consistait à traduire le «non» par un refus déguisé de l'Europe. Même si, depuis, tout le monde reconnaît que le traité n'est pas applicable... et ne pourra l'être. Ce que disaient exactement ceux qui appelaient à voter contre, sans être forcément des anti-Européens déguisés. Un des effets majeurs du passage au suffrage universel a été de briser la logique de *culpabilisation* qui entourait l'Europe. Accepter le suffrage universel c'est opter pour toutes les positions politiques à égalité, sans hiérarchie *a priori* entre les partisans de l'Europe et les autres. C'est en cela que la campagne de Maastricht a définitivement clos un mode de communication politique. Celui dans lequel les élites «savent» et donnent des leçons aux peuples «qui ne savent pas». Les peuples ont tellement vu d'erreurs causées par ces mêmes élites depuis un demi-siècle qu'ils supportent de moins en moins le ton arrogant ou paternaliste qu'elles ont à leur égard. Et comme l'impératif économique de la monnaie unique ne se double pour le moment d'aucun avantage politique pour les peuples, il est probable que les vraies difficultés politiques risquent d'apparaître en Europe. Sauf si les élites réalisent l'énorme *aggiornamento* qu'elles ont à faire, *elles*. Pourquoi s'imposeraient-elles un tel effort ?

Reconnaître que les oppositions politiques ne sont pas encore visibles serait utile à tout le monde. Cela signifierait qu'une page est tournée et que l'on est dans un autre contexte. Tant que l'on réduira les discours à des arguments de pro- ou anti-Europe, on *freinera* le surgissement des réelles oppositions politiques de demain.

Un test de la fin de la fausse opposition entre les bons, les partisans de l'Europe, et les mauvais, les autres ? Le jour où l'on arrêtera de *disqualifier* la position britannique et d'en faire le bouc émissaire de tout ce qui empêche l'Europe d'avancer. Les Britanniques ne sont pas «anti-Européens», ils n'en défendent pas la même conception. Et l'on peut même dire que les événements, surtout depuis 1991, leur donnent partiellement raison. Un test de réaménagement cognitif et symbolique du débat sur l'Europe apparaîtra quand on cessera de diaboliser la position britannique pour la considérer telle qu'elle est : une position aussi légitime que les autres, dans une certaine vision politique de l'Europe.

L'incapacité de l'Europe à faire avancer l'*Europe sociale* est un exemple du caractère prématuré des oppositions politiques à venir. L'Europe sociale est, incontestablement, malgré des traditions politiques et religieuses différentes, un acquis et un atout de l'Europe. De la gauche à la droite, du Nord au Sud, en dépit de vraies différences, il existe une certaine vision commune de l'Europe sociale. Et pourtant, pour le moment, ce dossier n'arrive pas à avancer. Pourquoi ? Parce que l'Europe sociale, avant d'être une réalité institutionnelle, ou un thème unificateur des opinions publiques européennes, appartient au *patrimoine syndical européen*. C'est au travers de luttes qui n'ont pris du reste ni les mêmes formes ni les mêmes calendriers que les syndicalistes européens ont pesé sur ce dossier essentiel. C'est donc en mobilisant cette dynamique syndicale, principal « auteur et acteur » de cette Europe sociale, que l'on relancera le débat. Mais que constate-t-on ? L'immense difficulté de coopération entre deux grandes traditions syndicales européennes, qui se sont en outre violemment opposées pendant le demi-siècle de guerre froide. Tant que les acteurs eux-mêmes de cette Europe sociale n'arriveront pas à coopérer, il y a peu de chances que celle-ci progresse. Or, on *tait* cette difficulté des organisations syndicales à coopérer entre elles, à dépasser les blocages idéologiques, à définir des objectifs communs, à mobiliser des opinions publiques. On fait comme s'il s'agissait d'un manque de volonté de leur part et on espère, dans la grande tradition de la méthode Coué, que les opinions, toutes seules, se mobiliseront autour de l'Europe sociale, qui est effectivement un des grands patrimoines européens. Mais avec l'Europe sociale, comme avec l'Europe politique, il n'y a pas de *court-circuit* possible. Il faut maintenant admettre le temps, la durée, les expériences.

V. La critique des élites

Il n'y aura pas de naissance de l'espace politique européen sans une crise du rôle des élites, même si ce sont elles qui ont fait l'Europe. Trois raisons expliquent cela.

D'abord, une crise est le moyen pour les élus, les citoyens, les « petites gens » de se réapproprier un débat politique qui pour l'instant se passe « là-haut ». *Si l'on veut élargir le débat, il faut en élargir le cercle.* Donc faire comprendre à ceux qui ont le monopole qu'ils n'en sont plus les propriétaires, et qu'ils doivent faire une place aux autres. Ce qu'il y a de terrible avec les avant-gardes, c'est qu'elles veulent faire l'histoire à la place des autres, et pour leur bien…

Ensuite, c'est le moyen de sortir du ton définitif, souvent prétentieux, compétent, sans appel, avec lequel les élites parlent de l'Europe. Les autres «ne savent pas», mais eux savent. Ils savent tout depuis la décadence prochaine de l'Europe de la domination future de l'Asie, du Pacifique de la nouvelle Méditerranée... Ces certitudes sont toujours économiques, même si l'économie se trompe toujours. A les entendre, l'histoire est toujours économique. Il y a d'ailleurs une contradiction à vouloir faire le bonheur des peuples, et ne jamais rien vouloir entendre de ce qu'ils disent, si cela ne va pas dans le sens de cette élite.

Le sens de l'histoire n'appartient pas forcément à ceux qui sont au sommet de la société. Au-delà du ton et de l'argumentaire, c'est toute une *posture* qui est contestée, d'autant plus que, dans tous les pays, les citoyens récusent de plus en plus le comportement du haut fonctionnaire, et du spécialiste qui a toujours raison.

En un mot, les technocrates font déjà suffisamment l'objet d'une contestation sourde mais croissante dans les États-nations pour que cela ne rejaillisse pas sur la manière dont ils ont «colonisé» l'Europe. Celle-ci sera peut-être ainsi *le lieu de lecture* du refus d'un style de débat, de vocabulaire, de langage politique, imposé par les élites technocratiques dans presque tous les pays européens.

Enfin, casser la domination des élites, c'est aussi refuser l'idéologie des *calendriers,* chère aux hauts fonctionnaires et qui fut indispensable pour la construction de la première Europe. Mais qui dit calendrier et négociations-marathon dit populations parlant le même vocabulaire et partageant les mêmes valeurs. Ce qui fut incontestablement le cas pendant quarante ans dans les négociations européennes. Mais avec la démocratie de masse les rapports de force mêlent aussi des conflits symboliques, des représentations, des oppositions de langages et de styles. Bref, des réalités qui obligeront à *inventer* une autre forme de négociation politique.

En un mot, la critique des élites sera le symptôme d'une appropriation de l'Europe politique par les citoyens. Mais nul doute que les élites accepteront difficilement cette remise en cause de leur tranquille hiérarchie. C'est au niveau essentiel des mots et des modes d'argumentation que se fera le rapport de force. On peut d'ailleurs *faire un test.* Tant que le mode, le style, le vocabulaire technocratique resteront dominants dans la communication politique de l'Europe, il faudra y voir le signe que les citoyens ne s'approprient toujours pas ce nouvel espace politique. Après la révolution de 1789, on ne parlait plus politique de la même manière que dans les années 1760-1780... L'illisibilité des textes européens est enfin reconnue par les fonctionnaires européens et constitue un symbole éclatant de ce décalage inévitable, mais préjudiciable, entre la logique politique technocratique et la logique politique démocratique. La complexité des textes est liée, c'est normal, à la complexité des situations, mais c'est l'absence de *tout autre type de texte*, vocabulaire, référence, argumentaire qui illustre la situation actuelle marquée par l'absence d'autres langages que le langage technocratique. Et, s'il n'y a pas d'autre langage que celui-ci, c'est parce que personne n'en parle un autre[3]...

VI. Le conflit entre logique économique et logique politique

L'Europe *économique* signifie la suppression des barrières en faveur d'un grand marché. L'Europe *politique* relève d'une perspective diamétralement opposée, puisqu'il n'y a pas de démocratie sans le respect des différences, donc sans le maintien des barrières et des frontières que la logique économique entend au contraire supprimer. Quant aux inégalités entre pays, intéressantes d'un point de vue économique, elles sont au contraire abordées d'une manière opposée dans une logique politique, puisque l'idéal démocratique ne vise pas à exploiter les différences et les inégalités mais à les réduire. A la fin XXe siècle, il est difficile de se satisfaire du credo libéral du siècle dernier qui voyait dans la croissance économique – à supposer que cela fût exact – les conditions de l'émergence de la démocratie... L'histoire a montré qu'il n'y a pas de lien direct entre niveau de développement économique *et* démocratie. Et pour l'Europe, le partage des mêmes modes de vie ne suffit pas à créer une adhésion collective. On confond un peu trop facilement la standardisation de la consommation avec la conscience politique. Ou, pour le dire autrement, le citoyen européen n'est pas seulement un consommateur, avec un bulletin de vote. C'est beaucoup plus que cela. *L'Europe des blue-jeans, des voitures, des «Mac Do» ne crée pas l'Europe des consciences, et moins encore l'Europe politique.* Les ressemblances sont ici très trompeuses. Et les différences persistent d'autant plus qu'elles sont marquées par des ressemblances évidentes de mode de vie. Cette opposition bien réelle entre logique économique et logique politique se retrouve également de manière exemplaire avec la question de la mondialisation.

Quel est le discours commun largement répandu par les élites et les médias concernant l'Europe et la mondialisation ? « L'Europe frileuse vacille et vieillit. Elle est incapable de s'adapter à l'ouverture et subira la concurrence des nouveaux acteurs, notamment de l'Asie. En tout cas elle paraît peu capable de réussir la mutation de la troisième révolution digitale, comme si, après avoir apporté au monde la première révolution, avoir orchestré la seconde, elle se trouvait aujourd'hui fatiguée, voire dépassée. Sa taille en ferait un acteur puissant, mais son histoire, ses traditions trop démocratiques, c'est-à-dire trop institutionnalisées, pour ne pas dire bureaucratiques, sans parler de sa démographie constituent pour elle des handicaps. Bref, l'Europe face au défi de la mondialisation serait en difficultés, et finalement au seuil de la décadence, comme Athènes, et Rome auparavant. » Quelle est la logique dominante de cette mondialisation si ce n'est justement l'idéal d'un monde sans frontières, celui d'un gigantesque marché ? Jamais les *contradiction* entre les intérêts de l'économie, où la suppression des frontières constitue l'idéal, *et* les intérêts de la démocratie, où l'objectif n'est pas de supprimer les différences mais de les respecter et de gérer leur relation, n'ont été aussi fortes. Craindre l'inefficacité de l'Europe face à la mondialisation, dénoncer son vieillissement et louer « la vitalité » des pays du Sud c'est faire fi de toutes les traditions économiques, sociales, historiques, et surtout de tous les savoir-faire qui ont contribué à son histoire. C'est tout simplement reprendre le vocabulaire le plus cru du libéralisme de 1820, où l'on identifie vitalité à capacité à faire travailler le plus longtemps possible des peuples entiers, sans les payer… C'est réduire les capacités de l'Europe à un problème de surcoût des prix du travail sans prise en compte de tout autre paramètre. Comme si l'histoire, surtout lorsqu'il s'agit d'une histoire politique, n'avait pas déjà montré l'importance essentielle *d'autres* paramètres. On peut émettre par exemple, l'hypothèse simple que ce même capitalisme sauvage asiatique qui séduit tant les élites européennes a toutes les chances de se heurter bientôt, comme en Europe à partir de 1850, à des refus, des grèves, des conflits de la part des populations. Et qu'il perdra alors cette performance capitalistique « pure » qui fascine tant certains Européens. Reprendre sans nuance ce vocabulaire de la mondialisation, c'est aussi reprendre à son compte les termes et les intérêts de la première puissance économique mondiale. Qui, en dehors des États-Unis, raisonne en termes de mondialisation ? Aucune économie ne peut simultanément être sur tous les continents, et le coup de force, réussi, consiste à faire croire que *toutes* les économies ont la mondialisation comme échelle de références. Seul un tout petit nombre d'entrepreneurs ont le monde comme échelle. De toute façon, face à des marchés parfois mondiaux les entreprises conservent des identités nationales : les quinze premières multinationales ont toutes une nationalité, bien marquée et valorisée. Et d'ailleurs, un des éléments de leur stratégie consiste à jouer constamment sur cette double échelle nationale et internationale. Si Coca-Cola, IBM, Apple ou GM… sont tant appréciés, c'est parce qu'il s'agit à la fois de firmes mondiales et de symboles des États-Unis…

Le problème principal pour l'Europe n'est pas la mondialisation *mai* la construction de sa propre économie avec l'intégration de l'Europe de l'Est, la construction d'un système politique viable et de bonnes relations avec l'Europe du Sud. Le vrai défi est de réussir *son projet*. Ou, pour le dire autrement, *la mondialisation est un défi beaucoup plus facile que le projet de l'Europe politique et économique*. Il est plus difficile pour l'Europe de réussir cette double intégration économique et politique que d'être performante sur les dix marchés porteurs. Mais aujourd'hui il y a un tel vertige autour de l'idée de mondialisation que tout ce qui ne relève pas directement de cette logique est considéré comme secondaire! Et pourtant, réussir la «région» Europe sera sans doute plus important à l'économie du monde et à l'avenir de la démocratie que d'être capable de rivaliser avec «les dragons» de tous ordres.

Il y a beaucoup plus d'ambitions dans le projet Europe que dans la réalité libre-échangiste de la mondialisation. Réalise-t-on l'immense énergie qu'il a fallu aux Européens pour sortir des ruines de la Seconde Guerre mondiale? Pour réussir leur redressement, et commencer à construire quelque chose à 6, à 9, 12 et 15? L'énergie nécessaire était bien autre chose que celle tant admirée des dragons de l'Asie. Là aussi, cette incapacité de l'Europe à réaliser l'immense travail qu'elle a réussi sur elle-même et à en être fière est *un indice de son inféodation* aux logiques purement économiques de la mondialisation.

Que l'Europe ne soit pas capable de relativiser, voire de casser ce discours sur la mondialisation montre combien elle n'est pas assez fière du défi qu'elle s'est imposé, et, en dit long sur son aliénation à l'économisme ambiant! Il est même troublant qu'au moment où la finalité politique du projet européen l'emporte sur la dimension économique, l'Europe ne soit pas capable de relativiser ce discours sur la mondialisation. Un des paradoxes de la situation actuelle est la cohabitation de deux discours contradictoires. D'une part celui du libre-échange et de la dérégulation, que l'on vient de voir, et d'autre part un appel aussi pressant pour davantage de coopération internationale afin de réguler les marchés, mais surtout les flux financiers et monétaires qui, grâce aux ressources informatiques, accentuent la vitesse de circulation de cette masse de capitaux spéculatifs qui déstabilisent toutes les tentatives de coopération économique et internationale. Tous les ans, au G7 et ailleurs, les dirigeants des pays les plus riches essaient d'organiser un peu les marchés, tout en affirmant *le reste du temps* que le libéralisme et la dérégulation sont les conditions de tous les progrès. Il faudrait choisir… Face au «dumping idéologique» de la mondialisation, l'Europe se comporte comme si elle était inexpérimentée et dépourvue de capacité d'analyse. Elle fut pourtant pendant plus d'un siècle le centre de l'économie mondiale, et sait, par son histoire, combien cette mondialisation n'a pas été sans relation avec les tragédies qu'elle a subies. Aujourd'hui, elle s'excuse presque de revendiquer son identité. Au lieu de cela elle ferait mieux de revendiquer la force, pour l'avenir, du concept *d'identité*.

Et surtout de rappeler, ce qu'elle sait par sa propre histoire, les *différences* existant entre trois formes d'identité. *L'identité nationaliste* qui prédomina entre la fin du XIXᵉ siècle et la Seconde Guerre mondiale; *l'identité-refuge* qui se développe à la fin du XXᵉ siècle, quand le rouleau compresseur de la modernité et de la mondialisation écrase toutes les différences culturelles et sociales, et qui peut prendre un visage religieux ou politique, comme on le voit notamment au Proche et au Moyen-Orient. Et enfin l'*identité-action*, liée au projet européen, qui rappelle qu'il n'y a pas de coopération sans valorisation des identités, conformément au projet démocratique, surtout pour les vieux pays et les vieilles cultures. C'est tout ce *renversement* de logique du rapport à l'identité dont l'Europe est aujourd'hui l'acteur et le pionnier. Or, au lieu de valoriser la naissance d'une *autre conception de l'identité* qui tienne compte des tragédies du XXᵉ siècle et des acquis de la démocratie, l'Europe passe son temps à dévaluer sa propre expérience et à se justifier. Comme si elle était en retard par rapport à la «mondialisation» alors qu'elle est avance par rapport à la question suivante: Sur quelle base organiser une coopération, une fois admise la pauvreté de ce «modèle» mondialiste, simple habillage de l'éternelle loi de la jungle? Étrange et masochiste Europe qui n'arrive pas à tirer fierté et confiance en soi de l'extraordinaire travail qu'elle a réussi à faire sur elle, en un demi-siècle...

Un bon exemple de cette difficulté à se décaler par rapport au discours économique mondialiste? L'attitude frileuse de l'Europe à l'égard de la *réglementation des industries de la communication*. «Les intérêts» liés à la déréglementation sont évidents. Et, à l'opposé, l'Europe est sans doute la région du monde où l'on sait le mieux qu'il n'y a pas de communication sans identité, langage, tradition, valeurs, protection des auteurs... Or, face aux immenses intérêts en faveur de la déréglementation, elle reste étonnamment modeste, comme si là aussi elle craignait de se faire critiquer pour n'être pas assez «ouverte». Mais comment construire l'Europe politique sans revendiquer son identité sur un secteur aussi crucial? Comment créer l'adhésion des citoyens, si ceux-ci ne voient pas la capacité des dirigeants à revendiquer cette identité collective européenne, qu'on leur demande à eux, citoyens, de bâtir? *Pourquoi les citoyens croiraient-ils à l'identité européenne quand ils constatent l'incapacité des dirigeants à la mettre en avant contre l'idéologie libérale dominante?*

Les citoyens constatent tous les jours ce *décalage* tragique entre le discours des hommes politiques tournés vers la promotion de l'identité européenne *et* leur comportement, libre-échangiste, banalement soumis à l'idéologie économique. Pourquoi les citoyens auraient-ils confiance dans le projet de l'identité européenne, quand ils voient leurs élites ne pas même le revendiquer?

L'Europe devrait être la première, si elle tirait les leçons de son passé, à rappeler qu'en matière de communication on ne peut pas séparer les «tuyaux» des «contenus». Et si l'on veut promouvoir l'identité européenne, cela passe d'abord par une attitude plus offensive contre le discours et les intérêts mondialistes des industries de la communication…

VII. Réexaminer le concept d'opinion publique

Cela implique un travail en profondeur sur le langage, la rhétorique et l'argumentation. On fait comme s'il y avait seulement *entre* l'État-nation et l'Europe un changement d'échelle, sans changement de nature. Comme si dialoguer, débattre, s'opposer à 370 millions était la même chose qu'avec 370 000 personnes. On sait pourtant qu'il faut du temps pour passer de l'émergence d'un espace public à la constitution d'un espace politique et ensuite à la construction d'un langage politique commun. Avec l'Europe, on attend un *court-circuit*. On souhaiterait que l'espace public et l'espace politique existent déjà, que l'opinion publique soit constituée, les opinions observables[4]. Or il n'y a pas encore d'espace public européen, encore moins d'espace politique et d'opinion publique. C'est pourtant ce qu'à tort peuvent laisser penser les eurobaromètres qui sagement, mois après mois, enregistrent les «opinions» des Européens sur les grands sujets du moment. En réalité, poser les mêmes questions à des peuples qui ne parlent pas le même langage, qui n'ont pas les mêmes souvenirs, les mêmes intérêts, les mêmes rapports au monde… ne crée pas une opinion publique européenne! Même si l'on additionne les résultats et que l'on pondère par des facteurs qualitatifs. C'est l'idée d'un baromètre, simple décalage du sondage national à une échelle plus vaste, qui pose problème. Si l'on voulait réellement des sondages significatifs sur l'état de l'opinion publique européenne, à supposer qu'elle existe, il faudrait accomplir un travail sémantique considérable de conceptualisation et d'interprétation. Du reste les eurobaromètres, plus encore que les sondages, dorment sagement dans les tiroirs des dirigeants. Voudraient-ils s'en servir que ce serait encore plus grave. Il est prématuré de faire des sondages en Europe, et même lorsque l'enjeu est bien circonscrit, comme lors de la ratification du traité de Maastricht, on s'aperçoit combien les mêmes mots ne recouvrent pas les mêmes réalités. Les sondages sont encore plus rassurants au plan européen qu'au plan national, mais la compréhension simplifiée qu'ils apportent est encore plus dangereuse que l'absence de compréhension. Il vaut mieux être conscient que l'on ne sait pas comment fonctionnent les opinions publiques, plutôt que de croire à l'existence de techniques susceptibles de comprendre la dynamique de «l'opinion publique» européenne. On le voit en Russie, où l'industrie des sondages est en plein essor mais où l'on constate le caractère souvent extravagant des résultats : comment les Russes, qui ont appris à se méfier de tout depuis soixante-dix ans, qui pratiquent avec raffinement le double, voire le triple langage se mettraient-ils naturellement à exprimer ce qu'ils pensent à des inconnus qui viennent le leur demander ? Cette méfiance existe aussi de plus en plus à l'Ouest. Comment croire, alors, qu'elle n'est pas encore plus forte à l'Est ?

Si l'on voulait réellement comprendre la structuration des opinions, il faudrait, en réalité, non pas rester au premier niveau de l'opinion publique mais, par des enquêtes *qualitatives*, comprendre la dynamique même des représentations, symboles et stéréotypes, autrement dit passer aux deux autres niveaux de l'opinion dont j'ai parlé dans la troisième partie.

Travail compliqué, coûteux qui nécessiterait une méthodologie sophistiquée pour résoudre la question du *comparatisme*, dont tous les chercheurs savent qu'elle est un véritable casse-tête heuristique... Par contre, cela n'empêche pas de travailler sur un *repérage* des styles, des vocabulaires, des figures de rhétorique et d'argumentation existant dans les différents pays. Une fois de plus, le miroir de l'Europe de l'Est est utile pour comprendre ce qui rapproche et sépare les structures d'opinions et d'argumentations. De même que la fausse unité du communisme n'a pas supprimé les différences, de même pourrait-on reconnaître que la réussite de l'Europe technocratique ne suffit pas, pour l'instant, à fonder l'unité de l'Europe politique. Si le régime communiste n'a pas réussi à unifier l'Europe de l'Est, chacun reconnaît néanmoins qu'il a créé des styles, des réflexes, des habitudes, qui perdurent dans les anciens pays du glacis. Et qui en outre leur sont utiles pour nouer des relations entre eux sur la base de cette culture commune. Il en est de même pour l'Europe de l'Ouest. Le demi-siècle de construction ne suffit pas à créer une identité, mais constitue un capital symbolique pour l'avenir. Dans les deux cas il faut savoir mobiliser ce qui a fondé une expérience commune, et le valoriser. A partir d'expériences politiques opposées, l'Est et l'Ouest sont confrontés au même problème : valoriser l'expérience passée ; évaluer ce qui peut être gardé et ce qui doit être inventé.

L'Europe de l'Est, dans un contexte radicalement différent du nôtre, nous permet aussi de réfléchir sur les *liens* entre passé et présent. Dans les deux cas, à l'Est comme à l'Ouest, il n'y a pas rupture, mais continuité.

Un exemple de l'utilité, pour l'Europe de l'Ouest, à regarder à l'Est concerne le débat qui s'y déroule sur la *modernisation*. Jusqu'où faut-il sacrifier à la modernisation? se demande l'ancienne Europe de l'Est, pressée de toute part de rejoindre le modèle économique de l'Ouest et d'oublier toute son expérience d'un demi-siècle. Jusqu'où les contraintes économiques imposées comme conditions de l'Europe politique peuvent-elles être acceptées? se demandent les opinions publiques occidentales qui ne sont plus persuadées que la force de l'Europe soit sa croissance économique. L'Europe de l'Est, par son simple «retard», repose la question de la contradiction existant entre l'économisme dominant et la faiblesse du projet politique. Personne ne croit que l'économie soit la condition de l'Europe politique, mais faute d'une idée politique assez structurée tout le monde fait comme si elle l'était. N'y a-t-il pas là un bel objet de débat? Il y a d'autres domaines où l'expérience de l'Est est utile pour réfléchir à la naissance de l'Europe politique. Ce sont par exemple les *différences entre légalité et légitimité*. L'Union européenne est légale. Est-elle légitime? Si personne ne critique la légalité de l'Europe, sa légitimité, surtout politique, reste encore à bâtir. L'expérience, «en creux», de l'Europe de l'Est, où toutes les distances existaient entre légalité et légitimité, est indispensable pour un système politique qui essaie de construire de nouveaux principes de légitimité. Le même travail comparatif est à faire pour comprendre les liens entre sociétés civiles et système politique, dans les deux parties de l'Europe. Ce sont même toutes les différences dans le mode d'articulation entre les deux qui seront intéressantes pour l'Europe politique. A condition, au moins, d'avoir une curiosité à l'égard de ces deux traditions si proches et si différentes.

VIII. L'hétérogénéité des vocabulaires politiques

Avant de construire des «débats européens», encore faudrait-il d'abord recenser ce qui *sépare* les mêmes mots, pour ne pas accentuer les incompréhensions liées aux distances sémantiques. Les mots *État, nation, frontières, patrie, religion, identité, espace public, légitimité, classe sociale, redistribution, modernisations* ont évidemment des occurrences radicalement différentes au Nord et au Sud, à l'Est et à l'Ouest. Recenser celles-ci évite déjà de les hiérarchiser. De même les stéréotypes, les représentations, les valeurs et les symboles de chaque culture sont évidemment différents, car liés à l'histoire. Repérer les distances, les connotations et les rapprochements est aussi important pour la cause politique de l'Europe que de créer artificiellement des débats sur les «grands problèmes» de l'Europe...

Le travail sur les mots est un préalable à toute capacité de dialogue.

Dans cette phase de réappropriation des mots, le témoignage de ceux qui ont une *expérience* de l'Europe est essentiel, même si hélas celle-ci n'est pas toujours favorable comme on le voit avec les agriculteurs, les pêcheurs, les sidérurgistes… Eux en tout cas ont une opinion ; ils ne demandent qu'à l'exprimer. Mais curieusement on se méfie de leurs témoignages et de leurs analyses. Comme si les débats « sérieux » sur l'Europe ne pouvaient être tenus qu'« en haut », ceux d'« en bas » ne pouvant réellement comprendre…

Dans le même ordre d'idées, ouvrir un débat politique sur la monnaie unique permettrait de sortir de l'économisme ambiant et donnerait l'occasion d'une rencontre sur l'un des enjeux majeurs de la construction européenne. La cacophonie à laquelle un tel débat conduirait serait utile pour comprendre les structures de langage des différents pays. En effet, à l'occasion de la monnaie qui, par ses références historiques et culturelles, plonge dans des espaces symboliques beaucoup plus riches et complexes que le seul espace économique, on trouve à la fois les bases d'une certaine identité européenne et la marque des divisions. Croire qu'un tel débat accroîtrait les divisions est un leurre. Il permettrait au contraire de sortir cette question du simple espace des spécialistes et des économistes dans lequel elle est enfermée. A tort. Créer d'autre formes de débat politique que ceux monopolisés par les élites est une condition *sine qua non* de la naissance de l'espace politique européen. Sinon, les citoyens se détourneront encore plus du projet et s'enfonceront dans une spirale du silence. Ce silence ne gênerait pas ceux « qui savent », mais éloignerait un peu plus encore la grande majorité des citoyens qui semblent n'avoir aucune prise sur la construction européenne, ni surtout aucun moyen de se *faire entendre*. Ces élites qui n'arrêtent pas d'en appeler à l'Europe des citoyens sont les mêmes qui continuent de « verrouiller » les débats sur la monnaie, l'identité, la mondialisation en disqualifiant tout ce qui n'est pas « politiquement correct »…

IX. Le décalage entre les espaces politiques nationaux et les embryons d'espace politique européen

L'existence de problèmes et de décisions politiques communes en Europe depuis un demi-siècle ne suffit pas à créer un espace politique commun. Sauf pour les 370 000 personnes de l'élite européenne qui soit font l'Europe, soit y ont un intérêt direct. Et les autres centaines de millions d'Européens ? Ce qui est en cause dans la reconnaissance de ces discontinuités entre espaces politiques, c'est l'intermittence des *expériences* politiques. Non seulement ces expériences ne sont pas partagées entre les élites de chaque pays *et* le reste des citoyens, mais elles ne le sont pas non plus *entre* les différents pays. Certains États se sont plus rapidement confrontés que d'autres à des débats politiques européens, mais cela ne signifie pas pour autant qu'ils sont «en avance» ou qu'il y a une «bonne» et une «mauvaise façon» de débattre. Chacun s'inscrit dans la réalité européenne, à sa manière, à son rythme, à la condition de ne pas hiérarchiser *a priori* les différents styles. Cela permet de surcroît d'ouvrir une réflexion sur la *différence de rythme* de constitution des opinions et des débats, et donc de *relativiser* l'idée d'une *seule* chronologie. Nul doute que les Grecs, les Danois, les Britanniques, les Allemands et les Français n'ont pas la même expérience des débats européens. Tout simplement parce qu'ils ne font pas partie de l'Europe depuis les mêmes dates, et surtout parce qu'ils n'ont jamais eu le *même rapport* à l'Europe, à la fois historique et géographique. Rappeler les discontinuités existant entre espace public, espace politique et opinion publique au sein de chaque État-nation, et entre États européens, est essentiel si l'on veut casser la hiérarchie simpliste entre les «bons élèves», les «bons discours», et les autres…

L'espace politique européen est «en l'air», n'existe pas, et rien ne sert de croire qu'il existe à travers les bribes d'affrontement auxquels on assiste. Pour le moment, la communication politique proprement européenne a des difficultés à émerger, faute non pas d'enjeux communs, mais d'enjeux communs débattus et partagés.

X. Ce qui sépare les traditions politiques est plus fort que la nature des problèmes communs

Tout simplement parce que le poids des traditions religieuses, culturelles, historiques l'emporte sur la dimension proprement politique d'un projet européen.

L'écologie est un exemple parfait de ce décalage. Problème européen s'il en fut, il suscite une extrême mobilisation en Allemagne et en Europe du Nord, et en revanche n'a jamais réussi à rompre les clivages politiques traditionnels de l'Europe du Sud.

De même, *l'Europe sociale*, qui en dépit des différences de système institutionnel est, on l'a vu, l'un des acquis importants de l'Europe, n'a pas pour le moment créé d'intérêt européen. Tout le monde est d'accord pour sauver le modèle «européen de l'Europe sociale» mais, chacun ayant «bricolé» le sien, il est difficile de passer à une position commune. Non qu'il y ait indifférence à l'égard du voisin, mais la connaissance mutuelle est faible et la gravité de la crise pousse chacun à essayer de sauver *son* patrimoine, renvoyant à plus tard la mise en commun des expériences. Ces deux exemples, à l'opposé l'un de l'autre, illustrent les difficultés qu'il y a à construire des langages et des débats politiques proprement européens. Et que dire des problèmes politiques difficiles de l'Irlande, de la Macédoine, de la Corse, du Pays basque qui déchirent les vies politiques nationales *sans jamais intéresser* les autres pays ? Et surtout sans jamais que l'accélération de la construction politique de l'Europe ait changé quoi que ce soit à ces affrontements politiques... Dans un premier temps, recenser les thèmes qui structurent les oppositions politiques nationales et les faire connaître aux autres pays est un moyen de se sensibiliser mutuellement, en attendant d'arriver à comprendre comment se combinent de manière singulière les facteurs religieux, idéologiques, culturels, et les facteurs proprement nationaux.

XI. Les analogismes idéologiques actuels sont appelés à évoluer

L'empirisme de la construction européenne permet souvent de dépasser des oppositions qui paraissaient incontournables et faisaient, hier, figure de guerre de religion. Les faits ont parfois raison des idées ; ce qui pour l'avenir est réconfortant.

Deux exemples : l'opposition *fédéraliste-confédéraliste* a conduit à une véritable guerre idéologique pendant trente ans. Avant même de proposer quoi que ce soit sur l'Europe, chacun était sommé d'afficher sa préférence, ce qui avait d'ailleurs pour résultat de bloquer toute discussion puisque le choix d'un des deux camps vous disqualifiait aux yeux de l'autre. Aujourd'hui, avec la contrainte réelle, bien visible au travers des difficultés de la Conférence intergouvernementale, à inventer une forme politique à l'Europe, on réalise le caractère artificiel de l'un et de l'autre. Empiriquement, la forme institutionnelle politique empruntera aux deux traditions pour essayer *d'inventer* une structure compatible avec la cohabitation de quinze pays de traditions et de niveaux économiques différents, et avec l'obligation de laisser la porte ouverte à l'élargissement. De ce point de vue, la construction empirique s'avère être beaucoup plus riche, dans le nombre de paramètres à mobiliser, que les oppositions idéologiques antérieures entre fédéralistes et confédéralistes. Cela renvoie à un fait insuffisamment souligné : le caractère *inédit* de ce projet et son calendrier resserré obligent à inventer, y compris sur le plan juridique, ce dont paradoxalement l'Europe n'est même pas fière alors qu'il s'agit d'un des résultats les plus éblouissants de sa construction. En peu de temps les Européens ont contribué brillamment à la création du droit, ce qui rétrospectivement est une preuve de l'ambition de ce projet.

Le second exemple concerne au contraire un thème qui fut très à la mode pendant dix ans, et qui encombra les discours politiques européens, au point d'être présenté comme le «sésame» de l'Europe politique, à savoir le *principe de subsidiarité*. Vaguement issu d'une tradition d'Église, où l'on ne l'a d'ailleurs jamais réellement utilisé, il était le principe à partir duquel on devait distinguer ce qui relevait de la compétence européenne de ce qui relevait de celle des États-nations. Selon ce «concept miracle», tout ce qui pouvait être entrepris à un niveau subalterne ne relevait pas de la compétence européenne; les débats, notamment lors de Maastricht 1991-1992, ont été sans fin entre adversaires et partisans de la subsidiarité, chacun s'envoyant à la tête des exemples qui ne convainquaient personne, tant les Européens, vieux peuples rompus à la politique, savent très bien que la tendance de tout pouvoir est d'intervenir jusqu'aux niveaux les plus bas, sans respecter aucune règle... Les frontières de compétences des uns et des autres relèvent plus de l'expérience et des rapports de force, que de distinctions *a priori*, fussent-elles légitimées par une vague histoire de monastères. D'autant qu'en matière de subsidiarité les Églises n'ont pas toujours montré l'exemple... En tout cas le mot-valise constitua une sorte de point de capiton, artificiel, pour tout le débat politique européen, pendant près de cinq années. Au lieu de simplifier les débats, il les a plutôt obscurcis. Et ce n'est peut-être pas sans rapport avec le fait qu'il fut introduit par des technocrates, en quête de sens, qui n'étaient pas peu fiers de références historiques, à l'égard desquelles, en outre, les historiens restaient prudents... Bref, ce «sésame» de l'Europe politique a heureusement coulé, corps et biens, depuis les années 95, sans que personne l'ait remarqué... ni regretté... L'abus du mot *subsidiarité*, dans le débat sur Maastricht, l'a sûrement usé pour un bon moment, et les hommes politiques se gardent bien aujourd'hui de trop y faire référence. Preuve, une fois de plus, que les liens entre tradition et nouveauté ne sont pas faciles à tisser. On ne peut pas se contenter de tout vouloir inventer pour inventer, et il ne suffit pas non plus de trouver dans la caisse à outils politique de la tradition occidentale, fût-elle religieuse, un mot ancien, pour qu'il structure l'avenir. Les déboires du mot subsidiarité devraient faire réfléchir tous ceux qui s'imaginent pouvoir faire surgir des concepts nouveaux dans le champ politique européen.

Ces deux exemples, opposés, sont un facteur *d'optimisme*, ils montrent que la pression des faits est capable, surtout en politique, de dépasser des problématiques apparemment inattaquables. L'empirisme est parfois plus fort que le dogme. Nul doute que la construction concrète de l'Europe permettra de dépasser d'autres repères longtemps considérés comme «incontournables».

BIBLIOGRAPHIE

chapitre 18

ABÉLÈS M., *La Vie quotidienne au Parlement européen*, Hachette, Paris, 1992.

ARON R., *L'Opium des intellectuels*, Calmann-Lévy, Paris, 1955.

—, *Plaidoyer pour l'Europe décadente*, Laffont, Paris, 1977.

BADIE B. et SMOUTS M.-C., *Le Retournement du monde*, Presses de la FNSP, Paris, 1992.

BAECQUE A. de, *Une histoire de la démocratie en Europe*, Le Monde éditions, Paris, 1991.

BERSTEIN S. et MILZA P., *Histoire de l'Europe contemporaine*, Hatier, Paris, 1992.

BOURLANGES J.-L., *Le Diable est-il européen?*, Stock, Paris, 1992.

BRAGUES R., *Europe: la voie romaine*, Critérion, Paris, 1996.

CAIRE G., *L'Europe sociale: faits, problèmes, enjeux*, Masson, Paris, 1992.

Centre européen de sciences politiques, *La Conférence intergouvernementale. Europe et documents*, Presses de la FNSP, 1996.

CLAVAL P., *La Géographie au temps de la chute des murs*, L'Harmattan, Paris, 1993.

COHEN-TANUGI L., *Le Choix de l'Europe*, Fayard, Paris, 1995.

DACHEUX É., *Les Stratégies de communication persuasive dans l'Union européenne*, L'Harmattan, Paris, 1994.

DEBRAY R., *Les Empires contre l'Europe*, Gallimard, Paris, 1985.

DELORS J., *Le Nouveau Concert européen*, Odile Jacob, Paris, 1992.

DEMORGON J., *Complexité des cultures et de l'interculturel*, Anthropos, Paris, 1996.

FONTANA J., *L'Europe en procès*, Seuil, coll. «Faire l'Europe», Paris, 1995.

FOUCHER M., *Fragments d'Europe*, Fayard, Paris, 1993.

FRYBES M. et PATRICK M., *Après le communisme: mythes et légendes de la Pologne contemporaine*, Bayard, Paris, 1996.

HUNTINGTON S., «The Clash of Civilizations», *Foreign Affairs*, vol. 72, n° 3, été 1993.

KILANI-MONDHER, *L'Invention de l'autre. Essai sur le discours*, Payol, Lausanne, 1994.

LAGADEC P., *Cellules de crise: les conditions d'une conduite efficace*, Organisation, Paris, 1995.

LEMARCHAND P. (sous la dir. de), *L'Europe centrale et balkanique*, Complexe, Paris, 1996.

Le Traité de Maastricht, mode d'emploi, UGE, coll. «10/18», Paris, 1992.

LUSTIGER J.-M., *Nous avons rendez-vous avec l'Europe*, Mame, Tours, 1991.

MATTELART T., *Le Cheval de Troie audiovisuel. Le rideau de fer à l'épreuve des radios et télévisions transfrontières*, PUG, Grenoble, 1995.

MICHEL B., *Nations et nationalismes en Europe centrale XIXe-XXe siècle*, Aubier, Paris, 1996.

MONNET J., *Mémoires*, Fayard, Paris, 1977, Le Livre de poche, Paris, rééd. 1988.

MORIN E., *Penser l'Europe*, Gallimard, Paris, 1987.

QUERMONNE J.-L., *Le Système politique européen*, Montchrestien, Paris, 1993.

REAU E. du, *L'Idée d'Europe au XXe siècle*, Complexe, Paris, 1996.

SCHNAPPER D., *L'Europe des immigrés*, François Bourin, Paris, 1992.

—, *La Communauté des citoyens*, Gallimard, Paris, 1994.

STOETZEL J., *Les Valeurs du temps présent: une enquête européenne*, PUF, Paris, 1983.

THÉRET B., *L'État, la finance et le social. Souveraineté nationale et construction européenne*, La Découverte, Paris, 1995.

TAGUIEFF P.A., *Les Fins de l'antiracisme*, Michalon, Paris, 1995.

TODD E., *L'Invention de l'Europe*, Seuil, Paris, 1990.

TOFFLER A. et H., *Guerre et contre-guerre. Survivre à l'aube du XXIe siècle*, Fayard, Paris, 1994.

TOULEMONT R., *La Construction européenne*, Le Livre de poche, Paris, 1994.

VOYENNE B., *Histoire de l'idée européenne*, Payot, Paris, 1964.

WOLTON D., «L'espace public européen», *L'Esprit de l'Europe*, t. 3, Flammarion, Paris, 1993.

1. Cf. *Naissance de l'Europe démocratique*, *op. cit.*, 2e partie: «Les paradigmes usés»; 3e partie: «A la recherche des concepts politiques fondamentaux».
2. A ce sujet, l'ensemble des titres de la page 4 du *Monde* du 12 octobre 1996 est tout à fait révélateur des problèmes liés à la construction de l'Europe: «La déclaration de réconciliation tchéco-allemande est toujours en suspens», «Les premières élections européennes en Autriche pourraient renforcer la droite nationaliste», «Deux cents chefs religieux lancent à Rome un appel à la tolérance» et «Les monastères roumains sont redevenus "le poumon de l'orthodoxie"».
3. Cf. le «Rapport sur le fonctionnement du traité sur l'Union européenne» (10 mai 1995, extrait de *La Conférence intergouvernementale, enjeux et documents*, 1996, Presses de la FNSP, p. 150).
4. Cf. *Naissance de l'Europe démocratique*, *op. cit.*, chap. 9: «La recherche désespérée d'un espace public».

CONCLUSION GÉNÉRALE

LE FIL DU RASOIR

Les sociétés modernes et démocratiques sont condamnées à la communication pour deux raisons complémentaires.

La première concerne la dimension normative, liée à l'échange et au partage qui sont au cœur de l'expérience humaine, comme du modèle de la société individualiste de masse qui tente de gérer les deux dimensions contradictoires de la liberté et de l'égalité. La dimension *fonctionnelle* est, en revanche, liée à la complexité croissante des économies et des systèmes politiques et requiert la mise en place de réseaux d'information fiables et interactifs, collectifs et individuels. Dans les deux cas, l'enjeu est bien la communication, reliant les individus entre eux, mais elle n'a pas la même signification. Surtout au moment où l'explosion des techniques et les promesses de ce gigantesque marché se présentent comme «l'incarnation» de la communication normative.

La question est donc de savoir à quelle condition sauver la dimension normative de la communication, et la faire échapper aux deux dérives techniques et économiques, dont l'emprise est à la mesure des innovations, et des marchés. Il n'est pas assuré, au bout du lent et profond mouvement de modernisation commencé il y a plus d'un siècle, et où la communication joua un rôle essentiel, que celle-ci demeure la valeur de liberté et d'émancipation qu'elle fut... Les performances techniques et les promesses des marchés prennent tellement de place qu'elles réduisent les dimensions normatives qui ne disparaîtront pas, compte tenu de la référence ontologique de la communication, mais qui peuvent être réduites à la portion congrue. Une chose est certaine: plus il y a d'intégration technique et de performance, plus il faut, pour sauver la dimension *humaine* de la communication, *différencier*, distinguer, réintroduire du temps et des intermédiaires. Il faut admettre que la rationalité de la communication des techniques est toujours plus performante, mais plus étriquée que la communication humaine, et qu'il n'y a pas de lien direct entre performance des outils et compréhension entre les hommes. De manière plus générale, comprendre que le défi essentiel reste celui du *être ensemble*, de la cohésion sociale, et non celui de l'affirmation des droits individuels. Rappeler aussi que les différences restent radicales entre mondialisation, globalisation et universalisation, et qu'en aucun cas la mondialisation des techniques de communication ne constitue l'incarnation de l'idéal de l'universalisme. Rappeler enfin, dans ce nécessaire renversement de réflexion, qu'il n'y a plus de lien direct entre communication et émancipation. Il ne suffit plus de communiquer instantanément d'un bout à l'autre du monde pour mieux se comprendre et se tolérer. En un mot, il peut très bien y avoir simultanément des paraboles et des fondamentalistes ; des ordinateurs et des dictateurs. En triomphant et en devenant une industrie, la communication a perdu son lien *direct* avec les valeurs qui la portent. Mais il reste toujours une marge de manœuvre.

*

I. Les principales conclusions concernant les travaux empiriques menés sur la communication?

1) *A propos de la télévision*, l'idée essentielle concerne le rôle de la télévision généraliste comme lien social. Rôle qui renvoie à une *hypothèse* sur les rapports entre communication et société, et nullement à un état des techniques. Demain les médias généralistes, dans un univers multimédia, interactif et encombré de réseaux, auront un rôle encore plus important qu'hier, car ils seront un des seuls liens de la société individualiste de masse. La télévision généraliste renvoie à cet objectif : continuer à partager quelque chose en commun dans une société fortement hiérarchisée et individualisée. Les médias thématiques ne font en revanche, au nom de la liberté des choix, qu'épouser les plis des inégalités sociales et culturelles. Ils sont l'expression audiovisuelle de ce subtil poison des démocraties, où le respect des différences conduit à leur réification. Chacun est reconnu, mais à sa place... Enfin les médias généralistes sont fidèles à une certaine exigence à l'égard du *public*, qui est à la communication ce que le suffrage universel est à la politique. Dans les deux cas, on retrouve le même pari sur l'intelligence des individus. Il s'agit donc bien d'une thèse « idéaliste », au sens où elle met les valeurs et les idéaux au premier plan, avant les intérêts.

2) *A propos des rapports entre la communication et la politique*, l'objectif consiste à réhabiliter la politique contre la communication, pour

essayer d'inverser l'ordre qui lentement s'installe dans les démocraties, au profit de la communication. L'action politique devenue très difficile, dans un monde ouvert, institutionnalisé, caractérisée par une marge de manœuvre réduite, risque d'être encore plus affaiblie par une communication omniprésente. Cette omniprésence, au nom de l'information des citoyens, renforce finalement le pouvoir de la presse et des médias, affaiblissant l'autonomie et le prestige de l'action politique. Les médias ne souhaitent-ils pas, d'ailleurs souvent, passer du stade de contre-pouvoir à celui déplacé de quatrième pouvoir dépourvu de sanctions ? Au-delà du rapport communication et politique, la question est celle de la limite d'un espace public qui s'élargit sans cesse sous la pression de la démocratisation, et qui risque de perdre son indispensable complexité au profit d'une représentation dominée par la logique politique et une vision rationaliste de l'information et des sondages. La communication politique et l'espace public, qui sont deux des acquis de la lutte pour la démocratie, sauront-ils résister à leur propre victoire ?

3) *C'est la même question qui se pose paradoxalement à l'information et au journalisme.* Les deux ont «gagné». L'information, dans les pays démocratiques, est reconnue, tout comme le rôle des journalistes. Abuseront-ils de leur victoire ? D'autant que tout, avec les moyens techniques et la liberté politique, va très vite, trop vite. Le citoyen occidental, le seul qui puisse accéder librement aux informations, sait tout sur tout, en tout cas beaucoup de choses, mais pourra-t-il longtemps subir ce flot informationnel ? Rester ce géant de l'information et ce nain de l'action politique ? La *vitesse*, qui fut longtemps un idéal, vire à l'obsession et à la tyrannie. *Ralentir* constitue le seul moyen de préserver la dimension normative de l'information, et de respecter le rythme des hommes et de l'histoire. C'est aussi le seul moyen d'éviter que l'information, synonyme de liberté en Occident, ne devienne, au fur et à mesure de sa mondialisation, une source d'impérialisme pour les autres peuples du Sud, mais aussi de l'Est. Cela impose un rigoureux *aggiornamento* des journalistes, un travail sur la profession, pour en éliminer les aspects les plus caricaturaux et, hélas, les plus visibles. L'enjeu ? Conserver la confiance du public, qui reste la *seule source* de leur légitimité.

4) *A propos des nouvelles techniques*, l'impératif consiste à ne pas être dupe des promesses du «village global». La mondialisation des techniques ne crée pas la communication mondiale, ni même l'avènement d'un «seul monde». Elle rend au contraire plus visibles, et donc moins acceptables, les différences et ne donne pas naissance à une nouvelle société débarrassée des pouvoirs, des idéologies et des inégalités. On ne dira jamais assez que les différences culturelles, religieuses, politiques

étaient d'autant plus supportables, hier, qu'elles n'étaient pas facilement connues des uns et des autres. Aujourd'hui, les différences sont tout de suite visibles, impliquant un travail réel pour les supporter. En outre, les techniques ne sont pas séparables des mécanismes de pouvoir, même si les discours autour d'elles disent l'inverse. Au bout des techniques il y a toujours des inégalités, et la mondialisation de l'information s'installe à travers de redoutables mécanismes de domination bien éloignés des édens de la société de l'information. *Organiser* la communication au plan international, établir des règles devient le moyen pour limiter les ravages d'une déréglementation qui, comme toujours, profite d'abord aux puissants. L'abus même de l'utilisation du mot mondialisation est déjà la marque de cette domination.

5) *Quant à l'Europe*, elle est le lieu de lecture des contradictions de la double victoire de l'information et de la communication. Créer le plus grand espace démocratique du monde avec 370 millions d'habitants, sans tradition partagée ni projet visible et cohérent, sans réelle mobilisation des citoyens, relève de l'exploit. D'autant que les langues comme les symboles et les souvenirs ne créent que partiellement le sentiment d'une union possible… L'espace public européen n'existe pas, pas plus que l'espace politique, pas plus qu'un quelconque principe de « clôture » de l'Europe, puisque le nombre de candidats à l'adhésion ne cesse d'augmenter. Et pourtant, face à cette difficulté de construction d'un projet et d'une identité tangible à l'Europe, on ne parle que d'ouverture et de communication, avec une méfiance non dissimulée pour tout ce qui peut évoquer le passé, la tradition, l'identité… Ce sont pourtant les seuls points de repère qui subsistent pour des peuples précipités brusquement dans une nouvelle aventure politique. Le chantier politique de l'Europe oblige à comprendre, surtout depuis la chute du communisme, que l'information et la communication ne peuvent jouer leur rôle que s'il y a préalablement un *cadre* et une identité. Elles ne peuvent le constituer à elles seules, et ne constituent pas non plus l'identité de demain. Mais parler d'identité est aujourd'hui *tabou* compte tenu des haines auxquelles celle-ci a donné lieu hier. Cependant, dans un monde ouvert, l'identité n'a plus le même sens que dans le monde fermé d'hier. Elle n'est plus un obstacle à l'Europe politique, elle en est la condition. Si l'on refuse ce renversement de sens concernant l'identité, l'information et la communication peuvent susciter au contraire un violent phénomène de rejet. Non seulement il n'y a pas de communication sans valorisation de l'identité, mais on réalise progressivement qu'il n'y a pas non plus d'identité sans valorisation du *territoire*. Il s'agit d'un autre pied de nez au discours moderniste qui se méfie de l'identité et du territoire, et n'évoque que les réseaux et les interactivités.

Une conclusion s'impose après ce rapide tour d'horizon: du point de vue d'une théorie des rapports entre communication et société, la marge de manœuvre est étroite entre les deux écueils suivants. Le premier est celui d'une *fragmentation* des communautés, compatible avec les nouvelles techniques de communication. D'autant qu'il est difficile de préserver le lien social dans un univers ouvert, organisons la cohabitation polie de communautés indifférentes les unes aux autres. Le deuxième est l'abandon de toute politique volontaire au profit de la *mondialisation* de la communication dans le droit-fil du mouvement de déréglementation et de globalisation des économies. Parce qu'il est plus facile de réussir des marchés mondiaux que de construire des identités politiques... C'est parce que la fragmentation, comme la mondialisation, sont deux réponses possibles à la double hélice de la communication, à cette imbrication des dimensions normatives et fonctionnelles, qu'elles peuvent avoir ce succès, mais qu'elles peuvent aussi être combattues.

II. La communication, entre modernisation et modernité

La communication ne prend son sens que dans la *tension* avec autrui, mais comme la relation *directe* à autrui comporte toujours plus de risques que la communication *à distance*, on comprend le succès de la communication médiatisée par les techniques. Avec elles, l'autre est là, mais «à distance». Plus les processus de communication sont aisés, rapides, tous azimuts, moins on supporte les difficultés de tout dialogue, les contraintes de toute durée, les contresens et les répétitions. On souhaiterait finalement une communication humaine aussi performante et rationnelle que celle assurée par les machines. Du reste, qui supporte d'attendre devant son ordinateur? Cette performance de la communication technique rejaillit donc nécessairement sur la communication humaine et explique que, face aux difficultés de la seconde, beaucoup préfèrent les facilités de la première... Les techniques offrent cet avantage de réduire les contraintes liées à l'existence d'autrui. En un mot, aujourd'hui *c'est l'autre* qui gêne dans la communication, mais hélas, ou tant mieux, la performance des techniques ne garantit en rien une meilleure communication entre les hommes.

Pour rester fidèle aux valeurs normatives, la communication doit *gérer trois tensions*. La tension entre liberté et égalité; celle entre la communauté nationale et internationale; enfin celle entre identité et territoire. La *communication intersubjective* reste la plus difficile, hasardeuse, complexe et polysémique, mais la plus proche de l'échange et du partage; La *communication médiatique* est essentielle à la cohésion du groupe et de la communauté ; La *communication Internet* est de loin la plus performante du point de vue technique, mais elle est plus adaptée aux contraintes inépuisables de la communication fonctionnelle qu'à celles de la communication intersubjective. Plus la communication technique sera performante, plus la communication humaine aura de prix car, au bout de toutes ces performances, au bout de toutes ces inter-activités, une fois ces machines éteintes, la question est toujours la même, et toujours aussi difficile : Qui est l'autre pour moi ? Comment lui parler ? En être compris ? Comment s'intéresser réellement à lui ?

Le succès de la communication et l'ambiguïté constante entre logique d'intérêt et logique de valeurs expliquent les *conflits* qui apparaîtront demain. Admettre leur rôle est aussi important, pour l'avenir des sociétés démocratiques, que d'avoir reconnu, il y a une quarantaine d'années, avec les premiers conflits liés à l'écologie, que la nature devenait un enjeu de société à la mesure du décalage entre l'*idéal* de nature et les *dégâts* causés par son industrialisation. Le même processus aura lieu avec la communication. En passant de la norme à l'intérêt, de la valeur à l'industrie, la communication deviendra objet de conflits. D'ailleurs la nature comme la communication sont deux aspects fondamentaux de toute anthropologie, et il n'y a rien d'étonnant, au moment de la conquête définitive du monde, de la nature et de la communication, que des antagonismes opposent non seulement les intérêts et les valeurs, mais aussi plusieurs conceptions de la communication.

Il faut revenir ici sur la leçon du XIXe siècle. L'Europe, à l'époque, imposa à marche forcée la modernisation au monde, au nom du progrès, de la science... et de ses propres intérêts. Or, que s'est-il passé au XXe siècle ? Une succession de guerres et de conflits dont une bonne partie d'entre eux sont une réaction violente à ce non moins puissant mouvement de modernisation et de rationalisation imposé au monde entre 1850 et 1914, sans que l'Europe ait laissé d'autres choix à ces continents et à ces cultures que... d'obtempérer. Et si depuis la Seconde Guerre mondiale les mouvements socialistes, puis nationalistes, et aujourd'hui religieux et terroristes ont exercé cette violence, c'est en bonne partie *aussi* en réaction contre la modernisation capitaliste imposée par l'Occident. En sera-t-il de même, demain, contre la communication et ses industries qui sont aujourd'hui imposées avec autant de force, même si on a le sentiment un peu rapide que tous les peuples du monde adhèrent aux valeurs et aux instruments de la communication occidentale ? Comme au XIXe siècle sans doute, où l'on devait être persuadé que le monde entier adhérait aux valeurs de la modernisation imposées par l'Occident... La leçon sera-t-elle entendue ? L'expérience du siècle dernier servira-t-elle à quelque chose ? On peut évidemment en douter quand on réalise combien l'expérience, en histoire, n'a guère servi… Il est pourtant évident qu'à force *d'instrumentaliser* les valeurs de la communication, de vouloir identifier dimensions normatives et fonctionnelles, de confondre performance des machines et communication humaine et sociale, d'imposer au monde le modèle occidental de la communication et de le couvrir de satellites et de réseaux, l'Occident risque de reproduire *la même erreur* qu'il y a un siècle. Les pays du Sud, mais aussi ceux de l'Est, peuvent tout à fait nous *retourner* les valeurs de la communication, comme ils l'ont fait il y a un demi-siècle avec les idéaux de la raison, de la science et du progrès que nous leur avions imposés. C'est pour cela que les recherches sur la communication n'ont pas seulement un intérêt pour la connaissance, mais aussi pour les réalités historiques…

Je ne voudrais donner qu'un exemple du caractère non exclusivement académique des problèmes de communication, et très lié aux enjeux historiques et politiques de la situation mondiale. Depuis la fin de la guerre froide, dans les années 90, chacun se demande quel sera le nouveau principe d'organisation du monde et les nouveaux facteurs de tension. Et si l'ouvrage de Samuel Huntington[1] faisant de la culture le centre des conflits futurs a eu le succès qu'on lui connaît, ce n'est pas seulement parce qu'il s'agissait d'une vision synthétique, un peu simpliste, mais aussi parce qu'il est une clé, parmi d'autres, pour essayer de comprendre les *critères* de division du monde de demain. Ce qui est frappant dans cette hypothèse, qui a au moins l'intérêt de rappeler que ce sont les valeurs plus que les intérêts qui expliquent les plus violents antagonismes, c'est qu'elle *ne mentionne pas* le rôle de la communication. Quand Samuel Huntington présente le rôle central des langues, des cultures et des religions comme facteurs de division et de guerre, il oublie de dire qu'ils ne peuvent avoir ce rôle de stabilisation, ou de déstabilisation, que parce qu'ils sont *liés* à la victoire du *paradigme* de la communication. C'est parce que nous vivons dans un univers ouvert, de circulation, donc de communication, que les facteurs culturels de langues, de religion, d'histoire vont jouer un rôle essentiel. C'est l'absence de référence à une problématique spécifique de la communication qui est frappante dans les hypothèses de S. Huntington et dans la plupart des travaux de géopolitique. Or c'est bien cette dernière qui peut expliquer le rôle croissant des langues, de la religion, de l'histoire…

N'est-ce pas exactement ce que je dis quand j'émets l'hypothèse que plus il y a de communication et d'ouverture, plus les questions d'identité – de langues, de religion, d'histoire… – deviennent essentielles ? Mais, à la différence de Samuel Huntington, ma conclusion est moins systématiquement pessimiste, parce que lui ne restitue pas les phénomènes culturels, langagiers, identitaires par rapport à la problématique de la communication qui toujours pose la question de l'autre. Au lieu de voir dans les langues, les traditions, l'histoire... un facteur de déstabilisation, on peut au contraire faire une supposition un peu plus complexe. On peut dire – et c'est tout le sens de ce livre – que si l'on accepte le rôle normatif de la communication, ces facteurs d'exclusion peuvent devenir des facteurs de relation à autrui.

Tel est l'enjeu théorique de mes recherches : le renversement du rapport identité-communication et la nécessité de les repenser ensemble, pour les sauver ensemble. Les deux appartiennent au même paradigme, celui de la modernisation. Mais il existe une contradiction entre l'identité valorisée au plan individuel et dévalorisée au plan collectif. Hier l'identité était un obstacle à la communication, aujourd'hui elle en devient la condition. Le mot est le même, mais le sens a évolué, car l'identité constitue moins le refus de la communication que la résistance aux dégâts créés par celle-ci. C'est en comprenant en quoi l'identité est liée à la dimension normative de la communication que l'on sauvera ces deux concepts, essentiels, de la culture occidentale.

Autrement dit, il faut moins considérer – en dépit des apparences – l'identité comme un obstacle que comme une condition indispensable à la communication. Et d'ailleurs le concept à repenser aujourd'hui, parallèlement à celui de la communication, est bien celui de l'identité.

III. Les trois niveaux de défi

J'ai écrit en avant-propos que la communication est sans doute un des principaux *lieux de lecture* des contradictions de la société moderne, que j'appelle la société individualiste de masse. Cela est visible si l'on examine le rôle de la communication aux trois niveaux de fonctionnement de la société.

A. Au niveau social

La place croissante de la communication dans nos sociétés est inéluctable, du simple fait de l'individualisation des rapports sociaux et de l'augmentation des déplacements et de la gestion des problèmes du grand nombre au sein des sociétés complexes et ouvertes.

Le risque est évidemment que l'omniprésence des techniques devienne le cache-misère d'une crise des liens sociaux. Les techniques servent de substitut à une crise du modèle anthropologique de la communication dans ses deux aspects : l'interaction pour combler la solitude individuelle ; les réseaux pour résoudre les contradictions des deux niveaux de communication de la société individualiste de masse. Mieux vaut sans doute des sociétés moins transparentes, mais qui offrent plusieurs niveaux d'intégration, qu'une société ouverte où la violence est plus masquée. *L'opacité* des rapports sociaux et les «chicanes» constituées par l'existence de multiples communautés partielles sont peut-être les conditions d'une meilleure communication sociale. Plus il y a de communication, plus les sociétés et les individus ont besoin de médiation, de traduction, donc de temps pour réduire les dégâts consécutifs aux nombreuses situations où chacun se trouve «en direct» face à l'autre. Plus il y a de communication, plus il faut de distance.

B. Au niveau politique

Communiquer n'a jamais fait disparaître les hiérarchies, ce qui signifie que toute communication s'accompagne de pouvoir. Certes, celui-ci peut changer de forme, mais sans pour autant disparaître. Il y aura demain des *conflits politiques autour de la communication* comme il y en a aujourd'hui autour de l'éducation, de la santé et de la protection sociale. La communication est, de ce point de vue, l'indice du mouvement général qui dans les sociétés complexes met les problèmes culturels au centre des conflits sociaux. Préserver la communication c'est donc rappeler qu'elle est inséparable de rapports de force, et que *la problématique de l'organisation* devient centrale. Réglementer n'est pas restreindre la liberté de communication comme le clament, avec un certain succès, ceux dont les multiples intérêts sont liés aux industries de la communication et pour qui la dérégulation est l'horizon des marchés de cette communication. Réglementer est au contraire le moyen de préserver la dimension normative de la communication. Distinguer la dimension mondiale des supports du caractère contingent des contenus est une nécessité, pour rappeler aussi qu'il n'y a pas de communication sans *acculturation*, donc sans reconnaissance de l'*égalité* des différents partenaires. Cela est d'autant plus difficile qu'au plan international il n'y a aucune égalité, et que seuls les pays riches, et puissants, semblent avoir quelque chose à communiquer. On comprend donc pourquoi la communication peut devenir un fantastique *facteur d'instabilité internationale*. La *réglementation* demeure le seul moyen de préserver la légitimité des différents points de vue, et la référence à l'existence d'une certaine norme commune.

C. Au niveau anthropologique

Quel progrès anthropologique y a-t-il si, demain, l'individu des «sociétés modernes» passe entre huit à douze heures devant un écran, en additionnant les heures de travail, de loisirs, de services et d'éducation? La question reste toujours la même: L'autre est-il plus facilement accessible au bout de ces machines? En quoi permettent-elles une communication plus authentique? Comment faire pour que ces multiples situations interactives soient autre chose que l'occasion de «soliloques interactifs»? Préserver la *place* de l'autre dans la communication signifie laisser la possibilité à une certaine référence *extérieure* d'exister. En la supprimant on ouvre la voie à un processus où la communication se trouve déifiée. Pour éviter de faire de la communication la religion des temps modernes, le plus simple est de *séparer* au plus tôt les ordres symboliques. Et de ne pas demander à la communication de résoudre des problèmes d'ordre ontologique qui ne relèvent pas de sa compétence, ni de l'investir de projets d'utopie politique… De même qu'au niveau social il faut conserver les distances à l'égard de la communication, de même, au niveau anthropologique, faut-il maintenir distincts les systèmes symboliques et les références.

*

En résumé, tout au long de ce livre, j'ai voulu montrer l'importance symbolique, culturelle, et sociale de la communication, mais aussi les risques qui résultent de cette double victoire normative et fonctionnelle, et donc les conditions à satisfaire pour éviter le recouvrement de ces deux dimensions. Bref, rappeler qu'il n'y a pas de communication sans règles ni interdits, sans ratages ni échecs. C'est pour cela qu'il est inutile de lui demander de faire le bonheur individuel, d'instaurer une société portant son nom, de se substituer à une référence transcendantale ou de croire que l'essor de la communication instrumentale favorise proportionnellement la communication humaine. Aucune technique finalement n'assume l'intersubjectivité, ne garantit l'accès à l'autre et ne peut faire oublier que l'enjeu de la communication est moins la découverte de la *ressemblance*, que la gestion des *dissemblances*.

La communication réussie ne conduit pas au domaine du «même», mais à celui du «différent». Et cet horizon de *l'altérité* et de *l'incommunication* constitue probablement la définition, la beauté de la communication, limitant d'autant les images un peu simples d'un monde de ressemblance. Rappeler que l'horizon de la communication n'est pas la gestion du semblable mais celle des différences, permet aussi de souligner l'intérêt à «sortir de la communication». La communication n'est pas le tout de l'expérience humaine. Sortir de la communication, la relativiser, ne retire rien d'ailleurs à sa grandeur, car elle est une des plus belles valeurs de notre culture, liée à l'individu, à la raison et à la liberté. Après elle, il n'y a pas beaucoup de mots aussi substantiels. Il y a évidemment le mot humanité, dont on voit tout de suite le lien existant entre les deux. Autrement dit, contribuer à sauver le paradigme de la communication, c'est aussi contribuer à préserver celui qui suit, et qui est peut-être le dernier à notre disposition : l'humanité.

1. Huntington S., *The Clash of Civilizations and the Remaking of World Order*, Simon and Schuster, New York, 1996.

LES SCIENCES DE LA COMMUNICATION

La communication est un champ de recherche en plein développement dans lequel se dégagent trois pôles particulièrement actifs.

Le premier pôle, à l'interface des neurosciences (neurobiologie, neurophysiologie, neuropharmacologie, neuropsychologie, informatique) et des sciences cognitives (psycholinguistique, logique, informatique, psychologie cognitive, linguistique), étudie la communication dans ses rapports avec le cerveau aussi bien au niveau de la perception qu'à celui de la mémoire, du traitement des informations et du langage.

Le deuxième pôle, à l'interface des sciences cognitives et des sciences pour l'ingénieur (informatique, électronique, modèles mathématiques, automatique), est centré sur les problèmes de communication entre l'individu et les machines à partir d'une modélisation et d'une simulation des caractéristiques de la communication humaine.

Le troisième pôle, centré sur les sciences humaines et sociales, étudie l'impact des techniques de communication (informatique, télécommunication, audiovisuel) sur le fonctionnement de la société. Il analyse la réaction des différents milieux sociaux à l'arrivée de ces techniques et les conditions d'acceptation et de refus qui se font jour. Il essaie également d'évaluer l'influence réelle de ces nouveaux modes de communication sur les mécanismes du pouvoir et de la hiérarchie.

Les trois pôles correspondent d'ailleurs aux trois niveaux où les recherches sur la communication ont fait de substantiels progrès en une génération. Le *cerveau*, tant du point de vue de la compréhension des mécanismes du système nerveux que du point de vue de leur rapport avec la compréhension du langage. Le *dialogue homme-machine*, où les applications informatiques, grâce aux progrès réalisés dans la formalisation des capacités cognitives, augmentent et transforment les capacités de communication humaine. La *société*, où le succès rapide de toutes les techniques, tant dans le travail, les loisirs que dans le fonctionnement de la cité, contribue à modifier les mécanismes de communication et de pouvoir.

La recherche sur la communication est par nature une *recherche interdisciplinaire*. Il y a, d'un côté, des *thèmes verticaux* correspondant à chacun de ces pôles et, de l'autre, des *questions transversales* que l'on retrouve dans chacun de ces pôles. L'unité actuelle réside dans le fait que c'est la même question qui est à l'œuvre dans les trois pôles : Quels sont les mécanismes selon lesquels les individus perçoivent des informations, les traitent, communiquent avec l'extérieur, et comment certains de ces mécanismes peuvent-ils être modélisés, répliqués ou simulés ensuite par des machines ? Le CNRS, dans ce contexte, présente un double avantage. Il est la seule institution scientifique à posséder *en son sein* les disciplines mobilisées dans chaque pôle. Il est également celui qui peut probablement développer le plus facilement des travaux prenant en charge des questions transversales. Or, la plupart des questions les plus intéressantes sont souvent à la frontière de deux ou plusieurs disciplines.

LES TROIS PÔLES DE RECHERCHE

PÔLE 1: NEUROSCIENCES, SCIENCES COGNITIVES

Les progrès récents en neurobiologie et en neurophysiologie ont renouvelé les approches traditionnelles concernant la compréhension de la communication au niveau du cerveau. Les mécanismes de perception (visuelle, auditive), de traitement de l'information et de production du langage sont abordés dans une perspective plus analytique

L'objectif est d'essayer d'expliquer les phénomènes au niveau le plus élémentaire et de procéder ensuite par intégration croissante pour rendre compte des mécanismes complexes. La différence avec les sciences cognitives est parfois faible puisqu'elles ont souvent les mêmes objets de recherche: perception, traitement de l'information, reconnaissance des formes, mémoire, représentation des connaissances, résolution de problèmes... Toutefois, des différences existent sur la place et les limites de la neurobiologie et de la neurophysiologie. Jusqu'où ce qui est compréhensible et reproductible au niveau élémentaire et physiologique modifie-t-il les approches traditionnelles de neuropsychologie? Jusqu'où cela peut-il être extrapolé à des fonctions plus complexes ou synthétiques? En fait, c'est sur le domaine et les perspectives de la neurophysiologie et de la neuropsychologie que se condensent la collaboration et les oppositions entre les neurosciences et les sciences cognitives. Les premières, au nom des progrès réalisés en biologie moléculaire, pensent pouvoir déplacer la problématique et la renouveler et, pour l'essentiel, arriver à «dépsychologiser» les problèmes pour les «objectiver». C'est-à-dire souvent pour les modéliser.

Les cognitivistes opposent une autre tradition intellectuelle et théorique. Ils sont portés sur l'étude des modèles de raisonnement et de compréhension, davantage que sur celle des modèles de perception ainsi que sur l'analyse des comportements. Ce qui conduit à privilégier l'étude des individus en situation. Le handicap est qu'il y a une disproportion entre les disciplines en présence. La faiblesse actuelle de la neuropsychologie, de la psychophysiologie, de la psycholinguistique et de la psychologie cognitive empêche des débats fructueux avec les neurophysiologistes et les neurobiologistes. L'enjeu de cette collaboration porte donc sur *le statut* et sur *le rôle de la psychologie* comme discipline offrant une perspective différente à la logique dominante des neurosciences. La connaissance et la modélisation des mécanismes élémentaires telles que les réalisent la neurobiologie et la neurophysiologie permettront-elles de comprendre des phénomènes complexes comme la parole, la mémoire... ? Ou bien faut-il admettre qu'il y a des sauts et des changements de perspective, c'est-à-dire que tout ne peut pas être compris en termes de complexité croissante ? Peut-on comprendre les processus cognitifs à partir d'une modélisation neuronale ? S'il y a aujourd'hui un certain accord pour une approche logique, rationnelle et formalisatrice, les oppositions portent sur la continuité ou sur la discontinuité entre la connaissance des mécanismes élémentaires et le comportement. Ces débats théoriques fort anciens sont renouvelés par les progrès des sciences du cerveau. Ils obligent à une confrontation des approches entre fondamentalistes, cliniciens et chercheurs en sciences humaines (philosophie, épistémologie, logique). Ce thème de recherche, à l'interface des neurosciences et des sciences cognitives, a deux champs d'application. Le *premier* conduit à l'étude des mécanismes pathologiques et de leurs effets. C'est le versant neurobiologie, neurochimie, neuro- et psychopharmacologie qui conduit à la médecine et à la psychiatrie. Le *second* conduit plutôt à l'étude et à la formalisation des mécanismes normaux de la communication et à une collaboration avec les sciences pour l'ingénieur.

La communication chez l'enfant

Ce thème a l'avantage d'aborder le problème de la communication du point de vue de la complexité croissante des fonctions de communication (ouïe, vue, parole), notamment chez le très jeune enfant. La connaissance des états initiaux est, en effet, fondamentale pour l'étude de la genèse des systèmes de communication et de leur coordination. Il permet également d'évaluer les rôles respectifs des facteurs cognitifs et des facteurs affectifs et de mettre en valeur d'autres aspects de la communication, notamment gestuels. Il mobilise des spécialistes de neurophysiologie et neurobiologie ; neuropsychologie et psychologie linguistique ; linguistique ; informatique ; psychologie.

La compréhension et la production du langage

Ce sont moins les aspects linguistiques que les aspects psychologiques qui sont ici concernés. Les progrès réalisés dans la compréhen sion des mécanismes du cerveau devraient renouveler un certain nombre de travaux en sciences du langage et du comportement. Le rôle de l'environnement et du contexte est déterminant et oblige à préciser les rapports entre les théories du langage et les théories de l'apprentissage.

Ce thème intéresse tout particulièrement la neurophysiologie et la psychophysiologie ; la psycholinguistique et la sociolinguistique ; la linguistique ; la pragmatique et la sémiologie.

Connaissance et mémoire

Il s'agit peut-être des problèmes les plus théoriques et les plus difficiles. Ils concernent les autres grandes fonctions associées à la communication humaine : la construction des connaissances ; leur stockage en mémoire ; leur utilisation dans les situations d'action. Leur approche sera probablement modifiée par les changements intervenant dans la compréhension des mécanismes élémentaires qui sont le support des processus cognitifs. Ce thème mobilise notamment la neurobiologie et la neurophysiologie ; la logique ; la psychologie cognitive ; l'anthropologie des processus cognitifs ; l'informatique et l'automatique ; la philosophie de la connaissance. La dynamique induite par la biologie moléculaire assure un dynamisme intellectuel et institutionnel qui manque aux disciplines psychologiques. Chez celles-ci, la faiblesse de la neuropsychologie, de la psychophysiologie, de la psycholinguistique est le principal handicap. Les relations avec la médecine sont également insuffisantes pour améliorer la coopération entre la neurophysiologie, la neuropsychologie et la neuropathologie. La collaboration avec les mathématiciens et les informaticiens est croissante mais souffre du fait qu'il s'agit de disciplines rattachées à d'autres départements scientifiques (mathématiques, physique de base et sciences physiques pour l'ingénieur). Cela est encore plus vrai pour les logiciens, les philosophes, les anthropologues et les linguistes, qui dépendent des sciences de l'homme et de la société.

PÔLE 2 : SCIENCES COGNITIVES, SCIENCES PHYSIQUES POUR L'INGÉNIEUR

Les disciplines informatiques et mathématiques (modèles informatique, automatique, signaux, microélectronique) sont ici dominantes. Le point de départ n'est pas une approche fondamentaliste mais instrumentaliste et les objectifs de modélisation, de simulation et de réplication prévalent. Toutefois, on retrouve ici un certain nombre de questions du pôle précédent mais considérées d'un autre point de vue. Les applications techniques (système expert, robotique, dialogue hommes-machines...) occupent une grande place à la fois dans les orientations et dans les objectifs. La communication ici est entendue dans le sens du dialogue entre les hommes et les machines pour simuler, décupler, améliorer, remplacer les capacités humaines de communication.

La question clé est celle des rapports entre l'informatique et le langage. Les progrès en informatique fondamentale (architecture de systèmes, communication hommes-machines, intelligence artificielle...) passent par une modélisation des fonctions du langage, donc par une capacité de simulation des fonctions cognitives liées à celui-ci. Certains pensent que les progrès réalisés dans l'étude du système nerveux ouvriront de nouvelles possibilités à l'informatique. D'autres, au contraire, constatant l'évolution de l'informatique vers des problématiques de langage (capacité de raisonnement plutôt que de calcul, interactivité...), pensent qu'il sera difficile aux informaticiens de faire l'impasse sur un travail théorique concernant le langage et ses rapports avec les logiques formalisées et les logiques naturelles. Autrement dit, c'est sur la place et le rôle du niveau symbolique entre les neurosciences et les réalisations informatiques que les positions divergent. De toute façon, les problèmes posés par la formalisation de la langue renvoient à la philosophie, à la logique et aux sciences du langage. L'enjeu est donc ici la manière dont les informaticiens vont évoluer au fur et à mesure de leurs confrontations avec des problèmes plus complexes. Soit vers les neurosciences pour essayer de contourner certaines difficultés d'analyse du langage dans ses relations avec les mémoires, le raisonnement et la communication. Soit vers les sciences du langage, à condition que celles-ci intègrent davantage les questions de logique, de syntaxe et de grammaire dans une perspective informatique. Si chacun est d'accord sur la modélisation, les divergences portent sur les *rapports* qu'elle entretient avec les processus cognitifs. Certains pensent pouvoir inventer par des inférences originales des simulations plus ou moins indépendantes des processus cognitifs. D'autres, au contraire, pensent que les deux doivent aller de pair. Il est d'ailleurs possible que la mise au jour de certaines opérations cognitives du point de vue grammatical, sémantique ou syntaxique donne des indications par *feed back* sur leur réalisation neuronale. Si les réalisations en phonologie et syntaxe progressent, c'est dans le domaine, beaucoup plus difficile, de la sémantique que la collaboration entre informaticiens et linguistes doit être renforcée. Les progrès réalisés dans les capacités de simulation relancent le débat inné-acquis, puisque l'on commence à fabriquer des machines capables de modifier leur propre fonctionnement. Le développement cognitif et les capacités d'apprentissage sont des aspects fondamentaux de l'intelligence humaine, et les systèmes intelligents de demain devront être dotés de mécanismes leur permettant de construire leur propre expertise. On voit ici que les sciences du langage, la logique, la philosophie, la psychologie sont en interface constant avec les sciences pour l'ingénieur.

Reconnaissance des formes et représentation des connaissances en intelligence artificielle

Comment arriver à repérer et formaliser les images mentales ? Faut-il partir des processus cognitifs ou, au contraire, inventer de nouvelles règles ? L'intelligence artificielle a besoin de modèles d'invention et elle est à la recherche d'inférences heuristiques nouvelles, différentes des inférences logiques plus adaptées à la preuve qu'à la découverte. C'est pourquoi les liens avec les disciplines logiques sont indispensables. Les limites actuelles portent sur les capacités conceptuelles (modélisation, simulation) d'inférence et de stockage des connaissances. Cette question de la reconnaissance des formes et de la représentation des connaissances oblige à une collaboration avec les sciences humaines et sociales : psychologie, philosophie, et tout particulièrement avec le courant issu du positivisme logique et de la philosophie analytique. Elle nécessite par ailleurs un travail sur les modèles avec les mathématiciens et les spécialistes du langage formel. Les applications en termes de systèmes experts, d'aide à la décision, de traduction et d'enseignement assisté par ordinateur montrent bien le lien de l'intelligence artificielle avec la communication instrumentale dans ce qu'elle a de plus proche des fonctions complexes de la communication.

Modèles de perception et de raisonnement pour la communication hommes-machines

Il s'agit ici de la formalisation de fonctions cognitives dans le but de mettre sur pied des processus d'interactivité avec les ordinateurs. La compréhension du langage naturel contraint à un travail sur les conditions de passage entre les modèles linguistiques et les modèles de programmation et pose la question de la diversité et des invariants cognitifs. Cette compréhension suppose la prise en compte de la communication hommes-machines, notamment de la tâche dans laquelle est engagée le sujet, et des objectifs qu'il poursuit. La collaboration avec les linguistes, les psychologues et les logiciens est ici indispensable, de même qu'avec les phonéticiens et les spécialistes du traitement du signal.

Conditions et stratégies de la communication

Les modèles utilisés pour analyser la communication restent ceux de la communication duelle personnelle alors que celle-ci, la plupart du temps, est médiée par des supports techniques dont les caractéristiques modifient les conditions mêmes de la communication.

La communication hommes-machines n'est que le stade le plus éloigné d'une gamme de situations de communication sans aucun rapport avec ce qui existait il y a seulement un demi-siècle, et nous ne savons pas exactement ce qui change réellement avec cette communication instrumentale. Il s'agit notamment d'étudier l'influence des inégalités, des modèles de réception et de la combinaison des sons, de la voix, des données et des images. Il s'agit également d'étudier les facteurs qui conditionnent l'efficacité de la communication : les implicites liés au contexte, les modes de raisonnement, les stratégies d'argumentation. Aussi bien pour le travail que les loisirs ou l'éducation.

PÔLE 3 : SCIENCES HUMAINES ET SOCIALES

La question est ici d'une autre nature. Il s'agit d'étudier l'interaction entre les techniques de communication (informatique, télécommunication, audiovisuel) et le fonctionnement de la société. Tâche difficile car les changements techniques sont souvent beaucoup plus rapides que les changements socioculturels, et nous manquons de recul. Dans ce contexte, l'écueil est de mal évaluer l'influence réelle du changement produit par ces technologies. D'un côté, on le surestime et on parle déjà de « société de communication ». De l'autre, on le sous-estime en faisant valoir que les mécanismes de pouvoir ne changent pas fondamentalement. La difficulté est donc d'arriver à une vision pondérée qui échappe au triomphalisme, ou au pessimisme – finalement similaire – du discours technique. La seconde difficulté est *l'immensité* du champ. A la limite, toutes les disciplines des sciences humaines et sociales sont mobilisables parce que les techniques de communication sont présentes aujourd'hui à tous les niveaux de fonctionnement de la société. La troisième difficulté est qu'une telle analyse concerne des disciplines qui collaborent souvent difficilement entre elles.

La dernière difficulté vient du fait que les sciences sociales ne sont pas des sciences exactes au même titre que les sciences de la vie ou les sciences physiques pour l'ingénieur. Les concepts de découverte, de vérité, de fait et d'objectivité n'ont pas le même sens et les consensus sont rares. Disciplines interprétatives pour la plupart d'entre elles, elles travaillent à expliquer des phénomènes individuels et collectifs, indissociables des représentations et des systèmes de valeurs. Mais elles sont rarement prédictives. Elles relèvent plus de la compréhension que de l'expérimentation. Pour améliorer les chances d'un travail sérieux, il est souhaitable d'établir une *certaine distance* entre son expérience et l'objet de la recherche et, pour cela, d'intégrer une approche historique et géographique. Ces disciplines facilitent la comparaison et permettent de mettre en lumière le rôle de l'État, l'action des professionnels, la création des marchés, la réaction des institutions et l'accueil du public. Les sciences sociales jouent quoi qu'il en soit aujourd'hui un rôle *essentiel* pour comprendre la manière dont les sociétés contemporaines abordent l'étape suivante des nouvelles technologies: télématique, câble, satellites, réseaux multimédias. Le deuxième domaine d'investigation concerne l'impact de ces techniques sur le fonctionnement des sociétés. Comment les techniques affectent-elles la production, la diffusion et l'appropriation de l'information par les différents groupes sociaux, d'autant que la mise en place des réseaux risque d'affecter les équilibres de pouvoir entre le centre et les collectivités locales?

L'image et ses impacts

Aujourd'hui, l'image animée est omniprésente sans que l'on sache réellement comment les usagers la reçoivent, et ce qu'ils en font. Pourtant, l'image de télévision a un statut particulier et sa présence dans la société depuis une génération, ainsi que ses perspectives de développement avec les nouvelles technologies (câble, fibre optique, satellites) expliquent le besoin d'un travail spécifique sur les conditions de production et de réception de l'image à domicile. Le travail sur l'image télévisée est évidemment à mettre en rapport avec la tradition plus ancienne de la recherche sur l'image film. Il doit également tenir compte du développement de l'image de synthèse. Un effort spécifique est donc à faire sur ces trois types d'images et mobilise des chercheurs en: physiologie, psychologie, esthétique, sociologie, sémiologie, ethnométhodologie, science du politique, sciences du langage, sociolinguistique. Un tel travail implique également une collaboration avec les neurosciences et les sciences cognitives pour analyser les rapports de ces différents types d'images avec les images mentales. Cela aussi bien du point de vue théorique que du point de vue de la modélisation. Il conduit également à une recherche sur les modèles culturels et sur les rapports entre la communication par l'image et celle médiée par d'autres supports (textes, sons, données).

Droit et économie de la communication

Le développemenent rapide des techniques de communication oblige à une modification des législations concernant la production et la circulation des biens immatériels que sont l'information et la communication. Le droit et l'économie sont ici confrontés à des problèmes théoriques nouveaux impliquant un effort de recherche doctrinal, législatif et jurisprudentiel. Par ailleurs, la mise en place des grands réseaux modifie complètement les équilibres d'échanges entre le centre et les régions, ainsi qu'entre les pays. Une bonne partie des données scientifiques, techniques, financières peut, par le biais des réseaux, des banques de données et des flux transfrontières de données, circuler d'un pays à un autre. Ici la question des libertés publiques n'est que la pointe visible de l'iceberg. Il existe des difficultés à distinguer dans les économies modernes les activités productives des activités improductives et à mesurer le rôle exact de l'information dans les activités de production. Pourquoi et comment sont-elles sources de richesse ?

L'impact des techniques de communication sur la société et sur les rapports entre l'État et les collectivités locales

Si le thème de la communication est aujourd'hui investi de valeurs positives synonymes de modernité et de «sortie de crise», il faut se rappeler qu'il y a moins de vingt ans ce qui concernait l'informatique était considéré comme une menace pour les libertés, l'emploi, les qualifications. Il en était de même pour la télévision dont tous les pouvoirs publics souhaitent aujourd'hui le développement après l'avoir freiné pendant vingt ans, et en avoir craint les effets… Dans ces domaines, les discours tournent vite, souvent plus vite que les réalités. Les sociétés fort anciennes et structurées ne changent pas sous la simple influence de nouvelles technologies, fussent-elles de communication. L'intérêt est d'observer les conflits, les résistances, les déplacements et les modifications de rapports de force ainsi que l'intégration de ces techniques dans la culture, les symboles et les représentations sociales. L'analyse du rôle de l'État dans ce domaine, où il est à la fois un acteur industriel déterminant, le législateur et l'arbitre, est à approfondir. Les rapports entre le secteur public et le secteur privé sont un des enjeux du développement des industries de la communication, aussi bien au niveau des infrastructures, des réseaux qu'au niveau des services et des programmes.

*

LES THÈMES TRANSVERSAUX

Ils sont aussi importants que les thèmes verticaux parce qu'ils sont la preuve d'un certain nombre de questions communes aux trois niveaux de la problématique de la communication (cerveau, individu, société).

Thème 1 : Théories de l'information et de la communication dans les trois pôles de recherche sur la communication

Aux trois niveaux d'analyse, on retrouve ces mots qui, tout en jouant un rôle essentiel, n'ont pas toujours le même sens ni la même valeur explicative. Tantôt notions, tantôt concepts, tantôt métaphores, ils sont en tout cas les seuls à notre disposition pour rendre compte de certains phénomènes et processus d'un point de vue descriptif ou analytique. Un travail de comparaison théorique serait utile pour tous. D'autant que chacun reconnaît l'intérêt et la limite de ces schémas empruntés à la cybernétique des années 40-50.

Thème 2: Les rapports entre les niveaux biologiques, physiologiques et psychologiques des activités cognitives

C'est le problème fondamental, présent dans plusieurs thèmes, des conditions de passage entre les niveaux d'analyse. Peut-il y avoir continuité ou rupture dans les schémas d'explication du niveau neurophysiologique au niveau psychologique et collectif? Et s'il y a ruptures, à quels niveaux se font-elles? Ce qui oblige à étudier l'autonomie des niveaux de fonctionnement et la nature des relations qu'ils entretiennent entre eux.

Thème 3: Épistémologie en philosophie et anthropologie de la connaissance

La question du rapport entre la pensée et le cerveau appartient à une longue tradition théologique, philosophique et anthropologique. Par quel processus un certain nombre de représentations mentales construites par les individus se retrouvent-elles dans d'autres systèmes de pensées et d'autres cultures et qu'y a-t-il de commun du point de vue cognitif dans les structures de la communication existant entre les individus et des sociétés différentes? Ce qui implique, entre autres, de mettre en œuvre une épistémologie de la psychologie et de s'intéresser aux débats autour des systèmes intentionnels. Cet ensemble de problèmes permettra d'étudier les rapports entre la compétence universelle grammaticale et la particularité des langues, et de comprendre si l'esprit est un programme dont le cerveau ne serait qu'une matérialisation parmi d'autres.

Thème 4: Les rapports entre cognitif et affectif

La plupart des modèles de communication en neurosciences, sciences cognitives, sciences pour l'ingénieur mettent l'accent sur les processus cognitifs et sous-évaluent la dimension affective. Cette nécessité souvent d'ordre méthodologique risque d'avoir des conséquences théoriques sur l'explication de processus de communication tels qu'ils fonctionnement dans la réalité. La tendance naturelle dans une approche scientifique est de vouloir dissocier les problèmes. Le résultat pratique est alors souvent de sous-estimer la dimension affective. C'est ici la question des liens avec la psychanalyse qui est posée, et, au travers de l'analyse des dysfonctionnements, celle des rapports avec la psychiatrie et les dimensions non verbales de la communication.

Thème 5: Le contexte dans des situations de communication

Il est déterminant dans l'analyse de tout processus de communication, mais il est toujours difficile de définir son rôle et d'en analyser réellement l'influence. Cela aussi bien du point de vue du développement de la communication chez l'enfant que pour toute autre situation de ce type. On le retrouve avec les machines dont les performances doivent justement pouvoir fonctionner en tenant compte le moins possible de l'environnement.

Thème 6 : L'impact des neurosciences, des sciences cognitives et des sciences physiques pour l'ingénieur sur les représentations sociales

Les progrès réalisés dans ces disciplines ont une influence sur les modèles existants dans les sciences sociales. C'est le cas, par exemple, pour l'intelligence artificielle et les multiples situations de dialogue homme-machine qui modifient notre conception des rapports entre connaissance et communication. Par ailleurs, la transformation des représentations est parfois aussi importante que l'évolution des modèles de connaissance car elle affecte la vie de tous les jours.

Dominique Wolton.
Extraits du rapport sur les sciences de la communication ;
fait à la demande du directeur général du CNRS, Pierre Papon,
en mai 1985. En vue de la mise sur pied d'une politique scientifique
par le CNRS dans ce domaine.

GLOSSAIRE

- Communauté
- Communication
- Communication normative et fonctionnelle
- Communication politique
- Culture
- Espace public
- Identité
- Individu
- Modernisation
- Modernité
- Sciences de la communication
- Société civile
- Société individualiste de masse
- Tradition

COMMUNAUTÉ

Selon le Robert, la communauté est «un groupe social caractérisé par le fait de vivre ensemble, de posséder des biens communs, d'avoir des intérêts, un but commun». L'idée de communauté suppose réunies la visée commune d'un bien, l'existence de normes et d'une forme déterminée de solidarité entre ses membres. Le principal concepteur de la notion de communauté fut le sociologue allemand Tönnies. Les ethnologues définissent la communauté comme «une unité sociale restreinte, vivant en économie partiellement fermée sur un territoire dont elle tire l'essentiel de sa subsistance. Elle soumet ses membres à des disciplines collectives dans une sorte de tension constante vers le maintien de sa cohésion et la pérennisation de son existence[1]». Si l'on élargit cette façon de voir à l'échelle de la société, il est clair pour Raymond Boudon et François Bourricaud que la communauté devient une relation complexe «puisqu'elle associe d'une manière très fragile des sentiments et des attitudes hétérogènes; elle est apprise, puisque c'est seulement grâce à un processus de socialisation qui n'est jamais achevé que nous apprenons à participer à des communautés solidaires. Elle n'est jamais pure, puisque des liens communautaires sont associés à des situations de calcul, de conflit, ou même de violence. C'est pourquoi, plutôt que de communauté, il paraît préférable de parler de "communalisation" et de chercher comment se constituent et se maintiennent certaines "solidarités diffuses"[2]». Un des domaines où le processus de communalisation est le mieux appréhendable est celui des communautés religieuses, qui forment ce que M. Weber appelait des «communautés émotionnelles». La charge affective que requiert l'idée d'organisation communautaire est en effet essentielle. C'est pourquoi R. Boudon et F. Bourricaud concluent leurs propos en soulignant que «lorsque la survie d'un groupe devient pour ses membres un objectif opposable à leurs yeux aux objectifs individuels qu'ils se considèrent autorisés à poursuivre, on dira que ce groupement peut constituer une communauté, ou qu'il est en voie de communalisation[3]».

COMMUNICATION

Que faut-il entendre par communication? Essentiellement *quatre* phénomènes complémentaires qui vont bien au-delà de ce que l'on entend souvent par communication, identifiée aux médias.

La communication est *d'abord* l'idéal d'expression et d'échange qui est à l'origine de la culture occidentale, et par la suite de la démocratie. Elle présuppose l'existence d'individus libres et égaux. On devine les terribles batailles, menées depuis le XVIIᵉ siècle, pour asseoir ces concepts inséparables du concept de modernisation.

C'est *aussi* l'ensemble des médias de masse qui de la presse à la radio et à la télévision ont considérablement bouleversé en un siècle les rapports entre la communication et la société.

C'est *également* l'ensemble des nouvelles techniques de communication, qui, à partir de l'informatique, des télécommunications, de l'audiovisuel et de leur interconnexion, viennent en moins d'un demi-siècle de modifier les conditions d'échange, mais aussi de pouvoir au niveau mondial.

C'est *enfin* les valeurs, symboles et représentations qui organisent le fonctionnement de l'espace public des démocraties de masse, et plus généralement de la communauté internationale à travers l'information, les médias, les sondages, l'argumentation et la rhétorique. C'est-à-dire tout ce qui permet aux collectivités de se *représenter*, d'entrer en *relations* les unes avec les autres, et *d'agir* sur le monde.

Ces quatre dimensions de la communication caractérisent donc aussi bien la communication directe que la communication médiatisée par les techniques ; les normes et les valeurs qui la promeuvent, autant que les symboles et les représentations qui animent les rapports sociaux.

De ce point de vue il n'y a pas de différence fondamentale entre information et communication ; les deux appartiennent au même système de référence liés, à la modernité, à l'Occident et à la démocratie. Si l'information a pour objet de mettre en forme le monde, de rendre compte des événements, des faits, et de contribuer directement au fonctionnement des sociétés complexes, elle est inséparable de la communication, qui, au-delà de l'idéal normatif d'échange et d'interaction, constitue le moyen de diffuser ces informations et de construire les représentations. Les deux sont inséparables.

Par communication il faut donc entendre l'ensemble des techniques, de la télévision aux nouveaux médias, et leur implication économique, sociale et culturelle. Mais aussi les valeurs culturelles, les représentations et les symboles liés au fonctionnement de la société ouverte et de la démocratie. L'angle choisi dans ce livre n'est donc pas la technique, mais la technique liée à la société. Il s'agit d'une analyse de la démocratie, à l'*épreuve* de la communication. Les principaux concepts de la démocratie sont passés au crible de la communication. C'est finalement par rapport à une conception anthropologique de la communication que les positions théoriques concernant la communication sont classées. Les quatre positions théoriques correspondent à une conception des rapports entre communication et société, à travers quatre sous-ensembles : l'individu, la démocratie, l'économie, la technique. Chacune des quatre positions implique donc un certain rapport de l'individu à la technique, à l'économie et à la démocratie. C'est en cela qu'une vision de l'information et de la communication recèle souvent une théorie implicite ou explicite de la société et des individus au sein de celle-ci. C'est en cela aussi qu'il n'y a pas de position «naturelle» sur la communication, aussi bien en ce qui concerne l'image, la réception, la télévision, les nouvelles technologies… Pourquoi ? Parce que la dimension anthropologique de la communication renvoie toujours à une vision du monde.

Les quatre positions concernant les rapports entre communication et société sont :

— les thuriféraires
— les critiques
— les empiristes critiques
— les nihilistes

Pour plus de détails, se conférer à la fin du chapitre 3[4].

COMMUNICATION NORMATIVE ET FONCTIONNELLE

La communication est toujours un échange entre un émetteur, un message et un récepteur. Les deux sens du mot expliquent la cohabitation permanente entre la dimension normative et la dimension fonctionnelle. Étymologiquement, ce mot signifie mettre en commun, partager (*communicare* – 1361 – lat.). C'est le sens de *partage* qui renvoie à ce que nous attendons tous de la communication : partager quelque chose avec quelqu'un. Mais le deuxième sens plus récent apparu à partir du XVIIᵉ siècle renvoie à l'idée de *diffusion*, et sera en écho avec le développement de la librairie, puis de la presse. Bien sûr, diffuser sera conçu afin de partager, mais progressivement, avec le volume de documents et d'informations diffusées, les deux sens se dissocieront. La *diffusion* ne sera plus naturellement la condition du partage.

C'est la même différence entre communication normative et communication fonctionnelle. La *communication normative* renvoie à l'idéal de partage. La *communication fonctionnelle* s'est beaucoup plus développée depuis un siècle avec les supports de l'écrit, du son, de l'image et des données informatiques. Elle renvoie plus aux nécessités d'échanges au sein de sociétés complexes, à la division du travail et à l'ouverture des sociétés les unes sur les autres. Dès qu'il y a spécialisation des activités, il y a échange, donc développement de communications fonctionnelles qui remplissent une *fonction pratique* sans avoir pour autant d'autres significations. Mais simultanément la société occidentale continue de valoriser l'idéal du partage. On comprend que le développement de la communication fonctionnelle se fasse en référence à la communication normative. Telles sont les deux dimensions quasiment ontologiquement liées de la communication, mais évidemment contradictoires puisque les conditions d'un réel partage s'éloignent au fur et à mesure qu'il s'agit de la communication d'un grand nombre de biens et de services à destination d'un grand nombre de personnes qui ne partagent pas forcément les mêmes valeurs. Cette ambiguïté de la communication se retrouve avec l'*information*. Information a deux sens. Le premier renvoie à l'étymologie (*informare* – 1190 – lat.), qui signifie *donner une forme* ; façonner ; ordonner ; donner une signification. Le deuxième, plus tardif (1450), signifie mettre au courant quelqu'un de quelque chose. Et c'est à partir de celui-ci que le lien se fera entre information et événement. L'information consistera à rapporter l'événement, c'est-à-dire tout ce qui perturbe et modifie la réalité. On arrive alors au double sens d'information. C'est à la fois ce qui met en forme ; qui donne un sens, qui organise le réel, *et en même temps* c'est le récit de ce qui surgit, et perturbe l'ordre. Cette ambiguïté de l'information est un écho à celle de la communication.

COMMUNICATION POLITIQUE

Au départ, la communication politique a désigné l'étude de la communication du gouvernement vers l'électorat, puis l'échange des discours politiques entre la majorité et l'opposition. Ensuite le domaine s'est élargi à l'étude du rôle des médias dans la formation de l'opinion publique, puis à l'influence des sondages sur la vie politique. Aujourd'hui, elle englobe l'étude du rôle de la communication dans la vie politique au sens large en intégrant aussi bien les médias que les sondages, le marketing politique et la publicité avec un intérêt particulier pour les périodes électorales. A la limite, la communication politique désigne toute communication qui a pour objet la politique !… Cette définition, *trop extensive*, a cependant l'avantage de prendre en compte les deux grandes caractéristiques de la politique contemporaine : l'élargissement de la sphère politique et la place croissante accordée à la communication, avec le poids des médias et de l'opinion publique à travers des sondages.

Je préfère une définition plus restrictive. La communication politique est « l'espace où s'échangent les discours contradictoires des trois acteurs qui ont la légitimité à s'exprimer publiquement sur la politique et qui sont les hommes politiques[5], les journalistes et l'opinion publique à travers des sondages ». Cette définition insiste sur l'idée *d'interaction* de discours tenus par des acteurs qui n'ont ni le même statut ni la même légitimité mais qui, de par leurs positions respectives dans l'espace public, constituent en réalité la condition de fonctionnement de la démocratie de masse.

Le concept de communication politique, pour sa part, est confronté à deux limites : d'une part les *rapports entre expression et action*; la part croissante que prend la *logique représentative* comme moyen de réguler les flots de communication nombreux et hétérogènes d'autre part. Ces deux limites sont directement liées au concept *d'égalité des opinions* au sein de la communication politique. Il est évident que *sans* ces deux conditions théoriques (le droit à l'expression et l'égalité) le modèle démocratique ne serait pas confronté à ces limites. Il faut donc être prudent dans l'analyse et la critique, et bien garder à l'esprit qu'il s'agit des contradictions d'un *tout petit nombre* de démocraties dans le monde. Celles qui bénéficient de toutes les libertés. Ce sont les seules qui, pour la première fois dans l'histoire, reconnaissent le droit à l'expression *et* l'égalité des opinions. Les dérives, erreurs et limites du fonctionnement de l'espace public, et de la communication politique, ne doivent donc pas faire oublier leur caractère récent, et le fait qu'elles sont liées à des situations éminemment favorables, dans l'histoire politique[6]. La communication politique reste le « moteur » de l'espace public.

CULTURE

Le mot est immense, les références innombrables. Il s'agit ici de le situer par rapport à la communication.

1) Les trois sens du mot

Le sens classique *français* renvoie à l'idée de création, d'œuvre. Il suppose une capacité de définition de ce qui à un moment donné est considéré comme patrimoine, savoir, création et connaissance, étant entendu que les définitions évoluent dans le temps. Le sens *allemand* est proche de l'idée de civilisation et intègre les valeurs, les représentations, les symboles et le patrimoine, tels qu'ils sont partagés par une communauté à un moment de son histoire. Le sens *anglo-saxon* est plus anthropologique et prend en compte les manières de vivre, les styles, les savoirs quotidiens, les images et les mythes.

Hier, la question était finalement l'opposition entre *culture d'élite* et *culture populaire*. Quand on parlait de culture, il était question de la première, dans les œuvres, comme dans les goûts, l'éducation ou la communication. Quant à la culture populaire, il s'agissait de celle du plus grand nombre mais sans réelle « valeur culturelle ». Il faudra attendre le XIXe siècle et la lutte des classes pour valoriser cette culture populaire. En un siècle, cette situation s'est considérablement modifiée. Aujourd'hui, il n'y a plus *deux* cultures, d'élite et populaire, mais *quatre* : culture d'élite, grand public, populaire et particularisante (minorités ethniques ou religieuses…). Le grand changement est l'apparition de cette culture *moyenne, grand public, majoritaire, générale[7]*, en tout cas celle qui est la plus nombreuse dans nos sociétés, celle à laquelle chacun appartient de *toute façon*, même s'il adhère *par ailleurs* à une autre forme culturelle. La cause du surgissement de cette culture moyenne grand public résulte de la conjonction de *trois* facteurs. *D'abord* la démocratisation, qui a élargi le cercle des publics cultivés et favorisé cette culture grand public, avec notamment la mise sur pied de politiques culturelles dont les grands musées de masse sont le plus beau symbole (Le Louvre, Le centre Pompidou, La Villette). *Ensuite* l'élévation du niveau culturel par l'éducation. *Enfin* la société de consommation et l'entrée de la culture dans l'ère de l'industrie. Ainsi s'est créée cette culture grand public, que les médias, à leur tour, ont favorisée et distribuée. Le résultat est une *contradiction typique de la société individualiste de masse* où existe simultanément une culture qui valorise l'individu et une culture du grand nombre. Conséquence ? On assiste à une diversification réelle des cultures, et à leur légitimation, en même temps qu'à un désintérêt à l'égard de la culture de masse qui est pourtant un acquis récent et fragile de très nombreuses décennies de luttes.

2) De deux à quatre formes de culture

La *culture « d'élite »*. Hier elle était naturellement en position dominante ; elle se sent dépossédée de cette place hégémonique par le surgissement de cette culture moyenne liée à la consommation, au développement des loisirs, des voyages et de « l'industrie culturelle ».

La *culture moyenne*. Elle a ses propres normes, valeurs et barrières et se situe moins en position d'infériorité à l'égard de la culture d'élite que la culture populaire d'hier. La nouveauté est cette culture du grand nombre qui traduit tous les mouvements d'émancipation politique, économique, sociaux survenus depuis plus d'un demi-siècle. Elle occupe en volume la place de la culture populaire d'hier, la légitimité en plus. C'est à la fois la musique, le cinéma, la publicité, les médias, les voyages, la télévision, la mode, les styles de vie et de consommation. C'est la culture moderne, l'air du temps, qui suscite le sentiment d'appartenir à son époque, d'être « dans le coup ». De ne pas être exclu. Elle est une des forces essentielles du lien social.

La *culture populaire* se trouve, elle, décalée, partagée par beaucoup moins d'individus qu'il y a cinquante ans, du fait de mutations sociales, de la diminution de la population paysanne et ouvrière, de l'urbanisation massive, et de la croissance de la culture moyenne. Liée hier à un projet politique, souvent de gauche, elle subit aujourd'hui, dans ses formes idéologiques, le reflux de toute la problématique de la classe ouvrière et de la dévalorisation des milieux populaires.

Les *cultures particulières*. Hier incluses dans la culture populaire, elles ont tendance à se distinguer au nom du droit à la différence (femme, régions, minorités…). Sans atteindre des volumes considérables, elles mettent cependant en cause la culture *populaire* au sens où celle-ci n'a plus le monopole de la légitimité populaire. Ni le pouvoir d'intégration symbolique, qu'elle avait hier.

Les cultures particulières, au nom de ce « droit à la différence », réduisent la référence universelle qu'avait la culture populaire. Celle-ci, hier, unifiait les milieux Aujourd'hui, non seulement les distances sociales sont plus grandes, non seulement la classe moyenne et la culture moyenne ont pris la place et la légitimité de la culture populaire, mais en outre celle-ci est un peu cantonnée dans la gestion et la valorisation des patrimoines populaires. En effet, les cultures particulières, fières de leur différence, souhaitent se *distinguer* autant de la culture moyenne que de la culture populaire. En ce sens il y a un réel éclatement des cultures. En fait, les quatre formes de culture *cohabitent et s'interpénètrent*, grâce notamment au rôl essentiel des médias. On peut même dire qu'une bonne partie de la population est « *multiculturelle*», au sens où chacun appartient successivement, et parfois même simultanément, à plusieurs de ces formes de culture. D'autant que la culture d'élite, quoi qu'elle dise, s'est beaucoup ouverte à la communication et que la culture de masse se différencie elle-même tout autant que la culture populaire. Enfin, beaucoup se sentent intéressés par la montée de ces cultures particulières, liées au mouvement d'affirmation des communautés. Le paradoxe est que les rapports de force entre ces quatre formes de culture sont assez visibles grâce aux médias, en même temps que leur visibilité rend finalement leur cohabitation plus aisée… On fait comme si la «lutte des cultures» était pour demain au sein des démocraties, alors qu'en réalité il n'y a jamais eu autant de *tolérance* à l'égard des différentes formes de culture, ni de *visibilité* d'ailleurs, et ni, probablement, de *cohabitation*, voire parfois *d'interpénétration*… Et cela grâce aux médias généralistes qui, en assurant une certaine visibilité à ces cultures, contribuent *aussi* à leur cohabitation. La référence à l'idée de *citoyen multiculturel* ne signifie pas l'instauration d'un multiculturalisme. Celui-ci est impossible dans les faits. Cela traduit l'idée que, dans la réalité, un individu accède, notamment par les médias, à plusieurs formes de culture, ou en tout cas *sait* qu'elles existent. Ce qui est la *grande différence* par rapport à hier où chacun restait *dans* son milieu culturel. Si les barrières culturelles demeurent, elles sont néanmoins plus visibles, ce qui est déjà un progrès.

L'*acculturation* renvoie aux modifications qui affectent deux cultures en contact. Le *multiculturalisme* renvoie à la coexistence sur le même territoire de cultures différentes[8].

ESPACE PUBLIC

Notion souvent ignorée des dictionnaires, l'espace public est pourtant au cœur du fonctionnement démocratique. Habermas l'a repris à E. Kant qui en est probablement l'auteur, et en a popularisé l'usage dans l'analyse politique depuis les années 70. Il le définit comme la sphère intermédiaire qui s'est constituée historiquement, au moment des Lumières, entre la société civile et l'État. C'est le lieu, accessible à tous les citoyens, où un public s'assemble pour formuler une opinion publique. L'échange discursif de positions raisonnables sur les problèmes d'intérêts généraux permet de dégager une opinion publique. Cette «publicité» est un moyen de pression à la disposition des citoyens pour contrer le pouvoir de l'État. Mais Habermas considère que l'apparition de l'État-providence a perverti ce mécanisme de concertation démocratique. Avec d'autres, j'essaie au contraire de caractériser et de comprendre le rôle de l'espace public dans une démocratie de masse. C'est-à-dire un espace beaucoup plus large qu'autrefois, avec un nombre beaucoup plus grand de sujets débattus, un nombre beaucoup plus grand d'acteurs intervenant publiquement, une omniprésence de l'information, des sondages, du marketing et de la communication.

Il s'agit d'un espace symbolique où s'opposent et se répondent les discours, la plupart contradictoires, tenus par les différents acteurs politiques, sociaux, religieux, culturels, intellectuels, composant une société. C'est donc avant tout un espace symbolique, qui requiert du temps pour se former, un vocabulaire et des valeurs communes, une reconnaissance mutuelle des légitimités ; une vision suffisamment proche des choses pour discuter, s'opposer, délibérer. On ne décrète pas l'existence d'un espace public comme on organise des élections. On en constate l'existence. L'espace public ne relève pas de l'ordre de la volonté. Il symbolise simplement la réalité d'une démocratie en action, ou l'expression contradictoire des informations, des opinions, des intérêts et des idéologies. Il constitue le lien politique reliant des millions de citoyens anonymes, en leur donnant le sentiment de participer effectivement à la politique. Si l'on peut volontairement instituer la liberté d'opinion, la liberté de la presse, la publicité des décisions politiques, cela ne suffit pas à créer un espace public. Il faut rappeler que le modèle démocratique pluraliste qui, depuis les années 1980, est l'objet d'un consensus en Europe, comme il ne le fut jamais dans l'histoire, a été considéré entre 19trente et aujourd'hui, et surtout entre 1947 et 1977 avec le poids du marxisme, la guerre froide et les oppositions idéologiques, comme un concept de «droite». On opposait la démocratie «formelle» bourgeoise à la démocratie «réelle» plus ou moins socialiste. Et dans cette bataille idéologique âpre, personne ne parlait d'espace public. Les mots dominants du vocabulaire politique étaient : pouvoir, conflits, contradiction, intérêts de classe, aliénation, idéologie.

L'espace public suppose au contraire l'existence d'individus plus ou moins autonomes, capables de se faire leur opinion, non «aliénés aux discours dominants», croyant aux idées et à l'argumentation, et pas seulement à l'affrontement physique. Cette idée de construction des opinions par l'intermédiaire des informations et des valeurs, puis de leurs discussions, suppose aussi que les individus soient relativement autonomes à l'égard des partis politiques pour se faire leur propre opinion. En un mot, avec le concept d'espace public, c'est la légitimité des mots qui s'impose contre celle des coups, des avant-gardes et des sujets de l'histoire. C'est l'idée d'une argumentation possible contre le règne de la violence libératrice, l'idée d'une reconnaissance de l'autre, et non sa réduction au statut de «sujet aliéné». Mais l'espace public est devenu un mot à la mode pour une autre raison, moins politique que sociologique, les deux se renforçant et n'étant pas sans lien l'un avec l'autre. L'espace public est aussi l'aboutissement du mouvement d'émancipation qui a consisté à valoriser la liberté individuelle, et tout ce qui est public, contre ce qui était «privé», identifié au domaine des interdits d'autrefois, et aux traditions. Défendre le privé, c'était finalement défendre les règles, les conventions, les traditions ; c'était être conservateur. Il s'est ainsi opéré une rencontre entre deux mouvements relativement différents : celui en faveur de la liberté individuelle, donc d'une certaine capacité à afficher publiquement ce que l'on est, et le mouvement démocratique, qui lui aussi favorisait l'idée de publicité contre celle de secret et d'interdit. Des deux côtés, ce qui était «public» fut valorisé.

Il faut distinguer l'espace commun, l'espace public et l'espace politique.

L'espace commun est le premier espace. Il est symbolisé par les échanges commerciaux, avec l'équivalent universel de la monnaie comme moyen de compenser l'hétérogénéité des langues. Mais chacun sait aussi qu'avec le commerce, comme l'ont prouvé Venise, la Ligue hanséatique et, avant les Arméniens, les Phéniciens et bien d'autres, ce ne sont pas seulement les biens et les services qui s'échangent, mais aussi des signes, des symboles, qui progressivement tissent un espace de familiarité, voire de sécurité. Le mot «commun» apparaît au IXe siècle, venant du latin *communis*, et il est lié à l'idée de communal et de communauté. Un espace commun est à la fois physique, défini par un territoire, et symbolique, défini par des réseaux de solidarité.

L'*espace public* est au départ un espace physique ; celui de la rue, de la place, du commerce et des échanges. C'est seulement à partir des XVIᵉ et XVIIᵉ siècles que cet espace physique devient symbolique avec la séparation du sacré et du temporel et la progressive reconnaissance du statut de la personne et de l'individu face à la monarchie et au clergé. Ce mouvement prend facilement deux siècles. C'est en effet la redéfinition du privé qui permet, en contrepoint, à l'espace public de se dessiner et de s'affirmer. Le mot public apparaît au XIVᵉ siècle, du latin *publicus*; ce qui concerne «tout le monde». Public renvoie à «rendre public», à publier, du latin *publicare*. Cela suppose un élargissement de l'espace commun et l'attribution d'une valeur normative à ce qui est accessible à tous. Dans le passage du commun au public, se lit ce qui deviendra par la suite la caractéristique de la démocratie, à savoir la valorisation du nombre, le complément, en quelque sorte, du principe de liberté.

L'espace public est évidemment la condition de naissance de l'*espace politique*, qui est le plus «petit» des trois espaces au sens de ce qui y circule. Dans cet espace il ne s'agit ni de discuter ni de délibérer, mais de décider et d'agir. Il y a toujours eu un espace politique. Simplement, la spécificité de la politique moderne démocratique réside dans l'élargissement de l'espace politique, au fur et à mesure du mouvement de démocratisation. Le mot émerge entre le XIIIᵉ et le XIVᵉ siècle, venant du latin *politicus*, et empruntant au mot grec *politike* l'idée essentielle de l'art de gérer les affaires de la cité. Il existe alors non seulement un enjeu supplémentaire par rapport à l'espace public, qui est le pouvoir, mais aussi un principe de clôture plus strict lié aux limites territoriales sur lesquelles s'exercent la souveraineté et l'autorité.

Pour simplifier : l'espace *commun* concerne la circulation et l'expression ; l'espace public, la discussion ; l'espace *politique*, la décision. Pourquoi insister sur la différence de nature entre ces trois espaces, qui naturellement sont synchrones dans le fonctionnement quotidien ? Parce que cela permet de réintroduire le phénomène essentiel du temps, dans le passage du commun au public et du public au politique[9].

IDENTITÉ

Selon le Robert, l'identité est «le caractère de ce qui demeure identique à soi-même». Cette définition cache en fait deux acceptions, que met en évidence P.-J. Labarrière dans le *Dictionnaire des notions philosophiques*. «Caractère de ce qui est identique, qu'il s'agisse du rapport de continuité et de permanence qu'un être entretient avec lui-même, à travers de la variation de ses conditions d'existence et de ses états, ou de la relation qui fait que deux réalités, différentes sous de multiples aspects, sont cependant semblables et même équivalentes sous tel ou tel rapport[10]». L'identité culturelle désignera alors «le fait, pour une réalité, d'être égale ou similaire à une autre dans le partage d'une même essence[11]». La notion d'identité est utilisée aussi bien en psychologie qu'en anthropologie. Pour le psychosociologue Pierre Tap, l'identité personnelle concerne, en un sens restreint, «le sentiment d'identité, c'est-à-dire le fait que l'individu se perçoit le même, reste le même dans le temps» «le». En un sens plus large, elle s'apparente «au système de sentiments et de représentations par lequel le sujet se singularise. Mon identité c'est donc ce qui me rend semblable à moi-même et différent des autres ; c'est ce par quoi je me sens exister aussi bien en mes personnages (propriétés, fonctions et rôles sociaux) qu'en mes actes de personne (signification, valeurs, orientations). Mon identité c'est ce par quoi je me définis et me connais, ce par quoi je me sens accepté et reconnu comme tel par autrui[12] ».

Pour l'anthropologie, Nicole Sindzingre écrit « la question de l'identité est inséparable de l'individuation, c'est-à-dire de la « la » différenciation de classes ou d'éléments de classes de même niveau. Pour identifier un ou plusieurs êtres à d'autres, il faut bien les distinguer de tout ce qu'ils ne sont pas ; et à l'inverse, pour appréhender un être singulier, il faut bien supposer son identité historique[13] ». En fait, l'identité est un concept qui permet de définir le résultat de l'activité de constitution du moi. L'identité est une synthèse du moi soumis à différentes aspirations et temporalités, à différentes stratégies et relations sociales. « L'identité est un système de représentations, de sentiments et de stratégies, organisé pour la défense conservatrice de son objet (le "être soi-même"), mais aussi pour son contrôle, sa mobilisation projective et sa mobilité idéalisante (le "devenir soi-même"). L'identité est un système structuré, différencié, à la fois ancré dans une temporalité passée (les racines, la permanence), dans une coordination des conduites actuelles et dans une perspective légitimée (projet, idéaux, valeurs). Elle coordonne des identités multiples associées à la personne (identité corporelle, caractérielle…) ou au groupe (rôles, statuts…)[14] ». Tous ces éléments de définition renvoient pour l'essentiel à une dimension individuelle de l'identité. Le passage à l'identité collective étant justement un des problèmes auquel la sociologie ne peut apporter de réponse claire[15].

INDIVIDU

La notion d'individu est complexe. Le Robert fournit deux éléments. L'approche psychologique définit l'individu comme « l'être humain en tant qu'unité et identité extérieures biologiques ; en tant qu'être particulier, différent de tous les autres ». L'approche sociologique, écrit Lalande, considère l'individu comme « l'unité dont se compose les sociétés[16] ». Aucune de ces définitions n'est évidente en soi. La première est le fruit d'un long travail historique, débuté sous l'Antiquité, repris par les théologiens du Moyen Age et achevé lors de la Réforme et de la Renaissance. En effet, avant cela, écrit Bernard Valade, l'individu ne possédait pas d'identité propre. « Au sein de la société chrétienne, l'homme n'est pas en relation immédiate avec lui-même. Il explique sa situation par tout ce qui dépasse le personnel et l'individuel. […] Si l'être individuel du chrétien acquiert la dignité d'un être permanent, indestructible, c'est dans sa relation à Dieu, c'est-à-dire dans sa participation à la Personnalité divine, que prend forme sa personne[17]. » L'individu et, dans son prolongement théologique, la personne, constituent l'une des originalités les plus fortes de la philosophie et de la civilisation occidentales. La Renaissance a rompu avec cette conception holiste de la société et de la personnalité. Puis les Lumières ont valorisé l'individu en tant qu'être distinct – non soumis aux contraintes des groupes familiaux et sociaux qui encadraient sa vie – et protégé par des règles juridiques écrites. Comme Karl Polanyi l'a montré, l'avènement de l'économie marchande a achevé ce processus. « Le modèle économique fournit les paramètres du modèle social : la société est conçue sous forme de rapports d'échanges entre propriétaires libres et indépendants; elle est réputée, préposée à la protection des droits de l'individu sur sa personne et sur ses biens, ainsi qu'au respect de l'ordre dans toutes les transactions[18]. » A partir de cette conception de l'individu, la Révolution française a posé que chaque homme possède des droits naturels inaliénables, du seul fait qu'il est individu. Indépendamment donc de tout rapport à la collectivité dans laquelle il est inséré. Et c'est l'individu qui, par le consentement qu'il donne, lors de la formation du contrat social fondateur, qui devient la source de tout pouvoir. Le XIXᵉ siècle a vu s'étendre les droits reconnus à l'individu, avec l'acquisition de certains droits politiques dont l'extension progressive du suffrage universel. Puis le préambule de la Constitution de 1946 a affirmé solennellement l'existence de droits sociaux, comme celui du droit à une retraite payée ou à un travail.

MODERNISATION

Le terme de modernisation est *a priori* connoté positivement. Le Robert la définit ainsi : « l'action d'organiser d'une manière conforme aux besoins, et aux moyens modernes ». La sociologie évolutionniste a toujours considéré la modernisation comme *le* processus de transformation des sociétés entrant dans l'ère industrielle, étape nécessaire et indispensable pour accéder au développement économique, à la démocratie, à la prospérité. En fait, cette sociologie a été battue en brèche par la critique de l'universalité de tels processus. On a préféré utiliser le terme de modernisation pour étudier les stratégies suivies par les pays en développement, pour arriver à la construction d'une société moderne « à l'occidentale ». Le rejet de la première conception, finalement historiciste, a « abouti à construire la modernisation, non plus comme la résultante d'une loi d'évolution, mais comme un mode de réutilisation et de redéfinition des structures traditionnelles pour faire face aux espaces de la modernité[19] ». Étant entendu que « la modernisation est très rarement un processus de changement planifié et contrôlé[20] ».

Raymond Boudon et François Bourricaud caractérisent la modernisation comme un processus à trois faces : *mobilisation, différenciation, laïcisation*. « Le premier terme est emprunté à K. Deutsch, qui a relevé un certain nombre d'indicateurs permettant d'apprécier l'aisance et la rapidité avec lesquelles les biens, les personnes, les informations circulent à l'intérieur d'une même société[21] ». La mobilisation signifie en fait l'instauration de la libre circulation entre les individus : déplacements de populations, circulation des savoirs, transferts de qualifications, autonomie vis-à-vis de la sphère parentale, etc.

La modernisation implique également un renouvellement du mode de division du travail social. « Des institutions comme la bureaucratie, et surtout l'entreprise, sont modernes, en ce sens qu'elles prétendent distinguer, au moins en théorie, les individus selon la contribution qu'ils apportent à une tâche socialement valorisée, plutôt que selon leurs origines et leurs affiliations familiales et locales[22] ». Enfin, la laïcisation implique « une séparation instituée entre l'Église (et aussi l'État) et, d'autre part, les institutions de recherche et d'enseignement[23] ».

MODERNITÉ

« L'adjectif moderne, à partir duquel a été forgé au XIXᵉ siècle le terme modernité, désigne ce qui appartient à une époque récente. Il peut avoir le sens d'actuel, de contemporain et s'oppose à ancien, à antique. Depuis la Querelle des Anciens et des Modernes, au XVIIᵉ siècle, ce terme est chargé d'une connotation positive. Les tenants du moderne partent du présupposé d'un progrès de l'humanité[24] ». La modernité, au niveau socio-historique, désigne, selon Gérard Guest, « le fait historique majeur qui affecte, à la fin du Moyen Age et à l'origine de la Renaissance, toutes les formes de culture et toutes les formes d'existence en Europe. L'homme européen y fonde – par opposition à l'homme et à l'homme médiéval – ses formes de vie propres, en un nouveau partage de la référence à la tradition. Ce partage est rendu possible par la constitution d'une mémoire historique, philologique et herméneutique, et la référence au progrès, que rendent possible l'essor des sciences et des techniques, l'évolution accélérée du mouvement des forces productives au service d'une maîtrise sans précédent des processus naturels. Il est aussi rendu possible par l'édification politique de l'État moderne, la référence philosophique aux valeurs de l'humanisme et de la raison[25] ».

Alain Touraine décrit les différents éléments philosophico-politiques qui composent cette modernité : une révolution de l'homme éclairé contre la tradition ; la sacralisation de la société ; la soumission à la loi naturelle de la raison. La modernisation dans son acception occidentale est « l'œuvre de la raison elle-même, et donc surtout de la science, de la technologie et de l'éducation, et les politiques sociales de modernisation ne doivent pas avoir d'autre but que de dégager la route de la raison en supprimant les réglementations, les défenses corporatistes ou les barrières douanières, en créant la sécurité et la prévisibilité dont l'entrepreneur a besoin et en formant des gestionnaires et des opérateurs compétents et consciencieux. [...] L'Occident a donc vécu et pensé la modernité comme une révolution. La raison ne connaît aucun acquis ; elle fait au contraire table rase des croyances et des formes d'organisation sociale et politique qui ne reposent pas sur une démonstration de type scientifique[26] ». De plus, la modernité engendre, du fait de la sécularisation, une nouvelle pensée politique qui remplace Dieu par la Société comme principe de jugement moral. « L'idée que la société est source de valeurs, que le bien est ce qui est utile à la société et le mal ce qui nuit à son intégration et à son efficacité, est un élément essentiel de l'idéologie de la modernité. Pour ne plus se soumettre à la loi du père, il faut la remplacer par l'intérêt des frères et soumettre l'individu à l'intérêt de la collectivité[27] ». Enfin, « la pensée moderniste affirme que les êtres humains appartiennent à un monde gouverné par des lois naturelles que la raison découvre et auxquelles elle est elle-même soumise. Et elle identifie le peuple, la nation, à un corps social qui fonctionne lui aussi selon des lois naturelles et qui doit se débarrasser des formes d'organisation et de domination irrationnelles qui cherchent frauduleusement à se faire légitimer par le recours à une révélation ou à une décision suprahumaine[28] ».

La modernité est d'abord un outillage critique. Les armes de la critique se retourneront donc contre elle. G. Guest décrit la modernité comme « l'époque de l'interprétation de l'interprétation[29] ». (Voir le développement des travaux d'herméneutique de Gadamer, la critique logique du langage de Wittgenstein, etc.) De nombreux penseurs, le plus radical étant Nietzsche, dénonceront les méfaits de l'idéologie moderniste. Freud provoqua une remise en cause radicale de l'idéal de l'homme comme être de raison. Puis l'école de Francfort où les travaux de Michel Foucault mirent en évidence combien la modernité était antinomique avec l'idée de progrès du bien-être, en soulignant les processus d'aliénation engendrés par les sociétés modernes. Le dépérissement de l'idéologie et des pratiques modernistes, notamment dans la création esthétique, a donné naissance au concept de postmodernisme ou de postmodernité. Jean-François Lyotard la considère comme une «hypermodernité» au sens où les avant-gardes s'épuisent d'elles-mêmes dans leur quête incessante de la modernité[30]. La postmodernité signifie surtout la disparition de tout modèle de société, les acteurs sont tournés vers eux-mêmes, vers la satisfaction de leurs besoins narcissiques, l'identité sociale est fournie par ce que l'on consomme, plutôt que par ce que l'on est. La postmodernité renvoie à une société sans histoire, au sens où il n'y a plus de grands projets et où l'autoréflexion, voire l'autodérision, remplace toute perspective historicisante[31].

SCIENCES DE LA COMMUNICATION

Les sciences de la communication ont pour objet l'étude de la communication, mais il n'y a pas *une* science de la communication puisque la communication fait appel à plusieurs disciplines. La communication est plutôt un *objet* de connaissance interdisciplinaire, au carrefour des disciplines traditionnelles et des savoirs récents liés à une formidable expansion. On peut distinguer trois pôles dans les sciences de la communication.

Le premier pôle, à l'interface des neurosciences et des sciences cognitives, étudie la communication dans ses rapports avec le cerveau : perception ; mémoire ; traitement de l'image et du langage.

Le deuxième pôle, à l'interface des sciences cognitives et des sciences physiques pour l'ingénieur, est centré sur les problèmes de communication entre l'homme et les machines.

Le troisième pôle, centré sur les sciences de l'homme et de la société, étudie la communication entre les individus et les collectivités, ainsi que l'impact des techniques de communication sur le fonctionnement de la société.

Dix disciplines sont ici mobilisées : philosophie ; économie ; droit ; science politique ; histoire ; anthropologie ; psycho-linguistique ; géographie ; sociologie, linguistique. C'est en cela que les sciences de la communication sont par nature *interdisciplinaires*, la dimension inéluctablement anthropologique de la communication empêchant tout réductionnisme disciplinaire. La communication est probablement une des activités humaines à partir desquelles l'homme a le moins de distance, puisqu'elle est directement constitutive de son rapport au monde.

SOCIÉTÉ CIVILE

La notion de société civile est ambiguë. Elle a connu dans son histoire un renversement complet de sens. De l'Antiquité au XVIIe siècle, la société civile est opposée à l'État de nature, elle signifie toute société politiquement organisée. Venant du latin, les termes *civitas*, *societas civilis* ou encore *res publica* resteront longtemps synonymes. Ce n'est qu'après la Révolution française et la conception unitaire de l'État-nation imposée par elle que la notion de société civile est opposée à l'État, pour signifier ce qui relève du domaine privé, de la société sans l'État. Des traces de cette ambiguïté demeurent dans le vocabulaire. Les adjectifs «civil» et «civique» ont la même racine. Pourtant, les droits civiques concernent celui qui s'associe au pouvoir de l'État et participe à la communauté politique, alors que les droits civils définissent les obligations qui régissent les rapports entre individus dans leur vie privée. «Le concept de société civile trouve sa formulation systématique en 1821 dans *Les Principes de la philosophie du droit* de Hegel. En introduisant ce concept, Hegel prenait acte du changement le plus significatif de la modernité politique : la séparation de la "vie civile" et de la "vie politique", de la société et de l'État ; changement concomitant à la révolution industrielle (montée de la culture bourgeoise, importance et autonomie accrue de la sphère économique) et politiquement consacré par l'effondrement de l'Ancien Régime[32] ».

Aujourd'hui, Dominique Colas propose une définition opératoire de la société civile. «Elle désigne la vie sociale organisée selon sa propre logique, notamment associative, qui assurerait la dynamique économique, culturelle et politique[33] ».

Les variations historiques du concept montrent bien à quel point la société civile est une notion conflictuelle et idéologique. De nos jours, elle est réapparue, à la suite de la crise de l'État-providence, et elle est investie de multiples connotations positives. Elle s'apparente alors, selon François Rangeon, à un mythe politique. «Avant d'être un concept ou une idée, la société civile évoque d'abord un ensemble de valeurs positives : l'autonomie, la responsabilité, la prise en charge par les individus eux-mêmes de leurs propres problèmes. Par sa dimension collective, la société civile semble échapper aux dangers de l'individualisme et inciter à la solidarité. Par sa dimension civile, elle évoque l'émancipation de la tutelle étatique, mais aussi des valeurs plus affectives telles que l'intimité, la familiarité, etc. On s'explique ainsi la réactivation récente du couple société civile-État[34] ».

SOCIÉTÉ INDIVIDUALISTE DE MASSE

J'ai construit ce mot pour rendre compte de l'originalité de la société contemporaine où cohabitent deux données structurelles, toutes deux normatives mais contradictoires : la valorisation de l'individu, au nom des valeurs de la philosophie libérale et de la modernité ; la valorisation du grand nombre, au nom de la lutte politique en faveur de l'égalité. L'économie de marché ayant assuré le passage de l'un à l'autre, en élargissant sans cesse les marchés, jusqu'à l'instauration de la société de consommation de masse où nous retrouvons les deux dimensions, du choix individuel et de la production en grand nombre. La société individualiste de masse est en permanence obligée de gérer ces deux dimensions antinomiques : l'*individu* et la *masse*, toutes les deux liées aux grandes traditions démocratiques européennes mais qui bousculent les équilibres socioculturels antérieurs. Contrairement aux thèses de l'École de Francfort, je ne tire pas les mêmes conclusions pessimistes de cette réalité de la société de masse. L'individu peut être dominé, mais pas altéré, il conserve une capacité critique. Si le constat est le même, les conséquences sont différentes.

La *crise du lien social* résulte de la difficulté à trouver un nouvel équilibre au sein de ce modèle de société. Les liens primaires, liés à la famille, au village, au métier, ont disparu, et les liens sociaux, liés aux solidarités de classes et d'appartenance religieuse et sociale, se sont aussi affaissés. Résultat, il n'y a plus grand-chose entre la masse et l'individu, entre le nombre et les personnes. Plus beaucoup de liens. C'est dans ce contexte d'absence de relais socioculturels entre le niveau de l'expérience individuelle et celui de l'échelle collective que se situe l'intérêt de la télévision. Elle offre justement un lien structurant entre ces échelles et ces espaces. Aucune des références unitaires qui, hier, organisaient l'espace symbolique de nos sociétés n'est aujourd'hui stable. Partout dominent des dualités contradictoires dont la conséquence est une certaine fragilisation des rapports sociaux. Il y a, on l'a vu, le couple individu-masse aux finalités évidemment contradictoires ; l'opposition égalité-hiérarchie, où l'existence de l'égalité n'exclut nullement la réalité d'une société assez immobile et hiérarchique ; le conflit ouverture-fermeture, lié au fait que l'ouverture et la communication deviennent les références d'une société sans grand projet depuis la chute de l'idéal communiste ; le décalage entre l'élévation générale du niveau des connaissances et la réalité massive d'un chômage disqualifiant... Le tout dans un contexte d'éclatement des structures familiales ; de déséquilibres liés aux mouvements d'émancipation des femmes ; de crise des modèles du travail où les identités paysannes et ouvrières ont disparu au profit d'un tertiaire protéiforme ; de la difficulté à faire du milieu urbain un cadre de vie acceptable... Le tribut à la liberté est cher payé, comme est cher payé l'avènement de la société de masse, au nom de l'égalité. Mutations d'autant plus difficiles à intégrer que par ailleurs les citoyens, grâce aux médias, sont projetés vers le monde extérieur. Chacun de sa cuisine, ou de sa salle à manger, fait plusieurs fois par jour le tour du monde, avec la télévision. Et pour parfaire le paysage, n'oublions pas que cette affirmation des *droits* s'accompagne d'un refus des hiérarchies, des codes et des règles imposées par les multiples institutions que sont la famille, l'école, l'armée, l'Église... Chacun parle plus de ses droits que de ses devoirs. Chacun est *libre*, même si le résultat est celui d'une discrète mais obsédante solitude, expliquant là aussi le retour de cette problématique du lien social[35].

TRADITION

La tradition à l'origine du mot a un sens religieux. Le Robert la définit comme « une doctrine ou une pratique, religieuse ou morale, transmise de siècle en siècle, par la parole ou par l'exemple ». Puis, dans le domaine de la connaissance, des mœurs, des arts, etc., c'est « une manière, ou un ensemble de manières, de penser, de faire ou d'agir, qui est un héritage du passé ». La tradition est donc un produit passé mais qui a une actualité. Le *Dictionnaire ethnologique* donne ainsi la définition suivante : « ce qui d'un passé persiste dans le présent où elle est transmise et demeure agissante et acceptée par ceux qui la reçoivent et qui, à leur tour, au fil des générations, la transmettent[36] ». La tradition n'est donc plus perçue par les sciences sociales comme un archaïsme qui s'imposerait aux individus. Elle apparaît comme un apprentissage, et donc comme une réappropriation. R. Boudon et F. Bourricaud affirment clairement : « La tradition n'est pas un passé irréductible à la raison et à la réflexion, qui nous contraint de tout son poids, c'est un *processus* par lequel se constitue une expérience vivante et adaptable. [...] L'inculcation ne peut être tenue pour un processus d'ajustement strictement mécanique. [...] Le moins qu'on puisse faire ici, c'est, avec Piaget, de parler non seulement *d'adaptation* à un modèle, mais d'assimilation dudit modèle, qui se trouve ainsi affecté, et éventuellement redéfini, dans tels ou tels cas de ses traits, par l'effort de l'apprenti[37] ». La tradition a été redécouverte par la sociologie historique. En effet, comme l'écrit Bertrand Badie, « loin d'être un point de départ dont se détachent les sociétés à mesure qu'elles se modernisent, la tradition apparaît au contraire comme un support essentiel du changement social[38] ». L'étude du développement des nations, depuis Tocqueville, a aussi permis de montrer qu'aucune société ne changeait pas radicalement. Chaque phase de changement comporte des éléments de stabilité, ou politiques, ou culturels, ou sociaux, sur lesquels s'appuyer pour initier les mouvements nouveaux. « En redécouvrant ces éléments de permanence, la sociologie historique réévalue le concept de tradition pour en faire ainsi une composante active de la modernisation, structurant la stratégie des élites et organisant la modernité en fonction d'une reprise ou d'une conservation des structures professionnelles[39] ».

1. J.-F. Gossiaux, «Communauté», *in* P. Bonte et M. Izard, *Dictionnaire de l'ethnologie et de l'anthropologie*, PUF, Paris, 1991.

2. R. Boudon et F. Bourricaud, «Communauté», *Dictionnaire critique de la sociologie*, PUF, Paris, 1982, p. 75.

3. R. Boudon et F. Bourricaud, *Dictionnaire critique de la sociologie*, PUF, Paris, 1982, p. 76. Sur la distinction entre «communauté» et «société», voir F. Tönnies, *Communauté et société*, Retz, Paris, 1978 (éd. originale allemande, 1887).

4. Pour les références bibliographiques, se reporter à la bibliographie «classique», à la fin de l'introduction générale et à la bibliographie des trois premiers chapitres.

5. Il faut entendre «homme politique» au sens large. C'est naturellement les hommes politiques élus, qui sont par l'élection le cœur du modèle démocratique, mais c'est aussi les acteurs politiques, syndicalistes, associatifs qui s'engagent dans la lutte politique, avec pour enjeu la prise et l'exercice du pouvoir.

6. Pour la communication politique, se reporter à: *Hermès*, n° 15, «Argumentation et rhétorique I», Éd. du CNRS, Paris, 1995; *Hermès*, n° 16, «Argumentation et rhétorique II», Éd. du CNRS, Paris, 1995; *Hermès*, nos 17-18, «Communication et politique», Éd. du CNRS, Paris, 1995; *L'Année sociologique*, «Argumentation et sciences sociales», PUF, t. 1, 1994 et t. 2, 1995; J. Gerstlé, *La communication politique*, PUF, «Que sais-je?», n° 2653, Paris, 1992; D. Swanson et D. Nimmo, *New Direction in Political Pommunication*, Sage, Londres, 1990; J. Gerstlé, *La communication politique*, PUF, «Que sais-je?», n° 2652, Paris, 1992.

7. La bibliographie sur cette question essentielle de la *culture grand public* est faible, en tout cas inversement proportionnelle à l'importance du problème. Des travaux ont été faits dans les années 60-70, mais peu ensuite du fait de la domination de l'approche critique qui n'était pas loin de voir, dans cette culture, la forme la plus sophistiquée de l'aliénation... Et, depuis, l'éclatement de cette culture grand public en autant de cultures spécifiques a là aussi, été considéré comme un progrès...

8. Cf. H. Arendt, *La Crise de la culture*, Gallimard (trad.), coll. «Idées», Paris, 1972; R. Badie, «Culture politique», *Encyclopédie philosophique universelle, Les Notions philosophiques*, vol. 1, PUF, Paris, 1990; F. Balle, «Culture de masse», *Encyclopédie philosophique universelle, Les Notions philosophiques*, vol. 1, PUF, Paris, 1990; R. Boudon et F. Bourricaud, «Culture et culturalisme», *Dictionnaire critique de sociologie*, PUF, Paris, 1982; C. Camilleri et M. Cohen-Henrique, *Chocs des cultures: concepts et enjeux pratiques*, L'Harmattan, Paris, 1989; J. Caune, *Culture et communication: convergences théoriques et lieux de méditation*, PUG, Grenoble, 1995; M. de Certeau, *La Culture au pluriel*, Christian Bourgois, Paris, 1980; J. Galaty et J. Leavitt, «Culture», *Dictionnaire de l'ethnologie et de l'anthropololigie*, PUF, Paris, 1991; P. Henriot, «Sens de la culture», *Encyclopédie philosophique universelle, Les Notions philosophiques*, vol. 1, PUF, Paris, 1990; P. Kaufman, «Culture et civilisation», *Encyclopædia Universalis*, 1980; W. Lepenies, *Les Trois cultures. Entre science et littérature, l'avènement de la sociologie*, Éd. de la MSH, Paris, 1990 (éd. originale 1988); R. Linton, *Le Fondement culturel de la personnalité*, Dunod (trad.), Paris, 1980; P. Meyer-Bisch (sous la

dir. de), *Les Droits culturels. Une catégorie sous-développée des droits de l'homme*, Éd. de l'université de Fribourg: Centre interdisciplinaire des droits de l'homme, Fribourg, 1993; E. Morin, «Culture de masse», *Encyclopædia Universalis*, 1980; C. de Rivière, «Culture», *Encyclopédie philosophique universelle, Les Notions philosophiques*, vol. 1, PUF, Paris, 1990; Y. Schemeil, «Les cultures politiques», *Traité de sciences politiques*, sous la direction de M. Grawitz et J. Leca, PUF, Paris, 1985; G. Simmel, *La Tragédie de la culture et autres essais*, Petites bibliothèques rivages, Paris, 1988.

9. Cf. J. Habermas, *L'Espace public*, Payot, Paris, 1978; *Hermès*, n° 4, «Le nouvel espace public», Éd. du CNRS, Paris, 1989; *Hermès*, n° 10, «Espaces publics, traditions et communautés», Éd. du CNRS, Paris, 1989; *Hermès*, n°s 13-14, «Espaces publics en images», Éd. du CNRS, Paris, 1989; *Réseaux*, n° 71, «Médias, identité, culture des sentiments», CNET, mai-juin 1995; *Réseaux*, n° 66, «Service public, service universel», CNET, juillet-août 1994.

10. P.-J. Labarrière, «Identité», *Encyclopédie philosophique universelle, Les Notions philosophiques*, vol. 2, PUF, Paris, 1990, p. 1208.

11. O. «Identité» Clain, «Identité culturelle», *Encyclopédie philosophique universelle, Les Notions philosophiques*, vol. 2, PUF, Paris, 1990, p. 1211.

12. P. Tap, «Identité: psychologie», *Encyclopædia Universalis*, Paris, 1985, vol. 9, p. 756. Sur ce sujet voir également C. Lévi-Strauss (séminaire dirigé par), *L'Identité*, Grasset, Paris, 1977.

13. N. Sindzingre, «Identité: anthropologie», «Identité:» *Encyclopædia Universalis*, Paris, 1985, vol. 9, p. 757.

14. J.-P. Codol et P. Tap, *Revue internationale de psychologie sociale*. Numéro sur: «Dynamique personnelle et identités sociales» «Dynamique», n° 2, 1988, p. 169.

15. Sur ces questions, une bonne introduction est le livre de C. Camilleri et *al.*, *Stratégies identitaires*, PUF, Paris, 1990.

16. Pour une synthèse sur ce problème voir N. Elias, *La Société des individus*, Fayard, Paris, 1991. Voir également, sur l'« individualisme méthodologique», R. Boudon, *La Logique du social*, Hachette, Paris, 1979.

17. B. Valade, «L'individu», *Encyclopædia Universalis*, Paris, 1985, «Symposium», p. 681.

18. *Ibid.*, p. 683.

19. B. Badie, «Modernisation», *Encyclopédie philosophique universelle, Les Notions philosophiques*, vol. 2, PUF, Paris, 1990, p. 1653.

20. R. Boudon et F. Bourricaud, «Modernisation», *Dictionnaire critique de la sociologie*, PUF, Paris, 1982, p. 369.

21. *Ibid.*, p. 364.

22. *Ibid.*, p. 366.

23. *Ibid.*, p. 367.

24. N. Blumenkranz, «Modernité (esthétique)», *Encyclopédie philosophique universelle, Les Notions philosophiques*, vol. 2, PUF, Paris, 1990, p. 1658.

25. G. Guest, «Modernité», *Encyclopédie philosophique universelle, Les Notions philosophiques*, vol. 2, PUF, Paris, 1990, p. 1655.

26. A. Touraine, *Critique de la modernité*, Fayard, Paris, 1992, p. 25.

27. *Ibid.*, p. 30.

28. *Ibid.*, p. 49.

29. G. Guest, «Modernité», *Encyclopédie philosophique universelle, Les Notions philosophiques*, vol. 2, PUF, Paris, 1990, p. 1657.

30. J.-F. Lyotard, *La Condition postmoderne*, Éd. de Minuit, Paris, 1979.

31. Sur la question de la modernité appliquée à l'Europe, voir notamment: P. Ory, «Modernisme et culture de masse» et A. Compagnon, «Fin de l'hégémonie culturelle européenne», *in Esprit de l'Europe*, Flammarion, Paris, 1993; G. Vattimo, *La Fin de la modernité: nihilisme et herméneutique dans la culture post-moderne*, Seuil, Paris, 1987; G. Vattimo, *La Société transparente*, Desclée de Brouwer, Paris, 1990.

32. R. Gervais, «Civile (société)», *Encyclopédie philosophique universelle, Les Notions philosophiques,* vol. 2, PUF, Paris, 1990, p. 325.

33. D. Colas, «Société civile», *in* O. Duhamel et Y. Meny, *Dictionnaire constitutionnel,* PUF, Paris, 1992. Pour plus de détails, voir D. Colas, *Le Glaive et le fléau. Généalogie de la société civile et fanatisme,* Grasset, Paris, 1992.

34. F. Rangeon, «Société civile: histoire d'un mot», *in* C.U.R.A.P.P., *La Société civile,* PUF, Paris, 1986, pp. 9-32.

35. Cf. N. Elias, *La Société des individus,* Fayard, Paris, 1991; *Hermès,* n° 2, «Masses et politique», Éd. du CNRS, Paris, 1988; *Hermès,* n°s 5-6, «Individus et politique», Éd. du CNRS, Paris, 1988; *Hermès,* n° 19, «Voies et impasses de la démocratisation», Éd. du CNRS, Paris, 1996; M. Horkheimer et T.W. ADORNO, *La Dialectique de la raison,* Gallimard, coll. «Tel», Paris, 1974; H. Marcuse, *L'Homme unidimensionnel,* Éd. de Minuit, Paris, 1964; A. Renaut, *L'Individu,* Hatier, Paris, 1995; C. Taylor, *Multiculturalisme. Différence et démocratie,* Aubier, Paris, 1994.

36. J. Pouillon, «Tradition» *in* P. Bonte et M. Izard, *Dictionnaire de l'ethnologie et de l'anthropologie,* PUF, Paris, 1991.

37. R. Boudon et F. Bourricaud, «Tradition», *Dictionnaire critique de la sociologie,* PUF, Paris, 1982, p. 576.

38. B. Badie, «Traditions», *Encyclopédie philosophique universelle, Les Notions philosophiques,* vol. 2, PUF, Paris, 1990, p. 2627.

39. B. Badie, «Traditions», *Encyclopédie philosophique universelle, Les Notions philosophiques,* vol. 2, PUF, Paris, 1990. Sur la notion de tradition, voir également É. Hobsbwam, *L'Invention de la tradition,* Gallimard, Paris, 1992.

Index des noms propres

Index thématique

TABLE DES MATIÈRES

*Achevé d'imprimer en Septembre 1998
sur les presses de l'imprimerie Maury Eurolivres
45300 Manchecourt*

N° d'éditeur : FH141301.
Dépôt légal : Septembre 1998.
N° d'impression : 98/09/66898

Imprimé en France

SCIENCES

BARROW
La Grande Théorie.

BITBOL
L'Aveuglante Proximité du réel.
Mécanique quantique.

BROGLIE
La Physique nouvelle et les quanta.
Nouvelles perspectives en microphysique.

BRUNHES
La Dégradation de l'énergie.

CAVALLI-SFORZA
Qui sommes-nous ?

CHAUVET
La Vie dans la matière.

COUTEAU
Le Grand Escalier. Des quarks aux galaxies.
Les Rêves de l'infini.

DAVIES
Les Forces de la nature.

DELSEMME
Les Origines cosmiques de la vie.

DELSEMME, PECKER, REEVES
Pour comprendre l'univers.

DELUMEAU (PRÉSENTÉ PAR)
Le Savant et la foi.

DENTON (Derek)
L'Émergence de la conscience.

DENTON (Michael)
Évolution. Une théorie en crise.

DINER, LOCHAK, FARGUE
L'Objet quantique.

DROUIN
L'Écologie et son histoire.

ECCLES
Évolution du cerveau et création de
la conscience.

EINSTEIN
Comment je vois le monde.
Conceptions scientifiques.

EINSTEIN, INFELD
L'Évolution des idées en physique.

FRANCK
Einstein. Sa vie, son temps.

GELL-MANN
Le Quark et le jaguar.

GLEICK
La Théorie du chaos.

GRIBBIN
À la poursuite du Big Bang.
Le Chat de Schrödinger.

HAWKING
Commencement du temps et fin de
la physique ?
Une brève histoire du temps.

HEISENBERG
La Partie et le tout.

HURWIC
Pierre Curie.

JACQUARD
Idées vécues.

KLEIN, SPIRO (DIR)
Le Temps et sa flèche.

KUHN
La Structure des révolutions scientifiques.

LEAKEY, LEWIN
Les Origines de l'homme.

LLOYD
Les Origines de la science grecque.

LOCHAK
La Géométrisation de la physique.
Louis de Broglie. Un prince de la science.

LOVELOCK
La Terre est un être vivant.

MANDELBROT
Fractales, hasard et finance.
Les Objets fractals.

MERLEAU-PONTY
Einstein.

VON NEUMANN
L'Ordinateur et le cerveau.

NOTTALE
L'Univers et la lumière.

PERRIN
Les Atomes.

PLANCK
Autobiographie scientifique et
derniers écrits.
Initiations à la physique.

POINCARÉ
La Science et l'hypothèse.
La Valeur de la science.

POPPER
La Connaissance objective.

PRIGOGINE
Les Lois du chaos.

PRIGOGINE, STENGERS
Entre le temps et l'éternité.

REICHHOLF
L'Émancipation de la vie.

ROBERT
Les Horloges biologiques.

ROSENFIELD
L'Invention de la mémoire.

RUFFIÉ
De la biologie à la culture.
Traité du vivant.

RUFFIÉ, SOURNIA
Les Épidémies dans l'histoire de l'homme.

SELLERI
Le Grand Débat de la théorie quantique.

SERRES
Les Origines de la géométrie.

SHAPIRO
L'Origine de la vie.

SMOOT
Les Rides du temps.

STENGERS
L'Invention des sciences modernes.

STEWART
Dieu joue-t-il aux dés ? (nouvelle édition)

TESTART
Le Désir du gène.
L'Œuf transparent.

THOM
Paraboles et catastrophes.
Prédire n'est pas expliquer.

TRINH XUAN
Un astrophysicien.

TUBIANA
Histoire de la pensée médicale.

ULLMO
La Pensée scientifique moderne.

WEYL
Symétrie et mathématique moderne.

WILLS
La Sagesse des gènes.

HISTOIRE

ARASSE
La Guillotine et l'imaginaire de
la Terreur.

AYMARD, BRAUDEL, DUBY
La Méditerranée. Les hommes et
l'héritage.

BARNAVI
Une histoire moderne d'Israël.

BERTIER DE SAUVIGNY
La Restauration.

BIARDEAU
L'Hindouisme.

BOIS
Paysans de l'Ouest.

BOUREAU
La Papesse Jeanne.

BRAUDEL
La Dynamique du capitalisme.
Écrits sur l'histoire.
Écrits sur l'histoire II.
Grammaire des civilisations.
L'Identité de la France.
La Méditerranée. L'espace et l'histoire.

BRUNSCHWIG
Le Partage de l'Afrique noire.

CARRÈRE D'ENCAUSSE
Lénine. La révolution et le pouvoir.
Staline. L'ordre par la terreur.

CHAUNU
La Civilisation de l'Europe des
Lumières.

CHOURAQUI
Moïse.

CORBIN
Les Filles de noce. Misère sexuelle et
prostitution au XIXᵉ siècle.
Le Miasme et la jonquille. L'odorat et
l'imaginaire social, XVIIIᵉ-XIXᵉ siècle.
Le Temps, le désir et l'horreur.
Le Territoire du vide. L'Occident et
le désir du rivage, 1750-1840.
Le Village des cannibales.

DAUMARD
Les Bourgeois et la bourgeoisie en
France depuis 1815.

DAVID
La Romanisation de l'Italie.

DIEHL
La République de Venise.

DUBY
L'Économie rurale et la vie des
campagnes dans l'Occident médiéval.
L'Europe au Moyen Âge.
Mâle Moyen Âge. De l'amour et autres
essais.
Saint Bernard. L'art cistercien.
La Société chevaleresque. Hommes et
structures du Moyen Âge I.
Seigneurs et paysans. Hommes et
structures du Moyen Âge II.

ELIAS
La Société de cour.

FAIRBANK
La Grande Révolution chinoise.

FERRO
La Révolution russe de 1917.

FINLEY
L'Invention de la politique.
Les Premiers Temps de la Grèce.

FOISIL
Le Sire de Gouberville.

FURET
L'Atelier de l'histoire.

FURET, OZOUF
Dictionnaire critique de la Révolution
française (4 vol.).

FUSTEL DE COULANGES
La Cité antique.

GEARY
Naissance de la France. Le monde
mérovingien.

GEREMEK
Les Fils de Caïn.
Les Marginaux parisiens aux XIVᵉ et
XVᵉ siècles.

GERNET
Anthropologie de la Grèce antique.
Droit et institutions en Grèce antique.

GOMEZ
L'Invention de l'Amérique.

GOUBERT
100 000 provinciaux au XVIIᵉ siècle.

GRIMAL
La Civilisation romaine.
Virgile ou la seconde naissance de Rome.

GROSSER
Affaires extérieures. La politique de la France, 1944-1989.
Le Crime et la mémoire.

HELL
Le Sang noir.

KRAMER
L'Histoire commence à Sumer.

LALOUETTE
Au royaume d'Égypte. Histoire de l'Égypte pharaonique I.
Thèbes. Histoire de l'Égypte pharaonique II.
L'Empire des Ramsès. Histoire de l'Égypte pharaonique III.
L'Art figuratif dans l'Égypte pharaonique.

LANE
Venise, une république maritime.

LE GOFF
La Civilisation de l'Occident médiéval.

LEROY
L'Aventure séfarade. De la péninsule ibérique à la Diaspora.

LE ROY LADURIE
Les Paysans de Languedoc.
Histoire du climat depuis l'an mil.

LEWIS
Les Arabes dans l'histoire.
Juifs en terre d'Islam.

LOMBARD
L'Islam dans sa première grandeur.

MAHN-LOT
La Découverte de l'Amérique.

MARRUS
L'Holocauste dans l'histoire.

MAYER
La Persistance de l'Ancien Régime.

MILZA
Fascisme français.

MOLLAT, WOLFF
Les Révolutions populaires en Europe aux XIVᵉ et XVᵉ siècles.

MUCHEMBLED
Culture populaire et culture des élites dans la France moderne (XVᵉ-XVIIIᵉ siècle).

RICHET
La France moderne. L'esprit des institutions.

ROMANO
Les Conquistadores.

SCHWALLER DE LUBICZ I.
Her-Bak « disciple ».
Her-Bak « pois chiche ».

SCHWALLER DE LUBICZ R.A.
Le Miracle égyptien.
Le Roi de la théocratie pharaonique.

SOUTHERN
L'Église et la société dans l'Occident médiéval.

STERN
Hitler.

TUBIANA
Histoire de la pensée médicale.

VALANCE
Histoire du franc de 1360 à 2002.

VIDAL-NAQUET
La Démocratie athénienne vue d'ailleurs.

VINCENT
1492 : « l'année admirable ».

VINCENT
Histoire des États-Unis.

SCIENCES HUMAINES

ABRAHAM, TOROK
L'Écorce et le noyau.

ALAIN
Idées. Introduction à la philosophie de Platon, Descartes, Hegel, Comte.

ANATRELLA
Non à la société dépressive.
Le Sexe oublié.

ARCHÉOLOGIE DE LA FRANCE
(Réunion des musées nationaux).

ARNAULD, NICOLE
La Logique ou l'art de penser.

ARNHEIM
La Pensée visuelle.

AUGÉ
Anthropologie des mondes contemporains.

AXLINE
Dibs.

BADINTER
L'Amour en plus.

BAVEREZ
Raymond Aron.
Les Trente Piteuses.

BERNARD
Introduction à l'étude de la médecine expérimentale.

FRANCK
Einstein, sa vie, son temps.

HURWIC
Pierre Curie.

LEPAPE
Diderot.

LESCOURRET
Emmanuel Levinas.

LOCHAK
Louis de Broglie. Un prince de la science.

MERLEAU-PONTY
Einstein.

PENROSE
Picasso.

SAUVERZAC
Françoise Dolto.

SCHIFANO
Luchino Visconti.

STEINER
Martin Heidegger.

ART

ARASSE
Le Détail. Pour une histoire rapprochée de la peinture.

BALTRUSAITIS
Aberrations. Les perspectives dépravées I.
Anamorphoses. Les perspectives dépravées II.
Le Moyen Âge fantastique.
La Quête d'Isis.

BRAUDEL
Le Modèle italien.

BRUSATIN
Histoire des couleurs.

CHAR
La Nuit talismanique.

CHASTEL
Introduction à l'histoire de l'art français.

DAMISCH
Le Jugement de Pâris.
L'Origine de la perspective.

DIDI-HUBERMAN
Fra Angelico. Dissemblance et figuration.

DUCHAMP
Duchamp du signe.

FUMAROLI
L'École du silence.

GRABAR
L'Iconoclasme byzantin.
Les Voies de la création en iconographie chrétienne.

HASKELL
La Norme et le caprice.

LE CORBUSIER
Urbanisme.
L'Art décoratif d'aujourd'hui.
Vers une architecture.

MÂLE
Notre-Dame de Chartres.

MARIN
Détruire la peinture.

MOULIN
L'Artiste, l'institution et le marché.

PANOFSKY
La Renaissance et ses avant-courriers dans l'art d'Occident.

PENROSE
Picasso.

PHILIPPOT
La Peinture dans les anciens Pays-Bas.

SEGALEN
Chine, la grande statuaire.

SEZNEC
La Survivance des dieux antiques.

SHATTUCK
Les Primitifs de l'avant-garde.

WÖLFFLIN
Réflexions sur l'histoire de l'art.

CINÉMA

BORDE, CHAUMETON
Panorama du film noir américain (1944-1953).

BOUJUT
Wim Wenders.

EISNER
Fritz Lang.

GODARD PAR GODARD
Les Années Cahiers.
Les Années Karina.
Des années Mao aux années 80.

PASOLINI
Écrits corsaires.

RENOIR
Ma vie et mes films.

ROHMER
Le Goût de la beauté.

ROSSELLINI
Le Cinéma révélé.

SCHIFANO
Luchino Visconti. Les feux de la passion.

TRUFFAUT
Le Plaisir des yeux.